LA DOUBLE ASTROLOGIE

DU MÊME AUTEUR

L'ASTROLOGIE CHINOISE (Tchou)

SUZANNE WHITE

LA DOUBLE ASTROLOGIE

Traduit de l'anglais par Simone Hilling

ÉDITIONS ROBERT LAFFONT
PARIS

ISBN 2-221-04620-X

Pour mes filles et complices, Autumn et Daisy White, dont la bonté et l'amour ne cessent de m'inspirer.
Je remercie aussi ma mère, Elva Louise McMullen, qui a été la première à me laisser tranquille pour écrire.
Merci beaucoup à mes lecteurs fidèles qui ont si patiemment attendu ce livre.
Un grand MERCI à tous mes amis loyaux qui sont restés près de moi malgré tout, qui m'ont prêté secours dans les pires moments.
Merci à Guy Dayras.
Et enfin, merci à ceux qui m'ont aidée à mener à bien cette entreprise, à Linda Healey mon aide infatigable qui a su me faire rire aux larmes, à Simone Hilling qui a traduit mes pensées rocambolesques et à Robert Laffont, mon éditeur, qui a cru en ce projet lorsque j'en avais le plus besoin et qui m'a encouragée même parfois en dépit du bon sens.

« A chances égales, il faut agir selon l'impulsion de son vrai caractère. »

George Sand, *Histoire de ma vie*, vol. 1.

Ce livre appartient à...
né(e) le...
du Double Signe... à...

SOMMAIRE

INTRODUCTION

POURQUOI MOI ?

Il y a quelques années, je quittai Paris, France, pour aller vivre dans les espaces mythiques de Long Island, New York, U.S.A. J'avais 38 ans. Peut-être pensais-je que j'avais assez longtemps langui à Paris. Trop longtemps, en fait. Mes filles parlaient l'anglais avec l'accent français. Vérandas et milk-shakes me manquaient. Elles me dirent que « The Hampton » était l'endroit « in » pour un écrivain. Il se trouve qu'avec beaucoup de travail et une chance assez remarquable, j'avais écrit deux livres à succès. Noblesse oblige. J'allais directement m'installer à « The Hampton » où vivaient les *vrais* écrivains.

Je croyais sincèrement que j'étais « arrivée ». Mes filles étaient joyeuses et équilibrées. Leur accent français disparut du jour au lendemain. Les rues offraient des milk-shakes à foison. Je n'avais pas encore écrit un best-seller, mais ça pouvait attendre. Je venais de m'amouracher d'un merveilleux tennisman professionnel.

On était en juin. Les plages interminables de Long Island avec leurs maisons sur pilotis dans les dunes et leurs vastes étendues de sable blanc déjà nous faisaient signe, nous promettant un été riche de corps dorés et d'estivants new-yorkais. Ma nouvelle maison, reproduction pittoresque de la « boîte à sel » des pionniers du XVIIe siècle, rassemblait tous mes rêves en un cottage douillet : deux cheminées, une cuisine flambant neuve, un bureau pour maman (moi) et une adorable chambre sous les combles pour chacune des deux plus jolies fillettes nouvelles venues en ville, Daisy et Autumn White. Naturellement, il y avait une véranda.

Après toutes ces années difficiles où j'avais essayé de me faire publier, je croyais vraiment que j'étais « arrivée ». Ma vie était si pleine que j'avais à peine remarqué ma maigreur squelettique. Au cours des deux derniers mois, j'avais régulièrement fait du jogging, remué des meubles, suspendu tableaux et rideaux. Je devais penser que c'était normal d'avoir un peu maigri. « On ne peut jamais être trop mince ou trop riche », disais-je à mon grand gaillard d'amoureux, si sûre de moi, si crâne... jusqu'au jour où, assise dans ma belle baignoire beige, j'examinai mon sein droit et y remarquai une boule de la taille de mon ongle. A partir de ce jour, le beau soleil de juin ne cessa de pleurer sur le grain satiné de mon beau parquet de chêne. La fête était finie.

C'était sérieux. Cette fois, je ne pouvais me permettre de traîner comme une âme en peine, cherchant la solution dans les yeux de quelque vieux sage qui me conseillerait peut-être de changer de métier. On ne va pas consulter un astrologue pour un nodule au sein. J'allai donc à l'hôpital où l'on procéda à l'ablation du sein. Puis je passai douze mois allongée, mourant à petit feu sous l'influence débilitante du traitement chimiothérapique. Je perdis ma jolie maison et mon tennis-man. Et, trop malade pour m'occuper d'elles, je perdis même mes filles pendant quelques mois, qu'elles passèrent dans une lointaine pension.

A la fin de cette épreuve physique et mentale, non seulement j'avais le moral au-dessous de zéro, mais quelque chose en moi criait : « DANGER ! » Partout où se portait mon regard, je voyais les « effets secondaires » des drogues meurtrières. L'arthrite avait envahi toutes mes articulations. Ma belle crinière noire m'avait abandonnée. Incapable de rien garder dans l'estomac pendant plus d'un an, à part les féculents et les sucres, j'avais grossi de vingt kilos. Mes dents se déchaussaient. Je sus ce que c'était que de se sentir vieille.

Néanmoins, dès que mes deux bras furent libérés de leurs goutte-à-goutte respectifs, je pris une de mes filles sous chacun d'eux, empruntai l'argent du voyage et retournai à Paris, que j'avais quitté quatre ans plus tôt, si naïvement enthousiaste. Avant d'arriver chez moi, je fis arrêter le taxi pour aller embrasser le lion de Denfert-Rochereau. Les petites grignotaient pensivement des petits pains au chocolat.

Quel rapport avec la DOUBLE ASTROLOGIE ? Eh bien, quand on est malade, on a tendance à beaucoup ruminer, à penser à la mort. Tôt ou tard, on remarque qu'on a ce qu'on appelle « du temps devant soi ». S'il ne me restait que quelques mois à vivre, pourquoi les gaspiller en méditation sur les vers de terre, les urnes funéraires et les pierres tombales ?

Mais je me rongeais quand même. J'étais effrayée et inquiète, et pas même certaine de vivre assez longtemps pour voir mes enfants grandir. J'avais perdu mon punch, mes forces, mes rêves s'étaient fracassés sur l'impitoyable écueil de la vérité. Les médecins m'assuraient qu'avec un peu de chance et beaucoup de patience, tout irait bien. J'avais fait tout ce que je pouvais pour vaincre la maladie. Ma convalescence se passait bien.

Mais j'avais le cœur brisé. J'avais perdu tout ce que j'avais construit.

Même si le cancer ne m'avait pas tuée, il avait ruiné ma vie. Qu'est-ce que j'allais faire ? Hou-hou. « Eh bien, tu ne peux sûrement pas te faire strip-teaseuse ou modèle nu pour *Playboy* », me dit mon amie Kathryn, mon Lion/Singe préféré. « Alors, tu ferais aussi bien d'écrire un autre livre. »

« Mais je ne fais plus que pleurer », répondis-je d'une voix larmoyante.

« Eh bien, quand tu arrêteras de pleurer, tu écriras un autre bouquin », rétorqua-t-elle du tac au tac.

Ainsi, lentement, péniblement, je me mis en devoir d'arrêter mes marathons lacrymaux. Comme Kathryn le Lion/Singe avait toujours été ma grande solutionneuse de problèmes, je me dis qu'elle avait raison. Si j'arrivais à ne plus pleurer, je pourrais écrire un autre livre. Heureusement, vers cette époque, vint à mon aide un étrange phénomène que je n'avais absolument pas prévu. On appelle cela *Courrier des admirateurs*. Oui. Quand je rentrai en France, je découvris que mon premier livre, *L'Astrologie chinoise*, traduit en français pendant mon absence, se vendait comme des petits pains. Mon éditeur m'envoya des tonnes de lettres. Et à mesure que les ventes augmentaient, les lettres se multipliaient.

Naturellement, certains de mes lecteurs désiraient simplement savoir s'ils pouvaient épouser la femme ou le mari de leur meilleur(e) ami(e). Mais la plupart cherchaient sincèrement à obtenir davantage d'informations sur eux et leur signe, leur mari ou femme, leurs cousins et enfants, leurs tantes et animaux, leurs patrons et amis. « Si je suis Taureau de 1928, comment se fait-il que j'aie tant de mal à m'entendre avec mon gendre, Gémeaux de 1952 ? »

Souvent, je répondais : « Eh bien, madame, pour commencer, vous et votre gendre vous êtes tous les deux des Dragons. Les Dragons aiment avoir la vedette. De plus, en tant que Taureau, vous êtes possessive et pas trop rapide. Votre gendre, le Gémeaux, vous semble écervelé. Vous trouvez sa roublardise insupportable. Il trouve sans doute votre lenteur révoltante. L'harmonie entre Taureau et Gémeaux — Dragons de surcroît ! — n'est jamais parfaite. Je suggère que l'un de vous deux déménage. »

Ainsi, grâce aux questions de mes lecteurs, je ne cessais d'écrire sur la DOUBLE ASTROLOGIE. Et peu à peu, sans y penser, j'avais arrêté de pleurer. Il était temps d'écrire un autre livre.

QU'EST-CE QUE LA DOUBLE ASTROLOGIE ?

La DOUBLE ASTROLOGIE compare les signes astrologiques occidentaux aux signes chinois et aboutit à des signes DOUBLES. Si vous êtes Sagittaire né en 1949, vous êtes Sagittaire/Bœuf. Simple. Prenez votre signe familier, joignez-y le signe animal de votre année de naissance, et vous avez votre DOUBLE signe.

Tout le monde a une double nature. Certains sont naturellement cupides et thésauriseurs. Mais, surprise ! Ces mêmes personnes peuvent être d'une générosité sentimentale débordante, répandant autour d'elles réconfort et affection comme le Père Noël dans sa tournée de cadeaux. Les gens sont compliqués. Leur comportement contradictoire nous déconcerte. Nos propres ambivalences nous déroutent. Comment se fait-il que vous vous entendiez avec Jack que vous aimez beaucoup, alors qu'en fait il vous tape sur les nerfs ? Jack a une personnalité abrasive, vous le savez. Mais vous ne pouvez vous empêcher de l'aimer. Il vous fascine. Pourquoi ? C'est un dilemme. Qui comporte une solution.

Pour mieux comprendre votre attirance pour la personnalité difficile de Jack, pour mieux percer par vous-même les ombres de votre âme, sans l'aide d'un psychiatre ou d'un psychanalyste, tout ce que vous avez à faire, c'est de lire la DOUBLE ASTROLOGIE, l'appliquer à votre vie quotidienne, et tout s'éclaircira.

Je vous entends d'ici. Suzanne White est-elle devenue folle ? Pour qui se prend-elle, de comparer l'astrologie à une science ou à une religion ? Qu'est-ce qu'elle essaye de nous faire avaler ? Qu'est-ce que ces balivernes qu'elle veut nous faire croire ? Suzanne White, c'est une hippy débile ? C'est de la blague. Ne croyez pas ces foutaises. C'est dingue. Ce n'est pas reconnu par l'Education nationale, la Sécurité sociale ou le Vatican. Attention, cher lecteur. Une sorcière est parmi nous, une tentatrice qui s'efforcera de fausser et déformer votre esprit non prévenu par ses sortilèges. L'astrologie, c'est du blabla, un point c'est tout !

D'accord, Rabat-joie. Tu as raison. L'astrologie, ça ne fait pas sérieux. Et maintenant, on peut continuer ?

COMMENT FONCTIONNE LA DOUBLE ASTROLOGIE ?

La DOUBLE ASTROLOGIE veut nous aider à comprendre le comportement humain par le « mariage » des astrologies occidentale et orientale.

Les Chinois ne divisent pas le temps comme nous autres Occidentaux. Alors que nous avons des siècles de cent années, les Chinois ont des cycles de 60 ans. Nous divisons nos siècles en dix décennies. Les Chinois divisent leurs soixante ans en périodes de douze ans.

En Occident, nous divisons notre année en 12 mois. Chaque mois de 28 à 31 jours a son nom astrologique distinctif. Chaque année, notre cycle recommence. En Orient, chaque année a son nom astrologique. A la fin de chaque période de 12 ans, le cycle recommence.

Les 12 mois occidentaux sont chacun attribués à un signe qui tire son nom d'une constellation : Bélier, Taureau, Gémeaux, Cancer, Lion, Vierge, Balance, Scorpion, Sagittaire, Capricorne, Verseau, Poissons.

Les 12 années du cycle oriental portent chacune le nom d'un animal : Rat, Bœuf, Tigre, Chat, Dragon, Serpent, Cheval, Chèvre, Singe, Coq, Chien, Cochon.

Dans les deux cas, le nom du signe astrologique se réfère au caractère des personnes nées sous son influence.

Ainsi, tout le monde a non pas un, mais DEUX signes principaux : un signe occidental de « mois », et un signe oriental d' « année ». Ils sont complémentaires. Considérés ensemble, ils nous en apprennent plus sur un individu donné que chacun d'eux considéré isolément.

En DOUBLE ASTROLOGIE, une personne née sous le signe du Bélier dans une année du Cheval est un Bélier/Cheval. Et comme vous le verrez bientôt, un Bélier/Cheval n'est pas la même chose qu'un Bélier/Chèvre ou un Bélier/Tigre.

La DOUBLE ASTROLOGIE comporte 144 signes. Chacun est la combinaison d'un signe occidental et d'un signe oriental. L'objectif de ce livre, c'est d'affiner notre compréhension de la nature humaine. Grâce à la DOUBLE ASTROLOGIE, nous pouvons apprendre à mieux nous entendre avec notre famille et nos amis. Nous découvrons pourquoi nous ne sommes pas en harmonie avec certaines personnes. Nous apprenons à mieux connaître et nous-même et les autres.

LES ÉLÉMENTS

L'ASTROLOGIE OCCIDENTALE utilise quatre éléments : Feu, Air, Terre Eau. Chaque signe de l'astrologie occidentale est régi par l'un de ces quatre éléments.

FEU   : Bélier, Lion, Sagittaire.
           Les signes de FEU se caractérisent par le Mouvement, l'Obsession, l'Energie.

AIR : Gémeaux, Balance, Verseau.
Les signes d'AIR se caractérisent par la Réceptivité, l'Intellect, l'Aspiration.
TERRE : Taureau, Vierge, Capricorne.
Les signes de TERRE se caractérisent par la Fonction, le Pratique, la Solidité.
EAU : Cancer, Scorpion, Poissons.
Les signes d'EAU se caractérisent par l'Emotion, la Compassion, la Perception.

L'ASTROLOGIE CHINOISE utilise cinq éléments : Métal, Eau, Bois, Feu et Terre. Quatre seulement régissent les signes animaux. Les cinq éléments sont utilisés ailleurs en Astrologie chinoise, mais les quatre suivants nous suffiront en DOUBLE ASTROLOGIE :

MÉTAL · *Métal positif :* Singe, Chien
Métal négatif : Coq, Cochon
EAU : *Eau positive :* Rat
Eau négative : Bœuf
BOIS : *Bois positif :* Tigre, Dragon
Bois négatif : Chat
FEU : *Feu positif :* Cheval
Feu négatif : Serpent, Chèvre.

LES PLANÈTES

Le BÉLIER est gouverné par *MARS* qui symbolise : Impulsion, Action, Bravoure.

Le TAUREAU est gouverné par *VÉNUS* qui symbolise : Acceptation, Vanité, Amour.

Les GÉMEAUX sont gouvernés par *MERCURE* qui symbolise : Intellect, Changement, Adaptabilité.

Le CANCER est gouverné par la *LUNE* qui symbolise : Réceptivité, Emotion, Viscères.

Le LION est gouverné par le *SOLEIL* qui symbolise : Assurance, Volonté, Majesté.

La VIERGE est gouvernée par *MERCURE* qui symbolise : Analyse, Logique, Concentration.

La BALANCE est gouvernée par *VÉNUS* qui symbolise : Sociabilité, Persuasion, Luxe.

Le SCORPION est gouverné par *MARS* et *PLUTON* qui symbolisent : Courage, Création, Passion.

Le SAGITTAIRE est gouverné par *JUPITER* qui symbolise : Expansion, Vision, Justice.

Le CAPRICORNE est gouverné par *SATURNE* qui symbolise : Solitude, Rigidité, Ambition.

Le VERSEAU est gouverné par *SATURNE* et *URANUS* qui symbolisent : Individualité, Conscience cosmique, Obligation.

Les POISSONS sont gouvernés par *NEPTUNE* et *JUPITER* qui symbolisent : Enigme, Inspiration, Compassion.

L'ASTROLOGIE CHINOISE ne prend pas en compte les corps célestes. Les astrologues chinois recherchent les influences dans la nature, ils consultent les changements climatiques, les effets sur la terre des saisons ou de la lune.

QUALITÉS

L'*ASTROLOGIE OCCIDENTALE* divise les signes en trois catégories qu'elle qualifie d'un terme différent : Cardinal, Fixe, Mutable.

CARDINAL : Bélier, Cancer, Balance, Capricorne — Dynamique, Autoritaire, Actif, Energique.

FIXE : Taureau, Scorpion, Lion, Verseau — Concret, Limité, Résolu, Consciencieux.

MUTABLE : Gémeaux, Vierge, Sagittaire, Poissons — Mouvant, Adaptable, Harmonisateur, Eclectique.

LE YIN ET LE YANG
SONT-ILS AUSSI DES QUALITÉS ?

Oui. Dans l'ASTROLOGIE CHINOISE, le YIN et le YANG sont des qualités. Mais le YIN et le YANG sont beaucoup plus puissants que nos qualités parce que ce sont les deux forces majeures et uniques de l'univers philosophique chinois. Pour les Chinois, tout ce qui se trouve dans l'univers est soit YIN soit YANG. Tout. Les tables. Les chaises. Les ampoules, les cousins, les oncles, les tantes et les éviers de cuisine !

En un sens, on pourrait comparer le YIN et le YANG à l'existence dans certaines langues d'un « masculin » et d'un « féminin », s'appliquant à des objets inanimés et à des noms abstraits. En français, table est féminin, de même que bûche et chaussure. Les parcs sont masculins, les lacs également. Les pieds aussi, de même que les yeux et les fronts. Mais bouche et dent sont féminins. Souci est masculin. De même que commérage, rouge à lèvres et collant.

Bien que nous soyons tentés de rechercher une signification sexuelle dans l'application des genres aux noms, il n'y en a pas. C'est pourquoi il est si difficile de se souvenir du genre d'un nom quand on passe d'une langue à une autre. Le genre d'un nom est-il donc totalement arbitraire ? Eh bien, cela doit bien venir de quelque part. Mais personne n'en sait exactement le quand, le comment ni le pourquoi.

Les genres n'existent pas dans la langue chinoise. Mais, sans dire quand, comment, ni pourquoi, les philosophes chinois sentent si une chose, une personne ou une idée est YIN ou YANG. C'est comme ça. C'est connu. Le YIN s'enracine dans le soleil. Son objectif est l'ombre. Le YANG s'enracine dans la Terre. Son objectif est la lumière.

Comme toute autre chose, chaque signe animal chinois est soit YIN soit YANG.

YIN : Rat, Bœuf, Chat, Singe, Chien, Cochon.
YANG : Tigre, Dragon, Serpent, Cheval, Chèvre, Coq.

QU'EST-CE QUE CELA SIGNIFIE ?
QU'EST-CE QUE LE YIN ? QU'EST-CE QUE LE YANG ?

Pour être franche, je ne sais pas exactement moi-même ce qu'est le YIN ou le YANG. J'ai lu des tas de livres sur le sujet. Mais le concept n'est pas facile à saisir pour ma petite tête logique d'Occidentale. La philosophie chinoise est compliquée, même pour les Chinois ! Je serai brève.

QU'EST-CE QUE LE YIN ?

Les Chinois disent que les individus YIN s'intéressent principalement à ce qui arrive aux collectivités. Ils s'occupent souvent d'organiser des festivités collectives ou communales. Ils sont attirés par la politique. Ils ont de l'assurance. Ils ne font confiance à personne. Ils ont besoin de remporter des succès pour survivre. Ils idolâtrent l'efficacité. Ils sont toujours à la poursuite du bien-être pour eux-mêmes et pour ceux qu'ils aiment. Ils jouissent d'une bonne santé et d'une longue vie, mais sont prédisposés aux accidents. Ils sourient peu. Ils s'habillent classique. Ils ne sont pas enclins à la spiritualité. Ils aiment leur famille. Ils sont matérialistes.

A la façon dont je vois les choses, l'individu YIN est ouvert, civilisé, et s'intéresse au bien des autres. Le YIN aime les réunions, les soirées, les réceptions, les fêtes, les vacances, le sexe et tout ce qui promet joyeuse compagnie. Le YIN n'est pas « féminin ». Mais on dit parfois qu'il est subjectif. Le YIN est actif dans le monde. Orienté sur les autres. Public. Il est différent du YANG et lui est égal.

QU'EST-CE QUE LE YANG ?

Les Chinois disent que les individus YANG sont des solitaires. Ils sont individualistes. Ils sont méditatifs. Ils sont enclins à la spiritualité. Ils sourient beaucoup. Ils n'ont pas le sens du groupe ou de la famille. Ils ont une santé délicate. Ils s'habillent de façon tapageuse. Ils fuient la hiérarchie. Ils adorent la nature. Ils ne sont pas matérialistes. Leur seul but dans la vie, c'est leur évolution personnelle. Ils sont objectifs. Ils ne sont pas bavards.

D'après moi, l'individu YANG est fermé, peu sociable, réservé. Le YANG aime les livres, la musique, le jardinage, les longues promenades et tout ce qui le rapproche de la nature. Le YANG est solitaire, égocentriste. L'équilibre du YANG vient de l'intérieur.

ET LES ASCENDANTS ?
QU'EST-CE QU'UN ASCENDANT ?

En ASTROLOGIE OCCIDENTALE, tout le monde a un ASCENDANT. C'est le signe secondaire que l'on détermine en calculant quelle planète se levait à l'horizon au moment de la naissance. On dit que l'ASCENDANT influence la nature intérieure du sujet. Autrement dit, une pacifique Balance ayant l'ascendant au Lion sera plus majestueuse, volontaire et bienveillante qu'une Balance ayant le sadique Scorpion à l'ascendant.

Comme la DOUBLE ASTROLOGIE comporte déjà 144 signes, nous ne pouvons tenir compte des ascendants. Faites le compte. Vous verrez que pour inclure les ascendants dans notre étude, notre livre devrait peser autant que votre beau-frère.

Ainsi, la DOUBLE ASTROLOGIE est simplement le « mariage » de l'ASTROLOGIE OCCIDENTALE avec l'ASTROLOGIE CHINOISE. Lisez. Vous conviendrez, j'en suis sûre, qu'elles forment un couple charmant.

POURQUOI LA DOUBLE ASTROLOGIE ?

Comme vous l'avez sans doute compris, j'ADORE l'astrologie. Surtout la DOUBLE ASTROLOGIE. En fait, mon sujet m'inspire un enthousiasme si enfantin que, rencontrant quelqu'un pour la première fois, il se passe à peine quelques minutes avant que me saisisse le désir irrépressible de m'introduire dans le secret de sa destinée. Je me surprends sans cesse à demander tout à trac à des inconnus sans défiance : « De quel signe êtes-vous ? » Généralement, on me répond. Sans problème. « Je suis Verseau. » J'arbore un sourire le plus entendu. Ici, les choses se compliquent. « En quelle année êtes-vous né ? » demandé-je toujours dans la foulée. Là, les réponses varient.

Certaines personnes désirent cacher leur âge. Rien à redire à ça. Il ne me reste plus qu'à les aider. Je leur assure que je ne me soucie pas de leur âge. (Ça se voit toujours, n'est-ce pas ?) Je les endors avec le discours rituel suivant lequel « chaque âge est le plus bel âge », j'admire leurs tempes grisonnantes, et m'extasie sur les bienfaits de la sagesse et les avantages de l'expérience, sur l'inexpérience de la jeunesse. Ça ne prend pas plus de quelques secondes. « Eh bien, je suis né en 1903 », finit-on par avouer. Ici, mon rôle consiste à feindre la stupéfaction en m'exclamant : « Mon Dieu, comme vous faites jeune pour votre âge ! » Et voilà pour l'interrogatoire de *ce* genre de personnes.

Il est une autre façon d'éluder la réponse à la question : « De quel signe êtes-vous ? » Disons que je demande à une jeune personne rencontrée dans un cocktail : « Quel est votre signe astrologique ? » Elle n'est pas trop sûre. « Je crois que je suis Taureau », répond-elle avec quelque embarras. « Et en quelle année êtes-vous née ? » « Taureau », répète-t-elle. « Je suis Taureau. » « Mais l'année ? En quelle *année* êtes-vous née ? » Elle sourit et dit avec plus d'emphase que précédemment : « Je suis Taureau. » Manifestement, cette jeune femme n'a pas une connaissance approfondie de l'une ou l'autre astrologie. Pour elle, être Taureau, ça dit tout. Naturellement, quand je lui parle de la DOUBLE ASTROLOGIE et de tous ses usages, sa langue se délie et elle me dit tout ce que j'ai besoin de savoir. Si vous leur en donnez l'occasion, les gens s'intéressent étonnamment à eux-mêmes.

En la situation actuelle, l'ennui c'est que, si je rencontre sur la plage ou dans l'ascenseur quelqu'un sur qui je voudrais bien en savoir plus, il me faut attendre de rentrer chez moi pour consulter dix ou douze gros bouquins d'astrologie avant d'avoir quelques réponses. C'est, au mieux, très incommode pour une consultation astrologique « express ». J'ai souvent pensé qu'il serait beaucoup plus pratique de posséder un seul livre, condensé des dix ou douze gros tomes que je conserve à la maison, plus le résumé de mes propres déductions et tables de références, et que j'emporterais partout avec moi. Pour moi, la DOUBLE ASTROLOGIE, c'est ce livre — et bien davantage !

COMMENT S'EN SERVIR

En fait, les tableaux 1, 2 et 3 (voir ci-après) font de la DOUBLE ASTROLOGIE *votre* guide personnel portatif. Ecrivez directement sur votre livre. Je vous conseille de commencer au crayon, quitte à repasser à l'encre quand vous serez sûr de vos informations.

1. Liste des références personnelles d'anniversaires (p. 25 et 26) :

Cette liste est un aide-mémoire pour les dates de naissance et les renseignements astrologiques de vos proches. Commencez par noter votre propre nom en haut ainsi que le jour, le mois, l'année et le lieu de votre naissance. Vous avez maintenant tous les renseignements utiles pour faire dresser votre thème si vous le souhaitez. Continuez avec tous les gens que vous connaissez. Comme ça vous n'aurez pas besoin d'appeler votre tante au fin fond de l'Auvergne pour savoir quand est né votre cousin préféré. Et jamais plus vous n'oublierez un anniversaire.

2. Tableau personnel de la DOUBLE ASTROLOGIE [1] (encart recto, espaces vierges) :

Inscrivez votre nom dans la case correspondant à votre signe double. Les signes chinois se lisent à la verticale et ceux du zodiaque à l'horizontale. Notez les noms des personnes de votre famille, vos amis, vos associés, etc. Ecrivez petit pour pouvoir mettre le plus de noms possible. N'oubliez pas vos ennemis ! Au fur et à mesure que le tableau se remplit, vous comprendrez par exemple pourquoi votre belle-sœur est si enquiquinante et comment vous situer par rapport à votre entourage. Essayez ! Vous verrez que la DOUBLE ASTROLOGIE est à la fois très informative et très amusante. Quand vous aurez noté les noms de tous ceux que vous connaissez, ce livre sera vraiment à vous. Emportez-le en vacances, au bureau, dans vos voyages d'affaires et même en pique-nique.

---

1. Les tableaux 2 et 3 se trouvent encartés dans votre ouvrage.

3. Tableau des affinités et des divergences (encart verso) :

D'un seul coup d'œil vous verrez ici avec qui vous risquez de vous entendre et avec qui ça peut poser des problèmes. La DOUBLE ASTROLOGIE vous aidera à juger du caractère des personnes que vous côtoyez. Faut-il répondre aux avances de ce beau jeune homme qui vous aborde à Acapulco ou serait-il plus sage d'en rester là? Au bureau, peut-on faire confiance à cette jolie blonde? Trouvez son double signe, portez son nom dans le tableau et vous verrez à qui elle ressemble. Grâce à la DOUBLE ASTROLOGIE vous saurez tout de suite si la personne que vous rencontrez est votre type ou non. La DOUBLE ASTROLOGIE sera pour vous une aide précieuse et constante dans ce monde où vivre est toute une aventure. Ne prêtez votre livre à personne et ne partez jamais sans lui.

1. RÉFÉRENCES PERSONNELLES D'ANNIVERSAIRES

Nom	Jour	Mois	Année	Lieu

1. RÉFÉRENCES PERSONNELLES D'ANNIVERSAIRES

Nom	Jour	Mois	Année	Lieu

TABLE DE RÉFÉRENCE
DE L'ASTROLOGIE OCCIDENTALE

Une année astrologique occidentale comporte douze signes. Chaque signe dure environ un mois. Ils apparaissent dans l'ordre suivant :

1) BÉLIER	21 mars au 20 avril
2) TAUREAU.........	21 avril au 21 mai
3) GÉMEAUX	22 mai au 21 juin
4) CANCER	22 juin au 23 juillet
5) LION..............	24 juillet au 23 août
6) VIERGE	24 août au 23 septembre
7) BALANCE	24 septembre au 23 octobre
8) SCORPION	24 octobre au 22 novembre
9) SAGITTAIRE	23 novembre au 21 décembre
10) CAPRICORNE	22 décembre au 20 janvier
11) VERSEAU	21 janvier au 19 février
12) POISSONS........	20 février au 20 mars

TABLE DE RÉFÉRENCE HISTORIQUE
DE L'HOROSCOPE CHINOIS

Pour connaître le signe en DOUBLE ASTROLOGIE de certaines personnes âgées de notre connaissance, ou de personnages historiques, il nous faut connaître leur date de naissance. On détermine facilement qu'un homme né le 15 avril 1776 est du Bélier. Il y a douze signes en astrologie occidentale et autant de mois dans l'année. Mais pour trouver le signe chinois de cette personne, il nous faut calculer, en remontant dans le temps, quel animal régissait l'année de sa naissance. Après avoir lu l'ASTROLOGIE CHINOISE, bien des lecteurs m'écrivirent pour me demander de quel signe chinois pouvait bien être leur grand-père né en 1856. Me lassant de remonter le temps à chaque fois, je finis par établir les tables suivantes, de nos jours à 1516. Si vous vous intéressez à l'histoire et désirez en savoir plus sur certains personnages célèbres, au lieu de sortir crayon et papier pour calculer leur signe à partir de 1516, ouvrez simplement votre livre et consultez ces tables.

TABLE DE RÉFÉRENCE HISTORIQUE
DU CALENDRIER CORRESPONDANT

Année	*Signe*	*Nouvel An*	*Fin d'année*
1516	RAT	03/02/1516	21/01/1517
1517	BŒUF	22/01/1517	09/02/1518
1518	TIGRE	10/02/1518	30/01/1519
1519	CHAT	31/01/1519	19/01/1520
1520	DRAGON	20/01/1520	06/02/1521
1521	SERPENT	07/02/1521	27/01/1522
1522	CHEVAL	28/01/1522	16/01/1523
1523	CHÈVRE	17/01/1523	03/02/1524
1524	SINGE	04/02/1524	22/01/1525
1525	COQ	23/01/1525	10/02/1526
1526	CHIEN	11/02/1526	31/01/1527
1527	COCHON	01/02/1527	21/01/1528
1528	RAT	22/01/1528	08/02/1529
1529	BŒUF	09/02/1529	28/01/1530
1530	TIGRE	29/01/1530	17/01/1531
1531	CHAT	18/01/1531	05/02/1532
1532	DRAGON	06/02/1532	24/01/1533
1533	SERPENT	25/01/1533	13/01/1534
1534	CHEVAL	14/01/1534	01/02/1535
1535	CHÈVRE	02/02/1535	22/01/1536
1536	SINGE	23/01/1536	09/02/1537
1537	COQ	10/02/1537	30/01/1538
1538	CHIEN	31/01/1538	19/01/1539
1539	COCHON	20/01/1539	07/02/1540
1540	RAT	08/02/1540	26/01/1541
1541	BŒUF	27/01/1541	15/01/1542
1542	TIGRE	16/01/1542	02/02/1543
1543	CHAT	03/02/1543	23/01/1544
1544	DRAGON	24/01/1544	12/01/1545
1545	SERPENT	13/01/1545	31/01/1546
1546	CHEVAL	24/01/1546	21/01/1547
1547	CHÈVRE	22/01/1547	09/02/1548
1548	SINGE	10/02/1548	28/01/1549
1549	COQ	29/01/1549	17/01/1550
1550	CHIEN	18/01/1550	04/02/1551
1551	COCHON	05/02/1551	25/01/1552
1552	RAT	26/01/1552	13/01/1553
1553	BŒUF	14/01/1553	01/02/1554

Année	Signe	Nouvel An	Fin d'année
1554	TIGRE	02/02/1554	22/01/1555
1555	CHAT	23/01/1555	10/02/1556
1556	DRAGON	11/02/1556	29/01/1557
1557	SERPENT	30/01/1557	19/01/1558
1558	CHEVAL	20/01/1558	06/02/1559
1559	CHÈVRE	07/02/1559	26/01/1560
1560	SINGE	27/01/1560	15/01/1561
1561	COQ	16/01/1561	03/02/1562
1562	CHIEN	04/02/1562	23/01/1563
1563	COCHON	24/01/1563	13/01/1564
1564	RAT	14/01/1564	31/01/1565
1565	BŒUF	01/02/1565	20/01/1566
1566	TIGRE	21/01/1566	08/02/1567
1567	CHAT	09/02/1567	28/01/1568
1568	DRAGON	29/01/1568	16/01/1569
1569	SERPENT	17/01/1569	04/02/1570
1570	CHEVAL	05/02/1570	25/01/1571
1571	CHÈVRE	26/01/1571	14/01/1572
1572	SINGE	15/01/1572	01/02/1573
1573	COQ	02/02/1573	22/01/1574
1574	CHIEN	23/01/1574	10/02/1575
1575	COCHON	11/02/1575	30/01/1576
1576	RAT	31/01/1576	18/01/1577
1577	BŒUF	19/01/1577	06/02/1578
1578	TIGRE	07/02/1578	26/01/1579
1579	CHAT	27/01/1579	15/01/1580
1580	DRAGON	16/01/1580	03/02/1581
1581	SERPENT	04/02/1581	23/01/1582
1582	CHEVAL	24/01/1582	23/01/1583
1583	CHÈVRE	24/01/1583	11/02/1584
1584	SINGE	12/02/1584	30/01/1585
1585	COQ	31/01/1585	17/02/1586
1586	CHIEN	18/02/1586	06/02/1587
1587	COCHON	07/02/1587	27/01/1588
1588	RAT	28/01/1588	14/02/1589
1589	BŒUF	15/02/1589	04/02/1590
1590	TIGRE	05/02/1590	24/01/1591
1591	CHAT	25/01/1591	12/02/1592
1592	DRAGON	13/02/1592	31/01/1593
1593	SERPENT	01/02/1593	19/02/1594
1594	CHEVAL	20/02/1594	08/02/1595
1595	CHÈVRE	09/02/1595	28/01/1596
1596	SINGE	29/01/1596	15/02/1597

Année	Signe	Nouvel An	Fin d'année
1597	COQ	16/02/1597	05/02/1598
1598	CHIEN	06/02/1598	26/01/1599
1599	COCHON	27/01/1599	13/02/1600
1600	RAT	14/02/1600	02/02/1601
1601	BŒUF	03/02/1601	22/01/1602
1602	TIGRE	23/01/1602	10/02/1603
1603	CHAT	11/02/1603	30/01/1604
1604	DRAGON	31/01/1604	17/02/1605
1605	SERPENT	18/02/1605	06/02/1606
1606	CHEVAL	07/02/1606	27/01/1607
1607	CHÈVRE	28/01/1607	15/02/1608
1608	SINGE	16/02/1608	03/02/1609
1609	COQ	04/02/1609	24/01/1610
1610	CHIEN	25/01/1610	12/02/1611
1611	COCHON	13/02/1611	01/02/1612
1612	RAT	02/02/1612	18/02/1613
1613	BŒUF	19/02/1613	08/02/1614
1614	TIGRE	09/02/1614	28/01/1615
1615	CHAT	29/01/1615	16/02/1616
1616	DRAGON	17/02/1616	05/02/1617
1617	SERPENT	06/02/1617	25/01/1618
1618	CHEVAL	26/01/1618	13/02/1619
1619	CHÈVRE	14/02/1619	03/02/1620
1620	SINGE	04/02/1620	21/01/1621
1621	COQ	22/01/1621	09/02/1622
1622	CHIEN	10/02/1622	30/01/1623
1623	COCHON	31/01/1623	18/02/1624
1624	RAT	19/02/1624	06/02/1625
1625	BŒUF	07/02/1625	27/01/1626
1626	TIGRE	28/01/1626	15/02/1627
1627	CHAT	16/02/1627	04/02/1628
1628	DRAGON	05/02/1628	23/01/1629
1629	SERPENT	24/01/1629	11/02/1630
1630	CHEVAL	12/02/1630	31/01/1631
1631	CHÈVRE	01/02/1631	19/02/1632
1632	SINGE	20/02/1632	07/02/1633
1633	COQ	08/02/1633	28/01/1634
1634	CHIEN	29/01/1634	16/02/1635
1635	COCHON	17/02/1635	06/02/1636
1636	RAT	07/02/1636	25/01/1637
1637	BŒUF	26/01/1637	13/02/1638

Année	Signe	Nouvel An	Fin d'année
1638	TIGRE	14/02/1638	02/02/1639
1639	CHAT	03/02/1639	22/01/1640
1640	DRAGON	23/01/1640	09/02/1641
1641	SERPENT	10/02/1641	29/01/1642
1642	CHEVAL	30/01/1642	18/02/1643
1643	CHÈVRE	19/02/1643	07/02/1644
1644	SINGE	08/02/1644	27/01/1645
1645	COQ	28/01/1645	15/02/1646
1646	CHIEN	16/02/1646	04/02/1647
1647	COCHON	05/02/1647	24/01/1648
1648	RAT	25/01/1648	10/02/1649
1649	BŒUF	11/02/1649	31/01/1650
1650	TIGRE	01/02/1650	20/01/1651
1651	CHAT	21/01/1651	08/02/1652
1652	DRAGON	09/02/1652	28/01/1653
1653	SERPENT	29/01/1653	16/02/1654
1654	CHEVAL	17/02/1654	05/02/1655
1655	CHÈVRE	06/02/1655	25/01/1656
1656	SINGE	26/01/1656	12/02/1657
1657	COQ	13/02/1657	01/02/1658
1658	CHIEN	02/02/1658	22/01/1659
1659	COCHON	23/01/1659	10/02/1660
1660	RAT	11/02/1660	29/01/1661
1661	BŒUF	30/01/1661	17/02/1662
1662	TIGRE	18/02/1662	07/02/1663
1663	CHAT	08/02/1663	27/01/1664
1664	DRAGON	28/01/1664	14/02/1665
1665	SERPENT	15/02/1665	03/02/1666
1666	CHEVAL	04/02/1666	23/01/1667
1667	CHÈVRE	24/01/1667	11/02/1668
1668	SINGE	12/02/1668	31/01/1669
1669	COQ	01/02/1669	20/01/1670
1670	CHIEN	21/01/1670	08/02/1671
1671	COCHON	09/02/1671	29/01/1672
1672	RAT	30/01/1672	16/02/1673
1673	BŒUF	17/02/1673	05/02/1674
1674	TIGRE	06/02/1674	25/01/1675
1675	CHAT	26/01/1675	13/02/1676
1676	DRAGON	14/02/1676	01/02/1677
1677	SERPENT	02/02/1677	22/01/1678
1678	CHEVAL	23/01/1678	10/02/1679
1679	CHÈVRE	11/02/1679	30/01/1680
1680	SINGE	31/01/1680	17/02/1681

Année	Signe	Nouvel An	Fin d'année
1681	COQ	18/02/1681	06/02/1682
1682	CHIEN	07/02/1682	26/01/1683
1683	COCHON	27/01/1683	14/02/1684
1684	RAT	15/02/1684	02/02/1685
1685	BŒUF	03/02/1685	23/01/1686
1686	TIGRE	24/01/1686	11/02/1687
1687	CHAT	12/02/1687	01/02/1688
1688	DRAGON	02/02/1688	20/01/1689
1689	SERPENT	21/01/1689	08/02/1690
1690	CHEVAL	09/02/1690	28/01/1691
1691	CHÈVRE	29/01/1691	16/02/1692
1692	SINGE	17/02/1692	04/02/1693
1693	COQ	05/02/1693	24/01/1694
1694	CHIEN	25/01/1694	12/02/1695
1695	COCHON	13/02/1695	02/02/1696
1696	RAT	03/02/1696	22/01/1697
1697	BŒUF	23/01/1697	10/02/1698
1698	TIGRE	11/02/1698	30/01/1699
1699	CHAT	31/01/1699	18/02/1700
1700	DRAGON	19/02/1700	07/02/1701
1701	SERPENT	08/02/1701	27/01/1702
1702	CHEVAL	28/01/1702	15/02/1703
1703	CHÈVRE	16/02/1703	04/02/1704
1704	SINGE	05/02/1704	24/01/1705
1705	COQ	25/01/1705	12/02/1706
1706	CHIEN	13/02/1706	02/02/1707
1707	COCHON	03/02/1707	22/01/1708
1708	RAT	23/01/1708	09/02/1709
1709	BŒUF	10/02/1709	29/01/1710
1710	TIGRE	30/01/1710	16/02/1711
1711	CHAT	17/02/1711	06/02/1712
1712	DRAGON	07/02/1712	25/01/1713
1713	SERPENT	26/01/1713	13/02/1714
1714	CHEVAL	14/02/1714	03/02/1715
1715	CHÈVRE	04/02/1715	23/01/1716
1716	SINGE	24/01/1716	10/02/1717
1717	COQ	11/02/1717	30/01/1718
1718	CHIEN	31/01/1718	18/02/1719
1719	COCHON	19/02/1719	07/02/1720
1720	RAT	08/02/1720	27/01/1721
1721	BŒUF	28/01/1721	15/02/1722

Année	Signe	Nouvel An	Fin d'année
1722	TIGRE	16/02/1722	04/02/1723
1723	CHAT	05/02/1723	25/01/1724
1724	DRAGON	26/01/1724	12/02/1725
1725	SERPENT	13/02/1725	01/02/1726
1726	CHEVAL	02/02/1726	21/01/1727
1727	CHÈVRE	22/01/1727	09/02/1728
1728	SINGE	10/02/1728	28/01/1729
1729	COQ	29/01/1729	16/02/1730
1730	CHIEN	17/02/1730	06/02/1731
1731	COCHON	07/02/1731	26/01/1732
1732	RAT	27/01/1732	13/02/1733
1733	BŒUF	14/02/1733	03/02/1734
1734	TIGRE	04/02/1734	23/01/1735
1735	CHAT	24/01/1735	11/02/1736
1736	DRAGON	12/02/1736	30/01/1737
1737	SERPENT	31/01/1737	18/02/1738
1738	CHEVAL	19/02/1738	07/02/1739
1739	CHÈVRE	08/02/1739	29/01/1740
1740	SINGE	30/01/1740	15/02/1741
1741	COQ	16/02/1741	04/02/1742
1742	CHIEN	05/02/1742	25/01/1743
1743	COCHON	26/01/1743	12/02/1744
1744	RAT	13/02/1744	31/01/1745
1745	BŒUF	01/02/1745	21/01/1746
1746	TIGRE	22/01/1746	08/02/1747
1747	CHAT	09/02/1747	29/01/1748
1748	DRAGON	30/01/1748	16/02/1749
1749	SERPENT	17/02/1749	06/02/1750
1750	CHEVAL	07/02/1750	26/01/1751
1751	CHÈVRE	27/01/1751	14/02/1752
1752	SINGE	15/02/1752	02/02/1753
1753	COQ	03/02/1753	22/01/1754
1754	CHIEN	23/01/1754	10/02/1755
1755	COCHON	11/02/1755	30/01/1756
1756	RAT	31/01/1756	17/02/1757
1757	BŒUF	18/02/1757	07/02/1758
1758	TIGRE	08/02/1758	28/01/1759
1759	CHAT	29/01/1759	16/02/1760
1760	DRAGON	17/02/1760	04/02/1761
1761	SERPENT	05/02/1761	24/01/1762
1762	CHEVAL	25/01/1762	12/02/1763
1763	CHÈVRE	13/02/1763	01/02/1764
1764	SINGE	02/02/1764	20/01/1765

Année	Signe	Nouvel An	Fin d'année
1765	COQ	21/01/1765	08/02/1766
1766	CHIEN	09/02/1766	29/01/1767
1767	COCHON	30/01/1767	17/02/1768
1768	RAT	18/02/1768	06/02/1769
1769	BŒUF	07/02/1769	26/01/1770
1770	TIGRE	27/01/1770	14/02/1771
1771	CHAT	15/02/1771	03/02/1772
1772	DRAGON	04/02/1772	22/01/1773
1773	SERPENT	23/01/1773	10/02/1774
1774	CHEVAL	11/02/1774	30/01/1775
1775	CHÈVRE	31/01/1775	18/02/1776
1776	SINGE	19/02/1776	07/02/1777
1777	COQ	08/02/1777	27/01/1778
1778	CHIEN	27/01/1778	15/02/1779
1779	COCHON	16/02/1779	04/02/1780
1780	RAT	05/02/1780	23/01/1781
1781	BŒUF	24/01/1781	11/02/1782
1782	TIGRE	12/02/1782	01/02/1783
1783	CHAT	02/02/1783	21/01/1784
1784	DRAGON	22/01/1784	08/02/1785
1785	SERPENT	09/02/1785	29/01/1786
1786	CHEVAL	30/01/1786	17/02/1787
1787	CHÈVRE	18/02/1787	06/02/1788
1788	SINGE	07/02/1788	25/01/1789
1789	COQ	26/01/1789	13/02/1790
1790	CHIEN	14/02/1790	02/02/1791
1791	COCHON	03/02/1791	23/01/1792
1792	RAT	24/01/1792	10/02/1793
1793	BŒUF	11/02/1793	30/01/1794
1794	TIGRE	31/01/1794	20/01/1795
1795	CHAT	21/01/1795	08/02/1796
1796	DRAGON	09/02/1796	27/01/1797
1797	SERPENT	28/01/1797	15/02/1798
1798	CHEVAL	16/02/1798	04/02/1799
1799	CHÈVRE	05/02/1799	24/01/1800
1800	SINGE	25/01/1800	12/02/1801
1801	COQ	13/02/1801	02/02/1802
1802	CHIEN	03/02/1802	22/01/1803
1803	COCHON	23/01/1803	10/02/1804
1804	RAT	11/02/1804	30/01/1805
1805	BŒUF	31/01/1805	17/02/1806

Année	Signe	Nouvel An	Fin d'année
1806	TIGRE	18/02/1806	06/02/1807
1807	CHAT	07/02/1807	27/01/1808
1808	DRAGON	28/01/1808	13/02/1809
1809	SERPENT	14/02/1809	03/02/1810
1810	CHEVAL	04/02/1810	24/01/1811
1811	CHÈVRE	25/01/1811	12/02/1812
1812	SINGE	13/02/1812	31/01/1813
1813	COQ	01/02/1813	20/01/1814
1814	CHIEN	21/01/1814	08/02/1815
1815	COCHON	09/02/1815	28/01/1816
1816	RAT	29/01/1816	15/02/1817
1817	BŒUF	16/02/1817	04/02/1818
1818	TIGRE	05/02/1818	25/01/1819
1819	CHAT	26/01/1819	13/02/1820
1820	DRAGON	14/02/1820	02/02/1821
1821	SERPENT	03/02/1821	22/01/1822
1822	CHEVAL	23/01/1822	10/02/1823
1823	CHÈVRE	11/02/1823	30/01/1824
1824	SINGE	31/01/1824	17/02/1825
1825	COQ	18/02/1825	06/02/1826
1826	CHIEN	07/02/1826	26/01/1827
1827	COCHON	27/01/1827	14/02/1828
1828	RAT	15/02/1828	03/02/1829
1829	BŒUF	04/02/1829	24/01/1830
1830	TIGRE	25/01/1830	12/02/1831
1831	CHAT	13/02/1831	01/02/1832
1832	DRAGON	02/02/1832	19/02/1833
1833	SERPENT	20/02/1833	08/02/1834
1834	CHEVAL	09/02/1834	28/01/1835
1835	CHÈVRE	29/01/1835	16/02/1836
1836	SINGE	17/02/1836	04/02/1837
1837	COQ	05/02/1837	25/01/1838
1838	CHIEN	26/01/1838	13/02/1839
1839	COCHON	14/02/1839	02/02/1840
1840	RAT	03/02/1840	22/01/1841
1841	BŒUF	23/01/1841	09/02/1842
1842	TIGRE	10/02/1842	29/01/1843
1843	CHAT	30/01/1843	17/02/1844
1844	DRAGON	18/02/1844	06/02/1845
1845	SERPENT	07/02/1845	26/01/1846
1846	CHEVAL	27/01/1846	14/02/1847
1847	CHÈVRE	15/02/1847	04/02/1848
1848	SINGE	05/02/1848	23/01/1849

Année	Signe	Nouvel An	Fin d'année
1849	COQ	24/01/1849	11/02/1850
1850	CHIEN	12/02/1850	31/01/1851
1851	COCHON	01/02/1851	19/02/1852
1852	RAT	20/02/1852	07/02/1853
1853	BŒUF	08/02/1853	28/01/1854
1854	TIGRE	29/01/1854	16/01/1855
1855	CHAT	17/01/1855	05/02/1856
1856	DRAGON	06/02/1856	25/01/1857
1857	SERPENT	26/01/1857	13/02/1858
1858	CHEVAL	14/01/1858	02/02/1859
1859	CHÈVRE	03/02/1859	22/01/1860
1860	SINGE	23/01/1860	09/02/1861
1861	COQ	10/02/1861	29/01/1862
1862	CHIEN	30/01/1862	17/02/1863
1863	COCHON	18/02/1863	07/02/1864
1864	RAT	08/02/1864	26/01/1865
1865	BŒUF	27/01/1865	14/02/1866
1866	TIGRE	15/02/1866	04/02/1867
1867	CHAT	05/02/1867	24/01/1868
1868	DRAGON	25/01/1868	10/02/1869
1869	SERPENT	11/02/1869	30/01/1870
1870	CHEVAL	31/01/1870	18/02/1871
1871	CHÈVRE	19/02/1871	08/02/1872
1872	SINGE	09/02/1872	28/01/1873
1873	COQ	29/01/1873	16/02/1874
1874	CHIEN	17/02/1874	05/02/1875
1875	COCHON	06/02/1875	25/01/1876
1876	RAT	26/01/1876	12/02/1877
1877	BŒUF	13/02/1877	01/02/1878
1878	TIGRE	02/02/1878	21/01/1879
1879	CHAT	22/01/1879	09/02/1880
1880	DRAGON	10/02/1880	29/01/1881
1881	SERPENT	30/01/1881	17/02/1882
1882	CHEVAL	18/02/1882	07/02/1883
1883	CHÈVRE	08/02/1883	27/01/1884
1884	SINGE	28/01/1884	14/02/1885
1885	COQ	15/02/1885	03/02/1886
1886	CHIEN	04/02/1886	23/01/1887
1887	COCHON	24/01/1887	11/02/1888
1888	RAT	12/02/1888	30/01/1889
1889	BŒUF	31/01/1889	20/01/1890
1890	TIGRE	21/01/1890	08/02/1891
1891	CHAT	09/02/1891	29/01/1892

Année	Signe	Nouvel An	Fin d'année
1892	DRAGON	30/01/1892	16/02/1893
1893	SERPENT	17/02/1893	05/02/1894
1894	CHEVAL	06/02/1894	25/01/1895
1895	CHÈVRE	26/01/1895	12/02/1896
1896	SINGE	13/02/1896	01/02/1897
1897	COQ	02/02/1897	21/01/1898
1898	CHIEN	22/01/1898	09/02/1899
1899	COCHON	10/02/1899	30/01/1900
1900	RAT	31/01/1900	18/02/1901
1901	BŒUF	19/02/1901	07/02/1902
1902	TIGRE	08/02/1902	28/01/1903
1903	CHAT	29/01/1903	15/02/1904
1904	DRAGON	16/02/1904.	03/02/1905
1905	SERPENT	04/02/1905	24/01/1906
1906	CHEVAL	25/01/1906	12/02/1907
1907	CHÈVRE	13/02/1907	01/02/1908
1908	SINGE	02/02/1908	21/01/1909
1909	COQ	22/01/1909	09/02/1910
1910	CHIEN	10/02/1910	29/01/1911
1911	COCHON	30/01/1911	17/02/1912
1912	RAT	18/02/1912	05/02/1913
1913	BŒUF	06/02/1913	25/01/1914
1914	TIGRE	26/01/1914	13/02/1915
1915	CHAT	14/02/1915	02/02/1916
1916	DRAGON	03/02/1916	22/01/1917
1917	SERPENT	23/01/1917	10/02/1918
1918	CHEVAL	11/02/1918	31/01/1919
1919	CHÈVRE	01/02/1919	19/02/1920
1920	SINGE	20/02/1920	07/02/1921
1921	COQ	08/02/1921	27/01/1922
1922	CHIEN	28/01/1922	15/02/1923
1923	COCHON	16/02/1923	04/02/1924
1924	RAT	05/02/1924	23/01/1925
1925	BŒUF	24/01/1925	12/02/1926
1926	TIGRE	13/02/1926	01/02/1927
1927	CHAT	02/02/1927	22/01/1928
1928	DRAGON	23/01/1928	09/02/1929
1929	SERPENT	10/02/1929	29/01/1930

Année	Signe	Nouvel An	Fin d'année
1930	CHEVAL	30/01/1930	16/02/1931
1931	CHÈVRE	17/02/1931	05/02/1932
1932	SINGE	06/02/1932	25/01/1933
1933	COQ	26/01/1933	13/02/1934
1934	CHIEN	14/02/1934	03/02/1935
1935	COCHON	04/02/1935	23/01/1936
1936	RAT	24/01/1936	10/02/1937
1937	BŒUF	11/02/1937	30/01/1938
1938	TIGRE	31/01/1938	18/02/1939
1939	CHAT	19/02/1939	07/02/1940
1940	DRAGON	08/02/1940	26/01/1941
1941	SERPENT	27/01/1941	14/02/1942
1942	CHEVAL	15/02/1942	04/02/1943
1943	CHÈVRE	05/02/1943	24/01/1944
1944	SINGE	25/01/1944	12/02/1945
1945	COQ	13/02/1945	01/02/1946
1946	CHIEN	02/02/1946	21/01/1947
1947	COCHON	22/01/1947	09/02/1948
1948	RAT	10/02/1948	28/01/1949
1949	BŒUF	29/01/1949	16/02/1950
1950	TIGRE	17/02/1950	05/02/1951
1951	CHAT	06/02/1951	26/01/1952
1952	DRAGON	27/01/1952	13/02/1953
1953	SERPENT	14/02/1953	02/02/1954
1954	CHEVAL	03/02/1954	23/01/1955
1955	CHÈVRE	24/01/1955	11/02/1956
1956	SINGE	12/02/1956	30/01/1957
1957	COQ	31/01/1957	17/02/1958
1958	CHIEN	18/02/1958	07/02/1959
1959	COCHON	08/02/1959	27/01/1960
1960	RAT	28/01/1960	14/02/1961
1961	BŒUF	15/02/1961	04/02/1962
1962	TIGRE	05/02/1962	24/01/1963
1963	CHAT	25/01/1963	12/02/1964
1964	DRAGON	13/02/1964	01/02/1965
1965	SERPENT	02/02/1965	20/01/1966
1966	CHEVAL	21/01/1966	08/02/1967
1967	CHÈVRE	09/02/1967	29/01/1968
1968	SINGE	30/01/1968	16/02/1969
1969	COQ	17/02/1969	05/02/1970
1970	CHIEN	06/02/1970	26/01/1971
1971	COCHON	27/01/1971	14/02/1972
1972	RAT	15/02/1972	02/02/1973

Année	Signe	Nouvel An	Fin d'année
1973	BŒUF	03/02/1973	22/01/1974
1974	TIGRE	23/01/1974	10/02/1975
1975	CHAT	11/02/1975	30/01/1976
1976	DRAGON	31/01/1976	17/02/1977
1977	SERPENT	18/02/1977	06/02/1978
1978	CHEVAL	07/02/1978	27/01/1979
1979	CHÈVRE	28/01/1979	15/02/1980
1980	SINGE	16/02/1980	04/02/1981
1981	COQ	05/02/1981	24/01/1982
1982	CHIEN	25/01/1982	12/02/1983
1983	COCHON	13/02/1983	01/02/1984
1984	RAT	02/02/1984	19/02/1985
1985	BŒUF	20/02/1985	08/02/1986
1986	TIGRE	09/02/1986	28/01/1987
1987	CHAT	29/01/1987	16/02/1988
1988	DRAGON	17/02/1988	05/02/1989
1989	SERPENT	06/02/1989	26/01/1990
1990	CHEVAL	27/01/1990	14/02/1991
1991	CHÈVRE	15/02/1991	03/02/1992
1992	SINGE	04/02/1992	22/01/1993
1993	COQ	23/01/1993	09/02/1994
1994	CHIEN	10/02/1994	30/01/1995
1995	COCHON	31/01/1995	18/02/1996
1996	RAT	19/02/1996	06/02/1997
1997	BŒUF	07/02/1997	27/01/1998
1998	TIGRE	28/01/1998	15/02/1999
1999	CHAT	16/02/1999	04/02/2000

BÉLIER

21 mars-20 avril

BÉLIER		RAT	
Brave	Naïf	Charmeur	Avide de pouvoir
Énergique	Ostentatoire	Influent	Verbeux
Cordial	Entêté	Économe	Nerveux
Affable	Excessif	Sociable	Rusé
Talentueux	Cagot	Cérébrale	Intrigant
Entreprenant	Dominateur	Charismatique	Ambitieux

Feu, Mars, Cardinal
« Je suis »

Eau positive, Yin
« Je dirige »

Qui est ce Bélier avec qui je vous ai vu l'autre jour ? Pas n'importe quel Bélier. C'est un Bélier/Rat, le plus intelligent, le plus finaud, le plus loquace de tous.

Les Rats sont sociables, les Bélier sont affables. Alliez les deux et vous obtenez une personnalité extraordinaire. Associez le charisme inimitable du Rat à l'assurance intrépide du Bélier et... voyez vous-même. Ce sujet est la vitalité incarnée.

La Vie du Bélier/Rat fourmille de plans et de projets. Sur le bureau de son cabinet de travail, voici les plans d'une nouvelle aile à ajouter à l'ancienne nouvelle aile de la maison, dessinés de main de maître par notre Bélier/Rat. A l'atelier, voici quatre maquettes de villages modèles que le Bélier/Rat a conçus et présentera à l'approbation du conseil municipal. En haut, près de son lit, repose un épais cahier contenant le premier roman du Bélier/Rat. En bas, le réfrigérateur de la cuisine déborde de plats cuisinés, soigneusement enveloppés, qui composeront les repas de toute la semaine. Impossible de suivre le rythme de ce sujet. N'essayez pas.

Mais ne restez pas assis à ne rien faire. Le Bélier/Rat ne tolère pas l'oisiveté chez les autres. Ils sont gentils et prêteront assistance à ceux qu'ils aiment dans leurs entreprises les plus diverses. Mais ils n'investiront ni leur temps ni leur argent dans un de vos projets si vous passez dix jours mollement étendu sur un canapé à regarder pousser vos ongles.

Les Bélier/Rats aiment la difficulté. Ils n'ont pas peur de partir seuls dans un froid pays étranger. Ils ouvriraient bien une affaire d'humidificateurs en Amazonie. Les Bélier/Rats inspirent confiance. Ils ne sont pas simplement bons vendeurs. Ils s'acquittent avec classe de tous les à-côtés de la vente : excellents repas d'affaires, cadeaux pour la femme du P.-D.G., champagne livré à votre hôtel, et caviar au petit déjeuner. Qui pourrait résister à tant de prévenances ?

Quant à la franchise, c'est une autre histoire. Malgré leur amabilité et leur charme, les Bélier/Rats sont un tantinet vieux jeu — surtout en ce qui concerne les membres de leur famille. Appelez ça hypocrisie si vous voulez. Ils peuvent apprécier une vie tumultueuse, pleine d'amants, de maîtresses et d'intrigues, mais ils préfèrent que leurs partenaires et leurs familles suivent le droit chemin jusqu'au bout. « Faites ce que je dis, ne faites pas ce que je fais. »

Le Bélier/Rat désire le pouvoir. Mais il n'a guère envie de supporter les inconvénients qu'implique la domination des autres. Il a le caractère d'un monarque légèrement naïf. Sa nature le pousse à gouverner. Mais gouverner, c'est jouer les méchants, les policiers, c'est imposer des lois et des règles. Dans l'ensemble, les gens n'aiment pas ceux qui les gouvernent. Et, bien que la situation le tente, le Bélier/Rat ne supporte pas qu'on le haïsse. La solitude du pouvoir tuerait le Bélier/Rat. S'il était Roi, ou si elle était Reine, avec qui bavarderaient-ils ?

AMOUR

Au départ, le Bélier/Rat n'a guère d'ennuis en amour. Le jeune Bélier/Rat est énergique, séduisant et assez finaud pour séduire et conquérir facilement. En outre, plus ils sont jeunes, plus ils sont souples et gentils. C'est pourquoi les réceptions, la danse, les rendez-vous à foison et même quelques excès de boisson joueront un grand rôle dans la vie du jeune Bélier/Rat.

Mais la maturité, le travail, les responsabilités, les enfants, la situation sociale et la nécessité d'acquérir l'aisance matérielle exerceront une influence calmante sur ce sujet. Les Bélier/Rats mûrissent à l'envers. C'est-à-dire qu'ils sont tendres et gentils, drôles et farfelus au début de leur vie, alors que, l'âge venant, ils prendront une histoire d'amour aussi sérieusement que la tragédie d'Hiroshima. Aussi, lorsqu'un Bélier/Rat d'une certaine expérience tombe amoureux, est-ce une sorte de cataclysme dont le bruit se répercute à mille kilomètres à la ronde. Attention au Bélier/Rat d'un certain âge qui vous adore, vous appelle trente fois par jour et vous envoie tant de fleurs que vous avez l'impression d'être déjà dans votre cercueil... gerbes de roses, paniers de pensées, camions de glaïeuls. C'est l'amour, style Bélier/Rat.

COMPATIBILITÉS

BÉLIER/RAT : Vous devriez partir en quête d'un Gémeaux/Dragon ou Bœuf, d'un Lion/Dragon ou d'un Lion/Bœuf, ou même d'un jovial Sagittaire/Singe. Les Verseau nés dans les années du Cochon ou même du Chien allégeront votre humeur. N'approchez pas des Cancer/Chats ou des Capricorne nés dans les années du Cheval. Vous n'êtes pas d'accord sur certains sujets importants — comme l'argent !

FAMILLE ET FOYER

Avoir un parent du Bélier/Rat, quel rêve ! Très proche de ses enfants, ce sujet retrousse ses manches pour participer à la vie de sa progéniture, et l'assiste en tout, de son premier biberon à son au revoir final avant le départ pour l'université. Maman Bélier/Rat confectionne les vêtements de ses enfants et leurs costumes pour la pièce de l'école. Elle fait des gâteaux pour la fête du lycée et participe à la production et à la mise en scène du spectacle de fin d'année. Papa Bélier/Rat porte son petit de deux ans par-dessus rocs et ruisseaux pour lui faire apprécier la nature, lui enseigner tout sur les oiseaux — et lui montrer les propriétés dont il héritera un jour.

Les enfants du Bélier/Rat sont très agréables. Ils sont énergiques à l'extrême, mais généralement ni méchants ni indisciplinés. Ils travaillent bien en classe et sont aimés de leurs camarades. A la maison, il faut les arracher à leurs hobbies pour qu'ils fassent leurs devoirs. N'humiliez jamais un enfant du Bélier/Rat. Il ne vous le pardonnerait jamais.

PROFESSION

Presque inutile de dire que les Bélier/Rats sont incurablement ambitieux. Ils aiment travailler — à tout et à n'importe quoi. Ils adorent prévoir et organiser, découvrir des solutions et même remplir les ennuyeux formulaires administratifs. La réussite frappe à la porte du Bélier/Rat sans qu'il ait fait d'efforts apparents pour l'attirer. Le Bélier/Rat ne se soucie pas de vivre dans la pauvreté ou de se sentir inférieur à ses voisins ou à ses collègues. C'est pourquoi le Bélier/Rat, qui a de l'énergie à revendre et ne recule jamais devant les corvées, arrive naturellement dans la vie.

Si j'avais à engager un employé et que j'eusse la choix entre plusieurs candidats, je chercherais le Bélier/Rat dans le lot. Impossible de trouver un employé plus totalement dévoué à son travail. Mais vous serez peut-être étonné de ce que cela vous coûtera. Les Bélier/Rats ne travaillent pas pour des haricots. Ils font merveilleusement tout ce qu'ils font, aussi est-ce sans doute rentable. Mais si vous cherchez un directeur commercial au rabais, n'engagez pas un Bélier/Rat.

Carrières convenant aux Bélier/Rats : décorateur, chef d'entreprise, représentant de commerce, pilote, responsable de magasin.

Bélier/Rats célèbres : Marlon Brando, Sarah Vaughan, Raymond Barre, John Cheever, Gloria Steinem, Nelly Kaplan.

<table>
<tr><td colspan="2">

BÉLIER

</td><td colspan="2">

BŒUF

</td></tr>
</table>

BÉLIER		**BŒUF**	
Brave	Naïf	Intègre	Entêté
Énergique	Ostentatoire	Réalisateur	Étroit d'esprit
Cordial	Entêté	Stable	Lourd
Affable	Excessif	Innovateur	Conservateur
Talentueux	Cagot	Diligent	Partial
Entreprenant	Dominateur	Éloquent	Vindicatif

Feu, Mars, Cardinal
« Je suis »

Eau négative, Yin
« Je persévère »

Le puissant Bélier/Bœuf peut ébranler une montagne d'un simple haussement d'épaule. Alliance puissante, condamnée à la réussite. Le vigoureux Bélier se lance dans le vaste monde dès son âge le plus tendre, plein de vigueur et d'espoir. Le Bœuf, solide et diligent, porte le jeune Bélier, tête haute, arme au clair, lentement mais sûrement, vers des buts sérieux et exigeants. Les Bélier/Bœufs sont des gagneurs.

Mais le Bélier/Bœuf est à peu près aussi subtil qu'un camion de dix tonnes enlisé dans la boue. Il a de nombreuses réussites. Mais peut-être peu d'amis.

Les gens ne détestent pas le Bélier/Bœuf, mais cette masse au cœur tendre a du mal à communiquer. Timide ? Oui. Et réservé, et même intimidant. Le Bélier/Bœuf peut être un conteur éloquent. Mais il n'arrivera pas à faire une conversation à bâtons rompus avec l'épicière. Les Bélier/Bœufs sont maladroits, et s'expriment plutôt par leurs résultats matériels tangibles. C'est par leurs exploits qu'ils brillent.

Bien entendu, notre civilisation urbaine donne peu d'occasions d'exhiber sa force brute. L'époque n'est plus où l'on préférait la jeune paysanne laide, mais capable de monter les pentes les plus raides chargée de seaux d'eau et de bébés, à sa sœur, la belle et blonde princesse évanescente. Aujourd'hui, c'est l'artifice qui prime. La fille la plus artistement maquillée est plus heureuse en amour que la Cendrillon industrieuse qui fait des lessives pour aider sa mère veuve. Notre héros moderne, c'est le bellâtre au sourire en plastique, à bord d'une voiture sport éblouissante.

De sorte que le Bélier/Bœuf devient désenchanté de la vie et de tous ses aspects superficiels. Les exigences actuelles de chic et de classe portent sur les nerfs du Bélier/Bœuf. *Que sont devenues les valeurs d'autrefois?* se demande le Bélier/Bœuf, mécontent, amer, et finalement aliéné. *Je vais m'installer à la campagne. Je ne donnerai mon adresse à personne. Qui a créé ce monde bidon?*

Je connais deux Bélier/Bœufs, tous deux d'une cinquantaine d'années. Ils ont tous deux quitté le monde. L'un est camé à mort jour et nuit et ne peut pas travailler. L'autre sillonne toutes les mers dans son yacht, cherchant la paix intérieure et ne la trouvant nulle part.

AMOUR

Aucun amour idéal n'est plus idéal que celui du Bélier/Bœuf, aucune fidélité miraculeuse plus fidèle que celle qu'il voue à son partenaire. Les Bélier/Bœufs aiment avec une passion tranquille et indestructible. C'est un amour puissant, qui vous dispensera la sécurité.

Toutefois, ne comptez pas sur le Bélier/Bœuf pour faire preuve d'imagination en amour. Il ne se détournera pas de son chemin simplement pour vous plaire ou vous séduire. N'oubliez pas que le sexe est d'importance secondaire pour le Bélier/Bœuf. La réussite d'abord (ou le mécontentement, suivant son âge). La poésie sirupeuse lui donne envie de vomir. Le Bélier/Bœuf consomme son amour sec, sans même un zeste de citron. Si, peut-être un ou deux glaçons, merci.

Ce qui plaît au Bélier/Bœuf chez son partenaire, ce sont les qualités populaires et ménagères, le confort et le sérieux. Mettez une bouillotte dans son lit et un peu d'essence de vanille derrière vos oreilles. Evitez les falbalas. Inutile de vous mettre en frais de toilette pour séduire un Bélier/Bœuf.

COMPATIBILITÉS

BÉLIER/BŒUF : Vos partenaires les plus prometteurs vivent parmi les Lion/Coqs, Rats et Singes. Les Vierge/Cochons aiment votre solidité, et vous serez attiré par les Sagittaire, variété Dragon ou Singe. Les

Gémeaux/Serpents font fondre votre cœur de pierre. Mais le snobisme des Vierge/Tigres vous tape sur les nerfs, de même que les Balance/Chats, trop portés sur les fanfreluches et les Poissons/Chèvres éthérés.

FAMILLE ET FOYER

C'est au foyer que le Bélier/Bœuf se sent le plus en sécurité. C'est là que son cœur bat le plus régulièrement et le plus fort. Quand toute la famille est confortablement blottie dans son nid, soyez sûr que le Bélier/Bœuf dort sur ses deux oreilles.

Le Bélier/Bœuf n'acceptera jamais de ne pas porter la culotte. A la maison, c'est lui qui commande. Toute tentative de concurrence de la part des autres membres de la famille ne fera que susciter son mécontentement. Si vous ne voulez pas lui laisser votre place sur le trône, le Bélier/Bœuf boudera et tempêtera jusqu'à ce que vous criiez grâce ou que vous déménagiez. Si vous les abandonnez, les Bélier/Bœufs sont encore plus furieux, et très capables de dire sur vous de fort vilaines choses. Mais si vous n'avez pas envie de renoncer au foyer douillet et cossu que vous procure le Bélier/Bœuf, faites-lui plaisir et servez-lui des gâteaux tous les soirs.

Les enfants du Bélier/Bœuf seront doués et entêtés. Ils n'accepteront pas facilement la discipline, sauf si elle semble venir d'eux-mêmes. Ils feront leurs études avec une aisance souveraine, pourvu que ses professeurs comprennent sa nature taciturne et ne les croient pas à tort d'un naturel boudeur. La tendresse est la meilleure arme contre le mauvais caractère du Bélier/Bœuf. Et beaucoup de confiture sur ses tartines. Le Bélier/Bœuf adore le sucre.

PROFESSION

Le Bélier/Bœuf a tout ce qu'il faut pour gagner et conserver *beaucoup* d'argent. Tant que l'énergie déployée au cours des jeunes années tendra au gain, aucun Bélier/Bœuf ne mourra jamais de faim. Mais comme la paresse ne lui sied pas, s'il venait à perdre son temps dans sa jeunesse, il aurait beaucoup de mal à se réinsérer dans le monde du travail. Vers la trentaine, la prudence et la circonspection naturelles de ce sujet auront pris des proportions énormes.

Les emplois qui conviennent le mieux au Bélier/Bœuf sont ceux où il n'a pas de supérieurs. Le Bélier/Bœuf est l'insubordination incarnée. Comment un camion de dix tonnes pourrait-il recevoir des ordres d'un tricycle ? Pour réussir, le Bélier/Bœuf devrait monter sa propre affaire, ouvrir une école, ou même un restaurant ou une blanchisserie. Le travail ne fait pas peur à ces natifs. Mais il leur est difficile de vivre en harmonie avec des collègues et de participer à un travail d'équipe.

Carrières convenant aux Bélier/Bœufs : acteur(trice), entrepreneur, maçon, déménageur, banquier, rentier.

Bélier/Bœufs célèbres : Charlie Chaplin, Vincent Van Gogh, Jessica Lange, Pierre Boulez, Guy Laroche.

BÉLIER	TIGRE

Brave	Naïf	Fervent	Impétueux
Énergique	Ostentatoire	Courageux	Emporté
Cordial	Entêté	Magnétique	Désobéissant
Affable	Excessif	Veinard	Conquérant
Talentueux	Cagot	Bienveillant	Immodéré
Entreprenant	Dominateur	Autoritaire	Itinérant

Feu, Mars, Cardinal
« Je suis »

Bois positif, Yang
« Je surveille »

Le goût du risque du Tigre s'allie fort bien au courage juvénile du Bélier. Le Bélier/Tigre plaît facilement, sa compagnie est toujours agréable et amusante. Les Bélier/Tigres fourmillent d'idées et de projets. Lorsqu'ils mettent en œuvre tous leurs talents et énergies, les Bélier/Tigres sont d'une efficacité imabattable.

Nous savons que les Bélier sont des gens sérieux. Ils n'entreprennent pas à la légère. Ils s'attaquent à un projet et le mènent à bien. Les Tigres, en revanche, s'attaquent à quelque chose, s'en désintéressent immédiatement, lui tournent le dos et s'éloignent d'un bond. L'alliance du Bélier avec le Tigre a donc bien toute l'efficacité potentielle que nous attendons des autres Bélier. Mais il faudra se garder d'une tendance à fuir les responsabilités et à tomber dans des excès révolutionnaires.

Doués à l'extrême, il n'est rien qu'un Bélier/Tigre ne puisse accomplir. Aucune tâche, profession ou entreprise n'est trop complexe ou difficile pour que ce sujet n'y excelle. Les Bélier/Tigres sont non seulement habiles, mais consciencieux. Aussi, toutes les voies leur sont-elles ouvertes. Sauf peut-être la politique.

La politique exige une approche plus souple et stratégique que celle du Bélier/Tigre. Ce sujet est franc et direct, et croit en la Bonté naturelle de l'Homme. Le Bélier/Tigre sera tristement déçu de ses échauffourées avec de rusés truands commettant de petits délits contre l'ordre et la loi. Pour un Bélier/Tigre, ce qui est bien est bien. Point final.

Et quand le Bélier/Tigre commence à se sentir à l'étroit, attention ! Il vend la boutique, donne le bateau, met le chien en pension chez des amis et s'EN VA. Au nouveau monde ? Pour le vieux monde ? En mer ? A jamais ? Vous êtes prévenu. Le Bélier/Tigre ne supporte pas l'ennui. C'est l'origine d'un comportement authentiquement révolutionnaire. Le Bélier/Tigre allie l'ardeur militaire à la ferveur. Dans la vie, ce sont de véritables guerriers, croyant passionnément en la liberté et la justice pour tous. De plus, les Bélier/Tigres ne demandent qu'à partager leurs idéaux avec le monde entier.

AMOUR

Beaucoup d'affection et de tendresse entourent les sujets nés sous les signes du Bélier et du Tigre. Comment résister au Bélier/Tigre, juvénile et mûr à la fois, fort et dominateur ? Combinaison rêvée du sacré et du profane. La femme idéale du catéchisme, sainte et prostituée, dont rêvaient nos grands-pères, incarne le Bélier/Tigre.

La vie amoureuse du Bélier/Tigre risque d'être fort mouvementée. Il faut s'attendre à l'inconstance, non par infidélité ou mépris, mais simplement par amour du changement. Ce sujet aime la nouveauté. Il est tour à tour désobéissant, emporté et excessif. Il semblerait qu'une liaison amoureuse avec un Bélier/Tigre ne puisse qu'être passionnée. Mais n'oublions pas que ce Tigre est un Bélier, et que les Bélier sont bons. Quelque indélicatesse qu'il ou elle commette, ce sera toujours avec tact et discrétion.

Si vous aimez un Bélier/Tigre et que vous voulez le garder, vous devez apprendre à ne pas vous cramponner. C'est seulement quand le Bélier/Tigre se sent complètement libre que le partenaire devient irrésistible.

COMPATIBILITÉS

BÉLIER/TIGRE : Vous trouverez peut-être celui ou celle qui fera battre votre cœur parmi les Lion/Chiens, les Sagittaire/Dragons ou Chevaux. Les Verseau/Chiens, Cochons et même Dragons vous ensorcelleront. Résistez à la séduction des Balance/Bœufs, Capricorne/Singes ou Serpents. Les Cancer/Serpents sont trop cool et maussades pour vos goûts simples.

FAMILLE ET FOYER

· Vous ne pouvez rêver sujet plus dévoué à sa famille que le Bélier/ Tigre. A quelque distance qu'ils rôdent, à quelque hauteur qu'ils montent, à quelque profondeur qu'ils plongent, les Bélier/Tigres n'oublient jamais l'anniversaire de leur mère.

Les Bélier/Tigres sont des parents sérieux, un tantinet verbeux. Ils ont l'impression de devoir tout expliquer à leurs enfants, et, dans ce cas, les enfants se laissent dominer et ne répondent jamais avec insolence. Mais il n'en est pas toujours ainsi. Les parents du Bélier/ Tigre s'acquièrent toujours le respect sans partage de leurs enfants. Mais, derrière la scène, les enfants souhaiteraient parfois que le parent Bélier/Tigre soit un peu moins sûr des règles et des règlements.

Les enfants du Bélier/Tigre sont enchanteurs. Ils sont actifs, aimants, chaleureux. Leur charme attire tout le monde, de sorte qu'ils n'ont pratiquement jamais de problèmes avec leurs professeurs ou leurs camarades de classe. L'enfant du Bélier/Tigre est câlin. Et il est *tellement* doué ! Cours de musique, de tennis, d'art dramatique, d'informatique : tout intéresse les Bélier/Tigres.

PROFESSION

Le Bélier/Tigre exsude l'ambition par tous les pores de sa peau. Il veut voyager, réaliser des projets, faire des plans à partir de ses rêves et toujours améliorer sa vie et celle de ceux qu'il aime.

Mais le Bélier/Tigre ne risquera ni sa santé ni son foyer par amour de l'argent. Il se dit qu'il aura toujours de quoi vivre, vu qu'il est actif et énergique à l'extrême et qu'il saura toujours gagner sa vie. Trimer pour acquérir du bien lui semble au-dessous de sa dignité. Travailler honnêtement devrait suffire. Et si ça ne suffit pas pour le moment, il attendra que le vent tourne.

Carrières convenant aux Bélier/Tigres : photocompositeur, agent immobilier, écrivain, artisan peintre, chanteur, encadreur de tableaux.

Bélier/Tigres célèbres : Hugh Hefner, Alec Guinness, John Fowles, Jerry Brown, Jean-Jacques Pauvert.

BÉLIER		CHAT	
Brave	Naïf	Diplomate	Cachottier
Énergique	Ostentatoire	Raffiné	Sensible à l'extrême
Cordial	Entêté	Vertueux	Pédant
Affable	Excessif	Prudent	Dilettante
Talentueux	Cagot	Bien portant	Hypocondriaque
Entreprenant	Dominateur	Ambitieux	Tortueux
Feu, Mars, Cardinal		*Bois négatif, Yin*	
« Je suis »		« Je me retire »	

Ce natif non seulement s'intéresse à toutes les valeurs solides et traditionnelles, mais il aime également les promouvoir et les favoriser. C'est un générateur de raffinement, un accumulateur de sagesse, un dispensateur d'énergie métaphysique, et un préservateur de tout ce qui est beau. Le Bélier/Chat est la quintessence du Chat.

La vertu du Chat s'allie volontiers au vigoureux courage du Bélier. Tous les jours, ce sujet reprend sa quête incessante de paix et de beauté. Le Bélier lui donne du punch. Le Chat lui confère prudence, goût et indépendance.

Le gain, bien entendu, ne lui est pas indifférent. Mais ce sujet recherche l'aisance par des moyens solides, traditionnels. Le Bélier/Chat n'a rien du truand qui attend le « coup » qui lui apportera la richesse et lui permettra de s'installer en Amérique du Sud pour danser le cha-cha-cha avec un bataillon de señoritas aux yeux de feu. Tout au contraire, le Bélier/Chat est un modèle de persévérance. Il ne bûche pas lourdement, comme le feraient un Bœuf ou un Taureau. Le Bélier/Chat avance légèrement mais diligemment sur ses pattes de velours.

Non que le Bélier en manque, mais pour ce qui est de la vertu, la nature a donné au Chat la part du Lion. Les chats aiment à penser qu'ils sont respectables et justes dans tous les domaines. Le Bélier, également du type citoyen sérieux et respectable, bien que fort bruyant, s'adapte facilement à la personnalité du Chat. Le signe du Chat ne comporte aucun trait de caractère fondamentalement opposé au Bélier.

Le confort est extrêmement important pour ce sujet. Les Bélier/ Chats s'entourent de plantes et de coussins, de divans, d'oreillers et de salles de bains somptueuses. Le Bélier/Chat a toujours un système stéréo haut de gamme. Et même si l'on ne trouve chez lui aucun autre luxe — je ne prétends pas que le Bélier/Chat n'est que matérialiste —, il y aura toujours de profonds fauteuils dans lesquels on pourra écouter confortablement la musique raffinée choisie par notre ami Bélier/Chat en personne.

Les Bélier/Chats ne manquent pas de capacités. Ils peuvent exécuter toutes sortes de travaux. Mais le Bélier/Chat n'est pas ce qu'on appelle un signe « créatif ». Ces natifs tirent plutôt idées et beauté de la vie, les perfectionnent dans le confort de leur foyer et les raffinent pour leur propre usage. Le Bélier/Chat est un collectionneur de beauté, un dilettante-né.

AMOUR

Oserai-je le dire? Le Bélier/Chat n'est guère fidèle en amour. Disons plutôt que le Bélier né dans une année du Chat est amoureux sans discontinuer. Le Bélier allié au Chat donne un émotif indépendant. Ni l'un ni l'autre de ces signes ne meurt où il s'attache. A première vue, Le Bélier/Chat pourra penser que c'est une bonne idée que d'avoir un partenaire avec qui fonder un foyer, passer ses vacances et éventuellement avoir des enfants. Mais dans la pratique, il ne pourra pas supporter les conflits émotionnels. Le Chat *hait* les conflits, ne l'oubliez pas. C'est pourquoi le Bélier/Chat fuit devant les émotions pénibles que la vie réserve à ceux qui cohabitent. Ou plutôt, c'est le contraire. Le Bélier/Chat reste. Vous fuyez. Dehors. Bon voyage.

Si vous aimez une femme du Bélier/Chat et aspirez à la prendre pour épouse, gardez vos distances. Prenez l'initiative des séparations. « Désolé, chérie, mais je suis obligé de passer toute la semaine prochaine à San Francisco. » Peut-être n'êtes-vous pas *vraiment obligé* d'aller à San Francisco. Aucune importance. Le Bélier/Chat vous croira. Il ou elle ne se donnera même pas la peine de vous téléphoner pour savoir si c'est vrai. Oh non. Le Bélier/Chat est ravi d'avoir tout son temps à lui pour réfléchir et jouir de son intérieur plein de livres, de tableaux et de musique, sans compter, peut-être, quelques chats décoratifs.

COMPATIBILITÉS

BÉLIER/CHAT : Essayez de sortir avec des Lion nés dans des années du Chien ou du Cochon. Vous serez attiré par les Sagittaire/Chèvres, les Gémeaux/Cochons et Chèvres. Vous ne résisterez pas aux élégants Verseau/Serpents, pas plus qu'à leurs frères, les Verseau/Cochons si cultivés. Si j'étais vous, je me garderais des Cancer/Dragons et Coqs. Passez très au large des Capricorne/Tigres, et évitez les Balance/Dragons et Tigres.

FAMILLE ET FOYER

L'individualisme de tous les Bélier/Chats laisse présager une vie familiale problématique. Ils n'arrivent pas toujours à extérioriser suffisamment leurs émotions pour préserver l'unité de la famille. Je ne dis pas que les Bélier/Chats ne sont pas des parents consciencieux ou des partenaires responsables. Ils le sont. Mais ils sont distants.

Il est pourtant plus d'une façon d'écorcher un Bélier/Chat. Ils sont presque trop cool. Les autres membres de la famille devront faire preuve de patience, et avoir la capacité de distraire le Bélier/Chat de ses poursuites personnelles. Amusez un Bélier/Chat et vous le garderez pendant toute la durée de ses neuf vies.

Les enfants du Bélier/Chat naissent curieux, toujours avides de voir tous les monuments, musées, parcs, films, feux d'artifice, etc. A peine nés, les Bélier/Chats commencent à absorber la beauté par tous les pores de leur peau. Faites en sorte qu'ils aient un environnement confortable. Donnez-leur un joli coin à eux. Emmenez-les en voyage et abonnez-les à de bons magazines. Vous ne regretterez jamais une minute passée en compagnie de cet être d'une exquise sensibilité.

PROFESSION

Ne cherchez pas des battants, des chefs de meute parmi les natifs du Bélier/Chat. Leurs objectifs nécessitent peu d'approbations publiques, voire pas du tout. Ils passent leur temps à explorer de nouveaux domaines, rassemblant quelques bouquins sur le ski de fond ou le patinage artistique, ou des informations sur les peintres de nus célèbres, afin d'écrire l'étude définitive sur le sujet. Les objectifs du Bélier/Chat sont la sécurité sans conflit, le confort sans interférences, et un compte en banque rassurant.

Carrières convenant aux Bélier/Chats : rédacteur en chef, conservateur de musée, directeur artistique, illustrateur, professeur de dessin.

Bélier/Chats célèbres : Ali McGraw, David Frost, Muddy Waters, Arturo Toscanini, Jacques Borel.

BÉLIER		DRAGON	
Brave	Naïf	Puissant	Rigide
Énergique	Ostentatoire	Battant	Méfiant
Cordial	Entêté	Hardi	Insatisfait
Affable	Excessif	Enthousiaste	Emballé
Talentueux	Cagot	Vaillant	Vantard
Entreprenant	Dominateur	Sentimental	Volubile
Feu, Mars, Cardinal		*Bois positif, Yang*	
« Je suis »		« Je préside »	

Ici, l'énergie brute du Bélier s'allie à la ruse et au cran du Dragon. Mélange détonant. Combinaison imbattable. Le Bélier/Dragon ne pense qu'à « arriver ». Rien n'arrête sa volonté et sa hardiesse.

La ruse, généralement si étrangère au Bélier, affectera toutes les actions du Bélier né sous le signe du Dragon. Non seulement ces natifs sont tortueux ; non seulement ils sont roublards, mais encore ils agissent avec tant d'assurance que c'est tout juste si vous remarquez que l'argenterie a disparu. Les Bélier/Dragons n'ont jamais l'air sournois. Ils sont nobles en toutes choses. Et à les entendre parler, on les croirait positivement ingénus !

L'irréprochable Bélier/Dragon fond devant la tristesse. Il se laisse prendre à toutes les histoires sentimentales, et la sentimentalité cause souvent sa perte. Un patron du Bélier/Dragon aura beau détester son employé, si celui-ci vient pleurnicher pour une augmentation, ce patron hypersensible lui offrira un Kleenex et un chèque pour le consoler.

Les Bélier/Dragons sont irrésistibles, pas moyen de s'exprimer autrement. Doués d'une séduction éclatante, ils émettent un rayonnement si chaleureux qu'il fait fondre l'hostilité la plus glacée. Ne laissez pas votre femme seule avec **un** Bélier/Dragon si vous voulez la ramener intacte à la maison. Même une exposition de cinq minutes au rayonnement juvénile du Bélier/Dragon suffira pour l'éblouir et la marquer de façon indélébile. Et les femmes du Bélier/Dragon sont si somptueuses que c'en est indécent !

Bien entendu, l'arrogance guette. Tant de feu, si peu de modération, alliés à la beauté, au goût et au succès — tout cela n'incline pas à la modestie.

Les Bélier/Dragons inspirent parfois l'envie. Leur roublardise invétérée met hors d'eux les gens forts et directs. Pourquoi, se demande l'individu travailleur et honnête, le Bélier/Dragon cherche-t-il toujours à faire ses coups en dessous ? Ne voit-il pas que nous l'avons percé à jour ? Ne comprend-il pas que nous sommes vaccinés contre ses ruses, depuis le temps ? Réponse : si.

Le Bélier/Dragon voit bien que l'intrépide shérif John Wayne a compris son manège, mais cela ne l'empêche pas d'essayer de s'amuser un peu aux dépens du shérif. D'ailleurs, tout est jeu pour le Bélier/Dragon. Il a la baraka. Alors, pourquoi ne pas s'en prévaloir ?

AMOUR

Amoureux de l'amour, le Bélier/Dragon ne rate jamais une occasion de séduire ou d'être séduit. Fidélité ? Inconnue au bataillon. Mais ce n'est pas la fidélité qui compte. L'amour partagé avec un Bélier/Dragon est d'une telle intensité que... qu'importe ce qu'il fait le restant de la semaine ?

Bien entendu, Bélier/Dragon est sentimental à l'extrême. Amoureux d'un Bélier/Dragon, si vous trouvez qu'il ou elle s'écarte un peu trop souvent du droit chemin, n'hésitez pas à faire appel aux larmes. Debout, cramponné(e) à la table de la salle à manger, baissez la tête et sanglotez. Larmoyez, soupirez. Votre Bélier/Dragon était peut-être déjà sur le perron quand lui parvinrent ces sons étranglés. « Mon amour pleure ! » Notre fanfaron de Dragon remonte les marches quatre à quatre, vous serre dans ses bras et vous demande : « Qu'est-ce que tu veux que je fasse ? »

Restez chez vous de temps en temps, Bélier/Dragon. Restez à la maison, et apprenez à vous y plaire. Jouez avec vos jouets. Jardinez. Appréciez les petits plaisirs quotidiens. Si vous désirez un couple uni, n'oubliez pas qu'au moins la moitié de l'union dépend de vous.

COMPATIBILITÉS

BÉLIER/DRAGON : Vous vous amuserez comme des fous avec les Gémeaux/Rats et Singes. Les Verseau/Singes, les Sagittaire/Rats et les Lion/Rats et Singes vous font vibrer. Mais foin des Cancer/Chiens et Bœufs, des Capricorne/Bœufs et des Balance/Chiens. Vous êtes trop arrogant pour eux. Et ils ne font que vous provoquer.

FAMILLE ET FOYER

Les Bélier/Dragons sont très attirés par le monde extérieur, et leur besoin de briller et d'exécuter des miracles pour la galerie peut les éloigner de leur famille. Mais ils ne sont pas du genre à se contenter de l'admiration de la famille. Les Bélier/Dragons ont besoin de l'admiration universelle. Et savent l'obtenir. Vous ne trouverez guère de Bélier/Dragons poussant le caddy au supermarché. Ils aiment leur famille. Mais ils ne s'intéressent pas particulièrement à l'intendance.

Les Bélier/Dragons ont tendance à édicter des règles rigides à l'intention de leurs enfants. « Ne réponds pas. Ne mets pas tes coudes sur la table. Ne souris pas comme ça ! » ainsi parlera le Bélier/Dragon. Comme l'apparence est d'une extrême importance pour les Bélier/Dragons, ils veulent que leurs enfants se tiennent bien.

Les enfants du Bélier/Dragon seront turbulents, bruyants et exigeants. Mais ils sont si affectueux et tendres qu'on n'arrive pas à leur en vouloir longtemps. Généralement, ils sont précoces, intellectuellement et socialement.

PROFESSION

Bélier/Dragon rime avec ambition. Le Bélier/Dragon passera par les meilleures écoles, obtiendra ses diplômes avec mention très bien et s'en servira avec discernement pour obtenir les emplois qu'il (ou elle) juge dignes de son intelligence.

Dans sa jeunesse, le Bélier/Dragon s'adonne souvent à des occupations difficiles et épuisantes : acheter une mine abandonnée et essayer de la remettre en production ; emprunter une somme énorme pour racheter un immeuble en ruine afin de le restaurer pour le revendre ; ou encore fabriquer des produits dont personne ne sait s'ils trouveront des acheteurs. Ces défis sont la vie même du Bélier/Dragon.

La réussite est garantie à ce natif pourvu qu'il tienne orgueil et débauche à distance. Les Bélier/Dragons ont tendance à trop croire en eux-mêmes. S'ils se laissent entraîner dans des affaires douteuses ou tombent dans la lubricité, ils doivent en sortir immédiatement.

Carrières convenant aux Bélier/Dragons : gérant, cadre supérieur, journaliste, prêt-à-porter, comptable, contremaître, P.-D.G.

Bélier/Dragons célèbres : Verlaine, Irving Wallace, Anita Bryant, Serge Gainsbourg, Jean-Marie Gustave Le Clézio, Thierry Le Luron.

BÉLIER	
Brave	Naïf
Énergique	Ostentatoire
Cordial	Entêté
Affable	Excessif
Talentueux	Cagot
Entreprenant	Dominateur
Feu, Mars, Cardinal	
« Je suis »	

SERPENT	
Intuitif	Dissimulateur
Séducteur	Dépensier
Discret	Paresseux
Sensé	Cupide
Clairvoyant	Présomptueux
Compatissant	Exclusif
Feu négatif, Yang	
« Je sens »	

L'alliance du Bélier et du Serpent est si paradoxale que je ne sais par où commencer. Le feu régit les deux signes. D'accord, petit feu pour le Serpent, grand feu pour le Bélier. Ce natif n'a rien de froid.

Le Bélier a toujours envie de sortir, d'agir, d'expérimenter. Par ailleurs, le Serpent aime réfléchir à loisir, écouter son intuition, juger. Celui des deux qui est le plus fort à un moment donné l'emporte.

Schizophrène ? Pas exactement. Aucun Serpent n'est jamais très éloigné du réel. Les Serpents sont des sages. Ils ne se précipitent pas tête baissée dans des situations à faire peur aux anges eux-mêmes. Ils retournent tout quarante fois dans leur tête, puis dorment dessus pour être bien sûrs de ne pas se tromper. Dans ce signe, le Bélier bénéficiera beaucoup de la profondeur du Serpent.

A mon avis, la langueur du Serpent écrasera dans l'œuf l'ambition têtue du Bélier. Etant Serpent, ce Bélier aura des dons artistiques, développera ses talents et recherchera la sagesse et l'aisance.

Le pire qui puisse arriver à ce natif, c'est que le Bélier, généralement énergique et franc, se transforme, sous l'influence du Serpent, en un paresseux invétéré et menteur. J'exagère un peu, mais sa propre indolence est l'ennemie-née du Serpent. Il n'est jamais facile d'empêcher un Bélier de se ruer à l'action au moindre encouragement, mais notre vieux Serpent est intuitif et persuasif. Il est parfois capable, par ses charmes, de détourner le Bélier de son dynamisme naturel.

Avec de la détermination et beaucoup d'encouragements, le Bélier/ Serpent pourra jouir d'une vie stable et heureuse. Ce natif sera probablement doué pour les arts et serait bien avisé de se lancer assez jeune dans une carrière. Achetez-lui un bon réveil, et engagez une nounou pour le stimuler.

AMOUR

Tous les Serpents ont désespérément besoin d'amour, et les Bélier/ Serpents ne font pas exception à la règle. Sur le plan sentimental, ce qui distingue le Bélier/Serpent des autres Bélier, c'est sa connaissance intime des recoins les plus secrets de la nature humaine. Le Serpent a une connaissance intuitive qui fait presque toujours défaut au Bélier. Ici encore, le Bélier bénéficie de sa nature serpentine. Ardeur et compassion, parfois un peu étrangères au Bélier, seront omniprésentes chez le Bélier/Serpent.

En revanche, le côté boy-scout du Bélier atténuera la cupidité du Serpent. Le Bélier/Serpent ne sera pas aussi farouchement possessif que les autres Serpents vis-à-vis de sa famille. Enfin, la candeur du Bélier poussera le Serpent à modérer son penchant à l'infidélité.

COMPATIBILITÉS

BÉLIER/SERPENT : Les Gémeaux/Coqs ou Bœufs constituent pour vous un bon choix. Celui ou celle que vous cherchez se cache peut-être aussi dans le camp des Sagittaire/Dragons. Vous pouvez également regarder du côté des Lion/Dragons ou Cochons, et des Verseau/Bœufs ou Coqs. Les Cancer/Tigres sont à exclure, de même que les Balance/ Cochons et Serpents.

FAMILLE ET FOYER

Voilà le domaine où le Bélier/Serpent brille vraiment de tous ses feux. En tout ce qui concerne la vie de famille et l'éducation des enfants, la décoration et l'embellissement de l'intérieur, et la vie quotidienne, le Bélier/Serpent est l'un des signes les plus tendres et capables.

Le Bélier aime construire, inventer et démarrer des projets. Le Serpent aime faire de belles choses (non les faire faire par d'autres). Le Bélier aime s'extérioriser. Le Serpent est tout le contraire. Pour bien diriger une famille, il vaut souvent mieux deux personnes dissemblables que deux caractères trop similaires. Le Bélier/Serpent pourrait probablement se passer de l'autre moitié du couple et s'en sortir merveilleusement, pourvu qu'il ou elle n'oublie pas de se lever le matin.

L'enfant du Bélier/Serpent sera brillant et énergique. Mais il faudra guérir très tôt sa tendance à l'indolence. Ne permettez pas au petit Bélier/Serpent de passer ses jours et ses nuits à lire sous ses couvertures avec une lampe électrique. Obligez-le à sortir dans le soleil. Encouragez son côté Bélier. Le Serpent se débrouillera tout seul.

PROFESSION

Le Serpent traîne partout avec lui argent, beauté et élégance. Ce natif sera plus affable et aimable que la plupart. Il peut sembler improbable qu'un Serpent envisage de se faire vendeur. Mais ce signe a une certaine attirance pour le commerce, qui l'éloigne des préoccupations purement intellectuelles du Serpent.

Le Bélier/Serpent aura toujours l'air très affairé. Mais ne vous y laissez pas prendre. Ses voyages d'affaires ne sont souvent que de mini-vacances. Les Serpents n'aiment pas être captifs. Ils aiment capturer. Le désir profond du Serpent de s'asseoir pour se détendre pourra entraver l'activité normale du Bélier. Mais cela ne durera pas. Les Bélier sont peut-être enfantins et impétueux, mais ils sont aussi forts et courageux. Le Serpent aura du mal à lui faire toucher les épaules pour le compte.

Quoi qu'il arrive, le Bélier/Serpent ne manquera jamais d'argent. Il sera généreux à l'extrême et avide de plaire. Et ne vous en faites pas Il y aura toujours du caviar dans le réfrigérateur.

Carrières convenant aux Bélier/Serpents : antiquaire, interprète, musicien, styliste, publicitaire, romancier.

Bélier/Serpents célèbres : Julie Christie, Aretha Franklin, Milan Kundera.

BÉLIER		**CHEVAL**	
Brave	Naïf	Persuasif	Égoïste
Énergique	Ostentatoire	Autonome	Indélicat
Cordial	Entêté	Branché	Rebelle
Affable	Excessif	Elégant	Soupe au lait
Talentueux	Cagot	Adroit	Anxieux
Entreprenant	Dominateur	Talentueux	Pragmatique
Feu, Mars, Cardinal		*Feu positif, Yang*	
« Je suis »		*« J'exige »*	

Le Bélier et le Cheval sont tous deux actifs et ambitieux. Les deux signes sont assez centrés sur l'ego. Tous deux sont coupables d'entêtement. Alliez-les, et vous obtenez un caractère puissant, enclin à exiger ce qu'il veut au moment où il le veut, imposant son point de vue — non sans avoir fait quelques gaffes.

L'enthousiasme exubérant, l'énergie à l'état pur et une certaine naïveté charmante font partie des qualités positives du Bélier/Cheval. Ces natifs sont intrépides et donnent l'impression d'une grande force de volonté. Ils sont toujours les premiers à vous dire que le monde est fabuleux et la vie merveilleuse si seulement on sait les regarder du bon côté. Les Bélier/Chevaux veulent croire. Ils aiment la vérité, et elle leur échappe plus souvent qu'à leur tour.

S'il est une conclusion à tirer dans quelque domaine que ce soit, vous pouvez être sûr que le Bélier/Cheval ne s'en fera pas faute. Le Bélier et le Cheval ont tous deux tendance à se servir de leur énergie plus facilement que de leur jugeote, de sorte qu'ils sont toujours tentés de taper sur le clou sans réfléchir — et leur précipitation est souvent un obstacle à la réalisation de leurs idéaux.

Le Bélier/Cheval est un mauvais perdant. S'il n'obtient pas les applaudissements ou les approbations qu'il recherche si avidement, il lui arrive de ruer, de bouder et de faire la tête. Pour un Bélier/Cheval, l'échec est un affront personnel. Il accepte très mal les revers.

N'essayez jamais de raisonner avec un Bélier/Cheval. Vous perdriez votre temps précieux. Le Bélier/Cheval comprend la puissance, la force et (malheureusement) la brutalité. Il n'est pas très subtil en ce qui concerne ses propres besoins et exigences. C'est pourquoi il ne comprendra pas vos allusions à ce que vous recherchez. L'abstrus ne l'atteint pas. Ne tournez pas autour du pot proverbial, cassez-le et marchez droit sur le Bélier/Cheval, votre hache à la main. Si vous voulez convaincre un Bélier/Cheval de quoi que ce soit, soyez direct.

Pourvu que la guigne ne s'en mêle pas, le Bélier/Cheval exécutera sans problèmes les tâches dont il est chargé. Il sera amusant et facile à vivre. Le Bélier/Cheval se fait facilement des amis et n'est pas ennemi des conversations à bâtons rompus. Invitez un Bélier/Cheval à un pique-nique ou à venir nager dans votre piscine. Il creusera la fosse pour le méchoui, ira chercher toute la bande à la gare, et fera rire tout le monde parce que l'hôtesse a oublié d'acheter le pain. Le Bélier/Cheval est merveilleusement accessible et ne souffre pas d'un excès de profondeur.

A la fin de la réunion, vous le trouverez couché sur le canapé du salon, récupérant dans un sommeil réparateur des fatigues d'une journée épuisante, où il a pris la part du lion de toutes les activités. C'est un agissant, un battant-né.

AMOUR

Comme nous le savons, l'enthousiasme peut être l'ennemi d'un amour authentique et durable. En amour, la faiblesse du Bélier/Cheval est son intrépide enthousiasme.

En deux secondes, le Bélier/Cheval tombe amoureux. Qu'est-ce qui l'a attiré ? Sa peau, ses épaules, sa façon de prononcer les « s », un petit « je-ne-sais-quoi » qui précipite notre Bélier/Cheval dans un véritable abîme de sentiments exaltés. Et l'hésitation n'est pas son fort. Cette impulsivité en amour a rarement de bons résultats et, à la longue, le Bélier/Cheval peut essuyer des déceptions.

Si vous aimez un Bélier/Cheval, couchez avec lui. Dans une situation intime, vous découvrirez un être totalement différent. N'oubliez pas que le Bélier/Cheval a l'esprit vif, que c'est un sprinter mais aussi un maladroit. Tous préliminaires hors des draps le déconcerteront. Mais n'oubliez pas non plus que le Bélier/Cheval est adroit de ses mains et, bien que n'étant pas véritablement athlétique, est souple et agile. Les natifs du Bélier/Cheval sont sexy. Allez droit aux choses sérieuses.

COMPATIBILITÉS

BÉLIER/CHEVAL : Vous apprécierez certainement la compagnie d'un Lion/Tigre ou Chien. Vous pouvez aussi tomber amoureux d'un Sagittaire/Chèvre, d'un Gémeaux/Tigre ou Chien. Les Verseau/Chèvres, forts mais éthérés, vous feront peut-être tomber en faiblesse. Quant aux Balance/Rats et Singes, ils sont hors course, de même que les Capricorne/Rats ou Cochons.

FAMILLE ET FOYER

La demeure du Bélier/Cheval sera pratique. Les couleurs des rideaux et des tapis seront soigneusement assorties. Le mobilier sera solide et de qualité. Généralement, le décor dans lequel vit un Bélier/Cheval est sobre, confortable et commode. Les natifs du Bélier/Cheval ont beaucoup d'imagination, mais ils s'en servent avec bon sens.

En famille, ce sont des messieurs — ou mesdames — j'ordonne. Comme ils ont pour spécialité de faire tout vite et bien, ils supportent mal la lenteur chez les autres. Qu'il ne vous trouve surtout pas enfoncé dans un profond fauteuil, les pieds sur la table, le pouce dans la bouche et un livre sous le nez. Le Bélier/Cheval veut vous voir plus productif. Mais si vous voulez, vous pouvez ignorer les sollicitations du Bélier/Cheval. Au bout de quelques minutes, il s'ennuiera de vous exhorter au travail.

L'enfant du Bélier/Cheval manifestera de bonne heure un talent certain pour l'excellence instantanée en toutes choses. Il est adaptable et charmant, ouvert, sociable et artiste. Le Bélier/Cheval a besoin d'être occupé et, s'il se découvre une passion assez tôt dans sa vie, cela lui évitera, plus tard, bien des moments d'ennuyeuse oisiveté.

PROFESSION

Les carrières où le Bélier/Cheval réussira le mieux ne sont pas toujours celles qu'il choisira. Dans sa jeunesse, il est attiré par les carrières artistiques. Lorsqu'il est jeune et inexpérimenté, le Bélier/Cheval se voit acteur, chanteur, peintre, etc. Il manifestera peut-être de la précocité dans ces domaines. Mais plus tard, lorsqu'il comprendra mieux à la fois lui-même et le monde qui l'entoure, le Bélier/Cheval choisira vraisemblablement une carrière plus sûre où son enthousiasme et sa rapidité de décision le serviront bien.

Le Bélier/Cheval est meilleur patron qu'employé, et encore meilleur travailleur indépendant. Les natifs du Bélier/Cheval peuvent œuvrer dans tous les domaines requérant une décision rapide et offrant des conditions de travail agréables. Il peut être programmateur ou journaliste. Les natifs du Bélier/Cheval sont de bons pilotes, traducteurs et policiers, et réussissent bien dans la publicité. Je ne leur conseille pas les professions d'écrivain ou d'ecclésiastique, qui exigent patience et endurance. Ils aiment la satisfaction instantanée, et les longs développements verbeux ne sont pas leur fort.

Carrières convenant au Bélier/Cheval : vendeur de voitures, journaliste de télévision, policier, politicien, chef cuisinier.

Natifs célèbres du Bélier/Cheval : Nikita Khrouchtchev, Pearl Bailey, Sandra Day O'Connor, Michael York, Samuel Beckett, Michel Polac, Jean Rochefort, Roger Vergé, Georges Wolinski.

BÉLIER		CHÈVRE	
Brave	Naïf	Inventif	Parasite
Énergique	Ostentatoire	Sensible	Primesautier
Cordial	Entêté	Persévérant	Nonchalant
Affable	Excessif	Fantaisiste	Erratique
Talentueux	Cagot	Courtois	Rêveur
Entreprenant	Dominateur	Bon goût	Pessimiste
Feu, Mars, Cardinal		*Feu négatif, Yang*	
« Je suis »		« Je dépends »	

Pour survivre, la « Sécurité sociale » est absolument indispensable à ce sujet. Par nature, les Bélier/Chèvres sont non conformistes, excentriques, rebelles. Mais ils ont impérativement besoin d'une sécurité matérielle et morale totale, qui leur permettra de se développer sans être obligés de « mettre la main à la pâte », sinon ils souffriront. Sécurité d'abord.

La Chèvre est un tantinet bohème. Le Bélier est un guerrier. Et cela résume le caractère paradoxal du Bélier/Chèvre. L'indolente Chèvre ne demande qu'à se prélasser au soleil en rêvant de verts pâturages et de jours plus heureux, tandis que le vigoureux Bélier ne cesse de l'exhorter en tirant sur sa longe : « Lève-toi ! Dépêche-toi ! Tu as un coup de fil à donner. Termine la vaisselle de midi. Il est temps que tu te mettes à faire ton gâteau. Tu as oublié d'écrire une importante lettre d'affaires. » Notre pauvre vieille Chèvre paresseuse ne fait pas surface dans la vie de ce partenaire toujours affairé.

Les Bélier/Chèvres sont souvent extrêmement créatifs. Ils s'habillent bien et soignent énormément leur apparence. Ils ont de l'allure et sont de commerce affable. Ils sont amusants et, pour la plupart, optimistes.

Le pire qui puisse arriver à un Bélier/Chèvre, c'est de regarder, impuissant, son puits se tarir. Si la pauvreté vient saper la sécurité du Bélier/Chèvre, il sombre dans un pessimisme pitoyable. Le Bélier/Chèvre peut littéralement tomber malade par manque de beauté et de confort. Il met au-dessus de tout son bien-être (et, bien entendu, celui de son bienfaiteur). Le luxe lui est indispensable.

L'aspect Bélier de ce sujet le rend vulnérable aux influences extérieures. Le Bélier, ne l'oublions pas, est naïf et crédule. Les Chèvres sont un tantinet plus sceptiques, mais pas très industrieuses. Le Bélier/Chèvre peut donc facilement succomber à des influences pernicieuses. Autrement dit, il a besoin de protection.

Toutefois, malgré sa dépendance des autres en tout ce qui concerne sa sécurité, le Bélier/Chèvre a un comportement extraordinairement indépendant. Il a la langue acérée. Il dit ce qu'il pense et se moque de choquer ceux qu'il trouve moins intelligents que lui.

Si le Bélier/Chèvre naît sous des cieux froids et hostiles où règne la grisaille, il fera tout son possible pour aller vivre sous des climats plus cléments. La plupart du temps, les Bélier/Chèvres déménagent avec leur partenaire, leurs enfants et leurs canaris. Même s'ils détestent leur environnement, les Bélier/Chèvres partent rarement sans toute leur tribu.

Extérieurement, le Bélier/Chèvre donne l'impression d'une gaieté sans complication. Ne vous y trompez pas. Ce sujet est plein de complexité, mais pour sauver les apparences et ne pas froisser les gens, il affecte un caractère enjoué. Regardez de plus près la prochaine fois que vous rencontrerez l'un de ces natifs. Derrière son grand sourire, vous découvrirez une nuance d'inquiétude, un point hypersensible que l'on peut blesser facilement — trop facilement. Avec le Bélier/Chèvre, mieux vaut retenir ses coups. Il est beaucoup plus vulnérable qu'il n'en a l'air.

Les Bélier/Chèvres sont souvent portés aux commérages. Ils ont besoin d'amis. Alors, ils sont parfois tentés de parler à un parfait étranger comme à leur « meilleur ami ». Ils bavardent à perdre haleine, et divulguent facilement des « informations classées », par exemple le salaire de leur partenaire, la maîtresse ou l'amant de tel ou telle.

AMOUR

La vie du Bélier/Chèvre est centrée sur l'amour. En fait, ils sont presque totalement dépendants de l'amour et de la sécurité qu'il leur apporte. Possessif à l'extrême, le Bélier/Chèvre n'aime pas perdre de vue son partenaire. Sauf, bien entendu, si le partenaire doit partir au loin gagner beaucoup d'argent qu'il rapportera ensuite à sa Chèvre.

Une passion langoureuse émane du Bélier/Chèvre. Le Bélier/Chèvre aspire à vivre dans un état de préliminaires continus où la sensualité colore chaque syllabe et emplit l'air de son parfum capiteux. Assurez-vous donc que votre Bélier/Chèvre ne dort pas du côté du mur. Vous n'aurez ainsi qu'à le pousser un peu le matin pour le mettre sur pied.

COMPATIBILITÉS

BÉLIER/CHÈVRE : C'est le coup de foudre avec les Verseau/Cochons et Chats. Les Sagittaire/Chats et Chevaux vous enchantent également. Les Gémeaux/Chats vous plairont, de même que les sujets du Lion/Cheval et Chat. Si j'étais vous, je renoncerais aux Capricorne — surtout Chiens et Tigres. Les Cancer et Scorpion/Bœufs seront votre Némésis. Ils sont aussi abrasifs que vous.

FAMILLE ET FOYER

Entouré de parents et d'amis, habitant une maison confortable située dans un quartier agréable, vivant sous un climat chaud et respectant une routine (de préférence imposée par le partenaire ou l'emploi du temps des enfants, etc.), le Bélier/Chèvre brillera de tous ses feux. C'est « à la maison » que le Bélier/Chèvre se sent suffisamment au chaud et à l'abri pour dévoiler et développer ses multiples talents créatifs. Le Bélier/Chèvre tricotera des pulls aux dessins follement compliqués pour toute la famille. Il aime jardiner et inventer de nouvelles façons de mettre ses magnolias en valeur. Les Bélier/Chèvres adorent vivre pour les autres.

En fait, le Bélier/Chèvre est un parent-né. Quand on considère l'extrême dualité du personnage — la sensibilité de la Chèvre opposée à l'aspect « bon petit soldat » du Bélier —, on comprend bien son efficacité auprès des enfants. Compréhension ? Bien sûr. Mais jusqu'à un certain point.

L'enfant du Bélier/Chèvre a besoin de se sentir en sécurité. Il souffrira énormément d'un divorce ou de séparations temporaires. Il est d'une nature sensible et confiante. Dans la mesure du possible, ne le changez pas trop souvent d'école et ne le déracinez pas.

PROFESSION

Généralement, le Bélier/Chèvre ne rêve pas de devenir milliardaire, avec yacht et trente esclaves nubiennes frétillant de l'éventail — ou de la croupe. Non. Ce n'est pas le genre Onassis.

Pourtant, le Bélier/Chèvre acceptera de donner sa vie pour la réussite d'une personne aimée. Pourquoi?

1) Le Bélier/Chèvre dépend des autres pour sa sécurité. 2) L'amour est le plus grand talent du Bélier/Chèvre. Voir une personne aimée atteindre les sommets où elle a toujours aspiré, tel est le véritable rêve d'un Bélier/Chèvre heureux.

Si cela est impossible, pour une raison quelconque, si le Bélier/Chèvre se retrouve seul et sans un sou, je lui suggère d'entrer immédiatement dans la banque la plus proche, de solliciter un énorme prêt et de s'établir fleuriste. La beauté est une excellente partenaire pour le Bélier/Chèvre. Les Bélier/Chèvres sont bons dessinateurs, bons décorateurs, et œuvrent au mieux de leurs capacités dans des emplois de prestige.

Carrières convenant aux Bélier/Chèvres : acteur, ménagère, speakerine, décorateur, princesse, script.

Bélier/Chèvres célèbres : Merce Cunningham, Christopher Walken.

<table>
<tr><th colspan="2">BÉLIER</th><th colspan="2">SINGE</th></tr>
</table>

BÉLIER		SINGE	

Brave	Naïf	Improvisateur	Coquin
Énergique	Ostentatoire	Habile	Astucieux
Cordial	Entêté	Stable	Loquace
Affable	Excessif	Directif	Égocentrique
Talentueux	Cagot	Spirituel	Puéril
Entreprenant	Dominateur	Zélé	Opportuniste
Feu, Mars, Cardinal		*Métal positif, Yin*	
« Je suis »		« Je prévois »	

Tous bavards invétérés, les Bélier/Singes comptent également parmi les individus les plus accomplis et les plus directs. Si vous devez vous séparer d'un ami du Bélier/Singe, je parie que vos plus vifs souvenirs concerneront ses paroles.

Les Bélier/Singes ont également le don de sentir pour les autres. Ils ont une compassion innée et s'occupent vraiment de ceux qu'ils aiment. Allié à l'esprit et à l'intelligence du Singe, le dynamisme de ce Bélier est immanquablement séduisant. Vous aurez parfois l'impression qu'il est impossible de le réduire au silence, que votre ami Bélier/Singe est une radio sur pattes. Cette loquacité peut être épuisante pour l'auditeur.

Le Bélier/Singe réussira pratiquement tout ce qu'il entreprendra. Réussite est sa devise. Pourtant, ils ne sont pas exactement du genre bœuf de labour ou du genre « ôte-toi de là que je m'y mette ». Non. Les Bélier/Singes réussissent dans des domaines où ils ont choisi d'exceller. Ce n'est pas le gain ou la réussite sociale qui les motivent. Ils veulent plutôt « réussir pour eux-mêmes ». Ils se soucient comme d'une guigne de ce que nous pensons, vous et moi.

Les Bélier/Singes ont le don de seconde vue. Ils voient à travers les murs. Ces natifs ont la capacité surnaturelle de juger des qualités et des défauts des autres. Ainsi ai-je vu des Bélier/Singes percer à jour d'énormes sornettes, d'un esprit plus acéré que le bistouri le plus tranchant.

Difficile d'abuser la finesse du Bélier/Singe. La naïveté du Bélier est manifestement atténuée par la roublardise extrême du Singe. Et tant mieux. Un Bélier sceptique est un Bélier heureux.

Le Bélier/Singe est un individualiste convaincu. Bien que grégaire, ce sujet est fort capable d'incursions solitaires au plus profond de lui-même, d'où il ramène immanquablement des tas d'idées astucieuses. Les Bélier/Singes sont extrêmement studieux, et arrivent à d'excellents résultats dans les domaines exigeant de la persévérance. Ils sont patients.

Les Bélier/Singes doivent se garder d'une superstition excessive. Placés devant un dilemme de nature émotionnelle, ils ont tendance à rechercher la solution mystique, plutôt que la solution logique. Il leur faut apprendre à consulter les gens plus sages et plus terre à terre qu'eux. Les Bélier/Singes sont parfaitement capables d'écouter les bons conseils. Mais ils doivent apprendre à les solliciter, sans avoir peur de paraître idiots ou inexpérimentés dans certains domaines. Ces sujets sont capables d'assimiler n'importe quoi. Mais parfois, ils recherchent la connaissance en des lieux où ils n'ont aucune chance de la trouver.

AMOUR

Dans le domaine du cœur, les Bélier/Singes ne sont pas constants, par nature. Toutefois, ils peuvent apprendre à jouer les monogames avec beaucoup de conviction et de succès. Ils sont généralement en puissance d'époux ou d'épouse. Mais cela ne signifie pas toujours qu'ils passent de longues soirées au coin du feu à lire la Bible à leur fidèle conjoint. Ce n'est pas leur genre. Ils adorent sortir et bavarder avec tout le monde et n'importe qui.

Le penchant à l'infidélité dont je parlais plus haut n'empêche pas notre Bélier/Singe de nouer des rapports durables dont la passion est le moteur essentiel. Au contraire, les Bélier/Singes sont des amants passionnés et exclusifs. Il leur arrive même de s'absorber si bien dans leur amour qu'ils en oublient de chercher un autre partenaire plus séduisant.

Si vous aimez un Bélier/Singe, ne soyez jamais ennuyeux. Pour amuser un Bélier/Singe, il faut être tout le temps sur le qui-vive, voyager, recevoir, donner dîner, soirées et réceptions. Louez un chapiteau de cirque et dressez-le dans votre jardin. Tous les jours, invitez un nouvel auditoire et présentez de nouveaux numéros. Votre Bélier/Singe se satisfera peut-être une semaine de ce cirque maison. Mais n'y comptez pas trop.

COMPATIBILITÉS

BÉLIER/SINGE : Cherchez un Lion/Dragon ou Rat. Il vous trouvera d'un charme irrésistible. Leur puissance vous attire. En général, les Rats et les Dragons ne vous laissent rien moins que froid ; mais les Gémeaux, Verseau et Sagittaire nés dans ces années feront tout particulièrement battre votre cœur. Evitez les Capricorne et les Cancer/Tigres et Cochons, et ne vous laissez pas ensorceler par le voluptueux Balance/Serpent.

FAMILLE ET FOYER

Les Singes ont tendance à avoir de nombreux enfants et passent d'innombrables heures à leur montrer et enseigner de nouvelles choses. Un Bélier/Singe ira même jusqu'à faire du patin à roulettes ou des combats de polochon avec ses rejetons. Tel est son enthousiasme pour la communication qu'il prendra part à n'importe quelle activité pourvu que son amour du jeu y trouve son compte.

Le Bélier a un côté puéril. Le Singe est juvénile et farfelu. Imaginez les gags à la table familiale, les tours joués à Mémé, et les rires étouffés lorsque le Bélier/Singe se cache sous le lit pour que Nounou ne le trouve pas.

C'est typique. Les Bélier/Singes adorent s'amuser. Plus ils s'amusent, mieux ils se portent. L'enfant du Bélier/Singe jouit d'un équilibre naturel pratiquement inébranlable. Mais gardez-le de la superstition et d'un mysticisme excessif.

PROFESSION

Les efforts manuels et les projets « do it yourself » n'intimident pas le fougueux Bélier/Singe. Pourtant, il est peu probable que ce sujet choisisse une carrière purement manuelle. Toutefois, si les circonstances les y obligent, ils sont fort capables d'y réussir.

La personnalité extrovertie du Bélier/Singe constitue pour lui un atout dans presque toutes les carrières. C'est le Bélier/Singe qui organise les pique-niques et invite tout le monde à prendre le café chez lui. Les gens aiment se retrouver chez le Bélier/Singe. Son esprit astucieux et sa capacité d'adaptation, bien qu'utiles à tout employeur, pourront susciter des jalousies au bureau. Bélier/Singe, vous seriez bien avisé de fermer de temps en temps votre clapet de Singe, de ne pas vous porter volontaire pour toutes les corvées, jouissant des louanges qui pleuvent sur l'employé modèle. On vous observe.

Si l'intelligent Bélier/Singe est le cerveau d'une opération complexe, il se moque de ne pas avoir son nom inscrit en lettres d'or sur la porte de son bureau. On trouve aussi des Bélier/Singes dans des situations indépendantes et en vue, propriétaires de leur compagnie ou directeurs de leur magasin. Ils sont attirés par les carrières où la perspicacité compte. Mode, psychologie, enseignement, médecine, commerce. Quoi qu'entreprenne ce natif, il réussira. Le Bélier/Singe est naturellement doué.

Carrières convenant aux Bélier/Singes : chef d'entreprise, commerçant, couture, psychologue, avocat.

Bélier/Singes célèbres . Howard Cosell, Bette Davis, Joan Crawford, Jack Webb, Omar Sharif, Marie-Christine Barrault, Jean Cacharel, Edmonde Charles-Roux, Claude Cheysson, Victor Vasarely.

BÉLIER		COQ	
Brave	Naïf	Résistant	Effronté
Énergique	Ostentatoire	Passionné	Vantard
Cordial	Entêté	Candide	Borné
Affable	Excessif	Conservateur	Instable
Talentueux	Cagot	Rigoureux	Autoritaire
Entreprenant	Dominateur	Chic	Dispersé
Feu, Mars, Cardinal		*Métal négatif, Yang*	
« Je suis »		« Je surmonte »	

Comme tous les Coqs, le Bélier/Coq bouillonne d'enthousiasme. Toutes les secondes de sa vie débordent d'une activité incessante. Les Bélier/Coqs veulent tout essayer au moins une fois. Et si certains de ces essais leur procurent plaisir ou expérience, ils aimeraient les recommencer. Ce Bélier est généreux et ouvert, extrêmement curieux et doué de talents universels.

L'exotisme l'attire comme un aimant. Voudriez-vous aller à pied de Moscou à Pékin, mais avez-vous du mal à trouver un équipier parce que les candidats éventuels craignent de ne pas supporter la cuisine ? Téléphonez à un Bélier/Coq. Ou encore, vous avez formé le projet fabuleux de construire une maison dans une île d'un fjord norvégien, mais vous avez peur que personne ne vienne vous voir parce qu'il fait trop froid par là-haut. Invitez un Bélier/Coq. Il prendra le premier avion pour Oslo. Inutile d'aller le chercher en voiture à l'aéroport. Il se débrouillera pour rejoindre votre hutte nordique par ses propres moyens, à pied s'il le faut, souriant et sifflotant des chants de marche tout le long du chemin.

Les vêtements sont d'une importance capitale pour le Bélier/Coq. Je ne dirais pas qu'il vit uniquement pour embellir son apparence — mais tout juste. Les Chinois disent que les Coqs ne sont jamais satisfaits de leur corps. Les Bélier ne se soucient guère de leur apparence, mais dans ce domaine, le Bélier / Coq est totalement influencé par son côté Coq ; il aime se vêtir des plus beaux cuirs et des soies les plus chatoyantes, et, une fois vêtu, adore se pavaner devant la glace.

Les Bélier / Coqs aiment également le luxe de la franchise. Ils veulent que leur vie soit parfaitement intègre. Ils n'aiment pas la fausseté et évitent la malhonnêteté. Pourtant, vu qu'ils vivent comme nous tous dans ce monde corrompu, ils se trouvent parfois acculés à des situations où ils feraient mieux de se permettre quelques petits mensonges plutôt que de se précipiter, langue la première, dans le pétrin le plus dangereux. Pourtant, même quand le danger menace, les Bélier / Coqs ne peuvent se retenir de proférer la vérité. Grâce à cette mauvaise habitude de dire la vérité, toute la vérité, rien que la vérité (qui, en pratiquement toutes circonstances, est considérée comme une *bonne* habitude) ils se retrouvent souvent plongés dans les ennuis jusqu'à la crête.

Mais ne vous inquiétez pas. Lorsqu'un Bélier / Coq tombe sur un os, essuie un échec ou décide qu'il a assez vu ses voisins, il est fort capable de tout laisser tomber, de vendre la maison, les voitures et jusqu'à la dernière balle de ping-pong, avant de partir pour les Mers du Sud. Les Bélier / Coqs pratiquent la résistance élastique.

Les Bélier / Coqs ne ressassent pas leurs malheurs. Ils vivent le moment présent, avec aplomb, grâce et classe. Les Bélier / Coqs bénéficient de l'énergie native de leurs deux signes. La finesse vient du Coq. L'intrépidité vient du Bélier. Combinaison sans peur et sans reproche — et agréable en plus.

Ce sujet a une certaine tendance à la vantardise. Les Bélier / Coqs aiment faire admirer leur réussite, leur environnement élégant, et, ne l'oubliez pas, leur corps. Et ils n'hésitent pas non plus à vous parler de leur yacht ou de leurs quatre maîtresses. Ils doivent veiller à ne pas donner libre cours à leur tendance à l'autoritarisme et à la pédanterie. Mais par-dessus tout, qu'ils se gardent de s'adonner à l'alcool ou à la drogue. Bien entendu, en cas d'addiction à une substance dangereuse, le Bélier / Coq est fort capable de s'en libérer tout seul et de repartir du bon pied, tête haute, dans le vaste monde. C'est un champion, le Bélier / Coq.

AMOUR

Le Bélier/Coq a besoin d'un partenaire sur qui il pourra déverser son affection ; sa stabilité en dépend. La solitude n'est pas son fort. De plus, son identité, l'image qu'il se fait de lui-même, est en grande partie tributaire des réactions des autres à son comportement. La lunette grossissante que constitue l'œil de son interlocuteur lui dira plus sûrement que toutes les lunettes du Pays des Merveilles si sa moumoute est de travers.

La candeur et la crédulité du Bélier/Coq lui attirent fréquemment des déboires amoureux. Amants et maîtresses exploiteront sa foi en le droit, la justice et la vérité. Il lui arrive d'être triste, de se sentir coupable, et de se laisser critiquer pour des actions qu'il n'a pas faites.

Mais, chose intéressante, le Bélier/Coq ne restera jamais longtemps abattu. Ils ne sont ni patients ni masochistes. Leur devise ? « Si ça ne marche pas et si la situation m'angoisse, je déménage, au revoir et merci. » Aussi, ne ridiculisez jamais un Bélier/Coq, et ne l'asticotez pas non plus. S'il vous semble trop indépendant, c'est sans doute que vous n'êtes pas assez occupé vous-même. Il faut à ces natifs un vaste poulailler où ils pourront se pavaner à leur aise... mais ne les y enfermez jamais.

COMPATIBILITÉS

BÉLIER/COQ : Le Gémeaux/Serpent ou Bœuf excitera votre intérêt, mais votre vrai partenaire vit parmi les Lion/Bœufs, Serpents ou même les Verseau/Serpents ou Dragons. Attention aux Cancer/Chats. Bas les pattes sur les Balance/Serpents. Et fuyez les Lion/Chiens. Ces derniers sont trop dépendants pour votre goût. Ne tombez pas amoureux d'un Capricorne — surtout né dans une année du Chien. Vous aimez les Sagittaire, et ils vous le rendent bien.

FAMILLE ET FOYER

Je ne dirai pas que le Bélier/Coq n'aime pas la famille. Il l'aime. Il emmènera sa mère à Venise et lui fera tout visiter, lui donnant patiemment toutes explications nécessaires à l'appréciation des monuments, et partagera son enthousiasme pour l'excellente cuisine locale.

Le Bélier/Coq fait toujours son devoir. Fondamentalement conservateur, ce natif fera toujours ce qu'on attend de lui — publiquement.

Le hic, c'est que ce personnage talentueux et affairé n'a guère le temps de s'attendrir devant bébé sommeillant dans son berceau drapé d'organdi, ou d'arpenter la chambre toute la nuit, un nourrisson hurlant dans les bras. Autrement dit, le signe du Bélier/Coq convient mieux à un homme qu'à une femme.

Les enfants du Bélier/Coq ont besoin de beaucoup de tendresse. Très jeunes, il faut encourager leurs dispositions artistiques et leurs diverses curiosités. S'ils veulent en faire un citoyen solide, ses parents ne doivent pas lui ménager applaudissements, attention, vivats et encouragements. Imposez-lui une discipline. Mais ne l'asticotez pas.

PROFESSION

Ce natif à multiples facettes pourra avoir du mal à choisir une carrière. Les Bélier/Coqs peuvent pratiquement tout faire. Je connais un Bélier/Coq qui est chirurgien ophtalmologiste, pianiste, artiste peintre, horticulteur, menuisier, électricien, cuisinier, calligraphe, tailleur et danseur de claquettes. Je vous l'ai dit, les Bélier/Coqs ne peuvent se tenir tranquilles une minute.

Les rivalités dans le travail chagrineront ce sujet. Il suscite la jalousie de ses collègues. Les Bélier/Coqs ont des capacités et des dons si divers que toute personne même légèrement complexée perdra courage en leur présence. Ils seront attirés par les carrières indépendantes : médecin, avocat, acteur, ou militaire de haut grade. Vous ne trouverez jamais beaucoup de Bélier/Coqs employés à de basses besognes. Et si par aventure vous en trouvez un, vous pouvez être certain que ce Bélier/Coq qui lave le carrelage est en train de concocter quelque plan qui le sortira de ce trou et le propulsera vers une situation prestigieuse.

Carrières convenant aux Bélier/Coqs : toutes les carrières — pourvu qu'il se fixe *une* profession.

Bélier/Coqs célèbres : Peter Ustinov, Simone Signoret, le général George S. Patton, Jean-Paul Belmondo, Jean-Claude Brialy, Michel Guérard, Alain Poher, Jean Richard.

<table>
<tr><td colspan="2" align="center">

BÉLIER

</td><td colspan="2" align="center">

CHIEN

</td></tr>
<tr>
<td>Brave
Énergique
Cordial
Affable
Talentueux
Entreprenant</td>
<td>Naïf
Ostentatoire
Entêté
Excessif
Cagot
Dominateur</td>
<td>Constant
Héroïque
Respectable
Déférent
Intelligent
Consciencieux</td>
<td>Inquiet
Critique
Sainte nitouche
Cynique
Insociable
Sans tact</td>
</tr>
<tr>
<td colspan="2" align="center">

Feu, Mars, Cardinal
« Je suis »

</td>
<td colspan="2" align="center">

Métal positif, Yin
« Je m'inquiète »

</td>
</tr>
</table>

Prenez un naïf bon enfant, travailleur, ambitieux, ajoutez une tasse de gentillesse, une livre et demie d'inquiétude, et des tonnes de balourdise, et vous avez un Bélier/Chien. Inutile de faire cuire. A consommer cru.

Le Bélier et le Chien évoquent tous deux la naïveté. Chez le Bélier, cela tient à son esprit martial. Le Bélier est un éclaireur, un pionnier, et partant, aussi crédule que possible. Il est si « gentil ». Pourquoi tout le monde ne serait-il pas aussi « gentil » que lui ? Le Chien, par ailleurs, est un nerveux, un sceptique. Mais, comme le Bélier, il croit en la bonté naturelle de l'homme. Et quand il prend enfin la décision de s'engager, c'est à fond et sans retour.

Qu'obtient-on lorsqu'on marie ces deux signes ? C'est évident : une foi dynamique. Le talent s'allie au réalisme. Le Bélier désire croire en la bonté, mais le Chien sceptique l'empêche de s'aveugler. Le Chien désire se mesurer aux moulins à vent, mais le Bélier terre à terre le retient. Qu'arrive-t-il alors ? Le Bélier/Chien trottine au milieu de la route, mettant son génie en pratique et s'accommodant de ce que lui offre la vie.

Tous les Chiens sont des inquiets par nature. Le Bélier/Chien dissimule cette inquiétude sans doute mieux que tous les autres Chiens.

Le Bélier est exubérant. Chaque fois que le Chien cède à la paranoïa, craignant que tout le monde en veuille à son emploi, à sa femme, à sa peau... surgit alors le bouillant Bélier qui lui dit : « Allons, Toutou ! C'est l'heure du déjeuner ! Viens, nous allons nous offrir un bon gros sandwich. » L'action est le sauveur de ce Chien. Je ne vois pas un Bélier/Chien languir au milieu des édredons satinés, mangeant des bonbons en lisant des romans de pacotille.

Le Bélier/Chien semble attacher peu d'importance à son confort, mais trouve parfois nécessaire d'attirer l'attention sur l'inconfort subi en telle ou telle situation. Le Bélier/Chien peut être de ces gens qui se plaignent parce que d'autres ont obtenu davantage que lui de la vie et qu'il n'a pas fait aussi bien. Il lui est égal d'être désavantagé, mais il veut au moins le faire remarquer.

Par suite de cette tendance à s'apitoyer sur eux-mêmes, les Bélier/Chiens savent souvent faire face à l'adversité. Ils semblent presque rechercher les obstacles. Les Bélier/Chiens ne sont pas vraiment pacifiques. Ils aiment bien la bagarre, et s'épanouissent dans des situations qui les obligent à affronter l'agressivité des autres. Peu s'en faut qu'ils ne soient agressifs eux-mêmes.

Le Bélier/Chien aime trouver chez les autres la bonté qu'il recèle en lui. Ce sujet recherche en chaque personne et en chaque situation ce qu'elle a de mieux à offrir. Il est d'un optimisme presque enfantin — un poil trop gentil-gentil. Mais c'est rafraîchissant, que diable ! Et le plus curieux, c'est qu'en recherchant ce qu'il y a de bon chez les autres, le Bélier/Chien le trouve souvent.

Le Bélier/Chien a une tendance moralisatrice dont nous nous passerions bien. Ces sujets adorent exposer aux autres ce qui, d'après eux, est le « bien ». Parfois, Bélier/Chien, les gens n'ont pas envie de savoir ce que c'est que « le bien et le mal ». Parfois, les gens ne sont que mal. Certains sont attirés par le mal comme vous l'êtes par le bien. Aussi, ne fréquentez pas truands et gangsters. Ils exploiteraient votre bonté, et vous seriez ruiné avant d'avoir eu le temps de vous retourner.

AMOUR

Dans sa vie personnelle, le Bélier/Chien n'aime pas faire de vagues. La plupart des Bélier/Chiens finissent par se marier et être heureux en ménage, mais cela peut prendre un certain temps.

Très tôt dans leur vie d'adultes, les Bélier/Chiens tendent à exagérer la nécessité de dire la vérité, toute la vérité, rien que la vérité. Et comme, du début à la fin, toutes les amours s'émaillent de toutes sortes de petits mensonges, cela contrarie le Bélier/Chien. Il ou elle ne se contentera pas de blâmer le ou la partenaire malhonnête, mais pourra rompre tous rapports où la vérité pure ne fait pas loi.

A mesure qu'ils avancent en âge (et en sagesse ?) les Bélier/Chiens cessent d'exiger des autres la candeur dont eux seuls sont capables. Ils finissent par accepter les cris et les ombres de la vie, et renoncent à leur notion enfantine de pureté en amour.

Peut-être sans s'en rendre compte, le Bélier/Chien a quelque chose d'un briseur de cœurs. Ses façons brusques et ses ruptures faciles semblent superficielles aux sujets nés sous des signes moins « efficaces ». La femme de ce signe se voit souvent critiquée d'être trop ouvertement séduisante. Il est indéniable que les Bélier/Chiens aiment attirer l'attention.

COMPATIBILITÉS

BÉLIER/CHIEN : Le Gémeaux/Chat ou Tigre s'accorde bien avec vous. Ou essayez un Lion magnanime, né dans une année du Cheval ou du Tigre. Les Sagittaire/Chats ou Tigres vous plaisent également. Mais ils sont un peu bavards pour vos goûts laconiques. Les Verseau/Tigres vous séduisent, mais ça ne peut pas durer. A éliminer : les Cancer/Coqs, Dragons et Chèvres. Les Balance/Chèvres et leurs falbalas vous irritent. Les Capricorne/Dragons vous concurrencent dans le domaine des scrupules, et leurs frères et sœurs de la Chèvre mettent votre bon naturel à l'épreuve.

VIE EN FAMILLE

Le Bélier/Chien connaîtra par cœur le moindre recoin de son environnement, et prendra sur lui la tâche d'en superviser la décoration et l'entretien. Dans la mesure où il dispose de beaucoup de place pour sa famille et d'un petit coin pour lui-même, le Bélier/Chien ne se plaint pas. Les Bélier/Chiens ne sont pas des créatures amoureuses du luxe. Ils aiment le confort, mais ils sont fort lucides et savent que l'opulence se paye très cher, par de nombreux soucis.

La pire caractéristique du Bélier/Chien, c'est sa tendance à faire des remarques involontairement blessantes. Pour une raison mystérieuse, tous les Chiens en sont affligés. Mais certains, notamment les Bélier, plus que d'autres. Ils disent n'importe quand tout ce qui leur passe par la tête, sans le faire passer par le filtre du tact. Pourtant, au fond, les

Bélier/Chiens sont des gens très sensibles. Mais tous les jours, sans réfléchir, ils lâchent des remarques du genre : « Tu peux te vanter d'avoir un gros derrière », ou encore : « A voir ta coiffure, il doit drôlement venter dehors. » Cette habitude peut être pénible pour la famille. Mon conseil ? Une muselière.

Les Bélier/Chiens sont généreux et leur famille ne manque de rien. Ils se sentent facilement coupables s'ils ne passent pas assez de temps en compagnie des enfants ou du conjoint.

Il faudrait encourager un enfant du Bélier/Chien à cultiver sa spontanéité, tout en lui déconseillant les remarques désobligeantes. Il sera aimant à l'extrême, et trop prompt à s'intéresser aux gens, qui exploiteront son bon naturel. Malgré son penchant inné à la panique, il faut permettre au Bélier/Chien de prendre des risques. Les sports et l'aventure attirent cet enfant. Il aura besoin de beaucoup d'affection qu'il ne sollicitera pas.

PROFESSION

Le Bélier/Chien a le talent d'organiser les autres. Il est naturellement artiste et s'intéresse toujours aux nobles causes et à l'amélioration de l'humanité. Aucune circonstance n'abat vraiment ce sujet, sinon, à l'occasion, son propre pessimisme.

Le Bélier/Chien peut être patron ou salarié avec un égal succès. Si la patronne ne le congédie pas pour ses remarques sur sa mise en pli, ce sera un employé compétent, dévoué, loyal. Patron, le Bélier/Chien ne sera pas avare de remarques sarcastiques envers ses employés, mais comme il a bon cœur, la plupart apprendront à les ignorer. La générosité arrange bien des choses dans le travail, et le Bélier/Chien est juste et libéral. « Permettez-moi de vous offrir ce café », est un réflexe typique du Bélier/Chien.

Carrières convenant aux Bélier/Chiens : travailleur indépendant, libraire, réalisateur de cinéma, artiste publicitaire, musicien ou prestidigitateur lui conviendraient fort bien.

Bélier/Chiens célèbres : Houdini, Henry Luce, Paul Robeson, Eileen Ford, Carmen McCrae et Ved Mehta.

<table>
<tr><td colspan="2">BÉLIER
</td><td colspan="2">COCHON
</td></tr>
<tr>
<td>Brave
Énergique
Cordial
Affable
Talentueux
Entreprenant</td>
<td>Naïf
Ostentatoire
Entêté
Excessif
Cagot
Dominateur</td>
<td>Scrupuleux
Courageux
Sincère
Voluptueux
Cultivé
Honnête</td>
<td>Crédule
Coléreux
Hésitant
Matérialiste
Épicurien
Entêté</td>
</tr>
<tr><td colspan="2">Feu, Mars, Cardinal
« Je suis »</td><td colspan="2">Eau négative, Yin
« Je civilise »</td></tr>
</table>

Ce signe promet confort et activité. Ces sujets n'auront pas toujours la vie facile, mais leurs familles, amis et collègues connaîtront l'amitié la plus extraordinaire qui soit. Les Bélier/Cochons sont la gentillesse incarnée. Ils emmènent au cinéma des tas de moutards hurlants, leur achètent à tous des glaces et ne se fâchent pas si elles dégoulinent sur leurs vêtements. Absolument infatigables, ils donnent un coup de main à tous les comités imaginables — y compris celui du ménage.

Ces natifs sont si populaires dans leur entourage qu'on les élit souvent chefs de classe ou chefs de camp avant qu'ils soient en âge de lire les règlements. Tout le monde leur fait confiance. Et avec raison. Leurs capacités, leur sens de l'organisation, leur bonheur à faire plaisir aux autres et à les amuser, les placent parmi les personnes les plus altruistes au monde.

Ma sœur Sally était Bélier/Cochon. Elle est morte prématurément il y a quelques années à l'âge de quarante et un ans. Sally était monstrueusement douée. Elle peignait des tableaux extraordinaires, décorait sa maison avec un goût impeccable, couvrait ses amis d'attentions allant de la soirée d'anniversaire au petit cadeau préparé avec amour — confiture ou coulis de tomates maison. Sally était une mère fabuleuse et une épouse patiente et aimante. Nous la regretterons toujours.

Je pourrais écrire tout un livre sur l'évolution de Sally, qui d'abord simple femme au foyer devint un peintre abstrait célèbre, puis présidente de la société municipale des beaux-arts et conservatrice de collections de peinture et de sculpture dignes de rois. Sally était à la fois artiste et gestionnaire, et brillante dans ces deux domaines, qui constituent le talent spécial du Bélier/Cochon. Talent toujours mis en œuvre avec optimisme et bonne humeur.

Les gens aiment les Bélier/Cochons, dont ils ne sont jamais jaloux. Ils ne tentent jamais de leur ravir leur emploi. Ils ne tentent jamais vraiment de leur ravir leur mari ou leur femme. Les gens désirent simplement que le Bélier/Cochon les aime, les remarque, leur dise « Salut » et leur communique un peu de leur joyeuse humeur.

Les Bélier/Cochons ne sont pas seulement charmants et séduisants. Ils sont magiques ! Ils naissent comme ça, et ils meurent comme ça. Certaines personnes ont fondé des bourses au nom de ma sœur. Tous les ans, certains, toujours plus nombreux, donnent des dîners à sa mémoire. Stupéfiant ! Sally aurait pu poser sa candidature à la présidence... et l'emporter.

Les meilleurs d'entre nous ont leurs défauts. Celui du Bélier/Cochon est de taille. Si un Bélier né dans une année du Cochon subit un gros échec ou pâtit des intrigues de quelqu'un, sa réaction pourra recevoir le nom de colère. Mais ce sera une colère transcendant colère et fureur, une sorte d' « état de rage aveugle et écumante », qui pourra causer sa perte. Attention, Bélier/Cochon : quand vous sentez monter en vous cette tempête furieuse... partez. Faites un voyage. Faites une promenade. Prenez un valium. Vous finirez par mourir de rage si vous n'y prenez garde.

AMOUR

La vie amoureuse du Bélier/Cochon est marquée par la frustration. Comme ces natifs se lient d'amitié avec tout le monde dès le jardin d'enfants, ils ont tendance à se marier jeunes. Mais comme, par ailleurs, ils se développent très très lentement, un mariage prématuré les mènera sûrement au désastre.

L'ennui, c'est que le Bélier/Cochon est convaincu de sa capacité à se « débrouiller » en toutes circonstances. C'est souvent vrai. Il peut trouver la façon de s'entendre avec son mari ou sa femme. Il peut trouver le moyen de retenir son partenaire à la maison, par d'innombrables liens fascinants. Mais il faut bien reconnaître qu'il ne sait pas trouver le moyen·de réparer des rapports branlants. De plus, le Bélier/ Cochon se reprochera toujours l'échec de ses rapports amoureux.

Si vous aimez un Bélier/Cochon et que vous ayez tendance à la méchanceté, bas les pattes! Le Bélier/Cochon est un compagnon si délicieux que son partenaire est souvent tenté de l'exploiter. Le Bélier/ Cochon travaille dur, se contente de ce qu'il a, reste joyeux au milieu des pires déboires, économise temps et argent. N'abusez pas de son bon naturel. Le monde a besoin de lui pour diriger, pour présider, et, par-dessus tout, pour conserver tout ce qui est beau dans l'humanité.

COMPATIBILITÉS

BÉLIER/COCHON : Je dirais que vous pouvez vous embarquer en toute sécurité avec un Gémeaux ou un Lion/Dragon ou Chat. Ils maintiennent votre intérêt en éveil. Les Sagittaire/Chats seront pour vous des partenaires durables, de même que les Verseau/Chats et Dragons. Si j'étais vous, je résisterais aux Serpents de tous les signes. Ils ne valent rien pour les Cochons. Les Cancer nés dans les années du Singe, du Chien et du Cheval ne vous sont pas bénéfiques. Ne jouez pas non plus avec les Balance/Coqs et les Capricorne/Tigres ou Coqs. Suivez votre instinct, et ne vous laissez pas embobiner par la bonté apparente d'un Balance/Tigre.

FAMILLE ET FOYER

Quel talent, ce Bélier/Cochon! Pour ce sujet, la famille est tout, et fréquemment, *tout* est sa Némésis. Le Bélier/Cochon adore la maison. Il sait s'occuper de sa famille et de son foyer de façon si originale que conjoint et enfants, père et mère, cousins et amis en arrivent tous à se reposer entièrement sur lui. Et c'est naturel. Le Bélier/Cochon constitue le centre de tous les groupes où il se trouve.

Quel mal à cela? Tout plein. Le Bélier/Cochon supporte mal qu'on marche sur ses plates-bandes. Un enfant indépendant qui quitte le foyer le blessera à le rendre littéralement malade. Qu'il soit parent ou enfant, le Bélier/Cochon déteste perdre le contrôle de toute situation. Quand les rênes commencent à glisser entre ses doigts, le Bélier/ Cochon commence à perdre la tête. Rien n'égale la fureur d'un Bélier/ Cochon furieux.

L'enfant du Bélier/Cochon manifestera des dons précoces. Il finira toujours pas briller, quoi qu'il arrive et quoi qu'il fasse, mais il est préférable de l'encourager à toutes les activités artistiques et culturelles. Il sera sujet à des crises de rage fréquentes et embarrassantes. En des cas semblables, quand nous étions petits, ma mère descendait de l'autobus et laissait ma sœur rentrer seule. Ma mère, Balance/Cochon, ne l'entendait pas de cette oreille. Elle m'attrapait par le bras, prenait mon frère par la main, et disait : « Tu rentreras à la maison quand tu seras calmée, Sally-Ann. » Des heures plus tard, Sally réapparaissait, boudeuse et ébouriffée. « Je suis rentrée », disait-elle avant de filer droit dans sa chambre.

PROFESSION

Voilà le domaine dans lequel le Bélier/Cochon s'absorbe totalement. Les Bélier/Cochons, s'ils apprennent seulement à terminer les myriades de projets qu'ils entreprennent, pourront avoir des carrières très fructueuses.

Patrons et directeurs du personnel leur offrent les emplois sur un plateau. Ils dégagent une telle impression de bonne humeur et de compétence que tout le monde voudrait faire partie de leur équipe. Je mettrais ma tête à couper que, quel que soit le taux du chômage, quelles que soient les suppressions d'emplois... nos Bélier/Cochons auront toujours du travail.

Les Bélier/Cochons devraient choisir des carrières les mettant en contact avec la culture et le luxe. Ce sujet attache une importance capitale à un bel environnement, aux objets d'art. Les Bélier/Cochons ont du talent pour tous les arts, et sont des chefs dans toutes les branches d'activités — y compris la guerre !

Carrières convenant aux Bélier/Cochons : agent de publicité et de relations publiques, journaliste, sculpteur, traducteur, artisan, dentiste.

Bélier/Cochons célèbres : Tennessee Williams, Dudley Moore, Elton John, Bismarck, Hervé Bazin, Marcel Marceau.

TAUREAU

21 avril-21 mai

TAUREAU		RAT	
Ardent	Langoureux	Charmeur	Avide de pouvoir
Déterminé	Partial	Influent	Verbeux
Industrieux	Intransigeant	Économe	Nerveux
Patient	Gourmand	Sociable	Rusé
Logique	Suffisant	Cérébrale	Intrigant
Sensuel	Jaloux	Charismatique	Ambitieux
	Terre, Vénus, Fixe « Je possède »		*Eau positive, Yin* « Je dirige »

Les Taureau nés dans les années du Rat bénéficient d'un heureux hasard. Les Rats sont des hypernerveux. Le Taureau atténue cette nervosité excessive. Mais, à la pesante personnalité du Taureau, le Rat apporte du piment, du zeste, et une bonne pincée d'esprit calculateur. Le Taureau/Rat associe et combine les personnalités de William Shakespeare et de l'ayatollah Khomeyni... tenace, brillant, doué de nerfs d'acier et d'une supériorité naturelle. Le Taureau/Rat s'intéresse essentiellement à la conservation d'une situation bien méritée. Il aime le pouvoir. Mais il ne désire pas nécessairement dominer les autres. Il peut être passionné. Mais il ne descendra jamais du piédestal de sa dignité pour bêtifier dans une histoire d'amour. Vous ne rencontrerez jamais un Taureau/Rat larmoyant.

Les Taureau/Rats sont doués d'une énorme séduction, et sont capables de ruses qui n'ont pas leurs pareilles en aucun autre signe. Ils possèdent une grande force de caractère et de volonté. Mais, plutôt que d'écraser l'accélérateur pour gagner la course, le Taureau/Rat se renfoncera dans son siège, et, le micro de son dictaphone à la main, énoncera lentement et méthodiquement le coup tactique, précis et génial, nécessaire pour gagner la course sans même lever le petit orteil.

Les Taureau/Rats font de redoutables ennemis. Comme ils semblent peu susceptibles, et qu'ils ne manifestent jamais publiquement leur rancœur, on ne sait jamais vraiment ce qu'ils pensent. Tout ce qu'on sait, c'est que leur pensée est rapide et efficace.

Les Taureau/Rats sont également doués d'une mémoire infaillible. Ce qui peut paraître détail trivial à tout autre représente un fait d'importance essentielle pour le Taureau/Rat. Dix ans après, le nom d'une personne leur revient aux lèvres comme s'ils l'avaient vue la veille. Les Taureau nés dans les années du Rat sont de véritables fichiers sur pattes.

Le Taureau/Rat fait incontestablement partie des maîtres, pas des esclaves. Pourtant, en cas de besoin, il peut paraître asservi, battre des cils et même ricaner dans son coin s'il sait que c'est nécessaire à la réalisation de ses plans. Je n'irai pas jusqu'à dire qu'il est impitoyable, mais presque.

Les Taureau nés dans les années du Rat protègent ceux qu'ils aiment. Ils peuvent être d'une immense générosité vis-à-vis de ceux qu'ils veulent aider, quoique le Taureau/Rat soit enclin à n'aider que ceux qui s'aident eux-mêmes.

Le Taureau/Rat a toujours une attitude pleine de dignité, un comportement impeccable en compagnie, et apprécie les bonnes manières chez les autres. Où qu'il soit, c'est autour de lui que gravitent les autres. Les Taureau/Rats semblent imbus de leur personne. Mais si vous grattez un peu la surface, vous découvrirez l'étincelle cachée d'une gaieté folâtre. Toutefois, si vous n'appartenez pas à l'entourage sélectif du Taureau/Rat, vous n'aurez peut-être jamais l'occasion de découvrir ce naturel enjoué.

AMOUR

Les sujets du Taureau/Rat aiment avec une constance et une fermeté dignes du Kremlin. Le sujet est toujours très sensuel, et, pour cette raison, on peut lui pardonner une infidélité occasionnelle. Mais le coup de canif dans le contrat, ce n'est pas la vie réelle. Et ce qui intéresse le Taureau/Rat, c'est la réalité « bien-palpable-et-terre-à-terre ».

Si vous aimez un sujet du Taureau/Rat, soyez fidèle, et gardez-vous des intrigues. Oh, vous pouvez être amusant(e) et même un peu étourdi(e) de temps en temps, mais jamais déloyal(e). Les Taureau/Rats sont jaloux et possessifs, et tellement engagés dans leurs rapports amoureux, tellement voués à leur perpétuation, que toute déviation leur semble parfaitement improbable. Si donc vous avez séduit un Taureau/Rat, ne vous écartez pas du droit chemin.

COMPATIBILITÉS

TAUREAU/RAT : Je vous vois bien avec un Poissons/Bœuf ou Tigre, fort mais gentil. Mais vous pouvez tout aussi bien réussir avec un Cancer, Vierge ou Capricorne/Singe ou Cochon. Le Bœuf vous concurrence, mais cela vous est égal dans la mesure où il ne contrecarre pas votre désir de pouvoir. Le Cheval ne vaut rien pour le Rat, mais vous devriez tout spécialement fuir les natifs du Lion, Scorpion et Verseau/Cheval. Les Chats sont trop cools pour vous fasciner éternellement. Leur éternelle réserve vous ennuie. Mais ce sont les Verseau/Chats qui vous énervent le plus. Ils sont indolents et calmement clairvoyants. Vous détestez l'inertie.

FAMILLE ET FOYER

Le foyer du Taureau/Rat sera, avant tout, traditionnel. Même si les lampes semblent donner un peu dans le goût ultramoderne et si les fauteuils design sont dans le vent. Regardez donc la commode Louis XV contre le mur. Et que voyez-vous sur son marbre ? Quelques numéros de cette revue lue uniquement par l'élite qui a « bon goût ».

Bien que son métier retienne souvent le Taureau/Rat loin de son foyer, la vie de famille tournera autour de lui. Finalement, c'est toujours le Taureau/Rat qui décidera si la famille passera ses vacances en Bretagne ou en Amérique. Il ne s'agit pas exactement d'un despotisme égoïste, car le Taureau/Rat laisse liberté et espace à ceux qu'il aime, et veille à ce qu'ils atteignent un niveau élevé d'excellence. Disons simplement que le Taureau/Rat aime avoir affaire à des professionnels et déplore l'amateurisme en toutes choses.

L'enfance d'un Taureau/Rat est d'une extrême importance. Il faut tout d'abord lui permettre d'exprimer ses opinions et de tirer ses propres conclusions. Il arrive souvent que les Taureau/Rats ne soient pas les meilleurs élèves de leur classe. La trivialité de la routine scolaire les ennuie souvent, et ils préfèrent étudier à leur façon régulière et inflexible indépendamment de toutes règles mesquines. Les enfants du Taureau/Rat connaissent à fond les règles, mais ils préfèrent inventer les leurs — et le font souvent.

PROFESSION

Peu de professions sont fermées à cette nature robuste et brillante. Le Taureau/Rat est doué pour tous les métiers exigeant un fort sens du devoir allié à l'exercice du pouvoir. Il aime l'argent et est capable de garder en tête des milliers de faits, et de faire au moins cinq choses en même temps. Les Taureau/Rats sont ces gens que vous voyez avec quatre combinés téléphoniques coincés sous le menton, en train de signer les documents placés devant eux tout en discutant une affaire avec un client. Multifaces, oui, mais absolument pas superficiels.

Je dirai qu'un employé du Taureau/Rat ne fera qu'attendre le moment propice pour devenir patron. C'est un individu pragmatique, dont le bon sens dépasse de loin le besoin de spontanéité. Les Taureau/Rats sont des patrons très exigeants, mais leurs employés les respectent et se précipiteront pour chercher leurs affaires ou leur faire du thé. Ce sujet a une supériorité naturelle indéniable. Il saura toujours conserver sa dignité et garder ses distances avec ses employés. Mais il n'a pas peur de sourire et de dire merci.

Carrières convenant aux Taureau/Rats : avocat, médecin, chef d'entreprise, agent de change, expert-comptable, assureur, éducateur, détective privé.

Taureau/Rats célèbres : William Shakespeare, Charlotte Brontë, l'ayatollah Komeyni, Studs Terkel, Zubin Mehta, Charles Aznavour.

TAUREAU	BŒUF

TAUREAU		BŒUF	
Ardent	Langoureux	Intègre	Entêté
Déterminé	Partial	Réalisateur	Étroit d'esprit
Industrieux	Intransigeant	Stable	Lourd
Patient	Gourmand	Innovateur	Conservateur
Logique	Suffisant	Diligent	Partial
Sensuel	Jaloux	Éloquent	Vindicatif

Terre, Vénus, Fixe
« Je possède »

Eau négative, Yin
« Je persévère »

Il pourrait sembler à première vue que l'alliance du Taureau et de son âme sœur, le Bœuf inquiétant, donne naissance à une créature si massive et pesante qu'elle est vouée au naufrage dans les deux mois. C'est pourtant le contraire qui est vrai. Les Taureau nés dans les années du Bœuf sont des individus grands et forts, c'est vrai, mais également résistants.

Naturellement, le Taureau est taciturne et sensuel. Eloquents et inébranlables, les Bœufs sont essentiellement lents. Ils prennent leur temps, et s'attaquent à n'importe quelle tâche comme si elle était enveloppée dans du papier collant et exigeait prévoyance et résolution pour être menée à bien. Fermer une porte est toute une histoire pour un Bœuf. Il s'empare de la poignée et pousse, doucement mais fermement, refermant le battant sans le moindre bruit, et prêtant l'oreille au déclic indiquant que le pêne est bien enclenché. Pendant ce temps, la plupart des gens ont déjà passé cinq portes. Ce sujet n'est pas pressé, et par conséquent, il n'est pas impatient, emporté ou impulsif. Les Taureau/ Bœufs réfléchissent d'abord, et ne se jettent dans la mêlée qu'après un bon dîner, un long repos et de nombreuses invitations. Résultat : ils ne prennent souvent que des décisions sages. Ou du moins, des décisions considérées comme sages — leur sagesse étant parfois contestable (dans le cas d'Hitler par exemple).

La vie d'un Taureau/Bœuf laisse peu de place aux loisirs. Ils apprécieront la poésie et regarderont un ballet avec plaisir, mais au fond, ils trouvent qu'ils ne devraient pas distraire un temps précieux de leur travail pour de telles frivolités. Je ne dis pas que le Taureau/Bœuf est un sujet ennuyeux. Loin de là. Mais il sera capable de différer ses exigences sensuelles, de surseoir à sa gourmandise, de chasser un désir passionné et tumultueux — parce que son but premier est de réussir et de conquérir la célébrité, et le respect de son entourage. Il ne lutte pas pour acquérir un pouvoir sur les autres. Il veut avoir du pouvoir *parmi* ses pairs, jouir de leur estime et de leur admiration. Le sybaritisme peut attendre.

Je n'aimerais guère me trouver en concurrence pour un emploi avec un Taureau/Bœuf. Quiconque baisse sa garde ne serait-ce qu'une seconde et ne se consacre pas jour et nuit au projet en cours ne peut être que perdant. Le Taureau/Bœuf peut survivre à n'importe qui dans pratiquement n'importe quel travail qui promet de les faire avancer si peu que ce soit dans leur conquête du pouvoir. Bien entendu, une telle « quête » n'a pas de fin. Les Taureau/Bœufs continuent à avancer jusqu'à ce que mort s'ensuive.

La critique n'affectera pas ce sujet. Il s'habillera peut-être n'importe comment et oubliera de se peigner. Peut-être ne se rasera-t-il pas plusieurs jours de suite, absorbé par un travail urgent. Elle ne prendra peut-être pas la peine de s'épiler les sourcils ou de se raser les jambes. L'important, c'est le but.

Malgré ce je-m'en-foutisme concernant la toilette et le vêtement, le Taureau/Bœuf est attirant et séduisant. Il attire par son sérieux inné et sa capacité de mettre les gens à leur aise.

AMOUR

Comme nous le savons déjà, le Taureau/Bœuf est plutôt froid. Si le partenaire ou le conjoint cherche à le coincer, il luttera jusqu'au bout, sans reculer devant les coups bas. Les Taureau/Bœufs sont capables d'un amour sombre et profond vis-à-vis de leurs bien-aimé(e)s. Mais attention à une certaine tendance à la cruauté. Ils sont toujours prêts à broyer votre cœur, et cela jusqu'à la destruction de votre équilibre. Sinon, aussi longtemps que vous n'essaierez pas de rouler cette sensuelle créature, elle vous récompensera par une profonde tendresse.

Si vous aimez un de ces sujets, laissez-lui toute latitude de briller.

Laissez-le épanouir, lentement mais régulièrement, sa supériorité, et vous n'aurez jamais à le regretter. Pour l'amour du Ciel, n'exigez pas de ce Taureau/Bœuf qu'il tienne sa partie dans une conversation à bâtons rompus ou qu'il raconte des histoires gauloises en compagnie. Si un Taureau/Bœuf a du goût pour les planches, il deviendra acteur et s'élèvera inexorablement mais sans se presser jusqu'au jour où il sera sacré vedette internationale. Il n'a cure de votre approbation. C'est l'approbation du monde entier qu'il recherche.

COMPATIBILITÉS

TAUREAU/BŒUF : Vous ne vous ennuierez pas avec un Poissons ou un Cancer/Rat ou Serpent. Les Coqs de ces deux signes vous plaisent également. Ils sont industrieux mais ils ont aussi de l' « âme ». Je vous conseille de chercher parmi les Capricorne et Vierge des années du Rat, Serpent et Coq. Ils peuvent être austères, mais vous aussi. Vous pouvez essayer un Poissons ou Capricorne/Singe, mais seulement pour de brèves aventures. Passez très au large des Lion, Verseau et Scorpion des familles du Tigre ou de la Chèvre. Ils sont trop impétueux pour s'entendre durablement avec vous.

FAMILLE ET FOYER

Le Taureau/Bœuf n'attache pas grande importance au décor. Aussi longtemps que les surfaces ne sont pas trop encombrées et que les choses fonctionnent à peu près, ce sujet ne se précipitera pas pour commander un mobilier ou des rideaux neufs afin qu'on voie à son environnement qu'il ne se mouche pas du pied. N'oubliez pas que le but du Taureau/Bœuf c'est l'achèvement. L'environnement n'a d'importance que dans la mesure où il l'aide à atteindre son but. Oh, il ne vivra pas dans une étable, et n'acceptera pas de résider en des lieux outrageusement modestes. Il a trop bonne opinion de lui, et qui plus est, il adore le confort. C'est pourquoi on trouvera souvent quelques profonds fauteuils et un grand bureau de chêne couvert de papiers et de livres dans la demeure du Taureau/Bœuf.

En famille, le Taureau/Bœuf ne sera sans doute pas extrêmement démonstratif. Il essaiera toutefois d'éviter la tyrannie et devra être manœuvré avec précaution. Les enfants n'auront probablement pas le droit de faire du bruit pendant que maman ou papa Taureau/Bœuf travaillera. Il ou elle sera attaché aux traditions terriennes, et espérera que ses rejetons partageront cet enthousiasme pour les choses naturelles.

Enfant, le Taureau/Bœuf passera sans doute beaucoup de temps tout seul. Il ne sera pas totalement solitaire. Mais il se sentira toujours différent, et préférera la compagnie de ses copains à celle de ses parents ou de ses frères et sœurs. Il aura des dispositions artistiques, et on pourra l'encourager à s'engager sur des voies accidentées, car il a la force intérieure qui lui permet de persévérer pour atteindre des buts difficiles.

PROFESSION

Jack Nicholson, vedette native du Taureau/Bœuf, a déclaré récemment dans une interview que, à son avis, il n'existait pas d' « âge favorable » pour la réussite ou le bonheur. Il prétendait qu'on devait se sentir bien dans sa peau à tous les âges, et que la réussite ne devrait jamais dépendre d'avantages aussi transitoires que la « jeunesse », la « beauté » ou le « charme ». Cette attitude est typique du Taureau/Bœuf. Dans son travail, et quel que soit son but, le Taureau/Bœuf est convaincu que rien ne remplace le travail assidu, la diligence et la force. L'âge n'a rien à voir. Ni, d'après le Taureau/Bœuf qui a l'obsession du travail, des vétilles telles que l'instruction, la situation sociale, ou, Dieu nous préserve ! le sexe ! Tel est le Taureau/Bœuf.

Que peut faire un Taureau/Bœuf pour gagner sa vie ? Réponse : n'importe quoi, dans la mesure où ce n'est pas insignifiant. Ces natifs devraient être orientés vers des carrières où la ténacité et l'énergie sont indispensables à la réussite. Ils peuvent choisir de devenir athlètes, reporters, vendeurs, acteurs, musiciens ou chercheurs.

Carrières convenant aux Taureau/Bœufs : P.-D.G., rédacteur en chef, homme/femme politique, auteur, chef d'orchestre.

Taureau/Bœufs célèbres : Adolf Hitler, Gary Cooper, Jack Nicholson, Billy, Joel et Jean-Pierre Beltoise.

TAUREAU		TIGRE	
Ardent	Langoureux	Fervent	Impétueux
Déterminé	Partial	Courageux	Emporté
Industrieux	Intransigeant	Magnétique	Désobéissant
Patient	Gourmand	Veinard	Conquérant
Logique	Suffisant	Bienveillant	Immodéré
Sensuel	Jaloux	Autoritaire	Itinérant
Terre, Vénus, Fixe « Je possède »		*Bois positif, Yang* « Je surveille »	

Voici le Tigre terre à terre, le seul Tigre qui parvienne à garder ses quatre pattes fermement plantées sur le sol, et sa tête à lui. Le Tigre le plus stable. Le Taureau le plus vigilant.

L'esprit du Taureau né dans une année du Tigre est à la fois acéré et ordonné. Rien de ce qui y entre n'en ressort sans avoir été soigneusement enregistré. Les Tigres aiment apprendre. Les Taureau aiment conserver. Cette combinaison donne un individu doué d'une redoutable jugeote qui, bien qu'il puisse paraître légèrement excentrique et un poil trop bon enfant, marque les points pendant que vous regardez pousser l'herbe.

Je dirais que, tout bien considéré, le Taureau/Tigre est un sujet sérieux. Il peut avoir quelque chose de léger dans les manières, une certaine désinvolture dans la démarche, mais ne vous y laissez pas prendre. Le Tigre né sous le signe du Taureau ne baisse jamais vraiment sa garde. Il est madré et il est circonspect. Il a des capacités, et aime vraiment commander. Le Taureau/Tigre préfère que vous ne passiez pas devant lui dans la jungle. Merci.

Les Taureau/Tigres sont rarement hautains. Même s'ils sont la reine d'Angleterre (ce qui est justement le cas) ils ne sont ni snobs ni prétentieux. Ils préfèrent les plaisirs simples.

Les Tigres nés sous le signe du Taureau aiment les foules. Ils n'exigent pas d'être le centre de l'attention, et ils adorent regarder agir les autres sans ressentir d'inquiétude pour leur ego. Ce sujet possède une noblesse naturelle, qui vient avec le territoire. Les Taureau/Tigres sont des gens modestes qui se déplacent avec panache.

Le Taureau/Tigre adore la mobilité. Demandez-lui de partir en voyage demain, et il aura fait sa valise avant que vous n'ayez eu le temps d'acheter les billets. Ils sont à la fois grégaires et posés, et on peut les emmener absolument partout, vu qu'ils ont des manières excellentes et un bon sens imbattable sur ce qui constitue la politesse suivant la compagnie.

Ces sujets sont loin d'être parfaits. Ils tendent à être excessivement individualistes, et peuvent être agaçants. On pourrait même dire qu'ils sont un peu bizarres. Les Taureau/Tigres aiment que les choses aillent « à leur guise », et ne voient aucune raison qu'il n'en soit pas ainsi. Ces sujets sont du genre à préférer au meilleur champagne un thé bon marché mais exotique qu'ils ont bu à Lisbonne une nuit qu'ils avaient raté leur correspondance aérienne. Ils se soucient comme d'une guigne de ce que pensent les gens. Ils peuvent venir déjeuner chez vous, apportant un litre de crème glacée qu'ils voudront manger à tout prix à la place de votre soupe et de votre salade.

Les Taureau/Tigres savent vivre de peu. Ils peuvent réduire leurs besoins à l'essentiel. Peu leur importe que vous dépensiez cent millions de dollars par an. Eux, ils préfèrent serrer leurs dépenses et survivre à moins. Cela fait partie de leur excentricité. Les Taureau/Tigres veulent être chéris sans être chers.

Vous ne regretterez pas de vous lier d'amitié avec un Taureau/ Tigre. Ils sont faciles à vivre parce qu'ils trouvent moins compliqué de laisser les autres constater leurs limites dès le début, plutôt que de souffrir plus tard de surprises désagréables. S'ils ne veulent pas chez eux de votre moutard hurlant, ils vous diront sans doute gentiment que la petite Shirley est tout simplement impossible. Sans rancune.

Le courage est un autre trait distinctif du Taureau/Tigre. Ils ont l'endurance d'un fantassin et l'esprit d'un général romain. Comme les bons vins rouges, ils voyagent bien et s'accommodent pratiquement de toutes les activités que vous pouvez rêver.

AMOUR

Le mot AMOUR pâlit misérablement devant la passion brûlante qui est l'apanage des Taureau/Tigres. Les Tigres nés sous le signe du Taureau *tombent* véritablement amoureux. Lorsqu'ils aiment, ils donnent tout au partenaire, le suivent partout, s'y consacrent avec un désintéressement total et une ardeur sans pareille, défendant la personne jusqu'à la dernière balle de leur cartouchière. L'ennui, si quelque chose arrive à ladite personne ou si quelques nuages viennent assombrir les rapports, c'est que le Taureau/Tigre tombe alors dans un désespoir sans fond dont il est des plus difficiles de le tirer. Lorsque l'amour s'en va, une partie du Taureau/Tigre prend congé avec lui.

Si vous aimez ce personnage singulier, il vous suffit, pratiquement, d'ÊTRE. Le Taureau/Tigre considère que c'est à lui qu'incombe l'acte d'adorer. « Ne te dérange pas, je vais nous préparer un verre. » Les Taureau/Tigres aiment s'occuper des autres, d'une façon en quelque sorte métaphysique ou spirituelle. Je ne leur confierais pas mon alimentation journalière — ce serait se condamner à vivre de haricots et de crème de tomate. Le Taureau/Tigre n'est pas difficile sur la variété et la qualité gastronomique. Il faut manger pour vivre et non pas vivre pour manger, telle est sa devise. Donc pas de fantaisies. Et ne vous faites pas de souci non plus quant au confort, au bonheur ou aux inquiétudes de votre Taureau/Tigre — il vous fera savoir de lui-même ce qu'il en pense. Ces sujets ne dissimulent pas leurs sentiments et ne mâchent pas leurs paroles.

COMPATIBILITÉS

TAUREAU/TIGRE : Les Cancer, Vierge et Capricorne plaisent à votre côté terre à terre. Dans leurs rangs, c'est avec les sujets nés dans les années du Dragon, du Chien et du Cheval que vous vous entendrez le mieux. Une toquade pourra vous porter vers un Poissons/Dragon ou Chien. Les Scorpion ne sont pas non plus à exclure, surtout de la variété Chien. Toutefois, ne prêtez aucune attention aux Scorpion/Singe ou Serpent, et gardez vos distances avec les Lion et Verseau/Serpents, Bœufs et même Singes. Soyez vous-même d'abord. Dans le choix d'un partenaire, évitez les natifs irréfléchis. Recherchez quelqu'un de plus sage que vous.

FAMILLE ET FOYER

La vie familiale du Taureau/Tigre n'est pas exactement paradisiaque. Pourquoi est-elle si turbulente? Si changeante? Si pleine?

Cela a sans doute quelque chose à voir avec l'emportement du Tigre et l'entêtement du Taureau. N'oubliez pas que les Taureau/Tigres aiment que les choses aillent à leur guise. Or, nous savons tous qu'une vie de famille harmonieuse dépend pour une grande part de l'art du compromis, du donnant-donnant, de la capacité à modifier ses points de vue. Ce qui ne convient guère au Taureau/Tigre batailleur. Il entend bien que son foyer soit tel qu'il l'a décidé. Cédez ou déménagez.

En tant que parent, ce sujet fera tout son possible pour être juste et ne punir que si toute autre solution raisonnable a échoué. Les Taureau/Tigres prennent leurs devoirs au sérieux, et veulent s'assurer que leurs enfants réussissent et se tiennent comme il faut. Mais il arrive que leurs vies et leurs destinées hors du commun les entraînent dans bien des pays, en des lieux dangereux et exaltants. Les enfants sont pratiquement livrés à eux-mêmes. Comme chacun sait, un enfant livré à lui-même peut tourner ou très bien, ou catastrophiquement mal. Ainsi en est-il des enfants d'un Taureau/Tigre. Tout ou rien.

L'enfant du Taureau/Tigre sera excentrique et autonome. Il sera intéressant et aimera le groupe familial tant qu'il sera jeune et dépendant. En grandissant, il ruera un peu dans les brancards et insistera pour avoir plus d'indépendance qu'on n'en accorde généralement à un enfant. Laissez-le faire. Il est occupé de choses plus importantes qu'un simple parent ne peut l'imaginer.

PROFESSION

La créativité de ce sujet réside dans son individualité. Il n'aime pas suivre les idées des autres. Il veut découvrir par lui-même — même si ça fait mal — si le feu est vraiment aussi chaud qu'on le dit.

Employer une personne aussi fantasque n'est pas de tout repos. Pourtant, les talents du Taureau/Tigre valent que vous preniez la peine de résoudre les quelques problèmes qu'il vous posera avant de s'adapter aux règles et d'adopter la routine. Une fois convaincu que son travail est utile dans ledit bureau, foyer, magasin, restaurant ou autre, il mènera chaque tâche à son terme avec une sagacité et une ardeur remarquables. Bien sûr, le Taureau/Tigre préfère être le patron. Il aime exercer sa douce autorité, et ne boude pas les avantages matériels qui vont avec un poste de cadre. Attention, il ne se soucie pas vraiment du sale argent. Mais s'il en gagne... tant mieux.

Voici quelques professions convenant aux Taureau/Tigres : missionnaire, écrivain, policier (Interpol), général, conseiller politique, journaliste, souverain.

Quelques Taureau/Tigres célèbres : Robespierre, Karl Marx, Hô Chi Minh, Romain Gary, Elisabeth II, Martin Gray, Marina Vlady.

TAUREAU		CHAT	
Ardent	Langoureux	Diplomate	Cachottier
Déterminé	Partial	Raffiné	Sensible à l'extrême
Industrieux	Intransigeant	Vertueux	Pédant
Patient	Gourmand	Prudent	Dilettante
Logique	Suffisant	Bien portant	Hypocondriaque
Sensuel	Jaloux	Ambitieux	Tortueux
Terre, Vénus, Fixe		*Bois négatif, Yin*	
« Je possède »		« Je me retire »	

Vulnérable et amoureux de la sécurité, voilà une combinaison difficile. Le Taureau né dans une année du Chat a besoin de sécurité, de gages, de garanties dans tous les domaines de sa vie. Il ne peut fonctionner correctement si le loyer n'est pas payé et si tous les enfants n'ont pas des souliers neufs. Le Taureau/Chat n'est pas bohème, quelque effort d'imagination que l'on fasse.

Parlant d'imagination, n'oublions pas que le Taureau/Chat en reçoit la part du Lion à sa naissance. Ils sont avant tout des créateurs, des inventeurs, des innovateurs et des penseurs originaux dans les domaines de l'art et de la création. Ils recherchent la réussite par l'imagination et l'inspiration. Et fréquemment, ils l'obtiennent.

Les Taureau/Chats sont casaniers. Une fois le feu allumé dans la cheminée et leurs pieds posés sur les chenets, vous aurez un mal incroyable à les en arracher pour aller au cinéma ou prendre un verre à cent kilomètres. Les Taureau nés dans les années du Chat aiment rester au foyer. Ils aiment se nicher, se pelotonner, et sont des collectionneurs-nés.

Les difficultés dont je parlais au début se présentent généralement dans la vie du Taureau/Chat lorsqu'il a atteint certains de ses nobles buts. Vous comprenez, la réussite est comme toute chose qui, à première vue, semble ne comporter que des avantages. Quand nous entendons le mot « réussite », nous pensons immédiatement : « Ah, le confort ! Ah, l'argent ! Ah, la célébrité ! » Et c'est vrai. Pourtant, toute pièce a son revers, et ainsi en est-il de la réussite. Si vous êtes « arrivé », votre vie ne vous appartient plus tout à fait. Si vos disques sont des tubes et vous rapportent une fortune, l'inspecteur des impôts viendra peut-être s'installer pendant trois mois d'affilée dans votre appartement ! Vos admirateurs vous écriront pour vous demander de leur envoyer une mèche de vos cheveux ou une de vos dents de lait... et ainsi de suite.

Les Taureau/Chats abhorent la foule. Ils apprécient la compagnie de quelques amis intimes à dîner. Mais ils n'aiment pas vraiment les attroupements autour de leur baignoire pendant qu'ils se frictionnent au gant de crin. Et comme ce sont souvent des artistes qui recherchent la réussite auprès du public, cela leur crée pas mal de problèmes.

Ce que l'on constate parfois chez le Taureau/Chat, couronné d'une éclatante réussite, c'est que lorsqu'il est arrivé, lorsqu'il a goûté aux « fruits » du succès, il se laisse sombrer dans l'obscurité avec satisfaction, retourne s'asseoir auprès du feu et n'en bouge plus jusqu'à la fin de ses jours. Il n'est pas du genre à faire sa rentrée. Il connaît la gloire. Il a vu et il a conquis. Cela suffira, merci.

Le Taureau/Chat est vulnérable. Il lui est difficile de supporter le monde corrompu dans lequel nous vivons. Pour vivre sa vie, point n'est besoin de plans compliqués ou de stratégies secrètes. Requins et gangsters affectent ses nerfs délicats, et lui donnent l'impression que le monde est un endroit bien dangereux et sans espoir. Il peut s'enterrer à jamais dans un trou de campagne au bout du monde si seulement cela le dispense définitivement de se frotter au *vulgum pecus*. Le Taureau/Chat est un signe de paix et d'amour.

AMOUR

Taureau gracieux et raffiné, Chat entêté et sensuel, le sujet préférera les amours sans complications aux passions baroques et complexes. Les Taureau/Chats n'aiment pas souffrir, et ne s'adonnent ni à l'auto-pitié ni aux larmoiements. Ce qu'ils apprécient en amour, c'est le charme et le réconfort.

Si vous aimez un Taureau/Chat, ne l'agacez pas à propos de vétilles. Généralement le Taureau/Chat s'en occupe à sa façon et en son temps. Si vous arrivez à vous adapter aux routines de votre

Taureau/Chat, avancez au rythme qu'il ou elle a choisi, vous n'en serez que plus heureux.

Les Taureau/Chats sont généreux et expansifs tant que leur carrière est sur une voie ascendante. Mais n'allez pas vous y tromper et croire que c'est là leur véritable nature. Ils sont sujets à de longues périodes de silence, et ils ont besoin de calme pour regarder pousser leurs fleurs. Vivre avec ces sujets, ce n'est pas exactement Disneyland. Vous en serez réduit à appeler votre animateur radio préféré si vous désirez qu'on vous raconte des histoires drôles.

COMPATIBILITÉS

TAUREAU/CHAT : Je vous conseillerais de rechercher vos partenaires parmi les Capricorne ou les Cancer nés dans les années de la Chèvre du Chien ou du Cochon. Vous pouvez être attirés par vos similitudes avec un Vierge/Chat, terre à terre comme vous mais plus analytique. Les Poissons/Chèvres et Cochons font de bons partenaires pour les Taureau nés dans une année du Chat. Mais ne vous laissez pas séduire par les fringants Lion, Scorpion ou Verseau nés dans une année du Coq ou du Tigre. Les Scorpion/Rats vous domineront également. Sans parler de la combinaison désastreuse que vous composeriez avec le Scorpion/Dragon. Beurk !

FAMILLE ET FOYER

Au foyer d'un Taureau/Chat, le décor est toujours splendide, douillet, chaud, agréable et accueillant. Le luxe sera omniprésent, mais ne prendra pas l'apparence horrible et ostentatoire de candélabres en or ou de chiens en argent massif montant la garde auprès de la cheminée. Un goût sans défaut et une grâce subtile se dégageront de tous les meubles et bibelots. Le *National Geographic* joue sans doute un grand rôle dans la vie culturelle du Taureau/Chat.

Les Taureau/Chats tendent à battre en retraite devant la violence. Le Taureau est généralement combatif. Mais les Chats sont invariablement si faciles à effaroucher que même la belligérance du Taureau n'arrive pas à contrebalancer cette tendance. En conséquence, le Taureau/Chat — parent ou enfant — est du genre qui explique toutes les interdictions, qui argumente sans fin avec la famille, exposant que nous devons faire ceci ou cela parce que c'est ainsi que font les gens civilisés, ou que nous ne pouvons pas nous afficher en train de faire ceci ou cela parce que ce n'est pas joli, gracieux ou agréable.

Si vous avez un enfant du Taureau né dans une année du Chat, montez le volume de la musique classique, et achetez-lui un clavecin en kit. Ces enfants adorent la musique. Ils sont rêveurs. C'est dans un environnement paisible et pastoral qu'ils sont le plus heureux. Ils ne sont pas combatifs. Vous n'arriverez à rien avec eux par des tactiques strictement disciplinaires. Asseyez-vous avec eux et expliquez. Sinon, vous risquez d'abîmer à jamais leur délicate psyché.

PROFESSION

La vie professionnelle d'un Taureau/Chat se caractérise souvent par une promotion rapide et impressionnante entre 25 et 40 ans. Dans cette période de sa vie, le Taureau/Chat jouit toujours de la capacité de croire et il n'a pas encore été blessé, déçu ou découragé par la méchanceté du monde.

Après 40 ou 45 ans, ce sujet semble brusquement tomber en panne d'essence. Ce ralentissement est dû à l'influence de deux facteurs importants dans la vie d'un Taureau/Chat. Premièrement, il a été déçu, il s'est rendu indifférent à bien de tristes expériences, et il veut que cela finisse. Deuxièmement, parce qu'il économise et dépense avec mesure, il peut se permettre de se reposer loin de la foule qu'il déteste du fond du cœur.

Patron, ce sujet est respectable et même parfois, donnant toujours le bon exemple, il peut sembler d'une vertu un rien ostentatoire. Employé, c'est presque un saint. Il ne restera pas au bureau en dehors des heures de service, car son foyer l'attire plus que l'argent ou l'avancement. Mais il fera toujours son devoir avec diligence.

Carrières convenant aux Taureau/Chats : c'est dans les carrières artistiques ou prestigieuses que le Taureau/Chat a le plus de chances de réussir : décorateur, chanteur, acteur, ébéniste, accordeur de piano, diplomate, architecte-paysagiste, bijoutier, potier, inventeur.

Quelques Taureau/Chats célèbres : Orson Welles, le Dr Benjamin Spock, Judy Collins, José Arthur, Jacques Lanzmann.

TAUREAU	DRAGON

TAUREAU

Ardent	Langoureux
Déterminé	Partial
Industrieux	Intransigeant
Patient	Gourmand
Logique	Suffisant
Sensuel	Jaloux

Terre, Vénus, Fixe
« Je possède »

DRAGON

Puissant	Rigide
Battant	Méfiant
Hardi	Insatisfait
Enthousiaste	Emballé
Vaillant	Vantard
Sentimental	Volubile

Bois positif, Yang
« Je préside »

Bois et Terre. Deux éléments organiques. D'une part, ce natif exsude un bon sens terre à terre, mais d'autre part il est tempétueusement farfelu et égoïstement vaniteux. Le Taureau et le Dragon forment un couple inoubliable.

Les natifs de ce signe se caractérisent par des opinions fermes et tranchées. « Je crois » ou « Je suppose » sont remplacés par « J'affirme », « Vous avez tort », « Deux et deux ne font pas quatre ! » et « C'est comme ça et pas autrement ! »

Ce sujet a toutes les chances d'être compétent. Il quittera le nid de bonne heure, parcourra le vaste monde s'occupant à des milliers de métiers, de projets et de causes. Puis, juste au moment où vous penserez qu'il est devenu le raté par excellence, votre Taureau/Dragon se ressaisira, reviendra dans sa ville natale où on lui offrira immédiatement une situation importante dans l'entreprise de son choix.

Le Taureau/Dragon est hautain. Il vocifère : « Pourquoi me demander d'entreprendre avant que je ne sois prêt ? » Vaniteux ? Oui. Mais il faut reconnaître que ces natifs finissent généralement par obtenir ce qu'ils désirent. Ils sont si ouvertement déterminés et industrieux (et de plus, toujours prêts à le proclamer) que les gens n'en peuvent mais — ils sont impressionnés.

Les Taureau/Dragons sont crânes. Ils ont toujours fait ce que personne d'autre n'a osé. Par exemple, ils ont couru vers un pays en pleine révolution, ou elles ont dansé en bikini sur une table de bistrot en Arabie Saoudite où même les chiennes et les chattes portent le voile.

Il est assez courant que les voyages et aventures du Taureau/ Dragon soient financés par quelqu'un de mieux établi que lui dans la vie — ex-conjoint, parent ou vieil ami. En ce qui le concerne, le Taureau/Dragon trouve toujours sa propre cause beaucoup plus valable que tout autre. Puis, quand il en a assez, quand il est fatigué d'aider les Bédouins en détresse et désire souffler un peu, le Taureau/ Dragon est très capable de dépenser jusqu'à son dernier dinar pour s'habiller de neuf de pied en cap. Ensuite, il appelle immédiatement la famille à Kalamazoo pour qu'elle lui envoie son billet de retour.

La plupart des Dragons crachent le feu presque sans interruption, et, par comparaison, le Taureau/Dragon paraît calme. Sauf, bien entendu, si on le provoque. Et, campé sur ses opinions fermes et inébranlables, le Taureau/Dragon a toujours l'impression qu'on le provoque. « Que voulez-vous dire par cela ? » vous semble une question bien innocente, n'est-ce pas ? Eh bien, essayez donc de la poser à un Taureau/Dragon. Mais reculez immédiatement. Ses cornes tremblent, ses écailles frémissent, un rugissement caverneux s'échappe de sa gueule et — c'est l'explosion.

C'est quelque peu déconcertant, je l'avoue. Les Taureau/Dragons ne peuvent pas vraiment tout *savoir*. Pourtant, quoi que vous fassiez pour les contrer, ils s'obstinent à croire que tout ce qu'ils pensent et font est juste, digne, bienséant et SUPER. Les Taureau/Dragons aiment se battre. Quand ils prennent la Bastille pour voler à votre secours, ce n'est pas seulement pour défendre leurs chères idées, mais aussi par amour de la bagarre.

AMOUR

Naturellement, ce Taureau né dans une année du Dragon est des plus sentimentaux. Malgré ses airs agressifs et belliqueux, si vous grattez la surface, vous trouvez une substance assez semblable au duvet de cygne — et en quantité. Les Taureau/Dragons sont sérieux en amour. Ils admirent et adulent leur partenaire. Quand ils ont trouvé l'homme ou la femme de leur vie, les Taureau/Dragons sont capables de lui rester fidèle jusqu'à la fin de leurs jours.

Le Taureau/Dragon s'intéresse à l'amour. Mais il s'intéresse encore plus à son avancement personnel. Autrement dit, les Taureau/

Dragons ont rarement des liaisons extraconjugales ardentes et tempê-tueuses. En revanche, ils sont fort jaloux et ont un besoin extrême de l'attention de leurs amants ou maîtresses.

COMPATIBILITÉS

TAUREAU/DRAGON : Le charmant ennui avec les Dragons, c'est qu'ils s'entendent avec des tas de signes. Et le vigoureux Taureau/Dragon ne fait pas exception à la règle. Vous trouverez des partenaires possibles parmi les sujets du Cancer, de la Vierge et du Capricorne, Rats et Singes. L'élégant Vierge/Serpent vous accrochera pour la vie. Vous n'aurez aucun mal à cohabiter avec les Poissons/Coqs, Rats ou Singes. Mais si j'étais vous, je congédierais tous les Lion et Scorpion/Bœufs ou Chiens. Vous avez besoin de réserver votre combativité pour votre propre avancement. Et en ce qui concerne les Verseau/Bœufs et Chiens, ne confondez pas amour et amitié.

FAMILLE ET FOYER

Malgré son penchant au voyage et à l'aventure, le Taureau/Dragon fait généralement un excellent parent. Sa famille le préoccupe beau-coup, et il désire qu'elle l'aime, l'honore et lui obéisse. En revanche, il ne la laissera manquer de rien, et rapportera toujours du jambon en quantité pour sa nichée.

Le Taureau/Dragon prendra toujours personnellement tout ce que feront ses enfants. Si le petit a de bonnes notes à l'école, le Taureau/Dragon tapote son échine écailleuse avec satisfaction en pensant : « Mon fils est un génie. » (Mettre l'accent sur le MON.) Par contre, si l'enfant est un délinquant juvénile, le parent du Taureau/Dragon le prendra très mal, se sentira personnellement responsable et donnera du bâton.

L'enfant du Taureau/Dragon sera turbulent, et son besoin d'atten-tion pourra choquer un parent non prévenu. Il faudra le diriger de bonne heure vers des activités qui canaliseront son énergie. Il faudra encourager un comportement positif. Les parents de ces enfants seront souvent fatigués d'applaudir. Un Dragon né sous le signe du Taureau est très doué pour les arts du spectacle et se livrera de bonne heure à des excentricités. Laissez cet enfant suivre son instinct. Si vous l'en empêchez, il le suivra quand même. Quoi qu'il fasse, il réussira.

PROFESSION

Comment il réussira, c'est une autre histoire. Les Taureau/Dragons sont souvent insatisfaits à chaque échelon qu'ils gravissent dans l'échelle sociale et corporative : le distributeur de boissons est trop loin de leur bureau, le soleil brille à leur fenêtre à une heure qui ne leur convient pas, ou bien le salaire est trop bas, ou les conditions de travail trop rigoureuses. Les Taureau/Dragons ne sont pas paresseux. Mais s'ils font parfois un retour en arrière sur leur vie professionnelle ils constatent qu'ils ont commis de graves erreurs. Alors, ils se lamentent. Et ils peuvent tomber dans la nervosité ou la hargne. Personne ne s'entendra vraiment dans le travail avec un Taureau/Dragon. En revanche, ils seront tolérés, admirés, révérés. C'est inéluctable pour les Taureau/Dragons.

Carrières convenant aux Taureau/Dragons : chef de publicité, artiste, sportif, vedette de cinéma, présentateur radio, psychiatre, kinésithérapeute, savant.

Quelques Taureau/Dragons célèbres : Salvador Dali, Sigmund Freud, Jean Gabin, Shirley Temple, Yehudi Menuhin, Charles Aznavour, Yannick Noah.

<table>
<tr><td colspan="2">TAUREAU</td></tr>
<tr><td colspan="2"></td></tr>
<tr><td>Ardent</td><td>Langoureux</td></tr>
<tr><td>Déterminé</td><td>Partial</td></tr>
<tr><td>Industrieux</td><td>Intransigeant</td></tr>
<tr><td>Patient</td><td>Gourmand</td></tr>
<tr><td>Logique</td><td>Suffisant</td></tr>
<tr><td>Sensuel</td><td>Jaloux</td></tr>
</table>

Terre, Vénus, Fixe
« Je possède »

<table>
<tr><td colspan="2">SERPENT</td></tr>
<tr><td colspan="2"></td></tr>
<tr><td>Intuitif</td><td>Dissimulateur</td></tr>
<tr><td>Séducteur</td><td>Dépensier</td></tr>
<tr><td>Discret</td><td>Paresseux</td></tr>
<tr><td>Sensé</td><td>Cupide</td></tr>
<tr><td>Clairvoyant</td><td>Présomptueux</td></tr>
<tr><td>Compatissant</td><td>Exclusif</td></tr>
</table>

Feu négatif, Yang
« Je sens »

Voici le légendaire Serpent paressant dans l'herbe, le « Serpent naturel », si vous voulez. Comme les natifs du Serpent ont souvent tendance à être un peu chichiteux, la présence du Taureau dans le signe d'un Serpent est un avantage certain pour sa vie pratique. Le Serpent sera intuitif comme d'ordinaire, et merveilleusement discret. Mais le Taureau conférera à son caractère un côté terre à terre.

On note chez ces sujets un talent incontestable pour les acquisitions. Le Serpent aime l'argent, et il lui vient souvent plus facilement qu'à d'autres. Il convoite le luxe et s'épanouit dans le confort. Le Taureau lui ressemble en ce sens qu'il conserve ce qu'il acquiert.

Le Taureau/Serpent fait grand cas de l'art et de la beauté. Le Serpent/Taureau ne désire pas seulement participer à leur création (quoi qu'il en soit parfaitement capable) mais encore il désire baigner dans une ambiance totalement artistique. Son sens du luxe n'a rien de commun avec, disons, le désir glouton d'opulence et de richesse du Cochon. Les Taureau/Serpents sont plus attirés par la beauté harmonieuse que par l'étalage ostentatoire.

Comme tous les natifs du Serpent, le Taureau/Serpent passera sa vie à combattre sa grande ennemie : la paresse. Etant donné que les Taureau souffrent souvent de langueur, qu'ils sont entêtés et souvent gros mangeurs, la nonchalance du Serpent n'aide en rien ce sujet à garder la ligne.

Comme tous les natifs du Serpent, ce sujet sera doté d'une beauté bien à lui. C'est toujours un plaisir que de regarder un Serpent. Mais la beauté du Taureau/Serpent sera plus solide, moins froide et diaphane que celle des autres Serpents.

Ce Taureau sera temporisateur. Il ou elle commencera et abandonnera cent fois une tâche avant de la mener à bien dans ses moindres détails. Non que les Taureau/Serpents soient hésitants ou dénués d'assurance. Mais ces sujets aiment prendre leur temps pour mener leurs activités à leur terme — qu'il s'agisse de faire l'amour ou de faire des paniers.

Les Serpents nés sous le signe du Taureau semblent flegmatiques. Ils peuvent paraître un rien trop sérieux. Mais curieusement, le Taureau/Serpent est capable d'énormes gamineries. Je connais une dame du Taureau/Serpent qui, régulièrement (et sans crier gare), provoque l'hilarité d'une table de six à huit personnes par ses blagues loufoques. C'est une erreur fréquente que de juger ces sujets rébarbatifs.

La dissimulation est toujours un problème chez les Serpents. La logique et la patience innées du Taureau atténueront peut-être cette mauvaise tendance, qui néanmoins refera surface de temps en temps. Les Serpents racontent des craques à tout le monde — y compris à eux-mêmes. C'est peut-être une des raisons pour lesquelles ils agissent avec lenteur lorsqu'ils doivent affronter l'inévitable conflit. Ils sont capables de se convaincre que ce qui arrive n'est pas réellement arrivé.

La jalousie n'est pas étrangère à ce signe. Les Taureau sont des animaux jaloux. Les Serpents ont du mal à rester fidèles. Leur alliance présente des problèmes évidents. Pourquoi est-ce que je reste avec Jack ? Parce que Jack est à moi. Pourquoi est-ce que je trompe Jack ? Parce que j'adore séduire. Pourquoi est-ce que je reviens à Jack ? Parce que Jack est à moi.

AMOUR

En tant que partenaire ou conjoint, cette personne sera si séduisante que vous aurez envie de la gâter jusqu'à ce que mort s'ensuive. Un conseil : surtout pas. Le Taureau/Serpent saura se gâter lui-même. Le fait est que les natifs du Serpent et du Taureau ont besoin d'une vie structurée s'ils veulent accomplir quelque chose. Si vous aimez un de ces natifs, aidez-le à mettre un peu d'amidon dans ses voiles. Mettez un peu d'ordre dans la cuisine, et aiguisez les outils qu'il a laissé à rouiller sous la pluie. Suspendez dans le placard les vêtements qui traînent partout, et imposez-lui une discipline. C'est ce plus grand service que vous puissiez rendre à ce Taureau légèrement indolent et glissant comme une anguille.

En retour, le Taureau/Serpent vous tiendra en haute estime, écoutera vos problèmes et vous donnera de bons conseils pour les résoudre, remplira le garde-manger et la bibliothèque d'excitantes nourritures exotiques, bref, vous séduira à nouveau tous les jours de votre vie.

COMPATIBILITÉS

TAUREAU/SERPENT : Normalement, vous vous entendez avec les Cancer, Vierge, Capricorne et Poissons des années du Bœuf, du Dragon et du Coq. Vous avez besoin de stabilité, mais la folie vous attire comme un aimant. Attention aux impétueux Lion/Tigres et Cochons. Et ne vous entichez pas d'un Scorpion ou Verseau/Tigre. Gardez votre sang-froid en face de ces charmeurs, ou vous allez au désastre.

FAMILLE ET FOYER

L'environnement est ultra-important pour ce sujet. Elle voudra convoquer les meilleurs décorateurs, et revêtir les portes de la chambre de laque chinoise rouge. Il insistera pour avoir des canapés en cuir crème et de profonds fauteuils club anglais. Ce sont des amoureux du confort par excellence. Chez eux, vous pourrez toujours vous vautrer avec classe.

La sécurité joue un grand rôle dans leur bonheur personnel. Ils tarderont peut-être à fonder une famille (le temporisateur montre de nouveau le bout de l'oreille) mais quand ce sera fait, les Taureau/Serpents ne la prendront pas à la légère. Le parent du Taureau/Serpent est généralement stable, raisonnable et sensible.

L'enfant du Taureau/Serpent doit être éduqué avec soin mais jamais bousculé. Il ou elle réagira négativement à toute tentative de parents agressifs pour les aiguiller sur une voie qu'ils n'auront pas personnellement choisie. Les enfants du Taureau/Serpent auront une tendance à la loufoquerie qui est parfois amusante, mais... les parents ne seront peut-être pas toujours ravis d'avoir un clown à leur table. Sinon, l'enfant du Taureau/Serpent sera probablement taciturne, secret, amoureux des promenades solitaires et capable de jouer tout seul dans sa chambre. Gardez-vous de secouer cette petite personne.

PROFESSION

Prendre des risques n'est pas le fort de ce sujet. Pour lui, l'argent est une chose sérieuse, et il n'est pas de ceux qui le jouent ou le dilapident. En conséquence, vous trouverez le Taureau/Serpent dans des professions assurant la sécurité de l'emploi, où les rémunérations sont élevées et la retraite certaine dans un avenir pas trop distant. Ses talents le destinent aux professions intellectuelles ou classiques.

Le Taureau/Serpent ne fera pas un excellent patron, car il est trop lent à prendre ses décisions. Les Taureau/Serpents ont du mal à déléguer l'autorité, préférant la garder pour eux, et ne font d'exception qu'en faveur de ceux qu'ils en jugent dignes. Mais en tant qu'employé, et pourvu qu'il soit bien rémunéré et que ses blagues ne nuisent pas à son avancement, le Taureau/Serpent sera un collaborateur utile et apprécié.

Quelques professions pouvant convenir à la personnalité du Taureau/ Serpent : professeur, artiste, bibliothécaire, avocat, médecin et toutes les professions classiques tels pharmacien, dessinateur, acteur.

Quelques Taureau/Serpents célèbres : Johannes Brahms, Henry Fonda, I. M. Pei, Audrey Hepburn, Danièle Darrieux, Bertrand Tavernier.

TAUREAU		CHEVAL	
Ardent	Langoureux	Persuasif	Égoïste
Déterminé	Partial	Autonome	Indélicat
Industrieux	Intransigeant	Branché	Rebelle
Patient	Gourmand	Elégant	Soupe au lait
Logique	Suffisant	Adroit	Anxieux
Sensuel	Jaloux	Talentueux	Pragmatique
Terre, Vénus, Fixe		Feu positif, Yang	
« Je possède »		« J'exige »	

Avide d'exercer sa domination sur les autres, le Taureau/Cheval veut jouer le beau rôle dans tous les drames de la vie. Par nature, le Cheval aime caracoler, et même logé dans l'esprit et le corps d'un Taureau laborieux et tolérant, ce brave poney pourra lancer des ruades, montrer qui est le maître, et, à l'occasion, désarçonner son cavalier — juste pour que nul n'en ignore.

Dès son enfance, le Taureau/Cheval manifeste souvent bien des talents. C'est parfois un enfant prodige dans la musique, les beaux-arts, ou même dans les sports ou le domaine intellectuel. Je ne serais pas surprise de trouver bien des natifs du Taureau/Cheval parmi ces enfants lauréats de concours internationaux à l'âge de six ans. L'enfant du Taureau/Cheval est obéissant et bien élevé, diligent et ambitieux dans la première partie de sa vie. Il écoute ses parents et pratique son piano.

Mais quelque part, dans le tumulte de l'adolescence, quand le sujet commence à se mêler aux autres, le génie du Taureau/Cheval se trouve compromis par la vie en société, par les exigences d'une existence « normale ». Non que l'intelligent Cheval puisse jamais s'y adapter. C'est impossible. Il est différent, séparé, en vertu à la fois de son altérité et de son amertume à ne pas se voir attribuer un prix Nobel dès l'âge de treize ans. Le Taureau/Cheval trouve de la satisfaction dans la grandeur. Sinon, il est grincheux parce que personne ne reconnaît son génie.

Le Taureau/Cheval a l'impression de déchoir en grandissant. La vie était tellement formidable quand papa et maman applaudissaient ses moindres paroles, et quand ses professeurs de sixième lui disaient qu'ils n'avaient jamais vu un élève aussi doué. Mais être adulte, c'est traîner un boulet à la patte. Il faut sortir faire ses preuves dans le vaste monde, se bagarrer avec des gens beaucoup moins talentueux qui, par un coup de chance, avancent plus rapidement que vous.

Aussi, permets-moi de te donner quelques conseils, cher Taureau/ Cheval. Il est vrai que tu as plus de talent et de capacités que bien d'autres. Tu es un être humain merveilleux. Mais, dans la vie en société, tu es paresseux. Tu ne veux pas faire un petit effort supplémentaire pour téléphoner à quelqu'un qui a besoin de réconfort, pour aller au chevet de la grand-mère malade d'un homme qui t'a promis un contrat, etc. L'action seule ne t'intéresse pas. Tu veux des privilèges. Je suis désolée d'avoir à te l'apprendre, Taureau/Cheval, mais les privilèges s'acquièrent au cours de la montée vers le sommet. Si tu renonces avant de commencer, tu les attendras longtemps. Il se trouvera toujours quelqu'un de moins talentueux et de plus modeste pour venir tirer le tapis magique de sous tes sabots étincelants.

Personne ne peut dire que le Taureau/Cheval n'est pas un travailleur consciencieux. Il est toujours le premier arrivé au bureau et le dernier à partir le soir. Les natifs du Taureau/Cheval sont matérialistes et adorent posséder de belles choses. Ils tendent à être vaniteux de leur richesse et s'habillent de façon criarde et pourtant classique. Ils sont loin d'être ennuyeux. Les natifs du Taureau/Cheval sont des gens responsables et respectables. Avec l'âge, leur discrétion et leurs manières s'améliorent, et ils renoncent peu à peu à l'image enfantine du prodige qui peut faire n'importe quoi sans conséquences à cause de son talent superlatif.

En fait, bien qu'il soit brillant par nature, le Taureau/Cheval est davantage un instinctif qu'un intellectuel. Il est capable de penser, mais il aime mieux suivre son intuition. Il est capable de réfléchir, mais il préfère faire de la musique ou même jouer au base-ball! Ce sujet exigera de son entourage beaucoup de compréhension, de patience, de bonne humeur, de calme.

AMOUR

Vous me demanderez comment ce demi-génie égotiste pourra jamais s'arrêter de caracoler assez longtemps pour aimer quelqu'un ? Eh bien, le fait est que l'amour est le seul domaine dans lequel le Taureau/ Cheval ne se sente pas automatiquement supérieur. Le Taureau/ Cheval est excessivement accessible à l'amour. Il est capable de renoncer à tout pour gagner l'affection de LA femme (ou de L'homme) de sa vie.

Les natifs du Taureau/Cheval attachent une énorme importance à l'image qu'ils donnent d'eux au public, et s'inquiètent toujours de ce que les gens pensent d'eux. C'est pourquoi le Taureau/Cheval observe la plus grande discrétion sur sa vie amoureuse. Il n'est pas du genre à se tenir la main ou à s'embrasser en public. Le Taureau/Cheval a besoin d'avoir quelqu'un dans sa vie qui accepte de rester dans la coulisse pendant qu'il jouera sur la scène. Toutefois, je ne conseille pas un partenaire trop indulgent ou auto-sacrificiel. Le Taureau/Cheval ne veut pas être trop adulé. Généralement, il a eu assez d'adulation dans sa jeunesse.

C'est pourquoi il vous faudra stimuler votre Taureau/Cheval. Débrouillez-vous pour le faire descendre du piédestal qu'il s'est imposé. Entraînez-le dans des soirées, et poussez-le à s'engager dans une action sociale. Sinon, il pourrait se transformer en misanthrope casanier qui se sent incompris et se plaint tout le temps. Le Taureau/ Cheval a besoin d'être égayé, stimulé, et doit apprendre à rire de lui-même.

COMPATIBILITÉS

TAUREAU/CHEVAL : Vous vous entendez avec les Cancer, Vierge et Capricorne/Tigres, Coqs et Chèvres. En un certain sens, vous vous sentez supérieur à eux, mais ils ne se laissent pas impressionner par votre image parfois magnifiée. Les Poissons/Tigres se mesurent bien avec vous, de sorte que vous vous retrouverez peut-être entiché de l'un d'eux. Mais c'est pour séduire un Poissons/Chèvre que vous donneriez votre vie. Bonne chance. Les Lion, Scorpion et Verseau nés dans les années du Rat ne vous excitent guère. Faites-vous rare pour les Lion/ Singes, les Verseau/Bœufs et Cochons, de même que pour les Scorpion/Cochons.

FAMILLE ET FOYER

Le foyer du Taureau/Cheval est sa forteresse. Aucun lieu ne s'accorde davantage à son tempérament, nulle part il ne se sent aussi à son aise. En fait, je dirais que tous les Taureau nés dans les années du Cheval se sentent au mieux de leur forme dans leur environnement personnel.

L'innocence de ses enfants déconcerte souvent le parent du Taureau/Cheval. Il se méfie beaucoup de ses frères les hommes. Alors, que veulent réellement ces petits ? Rien ? De l'amour ? Impossible. Pour le Taureau/Cheval, le meilleur moyen de ne pas trop penser à lui-même est d'avoir une vie de famille personnelle.

Enfant, le Taureau/Cheval sera presque trop beau pour être vrai. Il vous étonnera par ses capacités, et vous aurez envie de l'envoyer à Hollywood ou à Harvard. Le comportement de cette petite personne sera exemplaire, et vous l'aimerez à la folie. Un conseil : ne bousculez pas ce petit. Ne le poussez pas trop et donnez-lui le minimum d'applaudissements, sinon il risque d'avoir la « grosse tête ». Encouragez ses talents, mais n'oubliez pas de le préparer à vivre dans le monde réel.

PROFESSION

Parfois, le Taureau/Cheval est tellement doué qu'il s'engage très jeune dans une carrière artistique et y reste toute sa vie. Mais nous savons que, pour les enfants qui débutent trop jeunes, il y a loin de la coupe aux lèvres. Le sage Taureau/Cheval ira à l'université et fera des études d'ordre pratique parallèllement à ses activités créatrices. C'est un patron très exigeant. Employé, le Taureau/Cheval est généralement très apprécié pour sa rigoureuse attention au détail et son réel désir d'avancement.

Les natifs du Taureau/Cheval peuvent pratiquement choisir n'importe quelle carrière artistique, pourvu qu'ils soient capables de supporter le stress qui va avec. Sinon, ils réussiront dans bien des carrières para-artistiques, telles que la production ou la communication. Et pourquoi pas le droit ? Ou la publicité ? Pratiquement tous les métiers exigeant de l'esprit pratique et de la classe lui sont ouverts.

Carrières convenant au Taureau/Cheval : metteur en scène, animateur, directeur artistique, producteur, preneur de son.

Quelques natifs du Taureau/Cheval célèbres : Ulysses S. Grant, Mike
Wallace, Barbra Streisand.

TAUREAU		CHÈVRE	
Ardent	Langoureux	Inventif	Parasite
Déterminé	Partial	Sensible	Primesautier
Industrieux	Intransigeant	Persévérant	Nonchalant
Patient	Gourmand	Fantaisiste	Erratique
Logique	Suffisant	Courtois	Rêveur
Sensuel	Jaloux	Bon goût	Pessimiste
Terre, Vénus, Fixe		*Feu négatif, Yang*	
« Je possède »		« Je dépends »	

Ce sujet est, tour à tour, fardadet taciturne, industrieux feu follet et brillant rêveur. Le génie visite souvent les natifs du Taureau/Chèvre. Bien employée, cette étincelle intérieure créatrice peut les mener loin dans leur évolution aussi bien personnelle que sociale. Mais s'il ne grandit pas dans ces conditions optimales, ce sujet passera la moitié de sa vie à papillonner, ne réalisant qu'à moitié ses rêves ou ses projets. Essentiellement, ce sujet passe sa vie à lutter contre des influences conflictuelles et cependant harmonieuses. Le Taureau est lent mais sûr. Il aime l'ordre et s'épanouit dans une certaine monotonie que d'autres pourraient trouver ennuyeuse. Mais la nature de la Chèvre est évanescente, changeante et convulsive. Les Chèvres procèdent par sauts et par bonds.

Visualisez l'agile chèvre de montagne qui, d'un farouche effort, grimpe une pente raide. Le pied sûr, la Chèvre, d'un dernier bond, atteint le sommet du pic inaccessible. Ici, le Taureau entre en scène. Et que fait-il faire à la sémillante Chèvre ? Il là fait asseoir, regarder autour d'elle, examiner les fleurs sauvages qui l'entourent, s'admirer dans une mare proche et même dresser son camp sur ce pic, jusqu'à ce qu'un nouvel élan la propulse irrésistiblement vers un nouveau sommet.

Le Taureau et la Chèvre peuvent être complémentaires. La lenteur du Taureau convient bien à la Chèvre au pied sûr. De même, la logique et l'invention se complètent. La patience s'accorde à la persévérance. Certains traits de ce natif en font un individu d'un calme souverain. Et les Taureau/Chèvres ne manquent ni de calme ni de sang-froid.

Toutefois, derrière la scène, la détermination se heurte au manque de prévoyance, la langueur à l'intransigeance. Ces traits opposés sont continuellement en conflit. Régulièrement, et pour des raisons concrètes et terre à terre, ces contradictions intérieures s'emparent de l'esprit du Taureau/Chèvre, le rendent parfois pessimiste et angoissé. Des défauts d'ampleur presque méphistophélique se développent dans la personnalité.

La beauté attire viscéralement les Taureau/Chèvres. Ils ont plus de goût et de discernement dans un seul sabot que nous n'en avons dans toute notre personne. Normalement, les Taureau/Chèvres construisent, créent, inventent, interprètent et décorent. Et, lorsqu'ils ne s'odonnent pas activement à ces activités, ils se retirent de la société, cherchent refuge dans un cadre pastoral et ruminent leur prochain coup de génie.

Les ennuis ne commencent que si l'on empêche les Taureau/ Chèvres de réaliser leurs brillants projets. Les considérations pécuniaires ennuient les Taureau/Chèvres. Généralement, ils sont pratiquement incapables de transformer leurs créations en espèces sonnantes et trébuchantes. Ils manquent de punch et se mettent facilement en colère. Si une personne quelconque, n'importe qui, ose seulement projeter l'ombre la plus inoffensive sur leur chemin, les Taureau/Chèvres baissent les bras. Puis, ils entrent en ébullition. Ils ne renoncent pas. Leurs rêves sont toujours intacts. Mais le gêneur qui a jeté des bâtons dans les pattes du Taureau/Chèvre ne restera pas impuni. Toute violence n'est pas à écarter.

AMOUR

A entendre parler le Taureau/Chèvre délaissé, on croirait que tous ses divers « ex- » (ex-femmes, ex-maris, ex-compagnons, etc.) ne sont qu'une triste bande de voleurs, de catins et de maquereaux. Le Taureau/Chèvre aime qu'on l'aime — et qu'on s'occupe de lui. Il a un immense besoin de sécurité, et n'est pas très apte à la procurer aux autres. Il a également besoin de louanges. Mais il en dispense assez peu lui-même. Il faut simplement l'aimer pour ses joyeusetés occasionnelles. Ces sujets ne sont guère persévérants en amour. Ils sortent de leurs gonds au moindre oubli — anniversaire de naissance ou de mariage. Ils attachent de l'importance aux bouquets de fleurs et aux cadeaux de la Saint-Valentin. Mais il leur arrive d'oublier votre chat dans le réfrigérateur jusqu'au lendemain. Pour un partenaire sérieux, le Taureau/Chèvre est exaspérant.

Or, le Taureau/Chèvre a besoin de partenaires sérieux. Il ne peut fonctionner dans un couple où c'est lui qui porte la culotte, rapporte le jambon à la maison et donne son bain à bébé. Le Taureau/Chèvre peut créer — un point c'est tout. Il n'a aucun sens de l'heure, refuse de charger sa mémoire de vétilles et ne voit aucune raison de changer.

COMPATIBILITÉS

TAUREAU/CHÈVRES : Vous aimerez les Poissons/Cochons et Chevaux. Vous serez charmé par les Vierge/Chats et ensorcelé par les Vierge/Cochons si cultivés. Les Capricorne et Cancer/Singes et Chevaux vous plairont aussi. Votre meilleur choix se trouve parmi les Capricorne/Singes, mais ils sont très demandés, alors il faudra vous hâter. Ne vous liez pas à un Lion/Bœuf ou Chien. Gardez vos distances avec les Scorpion/Tigres et Bœufs, et partez en courant quand vous voyez un Verseau/Chien ou Tigre. Le cosmique ne vous attire pas.

FAMILLE ET FOYER

A la maison, tout dépend du partenaire Taureau/Chèvre. Si le noyau familial est solide, et si la personne qui en constitue le centre crée une ambiance dans laquelle le Taureau/Chèvre pourra évoluer, alors il fera un parent délicieux.

Les Taureau/Chèvres adorent jouer, gambader par monts et par vaux, folâtrer avec leurs enfants et leur apprendre à apprécier les belles choses de la vie. Il vous arrivera de trouver notre Taureau/Chèvre à la cave, en train de fabriquer un nouveau jouet pour bébé, ou, à la cuisine, en train de glacer des petits gâteaux, chacun décoré du portrait — ressemblant — d'un membre de la famille. Bien entendu, le jouet ne sera peut-être pas terminé avant que bébé soit en âge de voter, et les gâteaux seront peut-être rassis le temps qu'il mette la dernière touche à ses expertes décorations. Je le répète : il faut que quelqu'un le fasse remonter de la cave, le pousse hors de la cuisine et dans la salle à manger avec le dessert.

Il faut patiemment encourager l'enfant du Taureau/Chèvre à ranger ses jouets, finir ses devoirs, travailler son service au tennis, vérifier la température extérieure avant de s'aventurer dans un froid glacial vêtu d'un simple tee-shirt. Il lui faut un parent méthodique. Bien entendu, cet enfant sera charmant et d'une habileté manuelle qui frise le génie, mais qui restera en friche si on ne l'encourage pas.

PROFESSION

Il est de par le monde des milliers de millions de mères qui voudraient pousser leurs rejetons sur la scène, et l'enfant du Taureau/Chèvre constitue pour elles le matériau idéal. Je ne jurerais pas que l'orientation professionnelle de ce sujet le mènera plus loin que la porte. A moins que... (et c'est une réserve d'importance), à moins que d'autres qui ont remarqué le petit génie n'acceptent de sacrifier leur ambition personnelle à la réussite du petit prodige.

Quels conseils donner aux Taureau/Chèvres? Je ne prétends pas savoir comment guérir l'indolence de ces natifs sans se servir de la force. Vous savez maintenant que j'appartiens à l'Ecole Sherman de dynamique humaine. « Si tu n'as pas envie de faire quelque chose, fais-le quand même », telle est ma devise. Mais cela ne marche pas avec le Taureau/Chèvre. Qu'est-ce qui marche, alors? Peut-être beaucoup d'affection, de chaleur, de confort, d'endurance, d'encouragements et une foi aveugle et inconditionnelle en lui.

Carrières convenant aux Taureau/Chèvres : secrétaire de direction, poète, musicien, acteur, diététicienne.

Taureau/Chèvres célèbres : Laurence Olivier, Honoré de Balzac, Rudolf Valentino, Jacques Dutronc.

TAUREAU	SINGE
Ardent Langoureux	Improvisateur Coquin
Déterminé Partial	Habile Astucieux
Industrieux Intransigeant	Stable Loquace
Patient Gourmand	Directif Égocentrique
Logique Suffisant	Spirituel Puéril
Sensuel Jaloux	Zélé Opportuniste
Terre, Vénus, Fixe « Je possède »	*Métal positif, Yin* « Je prévois »

Voici un Singe qui sera parfaitement satisfait de laisser toute sa vie sa ruse et sa sournoiserie au vestiaire. Le Taureau stabilise le Singe agile et remuant. Cette combinaison de signes est des plus imprévues.

Essentiellement, le Taureau/Singe est stable. L'équilibre lui sort par tous les pores de la peau. Capable de hauts et de bas émotionnels comme tout le monde, le Taureau/Singe se distingue des autres par sa capacité à mieux encaisser les traumatismes. Bien sûr, la mort d'un proche l'affligera. Naturellement, il se consumera pour le ou la bien-aimé(e) dont il a dû se séparer momentanément. Mais il sera aussi le premier à délaisser son oreiller mouillé de larmes, à se camper fermement sur le sol pour se façonner un avenir meilleur.

Le Taureau/Singe est, après tout, un Taureau. Il ressent profondément les choses et il est attaché à ceux qu'il aime. Mais il est raisonnable. Il sait instinctivement quand il faut céder. Il n'a pas peur de se rendre lorsque aucune autre alternative ne se présente. Il a de la jugeote.

Les Singes nés sous le signe du Taureau seront réalistes. Les Taureau/Singes sont modérés, ils prennent méthodiquement leur temps pour accomplir leurs tâches et ne se contentent pas de travail bâclé. Le Taureau/Singe ne laissera jamais tomber quelqu'un à qui il a promis un service, que ce soit de l'emmener en voiture à la réunion des parents d'élèves ou de lui prêter de l'argent. Il vous dira catégoriquement, et avec un sourire, soit : « Non, c'est impossible », soit « Oui, c'est d'accord. »

L'équilibre de ces natifs est leur qualité dominante, et qui éclipse toutes les autres. Les Taureau/Singes doutent rarement d'eux-mêmes. Oh, en privé, ils ont leurs moments de panique. Mais vous ne verrez jamais un Taureau/Singe se traîner lamentablement en pleurant sur ses malheurs. Au contraire, il s'efforcera de se montrer sous son meilleur jour, de donner confiance aux autres, et rarement, sinon jamais, de blâmer collègues ou amis de ses insuffisances.

Le Taureau/Singe connaît sa force. Par conséquent, si un bruyant Lion/Dragon ou un agressif Bélier/Bœuf désire la vedette, le Taureau/Singe ne verra aucun inconvénient à rester derrière le rideau pour souffler son rôle au patron. Les qualités de chef du Taureau/Singe sont évidentes, et il sait qu'on finira toujours par lui donner les rênes.

Les Taureau/Singes sont gentils. Ils prennent le temps qu'il faut pour vous donner un coup de main, remonter le moral d'un ami malade ou égayer un grincheux. Mais malgré ça, malgré leur générosité d'esprit fondamentale, les Taureau/Singes sont l'indépendance incarnée. Ils n'ont besoin de personne pour aller au cinéma ou au concert, pour voyager, manger, danser, etc. Non qu'ils n'adorent la compagnie. Mais ils sont si bien dans leur peau qu'ils n'ont pas besoin de l'avis des autres pour savoir ce qui leur plaît dans la vie.

Il semble que ce monstre de stabilité n'ait aucun défaut. Pourtant, certains se plaignent des Taureau/Singes. D'après eux, les Taureau/Singes possèdent tant d'assurance et de punch que, par comparaison, les autres ne semblent que des chiffes molles. Et c'est vrai. Le Taureau/Singe n'offense que par comparaison. Son caractère est si excellent, son intégrité si totale que près de lui, les autres se sentent tout petits. C'est un caractère tout d'une pièce, et c'est ce qui fait sa force.

AMOUR

Comme nous le savons tous, la fidélité est relative. Pour un Taureau/Singe la fidélité en amour est directement liée à la loyauté, à l'amitié et au dévouement. Ce sujet est certainement très capable d'aimer. Mais il ne s'engagera jamais dans le mariage ou dans une liaison durable si cela risque de menacer son autonomie.

Je n'ai jamais vu un Taureau/Singe gêné par sa passion pour un autre être humain. Pour un Singe né sous le signe du Taureau, l'incapacité c'est la mort. S'il sent que ses genoux pourraient avoir des velléités de se dérober sous lui, ou que son estomac pourrait se nouer, il disparaît en un clin d'œil, toujours aimable, et de préférence sans faire de scène. Le Taureau/Singe désirera vraisemblablement s'engager pour la vie avec le ou la bien-aimé(e). Mais les concessions découlant de cet engagement le décourageront peut-être.

Ce natif conserve quelque chose de l'éternel enfant. Il est charmant, mais également insaisissable. Le Taureau/Singe est une personne libre et sans entraves qui rêve souvent d'un foyer aimant et douillet. Mais il finit très souvent comme Peter Pan, abandonné par Wendy et les Garçons et obligé de se débrouiller seul au Pays de Cocagne.

COMPATIBILITÉS

TAUREAU/SINGE : Normalement, vous devriez être compatible avec le Cancer, Vierge, Capricorne et Poissons/Dragon. Les Dragons et les Singes se respectent. Vous vous entendrez bien également avec les Rats nés sous les signes du Cancer, de la Vierge et du Capricorne. Je vous conseille aussi d'envisager une alliance pour la vie avec un Poissons/Rat. Ils sont doux et forts à la fois. Rien ne vous interdit un Scorpion/Tigre, mais dans ce cas, les probabilités astrologiques sont contre la durée. Les Scorpion/Serpents et les Verseau/Dragons sont également interdits. Oubliez les sujets du Lion/Bœuf, Tigre et Cheval. Ils sont trop égocentristes pour vous.

FAMILLE ET FOYER

Les Taureau/Singes (s'ils en arrivent là) font d'excellents parents. Ils sont sérieux et aimants. Ils sont également amusants et joueurs. Et, bien entendu, ils pourvoient toujours aux besoins de leur famille.

Les Taureau nés dans une année du Singe sont de merveilleux oncles, tantes, cousins, neveux, frères, sœurs, etc. L'élément de liberté qu'impliquent ces rapports non passionnels plaît au Taureau/Singe. Il apportera les jouets les plus extraordinaires à son neveu, emmènera ses cousins en voyage dans des contrées lointaines, et construira joyeusement une piscine dans le jardin de sa sœur Sarah.

Dans l'intérêt du jeune Taureau/Singe, ses parents doivent lui laisser une certaine latitude pour évoluer dans son univers personnel.

Les enfants du Taureau/Singe partiront trop souvent tout seuls pour satisfaire un parent possessif. Si l'atmosphère de la famille est oppressante, ils la quitteront le plus tôt possible.

PROFESSION

Les Taureau/Singes sont affables. Ils adorent faire de nouvelles connaissances, échanger des idées et apprendre de nouvelles façons de faire les choses. La vente et les relations publiques leur conviennent bien, de même que le journalisme et la médecine. Avant tout, leur carrière doit leur permettre une grande mobilité. Par exemple, un Taureau/Singe peut faire un excellent photographe. Mais s'il est obligé de siéger toute la journée dans un bureau miteux, de prendre des photos de bébés pomponnés dans un studio blanc et glacé, tout son talent s'évaporera avant qu'il ait eu le temps de le révéler. Mais emmenez ce dynamique photographe en extérieurs, dans le monde affairé de la mode ou de la publicité, et écoutez-le mitrailler joyeusement à cœur que veux-tu.

L'acquisition d'une solide instruction générale est capitale pour l'orientation du Taureau/Singe. Il excellera en presque tous les domaines, et ceux qui excitent sa curiosité l'attireront tout spécialement. Dès qu'il a acquis les premières notions d'une matière qui l'intéresse, le Taureau/Singe peut étudier seul, faire des recherches et assimiler des connaissances pendant longtemps, sans plus avoir besoin de professeur.

Carrières convenant aux Taureau/Singes : savant, écrivain, compositeur, journaliste, photographe de mode, relations publiques.

Taureau/Singes célèbres : J. M. Barrie, Léonard de Vinci, Harry Truman, Sugar Ray Leonard, Jill Clayburgh, Jean-Paul II, Michel Audiard, Elvire Popesco, Anouk Aimée, Christine Ockrent.

TAUREAU		COQ	
Ardent	Langoureux	Résistant	Effronté
Déterminé	Partial	Passionné	Vantard
Industrieux	Intransigeant	Candide	Borné
Patient	Gourmand	Conservateur	Instable
Logique	Suffisant	Rigoureux	Autoritaire
Sensuel	Jaloux	Chic	Dispersé
Terre, Vénus, Fixe		*Métal négatif, Yang*	
« Je possède »		« Je surmonte »	

L'autorité et la sagesse caractérisent le Taureau né dans une année du Coq. Ce natif est d'un extrême sang-froid. Le Taureau lui confère une détermination inébranlable. Le Coq lui prête son enthousiasme et sa foi aveugle. Dès l'enfance, le Taureau/Coq manifeste sa tendance à dominer. Tout simplement, le Taureau/Coq est naturellement et intrépidement supérieur.

Toutefois, supériorité ne signifie pas tyrannie. Le Taureau/Coq ne s'intéresse pas à diriger l'existence, la carrière ou la vie spirituelle des autres, simplement pour le plaisir d'exercer sa puissance. Pourtant, parce qu'ils ont du caractère, on trouve souvent des Taureau/Coqs dans des situations en vue. Même si l'on voulait les reléguer à un niveau inférieur, ce serait impossible. Tout simplement, la soumission ne sied pas aux Taureau/Coqs.

Parce que le Taureau/Coq est naturellement (et non artificielle-ment) puissant, il est facilement accessible à la compassion. Si vous avez des Taureau/Coqs dans vos relations, vous remarquerez que, dans les situations délicates, ils prennent invariablement parti pour le plus faible. Comptez toujours sur le Taureau/Coq pour défendre les « petits », soutenir les opprimés et encourager le travail des handi-capés.

Ce penchant à défendre les sous-privilégiés et à s'attaquer aux puissants de ce monde entraîne parfois le Taureau/Coq à des croisades ou à des vendettas qu'il entreprend au nom d'individus moins favorisés que lui. Ce qui commence parfois par la pitié ou la charité peut dégénérer en passion. S'il n'y prend garde, le Taureau/Coq se trouvera embarqué dans de pénibles histoires passionnelles avant même qu'il s'en soit rendu compte. Souvent, les opprimés sont secrètement affamés de puissance. Et ce penchant pourra s'épanouir à l'occasion de rapports amoureux ou même simplement amicaux. Je connais des Taureau/Coqs — et donc ouvertement dominateurs par nature — dont la volonté s'est vu brisée par un opprimé animé d'une secrète volonté de puissance.

Dans sa vie personnelle, les Taureau/Coqs incarnent la solidité, la pureté, la sensualité et la générosité. Le Taureau/Coq a le don de maintenir l'ordre dans le chaos de la nature. Et, de par son caractère, il possède l'agilité et la force nécessaires à mener à bien ses projets cohérents.

Les Taureau/Coqs sont des gens bien assis dans la vie. Malgré les apparences (une certaine fantaisie ou même extravagance dans le vêtement) ils sont profondément et irrémédiablement conservateurs. Et souvent très, très, très brillants. Pour un Taureau/Coq, il est pratiquement normal de sauter les quatre premières classes primaires et d'entrer à l'université à douze ans. Et ce n'est pas seulement leur intelligence qui les pousse. Les Taureau/Coqs n'ont pas particulièrement besoin de rapports sociaux et ne sont pas bouleversés outre mesure s'ils ne s'intègrent pas à des groupes. Comme ils dominent naturellement les autres de la tête et des épaules, ils réussissent dans de nombreux domaines, à un âge précoce et de manière totalement indépendante.

La résistance du Coq se trouve compromise chez les sujets nés sous le signe du Taureau. Le Taureau est un inépuisable réservoir d'émotions. Elles s'incrustent si bien sous leur peau sensible que même le ressort inné du Coq ne peut les sauver de crises occasionnelles de profonde mélancolie. Une perte, une séparation ou même un simple changement bouleverse profondément le Taureau/Coq. Il rumine, ressasse, gratte la poussière du sabot, et boude, et pleure et ressasse. Seul le temps peut guérir les blessures que le Taureau/Coq ressent si intensément. Le temps et l'affection — et un travail acharné.

AMOUR

Bien que les Taureau/Coqs soient sérieux par nature et peu enclins à la frivolité, leur choix d'un partenaire amoureux pourrait faire penser le contraire. Les Coqs nés sous le signe du Taureau aiment qu'on les amuse. Leur vie est déjà assez sérieuse comme ça. Ils veulent un partenaire complémentaire. Vous trouverez souvent un puissant Taureau/Coq accouplé à une petite chose fragile qui ne cesse de sourire et de jacasser. « Qu'est-ce qu'elle lui trouve à cet idiot ? » vous demanderez-vous. L'amusement. Le rire. Le divertissement. Tout ce qui manque à la nature solennelle du Taureau/Coq.

Les Taureau/Coqs sont relativement fidèles. Non du genre sentimental et larmoyant qui vous promet une exclusivité physique éternelle. Non. Le Taureau/Coq est au-dessus de ça. Mais souvent, il meurt où il s'attache. Ses passions sont profondes.

Si vous aimez un Taureau/Coq, ayez garde de ne pas peser trop lourdement sur son âme apparemment inébranlable. Sur le plan émotionnel, ces natifs paraissent plus solides qu'ils ne le sont en réalité. Si un nuage noir vient flotter et s'attarder au-dessus de votre Taureau/Coq, engendrant une semaine de silence boudeur, soyez brave. Servez ce que vous trouverez de mieux en fait de nourriture et boisson. Préparez un dîner aux chandelles pour le retour de votre Taureau/Coq, et attendez qu'il soit juste un tout petit peu pompette... puis, parlez. Et parlez vite. Demandez ce qui ne va pas. Insistez. Manifestez votre compassion. Amusez-le. Portez votre cœur en écharpe. Les Taureau/Coqs ont besoin de pleurer de temps en temps comme tout le monde. Mais ils n'aiment pas le reconnaître. Aidez-les à extérioriser leurs émotions. Ils vous en voueront une reconnaissance éternelle.

COMPATIBILITÉS

TAUREAU/COQ : Vos plus grandes affinités seront avec des sujets du Cancer, de la Vierge et du Capricorne nés dans des années du Bœuf, du Dragon ou du Serpent. Vous trouverez attirants les Poissons/Bœufs et Serpents. Ne folâtrez pas avec des Lion/Chats ou Coqs. Leur vanité se heurte à la vôtre. Les Verseau et Scorpion/Chiens et Chats ne font pas non plus partie de vos animaux favoris. Trop de concurrence pour l'autorité.

FAMILLE ET FOYER

En tous domaines exigeant sérieux et profondeur, le Taureau/Coq est champion. Et la vie de famille, avec ses liens et émotions multiples et complexes, ravit le Taureau/Coq. Plus il a d'enfants, plus il est heureux. Plus il donne de soirées, réceptions, dîners de communion, de mariage ou d'anniversaires, plus il est heureux. Les Taureau/Coqs aiment qu'on les divertisse, qu'on les cajole, qu'on les force à s'amuser. C'est l'auditoire rêvé pour toutes les fantaisies et blagues familiales.

Les Taureau/Coqs prenant leur devoir au sérieux, ils n'oublient jamais de téléphoner à un parent vieillissant ou de souhaiter la fête des mères à leur vieille tante célibataire. En revanche, les membres de la famille qui n'acceptent pas son affection et son aide les déçoivent. Les Taureau/Coqs sont autoritaires. Ils vous offrent un nouveau service à vaisselle quand vous semblez en avoir besoin. Mais si les assiettes ne vous plaisent pas et que vous le montrez, ils vous imposent la soumission de force.

PROFESSION

Rien n'est au-dessus des capacités du Taureau/Coq — sauf la subordination. Tous les emplois exigeant de l'autorité lui conviendront. Le Taureau/Coq pourra diriger sa propre affaire sans le moindre problème. Le Taureau/Coq est plein de capacités.

Et ce natif, parmi ses dons multiples, possède celui de gagner sa vie. Je ne crois pas qu'il soit du genre à finir milliardaire. Il aime une vie aisée et confortable. Mais il aime surtout le travail. Il adore bien faire ce qu'il fait. Son âme spartiate supportant difficilement l'échec, il fait généralement en sorte de l'éviter. Mais parfois les circonstances échappent à son contrôle. Et lorsque cela se produit, le Taureau/Coq tente désespérément de recréer l'ordre, d'endiguer la marée de l'inévitable par de vaillants efforts. Mais s'il échoue malgré tout, il offre un spectacle pathétique. Triste, douloureux et touchant. Un tel sort ne devrait pas incomber à un guerrier de cette trempe.

Toutefois, vous pouvez faire confiance au Taureau/Coq pour remonter la pente, trouver de nouvelles façons de reprendre le commandement et de satisfaire son besoin de prouesses. En fait, rien ne décourage à jamais ce natif. Mais la remontée sera longue et dure. Nous n'avons pas exactement affaire à un papillon.

Carrières convenant aux Taureau/Coqs : chef des ventes, acheteur(se) de grand magasin, avocat, pharmacien, pilote de ligne.

Taureau/Coqs célèbres : Rod McKuen, Peter Townshend, Annie Dillard, Daniel Gélin.

TAUREAU		CHIEN	
Ardent	Langoureux	Constant	Inquiet
Déterminé	Partial	Héroïque	Critique
Industrieux	Intransigeant	Respectable	Sainte nitouche
Patient	Gourmand	Déférent	Cynique
Logique	Suffisant	Intelligent	Insociable
Sensuel	Jaloux	Consciencieux	Sans tact
Terre, Vénus, Fixe		*Métal positif, Yin*	
« Je possède »		« Je m'inquiète »	

Les Taureau/Chiens ont un sens exacerbé de l'injustice. Ils n'arrivent pas à comprendre pourquoi le sort semble toujours contre eux. Pourquoi les autres ont-ils tant de chance ? Pourquoi les alouettes leur tombent-elles toutes rôties dans la bouche ? Pourquoi n'ai-je pas de veine, MOI ? grommelle le Taureau/Chien, mécontent.

Une séduction juvénile et une ignorance apparente de tout ce qui est louche et tortueux font du Taureau/Chien un compagnon aimable et aimé. Il s'intéresse à des tas de choses et est capable de les mener à bien. Il a généralement le don d'amuser les foules, et il est capable d'assumer de grandes responsabilités.

Malgré ses dons innés de détermination et de respectabilité, d'industrie et même d'héroïsme, le Taureau/Chien souffre d'un pénible manque de confiance en soi. Dès l'enfance, il n'est jamais tout à fait sûr de lui. Souvent, à cause de cette insécurité, le Taureau/Chien reste dans les coulisses de la vie pendant toute son enfance et son adolescence. Puis, quand il est en âge de lancer sa réplique et de bondir sur la scène, il ne se sent pas tout à fait prêt, tergiverse, trouve des excuses pour retarder son one man show, et, s'il n'a pas le bon esprit de choisir un partenaire qui le pousse, l'aiguillonne et l'aime assez pour le propulser sous les projecteurs, le Taureau/Chien peut se retrouver à l'âge de la retraite dans les mêmes coulisses de la vie, se demandant ce qui s'est passé.

Ce natif est l'inquiétude personnifiée. Il est également très perfectionniste. « Pourquoi ne prends-tu pas les choses plus sérieusement ? » demande le Taureau/Chien à un partenaire, ami ou enfant moins sérieux. « Tu ne vois donc pas comme c'est important ? »

Si le Taureau/Chien parvient à une réussite éclatante, il peut manifester une tendance à la suffisance. Il a le sentiment d'avoir travaillé plus dur que les autres pour réussir. Il sait que certains trichent ou trompent pour arriver dans la vie. Mais pas le Taureau/Chien. Jamais ! Les Taureau/Chiens sont les premiers à trouver qu'ils sont des gens « bien » qui font toujours tout « comme il faut ».

Ils sont plus consciencieux que beaucoup. Et ils sont sensibles à l'extrême. Alliez cette sensibilité à une tendance innée à la jalousie et à la possessivité, et vous obtenez un caractère joliment irascible. Vous pouvez ressentir le Taureau/Chien comme un personnage impardonnablement égotiste. Mais n'allez pas croire une minute qu'il se juge en rien inférieur à Albert Schweitzer — compatissant, aimant, généreux, chaleureux, gentil, indulgent, etc.

Les Taureau/Chiens aiment défendre la bonne cause et s'occupent beaucoup des petits. Ils ont le cœur généreux et veulent bien mettre la main à la pâte pour aider les moins fortunés qu'eux. Ce sujet peut persévérer dans des situations qui sembleraient désespérées à tout autre.

AMOUR

Le Chien doute de lui-même ; le Taureau est têtu et persévérant, et pourtant ardent et possessif. Alliez les deux, et vous obtenez un amant constant, fidèle et sincèrement dévoué à la personne aimée. Aucune montagne n'est trop haute à escalader, aucune rivière n'est trop large à traverser à la nage pour l'amour de son ou sa bien-aimé(e). Dans les rapports amoureux, le Taureau/Chien a toujours le sentiment que c'est lui qui donne le plus.

Si vous aimez un grave et grognon Taureau/Chien, il vous faut être à la fois un comique, un saint-bernard et un clown. Le partenaire idéal du Taureau/Chien est capable de découvrir le côté humoristique de toutes choses et de toutes situations. Sinon, le Taureau/Chien étant naturellement pessimiste, l'ambiance familiale menacera de tourner au lugubre. Si vous aimez un Taureau/Chien, faites-le rire sans arrêt.

Les Taureau/Chiens ont une idée si exagérée de leur propre

infériorité qu'ils ressentent parfois le besoin d'exiger des preuves d'amour extravagantes. « Si tu m'aimes vraiment, et bien qu'il soit trois heures du matin et que le blizzard fasse rage, tu iras m'acheter un demi-litre de glace aux pralines », ou « Si tu m'aimais vraiment, tu inviterais ma mère à venir habiter avec nous. » Ces demandes extraordinaires ne sont que des appels à votre amour. Répondez-y par des caresses, défendez-vous avec des fleurs, mais — quoi qu'il arrive — ne les prenez pas à la lettre, ou vous finiriez par vous retrouver avec une belle-mère sur les bras — ce que vous regretteriez tous les deux.

COMPATIBILITÉS

TAUREAU/CHIEN : L'amour s'épanouira entre vous et le Cancer, Vierge, Capricorne et Poissons/Chat, Cheval et Tigre. Ces combinaisons conviennent à votre nature irritable et essentiellement pessimiste. Vous avez besoin d'être remonté, égayé et, à l'occasion poussé au derrière. Mais pas par un Lion, Scorpion ou Verseau/Tigre, Dragon ou Chèvre. Leurs motifs peuvent ne pas être totalement altruistes. Les vôtres le sont.

FAMILLE ET FOYER

Le Taureau/Chien ne sera pas difficile en ce qui concerne son environnement. Généralement, il aime les couleurs vives et les choses pratiques. Mais peu lui importe de ne pas avoir des fauteuils design ou des tapisseries d'Aubusson. Plutôt que de courir après ce qu'il y a de mieux en fait de moderne ou d'ancien, le Taureau/Chien voudra personnaliser son environnement à *son* goût. Il déplacera parfois les meubles dans sa chambre d'hôtel, ou punaisera des photos de magazines sur les murs d'un appartement loué pour les vacances.

Bien qu'elle soit souvent pour lui source de déceptions depuis le début de sa vie, la famille compte beaucoup pour le Taureau/Chien. Chaque fois qu'il est besoin de faire appel au sens du devoir, du dévouement et de la fiabilité, vous pouvez toujours compter sur les services de ce loyal partenaire. En ce qui concerne ses enfants, il sera à la fois prudent et sérieux. Peut-être un tantinet sévère, également, mais c'est parce qu'il veut qu'ils soient plus heureux qu'il ne l'a jamais été, et qu'il croit fermement que l'autodiscipline est l'un des secrets du bonheur.

Au premier abord, l'enfant du Taureau/Chien vous frappera par son côté solennel. Il n'est pas facile à connaître, et il faudra beaucoup l'égayer et l'amuser. Cet enfant sera obéissant et essayera de faire ce que lui demandent ses parents. Si vous avez un enfant du Taureau/ Chien, tentez de découvrir de bonne heure ce qui le passionne ; poussez-le à surmonter sa timidité et ses battements de cœur, pour que, plus tard, il ait moins de chances de regretter ce qu'il a manqué.

PROFESSION

Il est peu domaines où le Taureau/Chien ne puisse réussir. Il est à la fois talentueux et travailleur. Il sera parfois plus lent que d'autres dans son travail, mais la perfection de ses résultats compensera largement le temps qu'il aura mis à les acquérir. Les Chiens nés sous le signe du Taureau seront fiables, et se soucieront de l'impression qu'ils font sur leurs collègues et clients. Vu qu'il sera parfois un tantinet mal à l'aise dans le monde, le Taureau/Chien aura soin de s'entourer de collègues expansifs et grégaires. Les Taureau/Chiens excellent à fignoler les détails, et, bien que n'étant pas exactement influençables, ils sont très ouverts aux nouvelles idées et toujours prêts à essayer de nouvelles méthodes.

Employé, le Taureau/Chien sera droit et loyal. Parfois, il sera peut-être un rien raisonneur à propos de détails insignifiants. Mais dans l'ensemble, le Taureau/Chien veille à ce que le travail soit bien fait. Patron, le Taureau/Chien jouit d'une bonne réputation parmi ses employés. N'oubliez pas qu'il est juste, et, même s'il est parfois un peu grincheux, il est avant tout gentil, et n'hésite pas à mettre la main à la pâte avec ses collègues. Mais s'il est victime de tricheries ou de tromperies en affaires, il devient amer. Il ne supporte pas la malhonnêteté. Si donc vous envisagez de duper un Taureau/Chien, n'oubliez pas qu'il mord aussi fort qu'il aboie.

Carrières convenant aux Taureau/Chiens : les Taureau/Chiens peuvent être physiciens, urbanistes ou libraires. Le spectacle et la politique leur offrent également l'occasion de bien utiliser leurs talents.

Taureau/Chiens célèbres : Socrate, Lénine, Golda Meir, Georges Moustaki, Shirley Maclaine, Arletty, Michel Poniatowski, Serge Reggiani, Yannis Xenakis.

TAUREAU	COCHON
Ardent Langoureux Déterminé Partial Industrieux Intransigeant Patient Gourmand Logique Suffisant Sensuel Jaloux	Scrupuleux Crédule Courageux Coléreux Sincère Hésitant Voluptueux Matérialiste Cultivé Épicurien Honnête Entêté
Terre, Vénus, Fixe « Je possède »	*Eau négative, Yin* « Je civilise »

Vous trouverez toujours un de ces natifs dans la « haute société ». Les Taureau nés dans les années du Cochon, bien que rustiques à certains égards, sont attirés par les échelons supérieurs de la société. L'aisance matérielle sous toutes ses formes embellira l'aura d'opulence qui entoure le Taureau/Cochon. Il aime jouir des avantages de la richesse et de la situation sociale, et, franchement, n'accepte jamais moins que ce qu'il considère comme son dû (ce qui n'est pas rien). Ce sujet est également assez autoritaire. Il a besoin d' « en faire à sa tête ». Il est capable de *coopérer*. Mais seulement si c'est lui la « maman ».

Le Taureau né dans une année du Cochon n'aura peut-être pas une enfance idyllique ou une adolescence harmonieuse. Mais en grandissant, le Taureau/Cochon se mettra en quête de l'harmonie perdue, et remettra ordre et concorde dans sa vie tumultueuse. Avec soin, réflexion et méthode, le Taureau/Cochon choisit les gens avec lesquels il passera sa vie, et n'épargnera rien pour les protéger et leur donner un environnement confortable et luxueux, puis les aimera possessivement, ardemment, solidement.

Grâce et élégance sont souvent l'apanage des Taureau/Cochons, malgré l'image puissante et râblée que suscitent les termes de Taureau et de Cochon. Ils sont solides et durs à cuire. Mais les Taureau/

Cochons sont rarement sévères ou méchants, cruels ou injustes à l'égard de leurs frères en humanité, et pratiquement jamais maussades.

Parce que le Taureau/Cochon est si pur, toujours prêt à donner ses oreilles et sa queue pour coopérer avec les autres, il s'ensuit qu'il est parfois extrêmement influençable. C'est-à-dire que si le Taureaù/ Cochon croit en quelqu'un, s'il décide de le suivre jusqu'au bout, sa foi et sa loyauté envers cette personne seront inébranlables. Mais si par malheur la personne en question n'est qu'une planche pourrie qui entraîne le pauvre Taureau/Cochon dans l'intrigue et le crime, dure sera la chute morale et émotionnelle de notre héros.

Ces sujets sont puissants. Et impénétrables. Ils adorent la compagnie, et sont toujours les premiers à faire les courses et la cuisine, et à organiser de joyeux dîners dont tout le monde se souvient. Mais s'ils travaillent ou simplement réfléchissent, il vous faudra une pince-monseigneur pour violer leur concentration. Sa capacité à persévérer seul, à grignoter lentement chaque jour une montagne de besogne, permet au Taureau/Cochon de payer son billet pour la réussite. La victoire bénit tout ce que touche ce sujet.

AMOUR

En amour, les qualités essentielles sont le romanesque, la tendresse, la loyauté et la profondeur de sentiment. Le Taureau/Cochon les possède toutes. Ce sont des tout-ou-rien, aspirant à ce que la sensualité a de mieux à offrir. Grandes chambres drapées de velours et lumières tamisées attirent l'objet aimé dans un nid dont il aura du mal à sortir intact.

Les Taureau/Cochons sont avides de confort et de beauté. Ils se complaisent aux conversations tendres et aux préliminaires, apprécient les cadeaux somptueux et les réceptions élégantes. N'invitez pas un Taureau/Cochon à venir partager votre hutte ou votre tente. Ces natifs ont horreur du retour à la nature. Offrez-leur une villa luxueuse sur la Riviera française, ou un palais en Toscane.

Les Taureau/Cochons sont doux. Ils n'aiment pas jouer les chevaliers sans peur et sans reproche. Ne leur donnez jamais la sérénade et ne faites jamais le matador. Ils ne feraient qu'en rire, et vous n'auriez plus aucune chance de pénétrer dans ce nid douillet dont je vous parlais plus haut. Ils sont cools. Et intelligents. Et drôles.

COMPATIBILITÉS

TAUREAU/COCHON : Poursuivez et capturez un Capricorne ou un Cancer/Chat, Dragon ou Chèvre pour le bonheur éternel. Pour une aventure, le Vierge/ ou le Poissons/Chèvre sexy pourra vous amuser. Vos sensibilités s'accordent parfaitement. Mais si vous voulez avoir quelque avenir dans le domaine de la sensualité, tenez-vous-en aux Chats et Dragons nés sous les signes du Cancer, de la Vierge, du Capricorne ou des Poissons. Ces deux signes chinois sont capables d'authentique complicité avec vous. Ne perdez pas votre temps avec un Lion/Serpent ou Singe. Evitez les Scorpion/Tigres, Coqs et Chiens. Et, quoi que vous fassiez, ne vous embarquez pas avec un Verseau/ Serpent, Coq ou Singe.

FAMILLE ET FOYER

L'appel du devoir résonne comme une douce musique aux oreilles du Taureau né dans une année du Cochon. Les parents sont toujours les bienvenus à son foyer, les réunions de famille ont souvent lieu dans son jardin, et quand la cousine Sara se marie, c'est généralement notre bon vieux Taureau/Cochon qui donne la réception chez lui. Les Taureau/Cochons téléphonent fidèlement à leurs vieux parents et écoutent pendant des heures l'histoire de vos malheurs, un sourire indulgent aux lèvres.

Les parents du Taureau/Cochon jouent parfois les messieurs- et les mesdames-j'ordonne, mais ils ne sont pas très autoritaires. Ils aiment à penser qu'ils laissent les coudées franches à leurs enfants, pour s'épanouir, créer, se cultiver. Le Taureau/Cochon sera le premier parent à arriver ventre à terre pour enlever son enfant à un environnement oppressant où le petit est malheureux.

Les enfants du Taureau/Cochon ont des qualités de cœur. Ils partagent volontiers leurs jeux et prêtent facilement leur bicyclette. Mais les « taurillons » nés dans une année du Cochon veulent à toute force n'en faire qu'à leur tête. Leurs colères sont rares, mais les plongent dans des rages écumantes. Cet enfant a besoin d'un environnement stable et sécurisant, dans lequel ses tendances artistiques pourront se développer.

PROFESSION

Ce sujet sera doué pour les professions exigeant diligence, force, jugement artistique et esprit d'équipe. Les Taureau/Cochons ne sont pas des solitaires. Ils adorent la compagnie et aiment se sentir « intégrés » sur leur lieu de travail.

En tant que collègue, le Taureau/Cochon paraîtra sans doute un peu exigeant. Il est têtu, et quand il s'est mis quelque chose en tête, il n'est pas facile de le faire changer d'idée. Je plains quiconque cherche à lui ravir sa situation ou sa promotion dans la hiérarchie. Les postes de conservateur de musée ou de chef de département dans une université conviennent bien au Taureau/Cochon. Bien entendu, il peut également choisir de devenir un géant de l'industrie, ou même un politicien. Mais, quel que soit son emploi, le Taureau/Cochon veut réussir.

Carrières convenant aux Taureau/Cochons : P.-D.G., anesthésiste, chef de service, contremaître, architecte, industriel, banquier.

Taureau/Cochons célèbres : Fred Astaire, Vladimir Nabokov, Oliver Cromwell, William Randolph Hearst, Guy des Cars.

GÉMEAUX

22 mai-21 juin

Ⅱ

GÉMEAUX	
Ⅱ	
Animé	Impatient
Perspicace	Volubile
Flexible	Cabotin
Éclectique	Versatile
Artiste	Superficiel
Habile	Indécis
Air, Mercure, Mutable	
« Je pense »	

RAT	
Charmeur	Avide de pouvoir
Influent	Verbeux
Économe	Nerveux
Sociable	Rusé
Cérébrale	Intrigant
Charismatique	Ambitieux
Eau positive, Yin	
« Je dirige »	

Etoile scintillant de tous les feux du génie et toujours plein d'histoires divertissantes, le Gémeaux/Rat papillonne aimablement de groupe en groupe dans toutes les réceptions, charmant et spirituel, enchanteur et enchanté. Attrapez-le si vous pouvez.

Et le fait est que vous pouvez. Mais il vous faudra tout d'abord découvrir la clé secrète du Gémeaux/Rat, qui se résume en un mot : « Moi ». Ce sujet observe le monde à travers la brume presque impénétrable de son ego.

Les Gémeaux nés dans les années du Rat allient l'esprit papillonnant du Gémeaux à la nervosité excessive du Rat. Les deux signes s'épanouissent dans le mouvement. Ne l'oubliez pas ! C'est un papillon mû par un moteur de jet, toujours en mouvement, totalement absorbé dans la mise en pratique de talents qu'il ignore lui-même.

Le Gémeaux/Rat est généreux : il aime donner tout et n'importe quoi. Il veut faire rire et pleurer les gens, ou, à tout le moins, les faire réagir à sa personne, à son dynamisme, et admirer sa personnalité merveilleuse. Il est actif par nature, et est convaincu que tout ce qu'il a créé ou gagné est remplaçable. Les Gémeaux/Rats savent toujours instinctivement que leur cerveau fertile est prêt à enfanter une nouvelle idée.

La persévérance, c'est une autre paire de manches. Le Gémeaux/ Rat n'apprendra vraiment à rester à la même place ou à s'atteler à une tâche de longue haleine que si le gain est absolument certain. Pour l'argent, ce Rat est capable de se produire tous les soirs au même endroit. Mais n'oubliez pas de lui donner la tête d'affiche. S'il est convenablement rétribué, il restera aussi longtemps qu'on jouera la pièce.

Le Gémeaux/Rat possède une certaine fantaisie qui allège l'atmosphère parfois assez lourde entourant les autres Rats. Les Gémeaux aiment épater. Le Gémeaux/Rat ne fait pas exception à cette règle, et, parce qu'il est en même temps actif à l'extrême et tout plein de l'énergie du Rat, il est capable d'être très théâtral. Ses capacités de vendeur sont telles qu'il arriverait à vendre des chiens à la S.P.A.

Si les Gémeaux/Rats savent éblouir et épater, en revanche, ils manquent d'esprit de décision. Ils ne sont jamais vraiment sûrs de ce qu'ils veulent faire. « Eh bien, je verrai ce qui se passera mardi prochain. Je vous appellerai. Non, j'y réfléchirai. Je ne suis pas vraiment certain... », etc., etc. Les Gémeaux/Rats sont tout simplement capricieux.

Existe-t-il une solution au dilemme majeur de ce sujet ! Oui. Il doit trouver le partenaire qui saura quelle longueur de corde lui donner tous les matins pour éviter qu'il ne se pende pendant la journée. Quelqu'un du genre solide qui saura mettre son ego dans sa poche, permettre au Gémeaux/Rat de s'activer, baignant dans son propre Moi, et tirer sur les rênes le soir venu pour faire rentrer le petit chéri au bercail. Avec ce natif, il aura de quoi faire. Mais cela en vaut la peine.

AMOUR

Méfiez-vous de la technique du Gémeaux/Rat. Ces sujets diront absolument n'importe quoi pour séduire. Dès l'abord, ils veulent dominer. Mais il ne s'agit pas d'une domination oppressante et tyrannique. Le Gémeaux/Rat exerce plutôt son contrôle par ses caprices. Il voudrait qu'on lui offre le théâtre pour son anniversaire. Et puis, non. Il ferait peut-être mieux de prendre des leçons de pilotage. Le partenaire non averti reste souvent perplexe devant ces incertitudes, qui peuvent éventuellement aboutir à l'annihilation de toute confiance.

Si vous aimez un de ces remuants natifs, donnez-lui tout l'espace désirable pour qu'il puisse jouer à être « Moi ». Entreprenez diverses activités en dehors de la maison. Allez à la piscine et apprenez à ne pas vous cramponner à lui. Le Gémeaux/Rat devient fou devant une sentimentalité sirupeuse. Il n'a rien contre un partenaire aimant et admiratif, mais il méprise qu'on ait besoin de s'appuyer sur lui.

COMPATIBILITÉS

GÉMEAUX/RAT : Il y a un Bélier, un Lion, une Balance ou un Verseau dans votre avenir. Prenez soin de les choisir parmi des sujets nés dans les années du Dragon ou du Singe. Ne fréquentez pas les Vierge, Scorpion, Sagittaire ou Poissons/Chats. Vous ne pensez pas de la même façon. Rayez de votre esprit tous les natifs du Cheval, et préférez le solide Bélier/Bœuf ou, pour changer, pourquoi ne pas inviter à déjeuner un Balance/Tigre ?

FAMILLE ET FOYER

Ce natif vivra dans un environnement confortable, mais il n'en assurera pas nécessairement lui-même la décoration. Ce n'est certainement pas le Gémeaux/Rat qui aura confectionné les rideaux ou refait les peintures. Le Gémeaux/Rat reste l' « Homme à Idées » dans tous les domaines de la vie.

Le Gémeaux/Rat se reposera largement sur son partenaire pour élever les enfants. Il n'est pas du genre angélique et autosacrificiel qui lutte pour obtenir la garde des enfants et ensuite se prive de tout pour les élever lui-même. Le moteur principal des rapports parent/enfant sera la capacité du parent Gémeaux/Rat à enseigner en amusant, par exemple à raconter des histoires pour les faire coucher de bonne heure, ou à inventer des façons amusantes de manger les épinards. Comme tous les parents du Rat, le Gémeaux/Rat protégera les membres de la famille et le nom.

Enfant, ce sujet sera prodigieusement agréable et divertissant, toujours souriant et riant, dès sa naissance. Pourvu que vous leur accordiez toute l'attention qu'ils désirent, les bébés du Gémeaux/Rat parviendront à l'âge adulte sans une seule bouderie. Mais malheur au parent surmené qui n'a pas de temps à accorder à Junior. Il inventera des myriades de moyens pour attirer l'attention — et la conserver. Attention à l'hypocondrie et aux excuses spécieuses. Cet enfant a besoin de beaucoup d'affection et d'une main ferme.

PROFESSION

Le talent essentiel de ce sujet réside dans sa capacité à communiquer. Les Gémeaux/Rats sont doués d'une perspicacité et d'une rapidité prodigieuses. Ils possèdent une sorte de génie pour « voir une situation ». Je ne vous dirai pas que le Gémeaux/Rat moyen est persévérant, car cela ne serait pas vrai. L'une de ses grandes faiblesses, c'est sa tendance à blâmer les autres pour ses sottises ou ses erreurs.

Patron, ce natif est trop bon enfant et passe trop de choses à ses employés. Mais parce que, comme tous les Rats, il est Rat d'abord, et Gémeaux ensuite, ce sujet aura le bon esprit de s'associer avec des gens plus stables et persévérants que lui. Généralement, les Gémeaux/Rats réussissent grâce à des associés solides. Employé, ce sujet sera difficile à manier, détaché, léger. Aucun blâme n'y changera rien. Les Gémeaux/Rats détestent recevoir des ordres.

Quelques professions pouvant lui convenir : politicien, producteur de télévision, marchand de biens, publicitaire, entrepreneur, acteur, guide touristique, cuisinier.

Gémeaux/Rats célèbres : Thomas Hardy, Claude Brasseur, John Cheever, Andrea Casraghi, Jacques Lartigue.

GÉMEAUX		BŒUF	
♊		♉	
Animé	Impatient	Intègre	Entêté
Perspicace	Volubile	Réalisateur	Étroit d'esprit
Flexible	Cabotin	Stable	Lourd
Éclectique	Versatile	Innovateur	Conservateur
Artiste	Superficiel	Diligent	Partial
Habile	Indécis	Éloquent	Vindicatif
Air, Mercure, Mutable		*Eau négative, Yin*	
« Je pense »		« Je persévère »	

Le Bœuf est un bienfait pour le Gémeaux d'humeur folâtre. Nous voici en présence d'un Gémeaux rassis, qui aime la famille et ne dédaigne pas le confort. Un Gémeaux né dans une année du Bœuf ira toujours de l'avant, quoique plus lentement et résolument que les autres Gémeaux, vers ses buts majeurs et mineurs. Ce Gémeaux est un penseur, oui. Mais on ne peut l'accuser de sauter de l'idée numéro un à l'idée numéro trente-trois et retour à l'idée numéro un, le tout en exactement deux secondes. Il est capable de concentration et pourra accomplir de grandes œuvres.

Ce sujet peut se montrer étonnamment différent de ce qu'il paraît. Les Gémeaux/Bœufs, comme tous les Bœufs, paraissent plutôt ternes à première vue. Mais attendez qu'il ouvre la bouche. Attendez qu'elle se mette à vous raconter son dernier accident de voiture, ou comment elle s'est enfuie de chez elle à l'âge de seize ans parce que son père la battait et que sa mère buvait. Attendez qu'il vous parle de son fils cadet, qui est parti en Angleterre faire ses études supérieures et y a fait la connaissance d'une fille qui pratique la sorcellerie. Vous écouterez comme en transe. Prenez un Gémeaux/Bœuf, et vous n'arriverez plus à le lâcher. Ces gens sont captivants comme un roman.

Les Gémeaux/Bœufs sont des humoristes. Ils ne sont pas du genre jovial qui s'efforce de vous faire rire en racontant de bonnes histoires. Mais ils injectent un humour discret, presque imperceptible, dans leurs moindres propos. Et vous, vous souriez, et prêtez l'oreille, avide d'en entendre davantage. Pas de grosse jovialité accompagnée de bourrades dans les côtes, mais un flux d'esprit continu.

Le Bœuf est souvent un solitaire, et celui-ci ne fait pas exception. Ce sont ses moments de solitude qu'il appréciera le plus. Pour loquace et éloquent qu'il puisse être, le Gémeaux/Bœuf est néanmoins d'une force intérieure inébranlable. Il aime les plaisirs simples et les idéaux sains. C'est très bien d'avoir de nobles rêves, mais s'ils sont irréalisables, le Gémeaux/Bœuf ne s'y intéresse pas. « Oui, ça me plairait d'avoir un château en Espagne. Mais comme j'ai une grande maison en France, qui me coûte cher à entretenir, et trois enfants à envoyer à l'université, je ne crois pas que je pourrai jamais en avoir un », dit le Gémeaux/Bœuf, toujours raisonnable. Le Gémeaux/Bœuf préfère un dîner intime en compagnie de quelques amis à la réception gigantesque où défilent cinquante personnes à la minute, tous en tenue de soirée.

Ce natif aime la campagne, et voit ses goûts et ses besoins facilement satisfaits par notre Mère la Terre. D'accord, il ou elle fera un détour de cinquante kilomètres pour acheter le jambon fumé ad hoc. Mais il ne considère pas cela comme un luxe. C'est une personne qui exige la qualité et trouve difficile de se contenter de produits de second choix.

Exigeant ? Certes ! Il veut que tout soit parfait. Ça lui est égal d'attendre, mais il déteste le désordre, le gaspillage et le rabâchage. Il a horreur des écervelés et n'a pas de temps à perdre avec les hurluberlus. On peut même accuser le Gémeaux/Bœuf d'un peu d'arrivisme et d'un certain snobisme, avec sa manie de glisser des noms connus dans la conversation. Pour le Gémeaux/Bœuf, *qui* vous connaissez est presque aussi important que *ce que* vous connaissez.

AMOUR

Pour le Gémeaux/Bœuf, il y a deux sortes d'amour : l'amour familial et l'amour sexuel. En dehors de ça, pas d'amour. Le Gémeaux/Bœuf est travailleur. Il peut prétendre n'être pas aussi diligent qu'il le paraît. Mais en gros, c'est son accomplissement personnel qui lui importe. Il ne s'intéresse pas à la romance. Il s'intéresse aux résultats.

A cause de ce qui précède, la vie domestique du Gémeaux/Bœuf est souvent stérile, pour ne pas dire franchement réfrigérante. Pourtant, le Gémeaux/Bœuf recherche sérieusement et ardemment les faveurs du

sexe opposé. C'est une curieuse combinaison. D'une part, le Gémeaux/
Bœuf est un casanier qui ne semble pas s'intéresser au sexe le moins du
monde. D'autre part, il court après tout ce qui bouge. Le Gémeaux/
Bœuf est un Don Juan pantouflard.

Si vous avez l'infortune de tomber amoureux d'un de ces natifs, je
vous conseillerai d'apprendre de bonne heure à tendre l'autre joue. Ce
sujet vous choisira pour l'amour familial, ou pour l'amour sexuel.
Jamais pour les deux. Et si vous êtes choisi(e) pour la famille, attention
à ne pas vous écarter du droit chemin. Les Bœufs ne pardonnent
jamais.

COMPATIBILITÉS

GÉMEAUX/BŒUF : Vous appréciez les Bélier/Rats, Serpents et Coqs.
Vous vous accordez bien également avec le sexy Lion/Serpent et
l'efficace Lion/Rat. Un doux Balance/Rat ou Coq pourra aussi vous
plaire. Et n'oubliez pas que le Verseau/Rat, Serpent ou Coq a tout ce
qu'il faut pour vous faire roucouler. Je ne vous conseille pas d'espérer
de relations durables avec les Vierge, Capricorne, Sagittaire ou Poissons des familles du Tigre ou de la Chèvre. Et vous ne serez pas exactement en adoration devant les Singes nés sous le signe des Poissons.

FAMILLE ET FOYER

Voilà ce qui est le plus cher à son cœur (s'il en a un).

L'environnement du Gémeaux/Bœuf est, à tout le moins, confortable. Les meubles, l'électroménager dans la cuisine, l'aménagement de
la cave, le garage et les voitures qu'il contient, la cour, les jardins et
jusqu'à la lune, sort des mains des meilleurs artisans. Tout a été choisi
avec soin et est briqué comme un navire.

Malgré sa diligence, ce sujet est content quand il ne fait rien. Ça lui
est égal de rester assis à se tourner les pouces pourvu que les voitures
soient bien astiquées et que la bonne soit à la cuisine, en train de
préparer un festin. Ce sujet est un parent fabuleux. Il n'est aucun
domaine de la vie de l'enfant qui ne le passionne pas.

L'enfant du Gémeaux/Bœuf pourra paraître trop calme. C'est
souvent le « bébé sage », « la petite fille modèle ». Ne vous en faites
pas, votre petit Gémeaux/Bœuf fera pas mal de bêtises avant d'arriver
à l'âge adulte. Soyez patient, et laissez-le seul quand il le désire. Vous
n'arriverez pas à le faire participer, quels que soient vos efforts. Ce

n'est pas son truc. Il aime sa propre compagnie et celle de ses copains. Un point c'est tout.

PROFESSION

La responsabilité va comme un gant au Gémeaux/Bœuf. Il est capable d'une grande dureté et de traits sarcastiques, destinés à briser le cœur le plus insensible. Ce que ce natif veut faire, il le veut et le fera. Il pense avec profondeur et agit avec efficacité. Il ne permet pas souvent au sentiment d'entraver ses actions.

Patron, le Gémeaux/Bœuf est déraisonnable. Il voudrait que les tâches soient finies avant même d'être commencées, et chacune doit être exécutée à la perfection. Pourtant, il est indulgent pour ceux qui témoignent de bonne volonté. Il est même généreux. Mais il ne tolère aucune impertinence. Employé, ce sujet ne sera pas très heureux. Le Gémeaux/Bœuf est vraiment plus à son aise dans une situation d'autorité où il dépend de lui que le soleil brille aujourd'hui ou demain. Il vaut mieux pour tout le monde que cette personne joue le rôle de la maman. Sinon, elle emportera sa ménagère de poupée et rentrera à la maison. Il pourra même lui arriver de pleurnicher un peu parce qu'elle aura été incomprise. Le Gémeaux/Bœuf peut avoir un comportement infantile quand il s'agit d'en faire à sa tête.

Carrières convenant aux Gémeaux/Bœufs : romancier, inspecteur de police, cadre supérieur, restaurateur.

Quelques Gémeaux/Bœufs célèbres : William Butler Yeats, William Styron, Colleen McCullough, Waylon Jennings, Jean d'Ormesson, Henri Tisot.

GÉMEAUX		TIGRE	
Animé	Impatient	Fervent	Impétueux
Perspicace	Volubile	Courageux	Emporté
Flexible	Cabotin	Magnétique	Désobéissant
Éclectique	Versatile	Veinard	Conquérant
Artiste	Superficiel	Bienveillant	Immodéré
Habile	Indécis	Autoritaire	Itinérant
Air, Mercure, Mutable		*Bois positif, Yang*	
« Je pense »		« Je surveille »	

Bons freins indispensables à ce sujet impétueux. Mélangez emportement et légèreté, et vous obtenez un mélange assez explosif. Pour couronner le tout, le punch et la séduction de ce sujet se complètent d'une sorte de sociabilité féline et généreuse. Fort agréable à contempler, mais difficile de s'y cramponner.

Comme les Gémeaux ne cessent de se ruer d'un objet à un autre, de philosopher sur les nouvelles, et de faire des projets amoureux, le caractère comporte déjà une bonne dose d'énergie dynamique. L'instabilité du Gémeaux se voit encore accentuée par notre vieil ami le Tigre, convaincu qu'il est extraordinaire, qu'on devrait le choisir immédiatement — ou même avant — comme Roi de la Jungle, et pourriez-vous vous pousser un peu s'il vous plaît pour qu'il puisse monter sur ce trône ? Le charme, le magnétisme et l'autorité naturels du Tigre ajoutés à l'humeur changeante du Gémeaux en font une sorte de débonnaire démon de la vitesse.

Sur le plan émotionnel, les Gémeaux/Tigres ne cessent de se mettre en situation délicate. Leur désir d'être considérés merveilleux et vainqueurs peut les pousser à rêver de grands exploits. Mais rêver ne suffit pas. Quelqu'un devra démarrer la machine à leur place. Les Gémeaux/Tigres donnent l'impression de derviches tourneurs. Ils

exsudent l'impétuosité par tous les pores, et semblent toujours dire :
« Regardez-moi. Je suis le Gémeaux/Tigre. Ne suis-je pas merveilleux ? Ma beauté, mon intelligence, ma couleur mêmes, ne vous
impressionnent-elles pas ? »

Bon. D'accord. Assieds-toi maintenant. Et, pour l'amour du Ciel,
réfléchis ! Non. Il ne s'agit pas de cette réflexion papillonnante, mais
d'une pensée solide et prospective. Où veux-tu aller, vraiment ? Quel
est ton but principal ? Comment éviter ces buts insignifiants et
transitoires ? Gémeaux/Tigre, **tu es** capable de sauter dans un autobus
si tu y as aperçu quelqu'un que ton aura semble fasciner. Trois arrêts
plus loin, tu te souviendras peut-être où tu allais, avant. Mais, parce
que tu es très aventureux, tu t'en moqueras peut-être, resteras dans
l'autobus et suivras jusqu'au terminus cette mini-destinée. Tu n'es pas
stupide, non. Mais tu fais parfois de telles sottises qu'on en reste
pantois.

Il arrive parfois des choses désagréables aux gens qui dédaignent la
viande et se concentrent sur l'os. Et les Tigres nés sous le signe des
Gémeaux s'attirent ainsi bien des mécomptes. Rien ne les attache
vraiment à la terre, sinon le moment, l'occasion, le jackpot, la soirée
fabuleuse, le beau gars du cinéma, la belle dame en rouge.

Bien sûr, les Gémeaux nés dans une année du Tigre sont d'une
séduction fracassante. On est automatiquement magnétisé par leurs
manières séductrices et leur charme assassin. Mais s'ils ne prennent
pas très tôt des habitudes qui canalisent leurs énergies et modèlent leur
esprit explosif, les Gémeaux/Tigres peuvent s'emporter contre la vie.
Lorsqu'on est naturellement si attirant, il est facile de se laisser vivre.
Mais encore ? Qu'arrivera-t-il en cas de coup dur ? Qu'arrivera-t-il si
ton, ta partenaire te quitte, si les enfants tombent malades ou si ton
emploi est éliminé ? Que feras-tu alors, Gémeaux/Tigre ? Où iras-tu, et
qui charmeras-tu ? Le Destin ?

Non. Aller de place en place, de relation en relation n'a qu'un temps.
La vie finira par te rattraper. Et alors, il faudra regarder la vie en face,
et peut-être même te regarder aussi toi-même seul. Je sais que cette
idée ne te plaît guère. Mais tu sais parfaitement que tu as toujours fui
l'introspection. Pourtant, si tu prenais le temps de réfléchir à l'avance
et de ne mettre en œuvre qu'un ou deux de tes nombreux talents, tu
pourrais remuer des montagnes. Tu sais que tu es fort. Mais tu es
paresseux. Tu préfères jouir de ta séduction. Et cela, c'est bête, tu le
sais, Gémeaux/Tigre.

AMOUR

En amour, la pierre d'achoppement du Gémeaux/Tigre, c'est de s'attacher à des personnes à qui il ne rend pas l'adoration qu'elles lui portent. Il trouve irrésistible qu'elles adorent le sol même où il a posé ses pattes. Oui, il est égotiste. Mais pas intentionnellement. Si on attire son attention sur ce point, la femme du Gémeaux/Tigre conviendra humblement qu'elle n'est pas vraiment folle de Jerry, mais Jerry l'aime tellement qu'il aurait le cœur brisé si... Naturellement, le « si » se réalise inévitablement. Et Jerry n'est plus que l'un des nombreux fantômes peuplant le passé d'une sirène du Gémeaux/Tigre.

Le Gémeaux/Tigre a besoin qu'on lui laisse les coudées franches. Il ou elle aimera aller au restaurant, dans des réceptions élégantes et des villes d'eaux de toutes sortes. Il racontera souvent des histoires idiotes que vous avez déjà entendues cent fois. Mettez des boules Quies ou mordez-vous la langue. Il n'a pas envie que vous interveniez dans son numéro pour remarquer : « Non, chéri, ce n'est pas mardi que Maria a oublié de porter ton pantalon chez le teinturier, c'est... » Je vous donnerais bien davantage de conseils pour manœuvrer ces soucoupes volantes, mais je crois vraiment que rien n'est efficace. Ils sont assez seuls dans la vie, et leur destinée leur appartient exclusivement.

COMPATIBILITÉS

GÉMEAUX/TIGRE : Vous trouverez le bonheur avec de nombreux signes. Parmi eux, le Bélier/Chien et Cheval, le Lion/Cheval ou Chien, et la Balance/Chien ou Cheval. Dans le Verseau, vous serez le plus attiré par les sujets nés dans une année du Dragon mais un Verseau/Chien perceptif ne vous décevra pas non plus. Vous feriez mieux de laisser se perdre dans la foule les Vierge et les Scorpion/Serpents, Tigres et Singes. Quant aux Sagittaire, ne vous liez pas avec les sujets du Cheval, Chat ou Chèvre. Ne vous mettez pas en ménage avec un Poissons/Serpent. Il est trop glissant pour vos grosses pattes maladroites.

FAMILLE ET FOYER

La vie de famille, avec ses règles, ses habitudes et ses corvées quotidiennes ne s'accorde pas très bien avec le désir de mouvement et d'aventure du Gémeaux/Tigres. Ils ont souvent des intérieurs spectaculaires, pleins de dentelles et de fanfreluches, ou aux murs tapissés de moquette, avec lumières actionnées à distance et effets de miroirs. Le Gémeaux/Tigre peut être incroyablement théâtral.

Ce sont des parents aimants et chaleureux. Ils encouragent leurs enfants à faire tout ce qui les attire et feront tout leur possible pour leur donner une bonne éducation. Les Gémeaux/Tigres s'entendent bien avec les enfants. Ce sont des gens extrêmement spontanés. Vous verrez souvent un parent du Gémeaux/Tigre jouer avec ses enfants. Les petits ne l'ennuient pas, et le Gémeaux/Tigre adore l'attention qu'ils lui portent.

L'enfant du Gémeaux/Tigre aura besoin qu'on contrôle strictement son penchant aux zigzags. Si, en tant que père ou mère de l'un de ces natifs, vous parvenez à lui donner un peu d'autodiscipline, il aura plus de chances de mener une vie « normale ». Il est important d'habituer l'enfant du Gémeaux/Tigre à une vie régulière, avec leçons, heures fixes pour se coucher et se laver les dents, couvre-feu, téléphone, etc. Si vous avez la patience, votre jeune Gémeaux/Tigre a le talent.

PROFESSION

Rapide et énergique, le Gémeaux/Tigre a la capacité innée de s'adapter en un clin d'œil à de nouvelles situations. Ce natif vit sa vie sur un rythme rapide, et passe à un nouveau projet, sans plus beaucoup penser au précédent.

Le Gémeaux/Tigre a pour apanage une destinée hors du commun. Patron, il est sans espoir. Employé, également. Ce sujet est un original. Il ne faut pas lui demander d'arriver et de partir tous les jours à la même heure. Il déteste la routine et est capable de se livrer à une véritable gymnastique, physique et mentale, pour y échapper. Le Gémeaux/Tigre réussit toujours au moment où il s'y attend le moins. Par un coup de chance sorti du néant. La chance du Tigre, bien entendu.

Les emplois où le Gémeaux/Tigre réussit le mieux sont ceux qu'il a imaginés lui-même. Mettez des savonnettes parfumées dans un sac en papier, chargez-le de les vendre, et ce sera fait dans l'heure. Le

Gémeaux/Tigre est un communicateur remarquable. L'ennui, c'est qu'en revenant vous remettre le fruit de son travail, le Gémeaux/Tigre entrera peut-être dans une maroquinerie s'acheter un joli sac en cuir, ce qui lui donnera plus de classe la prochaine fois qu'il ira vendre ses savonnettes. C'est un dilemme.

Carrières convenant aux Gémeaux/Tigres : comédien, éditeur, politicien, camionneur, présentateur.

Gémeaux/Tigres célèbres : Youri Andropov, Barbara McClintock, Marilyn Monroe.

GÉMEAUX	CHAT
Ⅱ	卯

GÉMEAUX		CHAT	
Animé	Impatient	Diplomate	Cachottier
Perspicace	Volubile	Raffiné	Sensible à l'extrême
Flexible	Cabotin	Vertueux	Pédant
Éclectique	Versatile	Prudent	Dilettante
Artiste	Superficiel	Bien portant	Hypocondriaque
Habile	Indécis	Ambitieux	Tortueux

Air, Mercure, Mutable
« Je pense »

Bois négatif, Yin
« Je me retire »

Gémeaux et Chat composent un couple curieux. Comment un tel sujet, alliant la prudence et la discrétion du Chat au joyeux dynamisme du Gémeaux, arrive-t-il à se connaître et à se contrôler ? Considérez le problème. Le Gémeaux n'est qu'entrain et pétillement. Le Chat, par ailleurs, tend à la discrétion aristocratique, à la prudence et au confort. Le bouillant Gémeaux se rue à l'attaque d'une immense variété de moulins à vent, mais, lorsqu'il est né dans une année du Chat, il arrive — ô surprise — que sa nature féline l'assaille et lui plante fermement ses griffes dans la chair en l'exhortant : « Du calme. Pas si vite. Attention ! »

Superficiellement, ce sujet donne l'impression de voleter gaiement de fleur en fleur, de manquer de sérieux et d'organisation. Mais c'est une impression on ne peut plus fausse. En profondeur, le Gémeaux/Chat est stable, surveille tous les mouvements de ceux qui l'entourent, et a une vie intérieure beaucoup plus ordonnée que vous ne le penseriez. L'agilité est l'arme, la flexibilité, le projectile, le cerveau est le soldat. Le Gémeaux/Chat est à lui seul une armée de nerfs et de muscles camouflée sous le charme de sa fourrure et de ses ronronnements. L'impérialisme territorial du Gémeaux/Chat est intraitable. Il vous invitera chez lui, vous ouvrira la chambre d'amis et vous offrira le couvert. Acceptez l'hospitalité que vous offre le joyeux Gémeaux/Chat. Mais je vous suggère de ne pas fouiller dans ses fichiers si vous ne voulez pas porter des manches longues jusqu'à la mort, pour dissimuler les cicatrices de ses profonds coups de griffes.

Chez ce sujet, l'indécision du Gémeaux est pratiquement annulée par la réflexion méthodique du Chat. Une fois qu'un Gémeaux/Chat a mûrement réfléchi à un projet, il l'exécute, sans hésiter, sans lambiner. Quand ces sujets désirent quelque chose, ils sont efficaces et savent sauter à la jugulaire.

Pour tout ce qui concerne le spectacle, les Gémeaux/Chats sont des vedettes. Tous les aspects du théâtre les attirent. Mais, avant tout, les Gémeaux aiment jouer la comédie! Ce sont des acteurs-nés qui trouvent leur plus grand plaisir à interpréter un rôle et à ravir un auditoire. Observez un Gémeaux/Chat qui donne un dîner ou un cocktail. Dès leur arrivée, les invités, tout sourires, n'ont d'oreilles que pour les histoires et les aventures fascinantes du Gémeaux/Chat.

Ce Gémeaux est nerveux comme un Chat. Dès leur berceau, les bonnes fées ont accordé aux Gémeaux et aux Chats le don de la complexité. Ce ne sont pas des âmes simples, aux plaisirs aussi prévisibles que la succession des vagues se brisant sur la plage. Oh non! Ils ont des sens byzantins. Leurs choix, de la nourriture au métier, en passant par le vêtement, l'habitat et les amis, ne sont jamais évidents. Les Gémeaux/Chats traquent leurs options, tournent autour, testent leurs réactions, s'éloignent et réfléchissent, reviennent sur leurs pas et retestent — puis daignent seulement alors faire parfois un choix définitif. Et cette sélection méthodique annonce souvent le style d'habitat ou de partenaire que le Gémeaux/Chat adoptera pour la vie.

Vous remarquerez chez les Gémeaux/Chats une assurance trompeuse. Ces sujets s'imaginent un cran au-dessus du commun des mortels. Les Gémeaux/Chats sont attirés par le snobisme, et la vanité des amis célèbres. Ces natifs sont conservateurs. Parfois, leurs réactions peuvent paraître puritaines ou spartiates. Mais il ne faut pas oublier que les Chats, quel que soit leur signe de naissance, ne sont jamais querelleurs. Avant tout, ce natif désire une vie confortable et sans confrontations, et fera *n'importe quoi* pour l'obtenir.

AMOUR

L'amour n'est jamais simplement un jeu pour les Gémeaux/Chats. Ces sujets, à la fois très sérieux et très loquaces, détestent l'anxiété. Foyer ou cœur brisé affectent tant les nerfs fragiles du Gémeaux/Chat qu'il risque de ne jamais s'en relever et de passer le restant de ses jours couché devant son feu de bois. Les Gémeaux/Chats célibataires cherchent sans discontinuer le ou la partenaire qui risquera à sa place, bondira à sa place, confrontera à sa place.

En échange des services d'un partenaire protecteur et aimant, le Gémeaux/Chat offre Charme, réconfort, bien-être, raison et culture. C'est un sujet traditionaliste. Il est discret et chaleureux. Mais ce n'est pas à lui qu'il faut vous adresser si vous êtes en danger ou si vous avez envie de sauter par la fenêtre. Ce natif n'est pas la compagnie rêvée pour une personne troublée et torturée. Il se trouve lui-même assez compliqué comme ça, et fuira une alliance avec un partenaire qui pourrait aviver le feu sous le chaudron déjà bouillonnant de ses nerfs fragiles.

COMPATIBILITÉS

GÉMEAUX/CHAT : Les Bélier et Balance/Chèvres, Chiens ou Cochons enrichiront votre existence par leurs sensibilités accordées aux vôtres. Vous en pincerez également pour les Lion/Chiens et Cochons et les Verseau/Chèvres et Cochons. Pas de Vierge/Rats ou Coqs pour vous. Et je ne vous conseille pas non plus les Sagittaire/ Tigres ou les Poissons/Dragons ou Coqs. Trop crâneurs et ambitieux pour vous, chaton.

FAMILLE ET FOYER

N'attendez pas d'un Gémeaux/Chat sept enfants en sept ans, et une joyeuse vie lessive dans la buanderie. Ce sujet est tout ce qu'on veut sauf intrépide. Bien sûr, il pourra se marier, et même avoir un ou deux enfants. Mais il a un réel besoin de calme et de repos. Foyer bruyant et famille turbulente sont à déconseiller au Gémeaux/Chat.

Par contre, le Gémeaux/Chat aimera le raffinement, l'élégance dans la célébration des anniversaires et des fêtes, et les enfants bien élevés. Pour lui, le foyer est l'endroit où il trouvera le calme, au retour de ses incursions dans le dur monde extérieur. Ce n'est pas le genre à recevoir tous les après-midi cinq amis de son fils ou de sa fille, qui répètent du rock dans le salon ! Jamais de ses neuf vies !

Les enfants du Gémeaux/Chat sont agréables, raisonnables et paisibles. Ils ont besoin de la compréhension de leurs parents et il faudra les encourager à développer leur esprit. On pourra les convaincre de pratiquer un sport, pourvu que le contenu traditionnel du jeu justifie la fatigue. Vous pouvez envoyer un Gémeaux/Chat faire un stage de tennis, mais n'espérez pas qu'il devienne un véliplanchiste buriné par le soleil et portant une grosse boucle d'oreille.

PROFESSION

Rien ici du businessman dur en affaires. Les Gémeaux/Chats s'entendent très bien à exécuter les projets des autres et généralement avec des résultats positifs. Mais ils ne savent guère ourdir des intrigues tortueuses, ce qui les handicape sérieusement dans le commerce. Comme nous le savons tous, la négociation exige ruse et fourberie dans une certaine mesure. Non que le Gémeaux/Chat n'en possède à revendre. Mais il préfère ne pas se servir de ses talents pour la duperie. La négociation peut mener au conflit, et nous savons ce qu'en pense le Gémeaux/Chat.

N'étant pas doué pour les affaires ou le négoce, le Gémeaux/Chat serait bien inspiré de choisir des carrières exigeant un comportement contemplatif, efficacité, persuasion et exécution. Dans la mesure où il ne choisira pas l'une des branches susmentionnées qui impliquent collision frontale avec les collègues, le Gémeaux/Chat sera à l'abri. L'alliance du Gémeaux et du Chat nous donne un signe doué pour la sécurité, et le spectacle, et apte à tous les raffinements.

Carrières convenant aux Gémeaux/Chats : professeur, femme ou homme de lettres, rédacteur, traducteur.

Gémeaux/Chats célèbres : Bob Hope, Marguerite Yourcenar, Margaret Drabble, la reine Victoria.

GÉMEAUX	DRAGON

GÉMEAUX		DRAGON	
Animé	Impatient	Puissant	Rigide
Perspicace	Volubile	Battant	Méfiant
Flexible	Cabotin	Hardi	Insatisfait
Éclectique	Versatile	Enthousiaste	Emballé
Artiste	Superficiel	Vaillant	Vantard
Habile	Indécis	Sentimental	Volubile

Air, Mercure, Mutable
« Je pense »

Bois positif, Yang
« Je préside »

Le Gémeaux actif et aérien s'allie brillamment à notre ami, l'impétueux Dragon. Voici un caractère inoubliable, au sens le plus strict du mot « caractère ». Les Gémeaux/Dragons sont excitants et ensorcelants. Le dynamisme et le charme ruissellent sur leur flancs écailleux. Les Gémeaux/Dragons sont le panache incarné. Mais ne comptez pas sur eux pour exécuter une gymnastique mentale exigeant plus de dix minutes de concentration.

Les Gémeaux/Dragons sont des sprinters. Le feu brûlant de la nouveauté flambe avec éclat et incite ce sujet à élaborer de grands rêves et à formuler des plans gigantesques. Mais le Gémeaux/Dragon s'ennuie facilement. Il voudrait que le séjour soit repeint d'un beau blanc crémeux pour les invités du week-end. Mais il ne prend pas la peine d'aller jusqu'à la droguerie du coin pour acheter la peinture.

C'est pourquoi les Gémeaux/Dragons sont célèbres pour leur capacité à engager ceux qui feront le travail à leur place. Les Gémeaux/Dragons sont des gens « à idées ». Ils savent constituer des groupes, et leur communiquer des méthodes de travail ingénieuses — mais ils n'iront pas jusqu'à remplir un seul formulaire ou donner un seul coup de téléphone eux-mêmes. Ils considèrent que les « basses besognes » ne sont pas de leur ressort.

Bien entendu, ces sujets ont tant de magnétisme et de charme personnels — et de punch! — que cela leur suffit amplement. Leur foi en eux-mêmes est presque surnaturelle. Ce sont des monstres de force et d'esprit. Pourtant, la perte d'un être aimé, un échec en affaires ou une rupture amoureuse peut les ébranler terriblement. Et dans ce cas, attention! Un Gémeaux/Dragon qui souffre se débat et s'ébroue, plus sauvage et vociférant qu'un troupeau de bisons blessés. Pleurer? De ma vie, je n'ai jamais vu personne autant pleurer. Accuser c'est la spécialité du Gémeaux/Dragon.

Les Gémeaux/Dragons intimident les autres. En tant que Gémeaux, ils adorent interpréter des rôles, bien entendu. Très tôt, ils apprennent qu'il est possible d'influencer les autres en jouant les « grincheux », ou les « durs », ou même les « gangsters ». Au premier abord, les Gémeaux/Dragons de mon entourage se comportent comme des monstres terrifiants. Ils affectent une condescendance qui tient les gens à distance, ne sachant sur quel pied danser. Le fait est que les Gémeaux/Dragons ne sont que des dragons de papier. On peut les décontenancer d'un brin de raison ou d'une chiquenaude. Mais il faut oser. Or, les Gémeaux/Dragons jouent leur rôle de façon si convaincante que vous ne me croirez sans doute pas si je vous dis qu'ils fondront devant vous si vous arrivez seulement à trouver le chemin de leur cœur d'artichaut. Essayez les larmes et les plaintes. Si cela ne marche pas, couchez-vous et feignez d'être malade à ne pas passer la nuit. Le Gémeaux/Dragon ne résiste pas à la faiblesse de ceux qu'il aime. Il craint d'avoir à faire leur travail, ou de perdre son auditoire.

En société, le Gémeaux/Dragon est souvent impossible. S'il se sent menacé de quelque façon, s'il craint qu'une personne ne paraisse plus intéressante que lui, il dira ou fera les pires extravagances — par exemple, il renversera une table basse sur laquelle le café est servi — juste pour attirer l'attention. Les Gémeaux/Dragons sont des perturbateurs. Cela leur plaît ainsi.

Malgré leur orgueil et leur suffisance, malgré leur tendance à récriminer et, par-dessus tout, à comparer défavorablement vos succès aux leurs, les Gémeaux/Dragons n'ont rien de vrais « méchants ». Les Gémeaux nés dans les années du Dragon sont des personnes aimantes et chaleureuses qui dorlotent beaucoup leurs enfants. Mais ils ont des façons, des manières, un port qui intimident les autres. Ce n'est qu'une façade — mais quelle couverture!

AMOUR

Bien que la plupart des Gémeaux/Dragons puissent sembler superficiels et volages, ils ne sont rien moins que superficiels et volages en amour. Pour eux, les sentiments tièdes n'existent pas. Les Gémeaux/Dragons *adorent* leurs partenaires jusqu'au bout des ongles. Ils feront *n'importe quoi* pour prouver leur loyauté à l'objet de leur flamme. En retour, ils exigent un type d'exclusivité qui est non seulement démodé mais encore pratiquement impossible. Voici comment s'exprime le Gémeaux/Dragon : « Ne lis pas ce livre! Tu pourrais t'amouracher du héros. Je ne veux pas que tu ailles voir ce film. Ça pourrait te donner des idées de voyage. Je ne veux pas que tu voyages. Reste ici. Reste avec moi, aime-moi, écoute-moi, caresse ma tête sur tes genoux et console-moi. »

Si vous aimez un Gémeaux/Dragon (et, ayant eu des amants du Gémeaux/Dragon, je suis bien placée pour savoir qu'ils sont merveilleux), soyez toujours présent pour lui. Attendez son retour à la maison ou, mieux, invitez des tas d'amis, pour que votre Gémeaux/Dragon puisse faire son numéro et amuser la foule.

Les Gémeaux/Dragons ne sont pas fidèles au sens classique du terme. Ce sont des amants passionnés, fervents, ardents et bruyants. Ils conservent généralement toute leur vie le même partenaire, à qui ils tiennent avec une ardeur sans pareille. Mais les Gémeaux/Dragons aiment séduire. Ils ne peuvent s'en empêcher. Dans les réceptions, ils circulent, embrassent et aguichent tout le monde. Si ce genre de promiscuité publique ne se termine pas toujours par une liaison, cela en a tout l'air — ce qui est peut-être pire pour le partenaire soucieux des apparences. Mais si vous étiez soucieux des apparences, vous ne vivriez pas avec ce vieux pervers de Gémeaux/Dragon, n'est-ce pas?

COMPATIBILITÉS

GÉMEAUX/DRAGON : Les Bélier/Rats, Singes et Cochons sont tous capables d'améliorer l'image éblouissante que vous avez de vous-même, et de maintenir votre intérêt en éveil jusqu'à la fin de vos jours. Les Lion/Rats, Tigres et Singes vous attireront également, mais attention : ils manquent de naïveté et vous aurez du mal à les duper. Un gentil Balance ou Verseau/Rat vous conviendrait bien, et un Balance/Singe serait parfait. Ecartez toutes les avances des Vierge/Bœufs. Ils sont beaucoup trop lourds pour votre goût du tape-à-l'œil.

Vous n'aurez pas envie de vous lier à un Scorpion, Sagittaire ou Poissons/Chien ou Bœuf.

FAMILLE ET FOYER

Dans la vie du Gémeaux/Dragon, il y a place pour beaucoup d'enfants, parents, cousins, oncles, tantes et alliés. C'est une personne au grand cœur, dont la générosité a une sphère aussi vaste que son influence. Aucun membre de la famille (qui ne cherche pas à attirer l'attention au détriment du Gémeaux/Dragon) ne sera oublié ou abandonné tant qu'il aura un souffle de vie.

Malgré sa bonté, le Gémeaux/Dragon sera un parent exigeant. Ses rejetons vous diront que leur maman ou leur papa exigeait de la tenue. Les parents du Gémeaux/Dragon ne tolèrent pas qu'on leur réponde ni qu'on boude. Mais ils ne désirent pas nécessairement que leurs enfants se fassent une haute situation dans la vie. N'oubliez pas que le Gémeaux/Dragon aime occuper le centre de la scène. Et un enfant qui devient une vedette plus importante que son parent constitue pour lui une menace.

Les enfants du Gémeaux/Dragon sont charmants jusqu'à l'épuisement. Ils bavardent interminablement et mettent votre patience à l'épreuve par leurs bravades incessantes. Ils exigent attention et affection extrêmes de leurs parents — surtout s'ils ont été rejetés ou blessés à l'extérieur du foyer. Un enfant du Gémeaux/Dragon peut être profondément affecté s'il sent qu'il ne plaît pas dans tous les domaines. Il faut le raisonner, et lui faire comprendre la nécessité du travail et de l'application à l'étude. Il ne pourra pas se reposer toute sa vie sur son charme.

PROFESSION

Avec les Gémeaux/Dragons les performances initiales sont toujours parfaites. Leur période d'essai de trois mois passe comme un rêve. Leur première affaire est toujours immensément bénéfique à l'entreprise. Au bureau, tout le monde adore le nouveau Gémeaux/Dragon du quatrième. Patience! Donnez au Gémeaux/Dragon le temps de s'installer. Observez comment il ou elle se comporte à la première fête de Noël du bureau. Notez comme il est devenu irrévérencieux avec ses supérieurs. Voyez la tête décomposée du patron en entendant le Gémeaux/Dragon dévoiler un secret maison à une personne non autorisée. A la longue, les Gémeaux/Dragons ne tiennent pas la distance. Ils n'en peuvent plus au bout d'un an passé sur la même tâche. Ils tournent, ils virent, et parfois se voient licenciés pour mauvaise conduite.

Pour cette raison, les Gémeaux/Dragons réussiront mieux en tant que travailleurs indépendants. La vente, les relations publiques, la restauration, les métiers de médecin de campagne ou de barman attireront le Gémeaux/Dragon aux multiples talents et tentacules. Ce sujet est capable d'être en mille endroits à la fois et de suivre tout ce qui se passe en chacun d'eux. Rester à la même place et s'absorber profondément dans une étude ou une tâche, c'est au-dessus des forces du Gémeaux/Dragon.

Carrières convenant aux Gémeaux/Dragons : médecin, chef des ventes, barman, garçon de café, animateur de discothèque, spectacle.

Gémeaux/Dragons célèbres : Jean-Marie Le Pen, Annie Cordy.

GÉMEAUX		SERPENT	
Ⅱ		**e**	
Animé	Impatient	Intuitif	Dissimulateur
Perspicace	Volubile	Séducteur	Dépensier
Flexible	Cabotin	Discret	Paresseux
Éclectique	Versatile	Sensé	Cupide
Artiste	Superficiel	Clairvoyant	Présomptueux
Habile	Indécis	Compatissant	Exclusif
Air, Mercure, Mutable « Je pense »		*Feu négatif, Yang* « Je sens »	

Le Gémeaux/Serpent est un personnage paradoxal. Dès le berceau, il n'est pas comme les autres, et s'il arrive à contrôler ce don, il pourra atteindre à la vraie grandeur. C'est un penseur. Quelle heureuse combinaison que celle de la réflexion et de l'intuition. L'alliance des deux signes est fortunée.

Mais ce capiteux mélange d'influences est également un véritable champ de mines. Les natifs du Gémeaux/Serpent sont des victimes toutes désignées pour l'auto-illusion et la paresse crasse. Tous les jours de leur vie, ces sujets doivent se botter le derrière et serrer les dents simplement pour sortir de leur lit. Une inertie invertébrée, alimentée par un désespoir curieusement enjoué, pousse les Gémeaux/Serpents vers la terre, inlassablement.

Peut-être ces dispositions bilieuses viennent-elles d'une trop grande connaissance intuitive des périls et des désillusions qui attendent le Gémeaux/Serpent. On dirait que ce sujet sent à quel point il influence le monde s'il se donne seulement la peine d'essayer, et que, pour cette raison, il renonce avant de commencer.

Les Gémeaux/Serpents doivent s'imposer une discipline s'ils veulent s'engager dans des occupations longues et complexes. Ils doivent toujours avoir les yeux plus grands que le ventre. Le Gémeaux/Serpent a besoin d'être aiguillonné, mais il a également besoin d'un bulldozer intérieur pour le pousser à agir, l'encourager à ramper et accepter les acclamations et la notoriété qui sont à la fois sa récompense et sa Némésis. Oh, c'est bien compliqué d'être un Gémeaux/Serpent.

Comme tout Serpent qui se respecte, ce sujet adore la richesse. L'argent et l'acquisition de la fortune peuvent devenir les forces motrices de sa vie. L'ennui, c'est qu'il est trop intelligent pour être trop riche. Bien qu'il apprécie l'opulence et la douceur des draps de soie, le Gémeaux/Serpent trouve répugnant le contact des espèces sonnantes et trébuchantes, et cherchera toujours à l'éviter.

Ce sujet sera sans doute de santé fragile et difficile à vivre. Il se passe tant de choses dans sa tête qu'il ne veut pas qu'on l'importune avec les nécessités quotidiennes. Il veut se servir de son esprit, s'élever vers les hauteurs en vingt directions mentales à la fois, inventer quelque nouvelle philosophie, changer le monde, inspirer l'humanité. Pourquoi l'asticotez-vous pour qu'il nettoie le plancher, alors que vous savez parfaitement qu'il se soucie comme d'une guigne que le plancher soit propre ou non ? Le Gémeaux/Serpent est au-dessus de ça. Vraiment.

La compagnie animée et spirituelle du Gémeaux/Serpent nous procure à tous les plus grands plaisirs. Ces sujets ne sont jamais ennuyeux. Leur esprit agile suit toutes les idées et volette de fleur en fleur, rendant justice à chacune. Vous pouvez parler avec lui pendant des heures, jacasser, répéter, ressasser, jusqu'à ce que vous arriviez à un nouveau point de vue sur une chose donnée. Les Gémeaux/Serpents sont stimulants pour la pensée et pleins d'égards pour les autres. Ils sont persuasifs, séduisants et remarquables à tous les égards. Si ce sujet arrive à commencer une tâche, à dominer sa paresse naturelle et à plonger dans un projet personnel, il sera toujours vainqueur. Travaillant sans relâche — et un œil fixé sur le miroir le plus pur et le plus vrai possible —, il montera toujours plus haut.

AMOUR

Primo, *tout le monde* tombe amoureux du Gémeaux/Serpent. Ils sont souvent très beaux. Ils sentent bon et ont des natures fragiles et tentantes. Ils sont intelligents, drôles et compatissants.

Pour le Gémeaux/Serpent lui-même, cette adulation générale n'est pas sans poser de problèmes émotionnels. Il se sent attiré par tous ceux qui l'entourent et qui tombent à ses pieds un par un. Les Gémeaux/Serpents ont tendance à la promiscuité — et ce n'est même pas leur faute. Qui pourrait résister à tous ces fans adorateurs ? Pas moi.

Au foyer, le Gémeaux/Serpent exige un partenaire compréhensif et patient. Ce sujet ne peut supporter un compagnon incompétent ou maladroit. Solennité et tristesse sont également hors de question. Les Gémeaux/Serpents ont trop de mal à sortir de leur pyjama pour monter dans leur voiture, pour aider un autre à se mettre au volant. Les Gémeaux/Serpents peuvent inspirer les autres. Mais ils ne les nourriront pas à la cuillère.

Les prix qui tombent comme par magie entre les mains du Gémeaux/Serpent seront partagés avec sa famille. Le Gémeaux/Serpent a besoin d'aimer une personne fiable et respectable sur qui il peut compter et en qui il peut avoir confiance.

COMPATIBILITÉS

GÉMEAUX/SERPENT : Vous serez automatiquement attiré par les Bélier et Verseau des années du Coq et du Bœuf. Les Lion/Dragons et Bœufs vous plaisent également, de même que les Balance/Chiens et leurs frères et sœurs du Bœuf. Vous n'êtes pas vraiment fait pour les Vierge, surtout nés Tigres et Cochons. Et vous ne trouverez pas le bonheur avec un Sagittaire/Tigre ou Cochon, ou avec un Poissons/Tigre ou Singe. Suivez mon conseil : n'approchez pas des Scorpion — surtout de ceux nés Tigre.

FAMILLE ET FOYER

Ce personnage fantasque n'est pas du bois dont on fait les pères de famille. Cousin, cousine, oncle ou tante, ce sujet inspirera le respect. Mais le parent du Gémeaux/Serpent a du mal à se mettre au niveau de ses enfants, à marcher à quatre pattes, à faire des guili-guili, et à jouer à cache-cache. Si ce sujet décide d'avoir des enfants, je lui conseillerais d'engager une nurse. Ce n'est pas du tout le type tendre et cajoleur.

Les enfants du Gémeaux/Serpent semblent d'une sagesse au-dessus de leur âge. Ils pourront déconcerter leurs parents par leur compréhension précoce de concepts abstraits. Ne vous inquiétez pas. C'est normal. Cet enfant sera intelligent — brillant même — à l'école. Mais il aimera aussi rester au lit jusqu'à des heures indues le week-end, puis, vers trois heures de l'après-midi, il traînera dans la maison comme une limace, lisant des livres difficiles, et charmant tout le monde. C'est dans sa nature. Vous ne pouvez pas faire grand-chose pour l'avenir d'un enfant si maître de lui, sauf lui insuffler le sens du travail et de son absolue nécessité pour réussir dans la vie. Il ne faut pas le brusquer, mais l'encourager doucement, avec amour et intelligence.

PROFESSION

Ces sujets réussissent toujours dans la vie, dans un domaine ou dans un autre. Ce sont des penseurs naturellement supérieurs, et, bien que n'étant pas du type bœuf de labour, les Gémeaux/Serpents parviennent généralement à réaliser une sorte d'équilibre dans leur vie professionnelle.

Artiste ou homme d'affaires, riche et célèbre ou non, le Gémeaux/ Serpent est toujours coincé entre son désir de s'intégrer et son désir de tout planter. Bien sûr, il est ambitieux et veut arriver dans la vie. Mais ne serait-il pas plus facile de rester à la maison et de rêver à la façon d'arriver, ou de lire des volumes sur le sujet qui l'intéresse le plus, mollement allongé dans une chaise longue ?

Carrières convenant aux Gémeaux/Serpents : ils font d'excellents enseignants et philosophes, docteurs et avocats, et même écrivains et politiciens.

Gémeaux/Serpents célèbres : Bob Dylan, John Fitzgerald Kennedy, Beverly Sills, Jean-Paul Sartre, Ted Lapidus.

GÉMEAUX	CHEVAL
Ⅱ	**午**
Animé Impatient	Persuasif Égoïste
Perspicace Volubile	Autonome Indélicat
Flexible Cabotin	Branché Rebelle
Éclectique Versatile	Elégant Soupe au lait
Artiste Superficiel	Adroit Anxieux
Habile Indécis	Talentueux Pragmatique
Air, Mercure, Mutable « Je pense »	*Feu positif, Yang* « J'exige »

Le panache du cheval allié à l'esprit changeant du Gémeaux nous donne un personnage aux talents multiples, qui n'a pas de pire ennemi que lui-même. Il semble habité d'un petit lutin qui clame sans cesse en se tordant les mains : « Je ne suis pas obligé d'accepter ces rebuts ! Je n'ai pas à tolérer ces sottises ! Je veux ma liberté. Je veux qu'on me rende mon âme. »

Bien entendu, nous savons tous que notre âme ne nous appartient pas. Mais le Gémeaux/Cheval fait tout son possible pour prouver le contraire. Il veut être différent, original, meilleur que personne, plus intelligent, plus sexy, plus élégant et, par-dessus tout, plus cool. Oui, le Gémeaux/Cheval désire désespérément être considéré comme cool, à la page, terrible.

Non que le Gémeaux/Cheval soit incapable de se tenir à son travail. Il le peut. Généralement, il choisit une carrière qui l'intéresse et s'y tient pour le restant de ses jours. Ils sont souvent doués pour la musique ou les arts graphiques, et occupent fréquemment une situation en vue dans le théâtre. Le Gémeaux/Cheval est un cheval de cirque. Il ne marche pas, il caracole.

Le Gémeaux/Cheval, comme la plupart des Chevaux, quitte le foyer assez jeune, choisit une carrière qui l'attire, puis passe ensuite son temps à changer de poste et d'emploi à l'intérieur de cette même carrière. S'il est musicien, le Gémeaux/Cheval ne passera pas sa vie dans un orchestre qui joue aux mariages et aux communions. Non. Il jouera dans cet orchestre tant que tout ira bien, puis, si les choses commencent à se gâter, parce que quelqu'un a fait des fausses notes, au propre ou au figuré, il partira chercher fortune ailleurs.

Le Cheval né sous le signe des Gémeaux aime amuser les autres et se donne beaucoup de mal pour ce faire. Il raconte des histoires, fait des blagues démentes ou des tours de prestidigitation, simplement pour attirer l'attention et les applaudissements. A mon humble avis, le Gémeaux/Cheval, qu'aucune figure d'autorité ne contrôle en quelque mesure, peut vraiment dépasser toutes les limites dans ses numéros comiques. L'admiration des parents, amis ou fans les transforme si facilement en enfants gâtés qu'il serait sage de ne pas trop les aduler ou les encourager à moins qu'ils n'aient vraiment donné le meilleur d'eux-mêmes.

Ce sujet aura l'esprit très vif. Il vous faudra vous lever de bonne heure pour le battre dans ce domaine. Chez lui, la repartie est une seconde nature. Plein de vitalité et aimant le grand air, le Gémeaux/Cheval est toujours prêt à pêcher les moules, faire de la voile ou de la randonnée. Rapidité et vigueur sont deux qualités qui font du Gémeaux/Cheval un excellent compagnon.

Dans ce portrait, il faut bien faire place quelque part à l'égoïsme du Cheval. Je suis désolée d'avoir à vous le révéler, mais ce sujet est un monstre d'égoïsme. Pour grégaire et extraverti qu'il paraisse, le Gémeaux/Cheval ne considère jamais les choses que de son propre point de vue. La sympathie n'est pas son fort. Curieusement cependant, ces natifs peuvent être des protecteurs-nés. Le Gémeaux/Cheval peut prendre plaisir à s'occuper des autres, mais en tant que violon d'Ingres. Il semble même avoir besoin de protéger les autres. Mais il le fait par charité volontaire et consciente, et non par compassion ou pitié.

Le Gémeaux/Cheval n'a peur de rien et entreprend des projets et des travaux à long terme à nous faire pâlir d'angoisse, vous et moi. Dans ces cas, sa capacité à s'obstiner dans la réalisation d'un but égoïste représente pour lui un avantage. Il va de l'avant là où d'autres n'osent pas même essayer, car il a une foi en soi extraordinaire.

AMOUR

Le mot « s'enticher » vient immédiatement à l'esprit. On dit que ce Cheval n'est pas constant en amour. On prétend qu'il a besoin de changement pour éprouver les émotions fortes qu'il recherche. Pourtant, si, dédaignant les apparences, on prenait la peine d'approfondir un peu, on s'apercevrait que ce sujet apparemment superficiel est à la recherche d'un idéal en lequel il veut désespérément croire. Il voudrait que les autres soient plus gentils, plus généreux, plus compréhensifs. Le Gémeaux/Cheval est incapable de tolérer le cynisme chez les autres. Le Gémeaux/Cheval cherche la femme « idéale » ou l'homme « idéal » qui n'aura aucun défaut et le servira avec dévouement pendant des années.

Si vous aimez un Gémeaux/Cheval, il vous faudra apprendre à aimer son côté touche à tout. Il faudra savoir paraître charitable et gentil même lorsque cela semblera impossible. Vous devrez vous dévouer au Gémeaux/Cheval et à sa cause. Et vous devrez aimer son comportement théâtral. Les scènes. Les crises. Les rages. Ce Cheval est très soupe au lait, mais ses colères ne durent pas. Remède ? L'apathie. Ignorez-le quelques secondes, et il rentrera à l'écurie en remuant la queue.

COMPATIBILITÉS

GÉMEAUX/CHEVAL : Les Lion et les Verseau/Chiens et Tigres plaisent à votre vanité. Mais vous pouvez aussi vous entendre avec un Bélier/Chèvre ou Tigre, et vivre avec un sujet créatif de la Balance/Chèvre. Ne fréquentez pas les Vierge ou les Scorpion/Bœufs, et ne liez pas votre destinée à celle d'un fougueux Sagittaire/Bœuf. Vous voulez la vedette, et ils détestent la concurrence. Les Vierge, Poissons et Sagittaire/Rats sont également hors de question, de même que le Poissons/Cochon amoureux d'opulence.

FAMILLE ET FOYER

Le foyer est très important pour un Cheval, ne serait-ce que pour pouvoir en partir. Le Gémeaux/Cheval est du genre qui s'en va en claquant la porte. Raison pour laquelle le foyer du Gémeaux/Cheval doit être solide comme le roc. Après chaque départ, il doit pouvoir revenir vers un foyer confortable, propre, ordonné, bien tenu, où il pourra poser sa tête sur vos genoux en se plaignant de la « tristesse » du monde.

Ce natif aura le goût des couleurs vives, mais malgré quelques exagérations dans ce domaine, l'intérieur du Gémeaux/Cheval restera assez traditionnel. Autrement dit, ce sujet n'habitera pas dans un gratte-ciel, mais plutôt dans une maison individuelle ou un hôtel particulier qu'il décorera de couleurs gaies : jaune de cadmium et citron vert.

Ce sujet est un parent presque trop consciencieux. Ce natif très personnel trouve extrêmement stressant cet investissement de soi dans les autres. Le père ou la mère du Gémeaux/Cheval voudra « bien faire » avec ses enfants, pour ses enfants, et non pour la galerie. S'il existe un lien affectif capable de susciter l'abnégation chez ce sujet égoïste, c'est bien le lien parent-enfant. On s'émerveillera de la dévotion du Gémeaux/ Cheval envers sa famille. Il n'est pas aussi sentimental envers ses parents. Ce n'est pas la même chose. Le Gémeau/Cheval aime l'idée que c'est lui qui a créé son enfant.

Les enfants du Gémeaux/Cheval ont une certaine tendance à la vanité. On les accusera de faire les clowns à l'école, et l'on dit qu'ils sont parfois fauteurs de troubles sur les terrains de jeu. Il est vrai que ces enfants auront très tôt besoin d'une discipline et qu'il faudra les prendre en main très jeunes, car il leur est difficile de persévérer dans une tâche qu'ils n'aiment pas à la folie. Ils aimeraient tellement mieux aller jouer dehors.

PROFESSION

Le Gémeaux/Cheval a tendance à se disperser. S'il n'est pas totalement investi dans un projet flamboyant ou une mission personnelle, il papillonne ou languit. Son assise, c'est lui-même. Mais son moteur, ce sont les autres. De ce conflit naît une personnalité capable de « coups de collier » extraordinaires pendant de brèves périodes. Motivé par son sens de l' « autre », le Gémeaux/Cheval grimpera toutes les côtes en grand champion. Mais malheur à lui s'il laisse son esprit s'attarder sur ses propres problèmes. Il s'affole alors, s'assied et se métamorphose en mule.

Dans son emploi, ce serait un atout inappréciable pour le Gémeaux/ Cheval d'avoir la possibilité de s'attaquer sans cesse à de nouveaux projets. Il est préférable qu'il travaille avec des gens qu'il respecte profondément et qui sachent le tenir en main. Il fait un excellent patron, mais il lui faut un adjoint ou un assistant qui s'occupe de la routine journalière.

Carrières convenant au Gémeaux/Cheval : le théâtre, la danse, le cirque, le cinéma, et toutes les professions du spectacle lui conviennent. Il peut remplir n'importe quel emploi, de chorégraphe à machiniste : pourvu qu'il soit dans le spectacle, le Gémeaux/Cheval s'épanouira.

Quelques célébrités du Gémeaux/Cheval : Igor Stravinski, Joséphine Baker, Margaret Bourke-White, Paul McCartney.

<table>
<tr><td colspan="2" align="center">GÉMEAUX
</td><td colspan="2" align="center">CHÈVRE
</td></tr>
<tr><td>Animé</td><td>Impatient</td><td>Inventif</td><td>Parasite</td></tr>
<tr><td>Perspicace</td><td>Volubile</td><td>Sensible</td><td>Primesautier</td></tr>
<tr><td>Flexible</td><td>Cabotin</td><td>Persévérant</td><td>Nonchalant</td></tr>
<tr><td>Éclectique</td><td>Versatile</td><td>Fantaisiste</td><td>Erratique</td></tr>
<tr><td>Artiste</td><td>Superficiel</td><td>Courtois</td><td>Rêveur</td></tr>
<tr><td>Habile</td><td>Indécis</td><td>Bon goût</td><td>Pessimiste</td></tr>
<tr><td colspan="2" align="center">Air, Mercure, Mutable
« Je pense »</td><td colspan="2" align="center">Feu négatif, Yang
« Je dépends »</td></tr>
</table>

Le Gémeaux/Chèvre est une luciole qui papillonne dans la vie des autres, suivant son caprice, un pessimiste las qui dénigre le monde entier ou encore le critique éternellement déçu qui, dans son désir de perfection (chez les autres, bien entendu), lance les commentaires acerbes comme si c'étaient des pétales de rose. Le Gémeaux/Chèvre est un peu tout cela à la fois.

Vous trouverez peu de Chèvres gambadant seules en liberté. Les Chèvres ont besoin des autres. Toutes les Chèvres recherchent à la fois une compagnie et un guide. Les Gémeaux sont le signe de Mercure : vifs, volatils, inconstants. Mettez les deux ensemble. Dépendance et inconstance. Le Gémeaux/Chèvre, tel un chérubin potelé, cherche autour de lui quelqu'un qui le changera de ses mornes parents, et il est prêt à sauter dans les bras de quiconque croise sa poussette dans la rue.

Les Gémeaux/Chèvres sont, sans conteste, brillants, et généralement d'une drôlerie extrême, mordante, fondée sur l'observation. Ils sont capables de rire d'eux-mêmes. Les Gémeaux/Chèvres sont tellement déconnectés du concret qu'ils doivent obligatoirement être ultra-instinctifs. Ils voient venir leurs intuitions à cinquante kilomètres.

La Chèvre née sous le signe des Gémeaux aura des dons artistiques.

Elle sera habile de ses mains et saura mettre en œuvre des matériaux extrêmement variés. Les Gémeaux/Chèvres trouvent une grande satisfaction dans les réalisations artisanales ou les hobbies de bricolage (qu'ils aiment sincèrement) et qu'ils ne mènent à bien que s'ils se sentent en sécurité. Attachez un Gémeaux/Chèvre sur un trottoir bruyant et noir de monde, et vous le retrouverez trois heures plus tard bon pour l'hôpital psychiatrique. Ce sujet a besoin de sécurité pour fonctionner.

Les Gémeaux/Chèvres aiment les commérages. Ils manifestent de la curiosité à l'égard de toute personne qu'ils rencontrent. « Est-il amoureux? Est-elle vraiment modéliste? Est-ce vrai qu'il a eu un accident de voiture dans lequel son chien a été tué — ou celui de sa femme? » Les Gémeaux/Chèvres désirent connaître votre histoire, et celle de tous ceux que vous connaissez, dont vous avez entendu parler, ou dont vous leur avez parlé. Toutefois, il est rare qu'ils donnent des informations sur eux-mêmes, à moins qu'on ne les leur demande. Ils ne sont pas exactement cachottiers. Ils sont prudents. Ils savent ce qu'ils font des renseignements qu'ils glanent sur la vie des autres... Aussi, pour des raisons évidentes, ils hésitent à divulguer ceux qui les concernent.

Leurs dons linguistiques sont spécialement agréables. Ils sont d'une éloquence extrême, délicate et concise. Et ils sont également doués pour les langues étrangères. Ils sont de bons imitateurs, et, comme ils ont l'oreille très fine, ils saisissent facilement les nuances.

J'aime à penser que le mot « dévouement » s'applique aux Gémeaux/Chèvres. Il vous semblera constamment entouré de toute une tribu de parents, de parents de parents, d'amis de parents, d'amis d'amis, etc. Ces Chèvres non seulement aiment la compagnie, mais elle leur est indispensable.

Ils aiment voir leur entourage heureux. La douleur les met mal à l'aise, comme si la tristesse leur était une injure personnelle. Ils préfèrent l'ignorer.

Le Gémeaux/Chèvre est plutôt moins pessimiste que les autres Chèvres. Il considère d'un œil bilieux les autres et leur vie. Il rembarre volontiers les gens qu'il désapprouve, ou juge trop farfelus ou ridicules à son goût. Le comportement des autres lui importe assez peu. Sa nature ne le porte pas à les juger. Mais il aime fouiller dans leur linge sale et s'esclaffe s'il y fait des découvertes malséantes.

AMOUR

J'ai l'impression de ne parler que d'infidélité en amour. J'avoue que cela commence à me démoraliser, mais tant pis. Les Gémeaux/ Chèvres sont à peu près aussi fidèles que Jézabel, et se soucie de ce défaut comme d'une guigne. Le Gémeaux/Chèvre désire vivre seul à seul avec un partenaire. Vous trouverez rarement, sinon jamais, un célibataire endurci chez les Gémeaux/Chèvres. Mais l'occasion, l'herbe tendre... bref, quelqu'un fait invariablement irruption dans leur vie. Le plombier. Le boulanger. Ce beau jeune homme aux si belles dents. Ou cette ravissante jeune fille qui travaille au supermarché. C'est plus fort qu'eux. Ça fait partie de leur charme.

Si vous aimez un Gémeaux/Chèvre, ne lui donnez jamais l'impression que vous perdez la tête. Agissez en personne solide comme le roc. L'attachement dont il vous paiera de retour compensera largement les petites jalousies que susciteront les peccadilles mentionnées plus haut. Les Gémeaux/Chèvres sont des partenaires extraordinaires pour ceux qui veulent arriver dans la vie. Un Gémeaux/Chèvre n'entrave jamais la carrière d'un partenaire ambitieux.

Seul conseil que je puisse vous donner : si vous aimez un Gémeaux/ Chèvre, vous devrez accepter de surveiller sa tendance à l'indolence. Comme l'opinion de son partenaire lui importe au plus haut point et qu'il désire son respect, il tiendra compte de votre fermeté, et même l'appréciera secrètement. C'est tout un travail. Mais le Gémeaux/ Chèvre vous dédommagera largement par sa fantaisie et sa drôlerie.

COMPATIBILITÉS

GÉMEAUX/CHÈVRE : Je vous vois bien en ménage avec un gentil Bélier/Chat, un Balance/Cheval ou Cochon. Les Verseau/Chats et Cochons et les Lion/Chevaux vous attirent également. C'est avec des sujets stables mais non rigides que vous êtes le plus heureux, alors, grimpez tout en haut d'un poteau télégraphique si vous voyez un Vierge ou Scorpion/Bœuf venir de votre côté. Gardez à distance les Vierge, Sagittaire et Poissons/Chiens et Tigres. Ils sont trop pessimistes et facilement exaspérés pour vos accès de fantaisie.

FAMILLE ET FOYER

Le foyer est le lieu d'élection d'un Gémeaux/Chèvre. Il n'y passera pas nécessairement tout son temps, mais l'existence d'un foyer est d'une importance capitale dans la vie de ce sujet. Il aime revenir à la maison, aller à la maison, recevoir à la maison, être malade à la maison, accoucher à la maison et mourir à la maison. Il va plus volontiers à la maison qu'à la pêche.

Les Gémeaux/Chèvres aiment la chaleur douillette du foyer familial où chacun a sa chambre, et où tout le monde se retrouve autour de la même table à l'heure du dîner, pendant toute sa vie. Le Gémeaux/ Chèvre veut être le centre de la vie des autres. L'état de parent lui est naturel. Les parents prodigueront amour et sacrifice à leurs enfants, et ils resteront attentifs à leurs descendants — de façon aussi bien négative que positive — jusqu'à leur mort. Ils sont d'une patience angélique pour faire manger les petits : « Une cuillère pour l'oncle Louis. Et une cuillère pour papa », etc.

Un enfant du Gémeaux/Chèvre sera d'abord et avant tout câlin. Il aimera se nicher, se blottir, et sauter sur tous les genoux pourvu que leur propriétaire soit chaleureux et tendre. Cet enfant sera un communicateur de premier ordre et sera sans doute doué pour les arts du spectacle. Bien entendu, ses parents devront le contrôler et le surveiller avec amour dans tous les actes de sa vie, de ses leçons au choix de ses amis. Le Gémeaux/Chèvre est facilement influençable. Il pourrait avoir de « mauvaises fréquentations ».

PROFESSION

Ici encore, ce sujet, étant à la fois un Gémeaux et aussi une Chèvre artiste et talentueuse, pourra envisager n'importe quelle carrière liée au spectacle. Il peut réussir dans pratiquement tous les domaines comportant un contact avec le public.

Le Gémeaux/Chèvre peut se plaindre de son patron une fois rentré chez lui, mais c'est un employé extraordinaire, intéressant et dévoué. Son penchant naturel à la dépendance l'éloignera de la plupart des situations d'autorité. Non seulement le Gémeaux/Chèvre ne fait pas un bon patron, mais il *ne veut pas* être patron — beurk ! En revanche, il sera parfaitement satisfait dans un rôle de vedette. Il ne s'offense pas qu'on le stimule, et n'a pas grand besoin d'applaudissements. Ce sujet est facile à vivre dans le travail, et cela se voit toujours à sa bonne grâce à s'acquitter de ses corvées.

Quelques carrières qui conviendront aux Gémeaux/Chèvres : personnalité de la télévision, chanteur, peintre, diplomate, acteur, critique.

Gémeaux/Chèvres célèbres : Arthur Conan Doyle, John Wayne, Hervé Alphand, Guy Lux, Johnny Hallyday, Pauline Kael, Brooke Shields.

GÉMEAUX	
Animé	Impatient
Perspicace	Volubile
Flexible	Cabotin
Éclectique	Versatile
Artiste	Superficiel
Habile	Indécis

Air, Mercure, Mutable
« Je pense »

SINGE	
Improvisateur	Coquin
Habile	Astucieux
Stable	Loquace
Directif	Égocentrique
Spirituel	Puéril
Zélé	Opportuniste

Métal positif, Yin
« Je prévois »

Les Singes et les Gémeaux se ressemblent, je l'ai toujours dit. Pour avoir une idée de leur énergie, prenez douze Singes, empilez-les sur douze couples de jumeaux, ajoutez deux réacteurs Rolls-Royce et... fouette cocher. Ces natifs sont toujours en mouvement. En fait, je me demande s'il leur arrive de dormir. Les Gémeaux/Singes adorent parler. Ils ont besoin de se donner en spectacle et — j'en ai peur — de parader. C'est pourquoi les Gémeaux/Singes aiment recevoir et regarder les gens s'amuser autour d'eux.

Les Gémeaux/Singes sont toujours brillants. Non seulement ils ont un esprit vif et actif, qui peut faire des sauts quantiques en un seul bond, mais ils sont superlativement créatifs. Il leur vient constamment des idées novatrices. Les Gémeaux/Singes adorent vivre dans l'improvisation. Ils détestent faire deux fois la même chose de la même façon et, partant, consacrent beaucoup de temps à imaginer de nouvelles solutions.

Notre ami le Gémeaux/Singe est quelque peu enclin au snobisme. Comme il est attiré par tout ce qui est plus grand, plus beau, plus noble et plus intelligent, il pense qu'un peu de classe ne peut faire de mal à personne. Vous pouvez être sûr qu'un Gémeaux/Singe a au moins une voiture de sport dans son garage, un chien à pedigree et un conjoint tout ce qu'il y a de comme il faut. Les vêtements font partie du spectacle — et pour le Gémeaux/Singe, le spectacle, c'est la vie même.

Les Gémeaux/Singes traversent la vie le cœur léger, mais n'allez pas croire qu'ils ont la tête aussi légère. Ils sont responsables, indépendants, et ne rechignent pas à s'atteler à une dure journée de bureau ou à un bon nettoyage de Pâques. Le Gémeaux/Singe sait bien déléguer l'autorité. Et il ne croit pas que se montrer autoritaire est le bon moyen de faire travailler les autres.

C'est un iconoclaste-né. Il pense qu'il faut tourner, ridiculiser, déchirer les règles, et repartir à zéro. S'il ne peut prouver par la logique et la persuasion qu'une vieille règle surannée est ennuyeuse et simpliste, il aura vite fait de le prouver dans les faits.

Son mépris des règles peut lui attirer de sérieux ennuis. Ce n'est pas un délinquant ou un criminel. Mais ses supérieurs pourraient bien le trouver fauteur de troubles. Généralement, son génie le sauve de la destruction totale par les gens trop sérieux pour voir plus loin que leur nombril. Ils savent qu'il est impossible. Mais il est si indispensable à leur cause qu'ils le gardent.

AMOUR

Ce sujet n'est pas un amant ordinaire. Dans le domaine de l'affection, c'est un gourmet insistant et exigeant. Il a besoin d'attention constante, et ne reculera devant rien pour que les projecteurs soient braqués sur lui. C'est son charme ingénieux qui finit par séduire ceux qu'il courtise avec tant d'adresse. Tout est régulier en amour. Et à la guerre ? Eh bien, le Gémeaux/Singe réagit mal aux conflits amoureux. Il préfère ses amours simples et sans problèmes.

Mais il n'est pas particulièrement compliqué d'aimer un Gémeaux/Singe. Il faut simplement accepter de passer toute votre vie, les yeux bandés, à l'extrême bord d'un plongeoir très élastique, avec un vent fort qui vous souffle dans le dos. C'est tout. Restez là, et frissonnez. Bien entendu, il vous faudra aussi faire les « basses besognes », parce que notre génie est trop affairé à préparer la réception pour se souvenir de laver la vaisselle. Mais qu'importe ! Vous recevez en retour une vie pleine de jeux et de rires ininterrompus.

Si vous avez un Gémeaux/Singe dans votre vie, et que vous ayez parfois envie de l'étrangler, je vous comprends parfaitement. Le Gémeaux né dans une année du Singe est parfois épuisant pour les gens posés qu'il choisit souvent d'aimer. Pourtant, les meilleurs moments passés en compagnie de cette dynamo d'imagination sont débordants de joie et je ne peux que vous conseiller la patience — une patience d'ange.

COMPATIBILITÉS

GÉMEAUX/SINGE : Pourquoi ne pas faire cause commune avec un Balance/Rat ou Dragon ? Vos sens de l'humour s'accordent bien. Les Bélier/Dragons et Singes sont pour vous de bons partenaires, de même que les Lion/Rats et les Verseau/Dragons. Vous échouerez misérablement si vous essayez de séduire un Vierge/Tigre ou Serpent, un Sagittaire/Bœuf, Serpent ou Chien. Mais pis encore serait pour vous le Capricorne/Serpent qui tire à lui la couverture. N'oubliez pas que vous voulez toujours la vedette.

FAMILLE ET FOYER

Les Gémeaux/Singes aiment avoir des tas de demeures. Ils rêvent de passer une partie de l'année en montagne, une autre sous les tropiques, puis de séjourner à Milan, Rome ou, pourquoi pas, au Maroc ? Où qu'ils aillent, les Gémeaux/Singes ont vite fait de faire leur trou, s'adjugent la plus jolie hutte, puis se mettent en devoir d'inviter un milliard de personnes à un buffet.

Le Gémeaux/Singe est un parent très sérieux. S'il a beaucoup d'enfants, il les aimera et les éduquera tous avec une tendresse et une compréhension égales. Mais il n'aime pas qu'on abuse de lui et réagira très mal si un parent, un enfant ou un allié tente de le duper ou de le piéger. Le Gémeaux/Singe est extrêmement rusé lui-même, mais ne se sert pas de sa ruse pour tromper ceux qu'il aime.

L'enfant du Gémeaux/Singe donne du fil à retordre à ses parents. Il est souvent hyperactif. Il doit être dirigé et discipliné afin d'utiliser ses talents et d'épuiser chaque jour son énergie. Sinon, vous ne pourrez pas fermer l'œil de la nuit. Les sports, les leçons de musique, les clubs et — plus que tout — le théâtre plairont à l'enfant du Gémeaux/Singe et le stimuleront.

PROFESSION

Ce sujet a la capacité d'assumer dans la vie des rôles très sérieux, difficiles et complexes. Il peut être aussi bien spécialiste de la recherche sur le cancer que directeur de théâtre. Mais il s'épanouit surtout dans le changement, la variété et la diversification. Le Gémeaux/Singe est véritablement le signe le plus variable de tous les signes variables. Quoi qu'il fasse, il doit avoir la possibilité d'inventer, de créer, d'innover de nouvelles méthodes et de nouveaux points de vue.

Ce sujet sera un très bon patron ou directeur. Les gamineries du Gémeaux/Singe plaisent aux gens, et s'il a le bon esprit de s'entourer d'un auditoire admiratif, il n'aura jamais à user de force ou de coercition pour que le travail soit fait. Même dans ses moments les plus farfelus, même quand il gambade à l'envi en se moquant de la fatalité et des maudites règles, le Gémeaux/Singe inspire l'admiration et le respect de ses « sujets ».

Carrières convenant aux Gémeaux/Singes : architecte d'intérieur, cinéaste, cuisinier, artiste peintre, acteur.

Gémeaux/Singes célèbres : Gauguin, le Marquis de Sade, Ian Fleming, la duchesse de Windsor, Pierre Daninos, Georges Marchais, Yves Robert.

<table>
<tr><td colspan="2">

GÉMEAUX

</td></tr>
</table>

GÉMEAUX	
Animé	Impatient
Perspicace	Volubile
Flexible	Cabotin
Éclectique	Versatile
Artiste	Superficiel
Habile	Indécis

Air, Mercure, Mutable
« Je pense »

COQ	
Résistant	Effronté
Passionné	Vantard
Candide	Borné
Conservateur	Instable
Rigoureux	Autoritaire
Chic	Dispersé

Métal négatif, Yang
« Je surmonte »

Ici, le Gémeaux théâtral se voit avec bonheur complété par le Coq qui adore l'esbroufe et l'épate, et porte la toilette avec aplomb et panache, à croire qu'il est né en coulisses dans une malle de costumes. Acteurs, enseignants, docteurs ou personnalités du spectacle, les Gémeaux/Singes l'emportent haut la main sur tous leurs concurrents. Du talent ? oui. Ces sujets ont des dons d'interprètes. Mais leur atout, c'est leur résistance élastique. Le Gémeaux/Coq est un trampoline sur pattes.

Les Gémeaux/Coqs sont très autoritaires. Ils trouvent que leur méthode est la meilleure et la plus efficace dans le travail. Alors, pourquoi ne vous feraient-ils pas profiter de leur efficacité ? Ils ont une façon à eux, douce et aérienne comme il convient aux Gémeaux, de vous pousser comme un pion. Mais ils considèrent vraiment la vie comme un échiquier géant, sur lequel famille, amis et collègues doivent être manipulés pour assurer la victoire du Gémeaux-Coq.

Il n'est pas déplaisant d'être pion dans le jeu du Gémeaux/Coq, si vous acceptez ce rôle au départ. Avec un Gémeaux/Coq dans la maison, s'il vous arrive de vous sentir paresseux ou las, vous pouvez tranquillement vous coucher jusqu'à ce qu'il frappe dans ses mains en disant : « Debout et à l'œuvre ! » Et même alors, vous n'aurez qu'à dire votre rôle. Le Gémeaux/Coq s'occupera du décor, de la musique, de la nourriture, etc.

Les Gémeaux/Coqs sont généralement très séduisants. Dans les lieux publics, les personnes présentes remarquent leur port altier, leur silhouette noble, ressentent leur magnétisme et parfois sont physiquement attirées vers eux sans savoir pourquoi.

Ces sujets sont également très charitables et aident volontiers les autres à leur façon. Le Gémeaux/Coq est attiré par les petites choses sans défense comme les chiots, les chatons et les orphelins. Comme l'opinion qu'il a de lui est rarement — sinon jamais — diminuée par ses échecs et ses rencontres avec l'adversité, il aime le luxe de partager son bien-être avec d'autres moins fortunés que lui.

Ce sujet a tendance à la fragilité émotionnelle. Je ne veux pas dire qu'il est poltron ou faible. Absolument pas. Mais le Gémeaux/Coq, comme tous les Coqs, mais encore davantage, ne cesse d'être victime des hauts et des bas de la vie. Son existence ressemble à un tour dans le train de la mort — rapide, cahotante, effrayante et exaltante. Du sommet de la fortune et de la célébrité, il peut se voir précipité du jour au lendemain dans l'ignominie et l'alcoolisme. En revanche, plongé dans la paresse et la dissipation, ce sujet peut se relever, se mettre une fleur derrière l'oreille et, devenu danseur de flamenco, conquérir la célébrité en un clin d'œil. Il ne manque pas d'enthousiasme. Mais il manque parfois de persévérance.

La nature de ce sujet comporte un élément de spiritualité qu'on ne saurait ignorer. L'alliance du Gémeaux météorique et parfois même céleste et du Coq à la foi du charbonnier nous donne un authentique fanatique religieux, un saint activiste qui croit en son Dieu et agit en Son nom. Qui d'autre pourrait diriger ce Luna Park farfelu qu'est la vie ?

AMOUR

Sur le plan sexuel, la vie de ce sujet, par ailleurs pleine d'une myriade de hauts et de bas, n'a d'autre loi que la séduction répétée et la quantité. Ce natif éprouve le besoin fondamental de séduire. On se demande même si pour lui la conquête n'est pas plus importante que l'acte. Ce Gémeaux a un côté Don Juan certain.

Avant de s'établir, ces sujets doivent faire de nombreuses expériences et tâter tous les terrains possibles jusqu'à ce qu'ils trouvent celui qui leur convient. Les Gémeaux/Coqs sont des manipulateurs, et ils préfèrent épouser leur égal en intelligence. C'est peut-être amusant de jouer avec le cœur des gens, quand ça ne reste qu'un jeu. Mais au foyer, le Gémeaux/Coq préfère avoir un interlocuteur valable. Généralement, ce sujet ne s'attache jamais beaucoup à une personne faible ou obséquieuse. Mais l'inverse n'est pas vrai. Les flatteurs adulent ce sujet terriblement sexy. Les Gémeaux/Coqs peuvent avoir des liaisons avec des inférieurs. Mais elles ne durent jamais. Si vous aimez un Gémeaux/Coq, apprêtez-vous à lutter pour votre bonheur.

COMPATIBILITÉS

GÉMEAUX/COQ : Vous avez tout à gagner de rapports avec un Bélier ou Balance/Serpent. Vous tirerez aussi bénéfice de l'amour d'un Lion/ Dragon (la puissance) et serez fasciné par les Verseau/Bœufs. Vous êtes du genre éclectique et vous avez besoin de challenge. N'approchez pas des Vierge, des Sagittaire, des Capricorne et des Poissons/Chats. Ils détestent les conflits. Vous les adorez. Les Sagittaire et Poissons/ Coqs sont hors de question, comme les Sagittaire/Cochons et les Poissons/Chiens.

FAMILLE ET FOYER

C'est ici que le Gémeaux/Coq chancelle et finalement chute. Il aime sa famille ; il adore ses enfants ; il lui faut un intérieur de classe, décoré suivant son goût personnel. Mais on ne peut dire qu'il aime rester à la maison. Il ne verrait aucun inconvénient à prendre toute sa tribu sous le bras, et à la promener tous les jours d'hôtel en théâtre. Mais même quand cela se révèle impossible, notre bon vieux Gémeaux/Coq, c'est plus fort que lui, déménage souvent.

Les enfants sont importants pour ce sujet. Il est, après tout, impressionnable et il aime expliquer. Il est capable d'apprendre beaucoup à partir des attitudes et des activités de ses enfants. De plus, le Gémeaux/Coq constitue souvent le centre de sa famille élargie. Cousins, oncles et parents dépendent de sa capacité à organiser et à réaliser les réunions et les fêtes.

Si vous avez un enfant du Gémeaux/Coq, il faudra non seulement l'encourager à créer et inventer, mais aussi à mener à bien idées et projets. Vous n'aurez qu'à vous en louer.

PROFESSION

Ce sujet est doué pour toutes les carrières exigeant dons d'organisation, précision, autorité, exécution et même service. Il a beaucoup de sens critique, et s'entend à discerner et définir les options et les compatibilités.

Employé, le Gémeaux/Coq sera obéissant et docile pourvu qu'il ait une certaine marge de liberté et qu'il ait autorité sur au moins une ou deux personnes au bureau. Aucun Coq ne fait jamais un bon larbin, et le Gémeaux/Coq ne fait pas exception à la règle. Il préparera volontiers le café pour toute l'équipe de la comptabilité, pourvu qu'il puisse en choisir la marque, de même que la couleur des tasses et l'heure de la pause.

Carrières convenant aux Gémeaux/Coqs : les Gémeaux/Coqs ont l'esprit vif. Ils peuvent, bien entendu, être acteurs, ou directeurs, ou producteurs de théâtre ou de cinéma. Leurs talents seront également bien employés dans l'architecture, l'ingénierie, la décoration, la plomberie et la vente.

Gémeaux/Coqs célèbres : Errol Flynn, Anne Murray, Joan Collins, Jane Russell, Françoise Chandernagor.

GÉMEAUX	CHIEN
Ⅱ	
Animé — Impatient Perspicace — Volubile Flexible — Cabotin Éclectique — Versatile Artiste — Superficiel Habile — Indécis	Constant — Inquiet Héroïque — Critique Respectable — Sainte nitouche Déférent — Cynique Intelligent — Insociable Consciencieux — Sans tact
Air, Mercure, Mutable « Je pense »	*Métal positif, Yin* « Je m'inquiète »

Voici un Chien différent des autres, toujours prêts à froncer les sourcils et à aboyer furieusement. La sociabilité du Gémeaux prête exactement ce qu'il faut de légèreté au caractère inquiet du Chien. Le Gémeaux/Chien est une personne exubérante, douée de nombreux talents et aptitudes, et qui doit, avant tout, observer scrupuleusement les règles. Sinon, si le Gémeaux/Chien s'écarte du droit chemin, conteste l'autorité et essaye d'arriver dans la vie autrement que par un travail honnête et assidu, ce sera la catastrophe.

L'altruisme est la spécialité du Chien. Nous connaissons tous des Chiens qui passent leur vie à défendre des causes et à entreprendre des croisades par amour pour l'humanité. Les Chiens sont bons. Le Gémeaux est léger, doué pour les arts de la parole, avec une tendance à amuser et même à parader ; le Chien est inquiet et travailleur ; leur alliance ne comporte pas que des avantages. Ou bien ce Chien donnera trop de lui-même pour alléger les malheurs du monde et des autres ; ou bien, si — Dieu nous préserve ! — il se laisse dominer par la superficialité du Gémeaux, il se souciera des autres comme d'une guigne. Dans ce cas, le Gémeaux/Chien sera impossible, pesant, autoritaire, loquace, introverti, apitoyé sur lui-même et par-dessus tout pathétiquement adorable. Plus communément, s'il a reçu une bonne éducation dans des écoles où on lui aura imposé une stricte discipline, s'il est élevé par des parents solides et affectueux, ce sujet sera à la fois noble et amusant, vantard, travailleur et adorable, et dépensera jusqu'à son dernier sou pour faire sourire une personne aimée à travers ses larmes.

L'activité est essentielle au Gémeaux/Chien. Il ne reste pratiquement jamais chez lui, à tricoter au coin du feu. Il vous emmènera plutôt au cinéma, puis vous invitera à un petit souper entre intimes, suivi d'une petite partie de cartes ; enfin, il terminera la soirée par une promenade au bord de l'eau, pour voir les poissons sauter au clair de lune. Et, du début à la fin, il vous étourdira de paroles, racontant sans interruption ses expériences cocasses et vous donnant son avis sur tout et sur rien. Les Gémeaux/Chiens sont de fabuleux compagnons de voyage. Ils n'oublient aucun détail, prennent les billets, préparent le thermos, distribuent les pourboires, etc.

Toute forme de force ou de vulgarité choque ce sujet. Il s'est peut-être battu vaillamment à la dernière guerre, mais, dans le civil, il ne veut pas entendre parler de puissance et de force. Vous ne le trouverez jamais au premier rang d'un match de boxe. En revanche, il sera fasciné par l'art et la beauté, les animaux et la nature, et la peinture, la musique et la littérature traditionnels.

Ces sujets sont généralement très efficaces et aiment que l'ordre règne autour d'eux. Ils travaillent mieux dans un cadre ordonné, et détestent qu'on change leurs outils de place. Ce Chien est du genre qui vous fait la fête. Même ses grognements ne tirent pas à conséquence. Dans l'ensemble, ces sujets sont fidèles et sympathiques, joyeux et optimistes. Ils sont également prodigues et gaspilleurs Pourquoi ? Parce qu'ils sont horriblement, stupidement généreux.

Le Gémeaux/Chien conserve un certain côté enfantin bien après l'enfance. Imaginez une femme de quarante ans qui s'appuie sur vos genoux et vous lèche le visage. Ils sont un peu comme ça. Comme ils sont prompts à accorder leur affection et facilement influençables par ceux qu'ils aiment, il arrive qu'ils se fassent exploiter par les autres. Un Gémeaux/Chien sage est un Gémeaux/Chien circonspect. Attendez, réfléchissez, ne sautez pas tout de suite dans le giron de cette jolie dame. Vous risqueriez de ne plus jamais retomber sur vos pattes.

AMOUR

« Pourquoi t'aimé-je ? Laisse-moi te le conter. » Un Gémeaux/ Chien amoureux est un poète, un ménestrel, un pastoureau, et aussi, dans une certaine mesure, un insensé. Quand ce sujet s'amourache de quelqu'un, les cloches sonnent à toute volée, les lumières crépitent, et les Chérubins sont également conviés à la fête. Les Gémeaux nés dans les années du Chien sont très romantiques, ils croient implicitement en la pureté de l'objet de leur flamme, et rien ne les arrêtera pour attirer ladite personne dans leur niche.

Le Gémeaux/Chien a besoin d'un partenaire solide. Il est aérien et s'envolera dans mille directions impraticables, ou subira des influences funestes. Il lui faut un partenaire stable, de bon sens et même un tantinet cynique.

Votre Gémeaux/Chien ayant tendance à trop parler, il faudra, de temps en temps, lui dire fermement : « Couché ! Tais-toi ! » Si vous aimez un de ces natifs, achetez-vous des boules Quies et roulez-vous en chien de fusil devant le feu.

COMPATIBILITÉS

GÉMEAUX/CHIEN : Le Bélier, le Lion et le Verseau/Cheval vous égaieront et sauront vous aimer comme il faut. Les Lion et Balance/ Chats vous conviendront bien également. Et pourquoi ne pas vous attacher à un gentil sujet Balance ou Verseau/Tigre ? Pas de Vierge, Sagittaire, Capricorne et Poissons/Chèvres et Dragons. Il vous faut un amour profond et loyal. Pas un amour virtuose.

FAMILLE ET FOYER

Les Gémeaux/Chiens vivront plus souvent à la campagne que dans les mégapoles de ce monde. Ces sujets se lassent vite de la vie trépidante, polluante et concurrentielle de la ville. Ils aiment l'activité, et sont bons spectateurs et bons acteurs... mais ils ont besoin de calme, de verdure, et du contact avec les rythmes de la nature pour trouver leur calme et leur rythme naturel. Leur foyer sera toujours plein de beaux objets, et conçu en vue du confort et de la commodité.

Des enfants ? Eh bien, pour le Gémeaux/Chien, le rapport parent/ enfant s'apparente au rapport bourreau/victime. Les Gémeaux/ Chiens sont des animaux de cirque. Ils veulent amuser, plaire, et ne savent aimer qu'en adorant. Restreindre les privilèges d'un enfant n'est vraiment pas le sport favori du Gémeaux/Chien. Il préfère ne heurter les sentiments de personne — jamais. Pour lui, le rôle de parent est donc difficile et, dans bien des cas, exclu. Si l'autre parent veut bien crier à sa place, rappeler aux petits qu'on ne met pas les doigts dans son nez, etc., alors le Gémeaux/Chien sera capable d'être parent, au moins de nom. Mais il ne veut absolument pas s'occuper de discipline.

Les enfants du Gémeaux/Chien sont à la fois sérieux et amusants. En général, ils aiment faire plaisir à leurs parents et font tout leur possible pour être agréables et serviables dans la maison. Il faut les tenir d'une main ferme, pour les empêcher de disperser leurs énergies dans toutes les directions. Ne giflez et ne fessez jamais un enfant du Gémeaux/Chien. Il ne comprendrait pas que vous puissiez le frapper et l'aimer quand même.

PROFESSION

Les professions artistiques conviennent à ce sujet. Il peut être réalisateur de cinéma, antiquaire, décorateur d'intérieur ou acteur pathétique. C'est qu'il possède une qualité qu'on appelle le charme, sorte de halo séducteur, irrésistible pour les personnes sentimentales. Le Gémeaux/Chien, même au pire de sa forme, même outrageusement verbeux et envahissant, peut vous faire sangloter avec ses histoires tristes, et émouvoir votre cœur rien qu'à le regarder.

Le spectacle sera pour lui une niche toute désignée, s'il arrive à affronter les requins et les brutalités de la profession. Ce sujet fera aussi un fabuleux avocat d'assises ou un merveilleux collecteur de fonds pour œuvres charitables. La vérité, c'est que le Gémeaux/Chien a besoin de se sentir concerné pour mener à bien un travail donné. Peu lui importe de bûcher dur au bureau, pourvu que ce soit pour une cause valable. Dans ce cas, ce sera un employé joyeux et malléable. Le Gémeaux/ Chien a un mal fou à être patron. N'oubliez pas que le Chien n'aime pas la force. La haine ou même la légère aversion des autres lui sont insupportables. Il lui faut choisir une carrière indépendante, ou accepter de travailler pour un patron au cœur moins tendre que lui.

Carrières convenant aux Gémeaux/Chiens : chanteur d'opéra, clown, puéricultrice, animateur de télévision, infirmière.

Gémeaux/Chiens célèbres : Judy Garland, Rainer Fassbinder, Gilda Radner, Guy Bedos.

GÉMEAUX	COCHON
Animé Impatient	Scrupuleux Crédule
Perspicace Volubile	Courageux Coléreux
Flexible Cabotin	Sincère Hésitant
Éclectique Versatile	Voluptueux Matérialiste
Artiste Superficiel	Cultivé Épicurien
Habile Indécis	Honnête Entêté
Air, Mercure, Mutable « Je pense »	*Eau négative, Yin* « Je civilise »

Au Gémeaux né dans une année du Cochon, les dieux ont accordé un esprit à la fois universel et scrupuleux. Les Cochons, comme nous le savons, recherchent la richesse et savent cultiver tous les plaisirs de la vie. Mais ils sont parfois un peu léthargiques et, à leur façon, assez entêtés. L'esprit éveillé du Gémeaux confère de la légèreté à la nature popote de notre brave Cochon, atténue ses crises de rage occasionnelles, et met de l'action dans son existence.

Vous verrez souvent des Gémeaux/Cochons affairés comme des abeilles stressées, voyageant de-ci de-là, fonçant de fleur en fleur en un effort pour tout faire à la fois. Puis, vous les trouverez affalés sur un divan de soie en train de manger des bonbons de chez Fauchon, languissant dans le luxe et la paresse. Le Gémeaux est à double face, et, malgré la solidité que lui confère le Cochon, il a besoin de se sentir libre de partir dans au moins deux directions à la fois, quel que soit le domaine ou la situation.

Cette dernière qualité lui permet de résoudre les problèmes à une vitesse presque surnaturelle. L'esprit du Gémeaux fait le tour de la question avec la rapidité de l'éclair, puis le Cochon s'assied tranquillement pour réfléchir. Les Gémeaux/Cochons sont souvent des gens IMPORTANTS. Ils fondent leur propre entreprise à partir de rien et n'ont pas besoin d'aide pour réussir. Si une porte ne s'ouvre pas, le Gémeaux/Cochon va tout simplement frapper à une autre. Et il trouve *toujours* une solution.

Comme tout le monde, le Gémeaux/Cochon a les défauts de ses qualités. En tant que Cochon, il aura du mal à apprendre à dire « non » — surtout dans des situations faisant appel à ses émotions. Mais par ailleurs, et parce qu'il a du mal a refuser, il n'aime guère qu'on lui refuse quelque chose. Il est positif dans tous les aspects extérieurs de la vie. Les Gémeaux/Cochons sont prudents, et même circonspects en affaire et en argent. Mais ils sont si charmants, si enchanteurs, que vous remarquerez à peine cette clause assassine qu'ils ont glissée dans votre contrat — ou alors, il sera trop tard.

Les Gémeaux/Cochons aiment la culture sous toutes ses formes. Ils visitent les musées, écoutent de la grande musique et vont aux premières d'opéra. Ce sont des goinfres de culture, compagnons très intéressants pour toutes les activités culturelles. Vous découvrirez souvent que les Gémeaux/Cochons contribuent secrètement de leurs deniers à une œuvre charitable, ou aident une famille pauvre à envoyer ses enfants à l'université. Bien que le Gémeaux/Cochon puisse parfois paraître un peu léger avec son grand sourire et sa joyeuse bouille ronde, ce sujet est profondément sérieux et bien intentionné.

La nourriture pourra poser problème. Le Gémeaux/Cochon voyage souvent pour ses affaires, et a beaucoup de mal à résister au champagne-caviar servi en première classe (où il voyage invariablement). De plus, il n'a guère le goût des travaux ménagers, et tombe souvent dans le piège des gens très affairés, et qui consiste à acheter son repas chez le traiteur. Qui pourrait résister à ce salmis ou à ce moka de chez Lenôtre ? Pas notre Gémeaux/Cochon — surtout si c'est très cher.

AMOUR

Les Gémeaux/Cochons tombent sans arrêt amoureux de personnes qui ne leur conviennent pas. Ce qu'ils ont a donner est si énorme, si satisfaisant, si complet et si amusant qu'ils commettent fréquemment l'erreur de croire qu'ils peuvent choisir un partenaire du genre « sois belle et tais-toi », pourvu que la personne soit présentable et socialement acceptable.

Cette attitude engendre chez lui des souffrances indicibles. Passé les premières ardeurs, le Gémeaux/Cochon (parce qu'il est aussi très honnête) s'ennuie à mort. Que faire ? Eh bien, on parle de Gémeaux/

Cochons infidèles. Mais ils aiment aussi se répandre en récriminations prolixes sur leur vie amoureuse. « Pourquoi est-il/elle si fou/folle ? Qu'est-ce que je lui ai fait ? Où a-t-il/elle pris l'idée que j'essayais de le/la laisser tomber ? » Etc.

Si vous aimez un Gémeaux/Cochon, soyez astucieux. Aiguisez votre esprit comme un rasoir, et soyez toujours sur le qui-vive. Mais essayez de prendre l'air bête — ou tout au moins pas très futé. Le Gémeaux/Cochon a besoin de sentir que son esprit est supérieur au vôtre — mais il a horreur de s'ennuyer. Vous avez raison, la stratégie que je vous conseille est pure hypocrisie. Pourtant, n'ayez aucune inquiétude. Le Gémeaux/Cochon sait sans doute que vous le faites marcher, mais il sait aussi que votre docilité est précisément ce dont il a besoin pour se sentir bien dans sa peau. Ne trompez jamais un Gémeaux/Cochon si vous ne voulez pas finir sur le chevalet de torture.

COMPATIBILITÉS

GÉMEAUX/COCHON : Les sujets Bélier, Balance et Verseau/Chat ronronneront pour vous endormir dans votre retraite campagnarde et ne soupireront jamais après le tumulte de la ville. Les Lion et Verseau/ Chèvres aiment votre compte en banque et vous donnent de grands frissons créatifs. Un Balance/Bœuf, gentil mais fort, vous apportera aussi le bonheur. A ce stade, vous en savez assez pour éviter les Vierge et les Sagittaire/Singes. Mais je ne suis pas certaine que vous sachiez résister à l'attrait d'un Poisson/Coq. Surtout, ne vous engagez pas trop avec un Vierge, Scorpion ou Poisson/Serpent. Vous serez tenté, mais ne venez pas vous plaindre si vous vous retrouvez étranglé par un boa constricteur.

FAMILLES ET FOYER

Le Gémeaux/Cochon aime s'occuper de sa famille, il a plaisir à la nourrir et à la soigner. Il en adore tous les membres. Et il résout de main de maître les problèmes épineux nés de disputes familiales ou de traumatismes enfantins.

Chez lui, le Gémeaux/Cochon vit dans un luxe certain. Il aime les satins et les soies, les dorures et les tapis de haute laine. En ville, c'est l'opulence dorée. A la campagne, il aura des tapisseries rustiques du XVIIe siècle. Seigneurial, palatial, gentilhommière, château sont des mots qui viennent immédiatement à l'esprit pour parler de l'environnement du Gémeaux/Cochon.

L'enfant du Gémeaux/Cochon sera aimant et curieux — et autoritaire. Son intelligence toujours en éveil pourra être énervante pour le parent placide qui préférerait lire un bon livre qu'écouter les bavardages de son petit Cochonnet. Mais cet enfant ne renoncera pas tant qu'il n'aura pas acquis une place de choix dans le respect et l'affection critique de ses parents. Les Gémeaux/Cochons savent se débrouiller seuls, mais ils ont besoin d'attention et de contact.

PROFESSION

Le Gémeaux/Cochon a des dons de gestionnaire et d'organisateur. Il n'a pas peur de travailler seul. Il peut à l'occasion se montrer procédurier, mais il préfère encore travailler dans l'intégrité. Dans le commerce, le Gémeaux/Cochon est très dur en affaires et s'en sort sans dommage.

Pratiquement toutes les carrières sont ouvertes à ce natif. Tout d'abord, il est capable de vendre n'importe quoi, du château aux patins à roulettes. Il se montre brillant dans les ventes internationales d'antiquités et d'objets d'art. Le Gémeaux/Cochon peut aussi être propriétaire d'une chaîne de restaurants ou producteur dans le monde du spectacle. Il sera également doué pour l'établissement d'un devis publicitaire, où s'allieront ses dons de vendeur et de créateur. Parce que les Gémeaux/Cochons n'ont pas peur d'embrasser bruyamment causes et opinions, ils réussiront bien dans les activités politiques et, parce qu'ils ont le goût de la discrétion, dans la diplomatie. Mais, quelle que soit la carrière choisie, elle ne doit pas être insignifiante. La routine et les besognes infantiles lui tapent sur les nerfs et, à la longue, stérilisent son activité.

Carrières convenant aux Gémeaux/Cochons : marchand de tableaux, ébéniste, chef cuisinier, diplomate.

Gémeaux/Cochons célèbres : Jacques Cousteau, Henry Kissinger, le Dalaï-Lama, Christo, Françoise Sagan, Huguette Bouchardeau, Bernard Clavel, le prince Rainier de Monaco.

CANCER

22 juin-23 juillet

CANCER		RAT	
Imaginatif	Avare	Charmeur	Avide de pouvoir
Lucide	Irritable	Influent	Verbeux
Tenace	Cyclothymique	Économe	Nerveux
Câlin	Possessif	Sociable	Rusé
Prévenant	Cafardeux	Cérébrale	Intrigant
Prudent	Hypersensible	Charismatique	Ambitieux
Eau, Lune, Cardinal		*Eau positive, Yin*	
« Je sens »		« Je dirige »	

Parce qu'il est né Rat, le Cancer/Rat vit d'expédients. Mais comme c'est aussi un fils de la Lune et que, par conséquent, il a tendance à se noyer dans ses émotions, ce sujet oscille entre les influences intérieures et extérieures, entre un comportement intro- et extraverti. Le Cancer/ Rat est assez solitaire. Il aime se terrer dans sa tour, au fond d'une cellule où il étudie la vie et écrit sur la vie intérieure. Mais juste au moment où vous croyez que le Cancer/Rat s'est retiré pour de bon de la société, ne s'aventure au-dehors que pour se trouver un vieux quignon de pain, et survit de café et d'eau fraîche dans sa tourelle-tombeau, vous recevez une invitation requérant l'honneur de votre présence à une immense réception pantagruélique, avec gaieté et amour en prime. Et qui est l'hôte ou l'hôtesse, sinon votre reclus préféré, le Cancer/Rat ?

Qu'il soit écrivain ou menuisier, musicien ou infirmier, ce sujet vivra toujours dans un décor cossu. Objets d'art et meubles anciens abondent autour du Cancer/Rat. Les étagères croulent sous les livres, éditions originales, bandes dessinées, revues de jazz — tout ce qui s'édite l'intéresse. Le Cancer/Rat adore la chose imprimée.

Ce sujet s'habillera vraisemblablement avec une élégance singulière. Il veut rester au-dessus de la foule élégante, manifester son individualité par sa façon de se vêtir. Même sa coiffure proclamera : « Moi ! Regardez-moi ! Comme *je suis* différent ! » Les Cancer/Rats aiment la société mais fuient la banalité. Ils refusent la médiocrité en tout, dans le choix d'un ami ou d'un amant, d'une maison ou d'une voiture, d'un voyage ou d'une station balnéaire. Non qu'ils courent après le « meilleur » selon la *vox populi*, ou qu'ils se laissent entraver par l'idée de ce qui est « supérieur ». Ils recherchent plutôt une forme d'excellence qui leur soit propre, et quand ils l'ont trouvée, ils y adhèrent comme de la Sécotine.

Le charme fait partie de la panoplie de qualités du Cancer/Rat. Je ne veux pas dire que les Cancer/Rats s'introduiront partout, essayant de vous séduire juste pour le plaisir. Pourtant, les Cancer/Rats sont agressivement séducteurs par à-coups. Ils vous inviteront à déjeuner ou à aller au théâtre simplement pour vous faire plaisir. Mais le charme du Cancer/Rat peut être subtil, et même un peu déconcertant. On ne sait jamais exactement si le Cancer/Rat va sourire ou mordre.

Comme tous les Rats, le Cancer/Rat est bavard. Mais contrairement à, disons le Lion/Rat ou le Bélier/Rat, ce Rat n'aimera parler que de ses sentiments. « Tu crois qu'il m'aime vraiment ? Penses-tu que je le comprends vraiment bien ? Je suis tellement triste, heureux, misérable, peiné, extatique, joyeux, ennuyé, etc. » Si vous avez de l'attirance pour ce natif et que vous veuillez l'avoir pour ami, affinez à l'extrême votre capacité d'écoute.

Les Cancer nés dans les années du Rat ont de la créativité à revendre. L'émotion profonde du Cancer, alliée au don qu'à le Rat pour débusquer les informations, donne à ce sujet un talent inné d'écrivain. De plus, comme le Cancer/Rat souffre du besoin excessif d'expliquer ses sentiments et de ressasser ses émotions et ses idées, l'écriture constituera pour lui la thérapie parfaite. Le Cancer/Rat est une personne réservée, enfermée dans le corps d'une personnalité publique.

Le Cancer/Rat est curieux de la justice et aime faire « ce qu'il faut » pour les autres, et cela le conduira à dépenser beaucoup d'énergie à des litiges. Non que les Cancer/Rats piquent des rages soudaines, et aient du penchant pour la vengeance, mais ils trouvent qu'on doit être régulier dans la vie, et monteront en première ligne pour aider un ami à régler ses ennuis juridiques, ou à faire jaillir la vérité d'un dossier complexe.

AMOUR

Sujet fascinant à aimer. Dans les situations romantiques, le Cancer/ Rat marche toujours très loin devant son partenaire, calculant et flairant, sentant intuitivement ce qui devrait arriver. Son but en amour, c'est de ne jamais s'ennuyer et de maintenir sa passion à un niveau difficile à atteindre même à dix-sept ans. C'est pourquoi il se fait délibérément fuyant, insaisissable, jouant les fugitifs et les aventuriers.

Le Cancer/Rat n'est pas nécessairement infidèle. Le mois dernier, lorsqu'il a disparu pendant dix jours, il est peut-être parti seul. Mais il a généralement bien des liaisons successives et au moins plusieurs conjoints.

Si vous aimez un Cancer/Rat et que vous désiriez le garder un certain temps, je vous suggère d'apprendre à lire sur son visage, pour savoir y découvrir tout signe avant-coureur de retraite, de sociabilité, de colère, de rêverie et/ou de concupiscence. Quand vous saurez décrypter les traits de votre Cancer/Rat, la bataille sera à moitié gagnée. N'essayez pas de le garder à la ferme. Mais offrez-lui un intérieur stable et sûr (sans oublier sa tour d'ivoire) pour son évolution personnelle, faites-lui des cadeaux coûteux et, avant tout... nettoyez-vous les oreilles... vous en aurez besoin.

COMPATIBILITÉS

CANCER/RAT : Vous êtes très centré sur l'amour. Vous trouverez des partenaires qui vous conviendront parmi les sujets du Taureau, de la Vierge, du Scorpion et des Poissons. Préférez les Bœufs et les Singes. Ils comprennent votre jeu subtil pour établir des rapports de force. Vous vous heurtez avec les natifs du Cheval, surtout avec le Bélier, Balance ou Capricorne/Cheval. Ne soyez pas flatté de l'attention d'un Balance ou d'un Capricorne/Chat. Ils ne savent pas vous manier. Et c'est réciproque.

FAMILLE ET FOYER

L'environnement du Cancer/Rat sera luxueux et original. L'abondance qui règne normalement dans la cuisine du Rat sera redoublée par la présence dans ce signe du Cancer, qui aime amasser et thésauriser.

Parent, le Cancer/Rat est sévère et possessif. D'abord, il aime tous ses enfants également et sans distinction. Puis, à mesure que le temps passe et que les enfants acquièrent leur individualité et expriment leur personnalité, le Rat/Cancer se rendra coupable de favoritisme. Inconsciemment, il pourra choisir de favoriser l'enfant qui a le plus besoin de lui, le petit qui ne peut se passer de l'aide de maman ou papa. Le Rat/Cancer n'aime pas particulièrement que ses enfants s'affranchissent de lui. Une forte tête en désaccord avec son parent Cancer/Rat ferait bien de quitter le foyer de bonne heure pour échapper à sa tyrannie. Le Cancer/Rat est convaincu qu'il doit protéger ses rejetons, et, pour ce faire, il s'ingère parfois indiscrètement dans leurs vies.

Un enfant du Cancer/Rat vous surprendra par ses goûts solitaires auxquels succédera une parfaite sociabilité. Il faut encourager ce côté solitaire de sa nature, car cet enfant souvent difficile et irritable se développera mieux à son propre rythme et dans son coin. Ne le forcez pas à partager sa chambre ou ses jouets avec ses frères et sœurs L'enfant du Cancer/Rat est un indépendant.

PROFESSION

Il m'est difficile d'imaginer un Cancer/Rat qui ne soit pas écrivain. J'ai quatre grands amis du Cancer/Rat, et ils sont tous écrivains. De plus, parmi les quatre Cancer/Rats célèbres que j'ai pu découvrir, figurent Saint-Exupéry et George Sand. Le dé professionnel du Cancer/Rat semble pipé en faveur de la plume.

Je ne vois guère cette créature aquatique en cadre satisfait ou même en travailleur sifflotant. Ce sujet a beaucoup de cœur, beaucoup d'émotions à exprimer et je le vois mieux dans une carrière artistique ou para-artistique. La politique et le fonctionnariat sont à exclure. Le Cancer/Rat déteste être témoin de la corruption sous toutes ses formes. S'il travaille dans un bureau, il se déchaînera en récriminations contre les iniquités de la vie bureaucratique. Et il ne durera pas longtemps s'il sent que c'est lui qui va faire les frais de ces injustices.

Le Cancer/Rat est un travailleur acharné, mais il n'aime pas qu'on le bouscule ou qu'on le commande. Les emplois exigeant solitude et indépendance lui conviendront bien. Il pourra même réussir dans le commerce — s'il est propriétaire de son magasin. Mais il devrait éviter les carrières requérant persévérance et hypocrisie. Il est incapable de vous sourire ou de vous tapoter amicalement l'épaule s'il n'en a pas envie.

Carrières convenant aux Cancer/Rats : écrivain, orthophoniste, psychologue, professeur, scénariste, musicien, plombier.

Cancer/Rats célèbres : Antoine de Saint-Exupéry, George Sand, Louis Armstrong, lord Mountbatten.

CANCER	BŒUF
	⌶

CANCER		BŒUF	
Imaginatif	Avare	Intègre	Entêté
Lucide	Irritable	Réalisateur	Étroit d'esprit
Tenace	Cyclothymique	Stable	Lourd
Câlin	Possessif	Innovateur	Conservateur
Prévenant	Cafardeux	Diligent	Partial
Prudent	Hypersensible	Éloquent	Vindicatif

Eau, Lune, Cardinal
« Je sens »

Eau négative, Yin
« Je persévère »

Ce n'est pas une coïncidence si tant d'artistes célèbres sont nés sous le double signe du Cancer et du Bœuf. Nous sommes ici en présence de la détermination incarnée. La sensibilité profonde du Cancer, alliée à la détermination inébranlable du Bœuf, donne à ce natif une puissance émotionnelle qui n'a pas sa pareille dans tout le Nouveau Zodiaque. Il donne toujours son maximum.

Le Bœuf donne au sujet une formidable puissance d'innovation. Le Cancer lui donne de la créativité et ajoute une bonne dose de sensibilité au cocktail. Ils se lancent dans la réalisation de leurs projets avec une obstination inébranlable. Pour un Cancer/Bœuf, une tâche est une règle, une mission, une religion ! Ce qui doit être accompli doit l'être — et il n'y a pas deux façons de le faire, pas de raccourcis, pas de faux-fuyants.

Les Bœufs nés sous le signe du Cancer détestent l'échec. Et ils n'aiment guère non plus qu'on leur dise ce qu'ils ont à faire, ni comment le faire. Ils sont leur propre loi. Ils le reconnaissent. Oui. Ils aiment commander, et sont trop possessifs. Si cela vous déplaît, vous n'avez plus qu'à déménager. La grandeur des achèvements du Cancer/ Bœuf n'a d'égale que ses sentiments pour ceux qu'il aime et qui lui ont prouvé leur loyauté. Avec eux, il partagera généreusement.

Mais Malheur aux ennemis du Cancer/Bœuf. Dans l'esprit du Cancer/Bœuf, aucune place pour le doute. Si quelqu'un essaye de se glisser sous l'armure qu'il s'est faite de son assurance, ce natif l'éliminera sans pitié. Le Cancer/Bœuf est vindicatif et ne pardonne jamais.

Lorsque vous rencontrez un tel personnage, vous comprenez naturellement qu'il s'agit de quelqu'un d'extraordinaire. Le Cancer/Bœuf émet une aura dorée de supériorité. Ils savent rester seuls. Ils savent prendre leur temps. Ils savent étudier avec acharnement. Ils ont le bon sens de se reposer avant un événement important. Ils sont d'une perfection exaspérante, et c'est pour cela (et pas seulement à cause de leur talent) qu'ils réussissent dans ce qu'ils font.

Et le cerveau du Cancer/Bœuf n'est pas à dédaigner non plus. Ces sujets sont brillants. Rien ne leur échappe, et ils ne perdent jamais le nord. Mais les Cancer/Bœufs ne sont pas les intellectuels des deux zodiaques. Loin de là. Trop d'eau dans ces deux signes pour qu'ils soient strictement orientés sur la matière grise. Non. Le Bœuf né sous le signe du Cancer est un être instinctif qui obtient des résultats par le cran et l'endurance. Il sait dès le départ que le plus court chemin entre deux buts, c'est la ligne droite. Il fonce donc, et il arrive. Simple, n'est-ce pas?

Au premier abord, ce sujet vous donnera l'impression d'être jovial. Il semble traverser la vie sans cesser de rire, comme si rien ne pouvait jamais marcher de travers. Ne vous y trompez pas. Le Cancer/Bœuf est beaucoup moins expansif qu'il ne paraît au départ. En fait, toute forme de promiscuité lui déplaît. Ces natifs détestent les foules, et ne supportent que celles assemblées en leur honneur. Ils ont le snobisme de la solitude. Ils aiment qu'on les laisse tranquilles.

AMOUR

L'amour d'un Cancer/Bœuf est son domaine privé. Il vit pour son amour et passe souvent toute sa vie avec la même personne. Le Cancer/Bœuf est doué pour l'amour comme il est doué pour la réussite. Liaisons et mariages durables et sérieux exigent de la patience, du courage et beaucoup de compromis. Le Cancer/Bœuf, pourtant entêté, sait étonnamment bien transiger en matière de sentiments. Ses sentiments et son amour pour les autres constituent la récompense du Cancer/Bœuf au travail intensif qu'il s'impose. Il tient bon dans les tempêtes les plus violentes.

Toutefois, n'attendez pas des bouquets tous les jours et du champagne à tous les repas. Le Cancer/Bœuf est avant tout un individu raisonnable qui veut arriver dans le monde réel.

Oui, il veut être le premier dans votre vie. Mais ne sous-estimez pas sa puissance de concentration sur les buts purement objectifs au détriment, ou tout au moins au retardement temporaire, de la passion. Les émotions ne l'intéressent que dans la mesure où elles n'entravent pas son avance.

COMPATIBILITÉS

CANCER/BŒUF : Force et émotivité sont vos caractéristiques. Vous les recherchez chez un partenaire. Pourquoi ne pas essayer un Taureau/ Coq ou même un Vierge ou un Poissons de la même famille ? Ou vous lier avec un Vierge, Scorpion ou Poissons/Rat facilement compatibles avec vous ? Les Scorpion et Poissons/Serpents font battre votre cœur. Pas de Bélier ou Balance/Chèvre, pour vous, enfant lunaire. Les Balance/Tigres sont aussi hors de question, de même que les Capricorne/Tigres et Dragons.

FAMILLE ET FOYER

L'environnement de ce sujet promet d'être accueillant au pèlerin le plus misérable. C'est agréable, le foyer du Cancer/Bœuf. Il y règne une atmosphère à la fois solide et douillette. Canapés rembourrés, tables traditionnelles, fauteuils confortables autour d'un feu de bois ronflant prêtent leur harmonie à la demeure du Cancer/Bœuf.

Ce sujet aimera les enfants — tous les enfants. Il ira peut-être même jusqu'à recueillir des enfants perdus et à adopter des orphelins. Il aime protéger, ne l'oublions pas. Pour lui, les enfants doivent être heureux mais respectueux, jouir du confort mais travailler pour se le procurer. Le Cancer/Bœuf ne donne pas son argent durement gagné simplement pour obtenir un sourire ou une remarque flatteuse. Et cela est vrai, également, pour sa famille. « Je vous aime, mais je ne peux pas vous donner la lune. »

Vous trouverez peut-être que l'enfant du Cancer/Bœuf est lent à réagir et plus pondéré que d'autres enfants plus actifs. L'enfant du Cancer/Bœuf ne fait guère le clown à moins de savoir parfaitement son rôle à l'avance. Il aime faire bien ce qu'il fait. C'est pourquoi il peaufine ses projets avant de les révéler aux autres.

PROFESSION

Point n'est besoin de chercher loin pour trouver les talents de votre Cancer/Bœuf. Quand ils arriveront à l'âge adulte, ils auront sûrement une idée assez arrêtée de ce qu'ils veulent faire. Ils sont incontestablement plus artistes que financiers ou scientifiques. Nous sommes ici en présence de deux signes d'eau. Tous deux résistants, et tous deux persévérants.

Où sont les faiblesses ? Eh bien, la force de ces natifs peut être aussi leur pire ennemie. A un certain moment, à cause de leur refus de la frivolité, ils se priveront des joies et divertissements dont jouissent les gens « normaux ». Et si, par hasard, ils se laissent embarquer dans un projet inconséquent, ils souffriront beaucoup plus que des gens moins sérieux de ses résultats contestables. Si vous cherchez la servilité et la soumission, n'employez pas un Cancer/Bœuf. Mais si vous recherchez la perfection, le professionnalisme à la puissance n... vous ne serez pas déçu.

Carrières convenant aux Cancer/Bœufs : peintre, acteur, metteur en scène, politicien, chef d'entreprise, industriel, travailleur indépendant.

Cancer/Bœufs célèbres : Rubens, Thoreau, Jean Cocteau, Barbara Cartland, Tom Stoppard, David Hockney, Merv Griffin, Meryl Streep, Lady Di, Jean Cau, Alain Decaux, Jacques Delors et Lionel Jospin.

CANCER	TIGRE

Imaginatif	Avare	Fervent	Impétueux
Lucide	Irritable	Courageux	Emporté
Tenace	Cyclothymique	Magnétique	Désobéissant
Câlin	Possessif	Veinard	Conquérant
Prévenant	Cafardeux	Bienveillant	Immodéré
Prudent	Hypersensible	Autoritaire	Itinérant

Eau, Lune, Cardinal
« Je sens »

Bois positif, Yang
« Je surveille »

Les Tigres sont essentiellement combatifs. Les Cancer sont sensibles, chagrins et portés à la mélancolie. « Rugis ! » dit le Tigre à l'intérieur du maussade Cancer. « Je veux mon indépendance ! » Ou : « Ris un peu, que diable ! » ou encore : « Il me faut des conflits ! »

Le Cancer et le Tigre forment un duo étrange, presque comique. Avec, bien entendu, des flots de sentiments sincères lâchés dans la nature. Le plus grand danger qui menace ce sujet serait de perdre confiance en lui et de se laisser aller à une existence dissolue et sans gouvernail. Les Tigres sont des inquiets qui ont besoin d'apprendre la modération, essentielle à leur survie. Ces brillants sujets sont en danger constant de se voir anéantis — conséquence de leur caractère excessif. Les Tigres ont besoin de bons conseils, d'avis, de sagesse et de bon sens. Dans l'ensemble, le Cancer est un signe raisonnable, mais les Cancer peuvent se noyer dans leur propre sensibilité. Combinaison traîtresse.

Nous sommes tous capables, bien sûr, de nous tromper nous-même. Tôt ou tard, nous pouvons nous laisser duper par nos propres sentiments. Mais le Cancer/Tigre a une tendance certaine à s'illusionner lui-même. Bon pied, bon œil, les Tigres ne regardent presque jamais avant de bondir, à moins qu'ils n'aient près d'eux un brillant lieutenant qui les exhorte : « Attention, patron ! Doucement, monsieur ! Vous penserez autrement demain, chef ! » Et le Cancer, lunatique, boudeur ou hyperémotif, n'est guère le type du lieutenant fringant, n'est-ce pas ?

Aussi, le meilleur conseil à donner à ce natif tient en un mot : « Attention ! » Avancez pas à pas. Organisez-vous et tenez-vous-en à vos routines. Structurez votre vie, ou que quelqu'un la structure à votre place. Cette discipline ne vous plaira pas. Mais elle vous permettra d'avancer. Et ça, ça vous plaira.

Excentricité est un mot qui semble fait pour le Cancer/Tigre. Ces sujets sont capables de vivre en parfaits bohèmes. Mais ce serait une erreur. Le Cancer est un signe trop bourgeois pour suivre la voie farfelue du Tigre entêté. Mieux vaut pour le Tigre suivre le Cancer lunaire qui le mène au foyer traditionnel.

Tout le monde aura plaisir à connaître ce sujet. Il est généralement joyeux (sauf lorsqu'il cède à la mélancolie « cancérienne ») et amusant. C'est un romantique, plein de rêves d'idéaux qui transformeraient le monde, rendraient tout le monde plus gentil et plus honnête. Le genre sentimental qui aspire à la paix intérieure et ne la trouve pratiquement jamais.

Pourquoi ? C'est que le Cancer/Tigre est un sujet très créatif, attiré par les idées nouvelles, les lieux, les gens, les entreprises exotiques. Juste au moment où il semble être bien installé dans la sécurité, boum ! le voilà qui repart vers de nouvelles et terrifiantes aventures. Vous comprenez, non seulement le Cancer/Tigre se plaît à rechercher ce qui est hors du commun, mais il aime que cette quête ne passe pas inaperçue. Le Cancer/Tigre aime se pavaner fièrement sous les louanges dues à ses accomplissements. En fait, c'est par les louanges qu'on obtiendra le meilleur de ce sujet, et il faudra les lui prodiguer sans compter. Elles ne lui donneront pas la « grosse tête », mais, au contraire, le pousseront à de nouvelles entreprises et à de nouvelles conquêtes.

Il faut au Cancer/Tigre beaucoup d'espace pour rôder. Les espaces étriqués lui rebroussent le poil à l'envers. Il lui faut sa liberté d'action, et malgré son amour du foyer, ce Cancer a besoin de changement. Même si ce changement consiste uniquement à modifier tous les deux jours la place de ses meubles, il aime la stimulation d'un nouvel environnement.

AMOUR

Malheureux en amour dans la première partie de sa vie, ce sujet mettra du temps à trouver sa stabilité émotionnelle. Il sera très attirant sexuellement. Beaucoup de temps sera perdu pour la création par suite de nombreuses aventures amoureuses qui ne dureront pratiquement jamais.

Si vous aimez un Cancer/Tigre, admirez-le. Admiration et respect le stimulent. Le Cancer/Tigre a besoin de briller. Mais il n'est pas vaniteux. Il est même assez discret. Mais il aime qu'on le voie sous son meilleur jour. Flattez-le. Et, par-dessus tout, cajolez ce gros bêta.

Le Cancer/Tigre est très jaloux. Il a horreur qu'on marche sur ses plates-bandes, même sur la pointe des pieds. Il combattra vigoureusement si on l'attaque, mais il n'est pas du genre agressif au foyer. N'entrez pas en compétition avec votre partenaire Cancer/Tigre. Occupez-vous de vos affaires, et laissez-le s'occuper des siennes. Soyez toujours disponible à l'affection. Et ne vous mêlez pas de sa vie privée.

COMPATIBILITÉS

CANCER/TIGRE : En bon Cancer/Tigre que vous êtes, vous trouverez enjôleurs les Taureau, Vierge et Scorpion/Chiens. Vous pourrez vous enflammer pour un Scorpion ou un Poissons/Dragon ou Cheval. Et, bien entendu, vous trouverez irrésistible le Poissons/Cochon cultivé. Ne badinez pas avec les Bélier, Balance ou Capricorne/Singes. N'approchez pas des Bélier et Balance/Serpents et passez-vous des Bélier et Balance/Bœufs. Ne donnez pas votre cœur à une Balance/Chèvre. Il est encore plus coléreux que vous.

FAMILLE ET FOYER

C'est le domaine du déchirement dans la vie du Cancer/Tigre. Alors que le Cancer aime le foyer, le Tigre est un vagabond. Le Cancer est lunatique et émotif, le Tigre est optimiste. Le décor même sera schizophrénique.

Le Cancer/Tigre est un parent-né. Il aime son foyer et il considère sa famille comme faisant partie du tableau. L'esprit d'aventure du Tigre, sa tendance à rêver enchanteront les enfants. Ce natif sera un parent du genre « copain », avec qui les gosses se sentent bien. Il régnera une certaine discipline au foyer du Cancer/Tigre, mais n'oubliez pas son côté bohème... un peu de désordre rend la maison tellement plus vivante, non?

Les enfants du Cancer/Tigre sont des lutteurs et des réalisateurs. Mais, pour arriver à quelque chose, ils devront apprendre de bonne heure la rigueur et le contrôle de soi. Le côté marginal du caractère pourra constituer sa pierre d'achoppement plus tard dans sa vie. C'est pourquoi on doit, dès l'enfance, lui faire prendre de bonnes habitudes. De petites corvées journalières, des repas et des couchers à heures régulières aideront ce natif à structurer son avenir.

PROFESSION

Ce natif recherche modérément le gain. Il ne dédaigne pas complètement la richesse. Mais (et c'est un grand MAIS) parce qu'il est Tigre, ce côté cupide du Cancer sera sensiblement atténué. Il sera du genre à inventer un nouvel appareil, puis, venu le temps de le commercialiser, il semblera prendre peur. Il reculera devant les complications nécessaires à une réussite réelle. Il veut une BMW. Il aimerait peut-être même se promener en Rolls-Royce. Mais s'il entreprend de gagner l'argent nécessaire, puis de le conserver ensuite, il craint de s'ennuyer et de perdre un temps précieux, mieux employé à une nouvelle invention. Les Cancer/Tigres vivent pour ce qu'ils peuvent inventer.

Bien entendu, ce comportement est parfait quand on est le patron. Si vous savez choisir vos collaborateurs, vous pouvez rester dans votre tour d'ivoire et créer tout votre saoul, pendant que vos subordonnés attentifs s'occuperont de l'administration. Il est moins désirable pour un employé de ne pas mener sa tâche à bon terme. Aussi ce natif devrait-il choisir d'être travailleur indépendant.

Carrières convenant aux Cancer/Tigres : poète, chercheur, compositeur, danseuse étoile, inventeur.

Cancer/Tigres célèbres : Jules Mazarin, Richard Rodgers, Elizabeth Kübler-Ross, Diana Rigg.

CANCER		CHAT	
Imaginatif	Avare	Diplomate	Cachottier
Lucide	Irritable	Raffiné	Sensible à l'extrême
Tenace	Cyclothymique	Vertueux	Pédant
Câlin	Possessif	Prudent	Dilettante
Prévenant	Cafardeux	Bien portant	Hypocondriaque
Prudent	Hypersensible	Ambitieux	Tortueux
Eau, Lune, Cardinal		*Bois négatif, Yin*	
« Je sens »		*« Je me retire »*	

Mélange détonant : l'amour du foyer allié à l'amour du foyer. Si le Cancer/Chat n'avait pas à sortir pour gagner sa vie, il choisirait peut-être de ne jamais quitter le confort de sa maison parfaitement décorée, soigneusement équipée et douillettement efficace. Pour le Cancer né dans une année du Chat, son foyer est le centre de l'univers.

N'allez pas croire que ce natif est un reclus. Au contraire, dès qu'il vous connaît bien, le Cancer/Chat est un véritable trésor d'amabilité et de conversation. Il s'éclaire quand il vous voit et, pour vous faire plaisir, aborde mille sujets différents. Souvent, ce sujet parle de l'avenir, de rêves et de plans de châteaux (toujours châteaux, manoirs, ou pire) en Espagne, en Normandie, ou dans les vertes prairies irlandaises. Le Cancer/Chat parle toujours ou de sa gloire passée ou de son brillant avenir — même si ce n'est qu'un rêve.

Je connais plusieurs Cancer/Chats. Ils sont le confort incarné, vous invitant toujours à entrer, à prendre le café ou à boire le vin que vous aimez, etc. Et invariablement, ils vous parlent à chaque fois du jour où leur grand-tante Tillie, qui a quatre-vingt-dix-huit ans et demi, s'en ira pour un monde meilleur et où leur propre vie sera transformée en nirvāna. « Et ne va pas croire que j'ai toujours vécu comme aujourd'hui », vous dit le Cancer/Chat. « En 1965, je dépensais rien qu'en domestiques la moitié de ce que mon pauvre mari gagne aujourd'hui. J'avais des servantes. J'étais une dame ! » (Ou un gentleman.) On ne sait jamais si cette opulence passée ou ces héritages futurs sont réels ou imaginaires. Mais finalement, cela n'a guère d'importance.

Les Cancer/Chats sont fiables. Et dignes de confiance. Vous pouvez leur laisser vos clés, vos enfants, votre chien et... votre femme ou votre mari, et, revenant plusieurs mois après, vous trouverez tout le monde à table en train de boire du chocolat en jouant au rami. Pas de tromperies derrière votre dos. Les Cancer/Chats sont des gens honorables et vertueux.

Poussée à l'extrême, la vertu peut prendre une nuance pharisaïque et les Cancer/Chats doivent se garder de cette tendance. Par moments, ils deviennent un peu papelards. Les gens moins honorables qu'eux les irritent parfois. Ce péché véniel peut devenir mortel si le Cancer/Chat se sent acculé ou menacé. N'oublions pas que les Cancer/Chats sont à la fois des crabes et des félins, les uns armés de pinces, les autres de griffes ! Tout doux, tout doux avec le Cancer/Chat. Ne les doublez pas et ne volez pas leur aspirateur tout neuf. Irrités, ils peuvent se montrer dangereux.

Les Cancer aiment thésauriser. Les Chats aiment polir et raffiner ce qu'ils possèdent. Mettez-les ensemble, et vous obtenez un antiquaire ou — pire — un collectionneur. Ces natifs collectionnent tous azimuts, accumulent les biens matériels, stockent des montagnes de bibelots et colifichets, à faire verdir de jalousie les commissaires-priseurs de Drouot. Si vous êtes apparenté à un Cancer/Chat dont vous êtes le seul héritier, à première vue, l'héritage pourra ne pas vous sembler énorme, mais vous découvrirez dans son grenier plus d'objets de valeur qu'il n'y a d'étoiles au ciel. N'oubliez pas le côté secret de cette nature. Il vous paraîtra parfois sentimental et même larmoyant, mais croyez-moi, caressez toujours le joli Cancer/Chat dans le sens du poil — vous ne le regretterez pas.

AMOUR

Amoureux de l'amour, ai-je griffonné dans mes notes sur le Cancer/Chat. Et c'est vrai. Invariablement, les Cancer/Chats sont *amoureux*, continuellement et solennellement. Pas question de touches ou de béguins. Le Cancer/Chat ne s'intéresse pas aux liaisons de courte durée. Il veut un foyer. Il veut une famille. Il veut de beaux meubles et des parquets de chêne, des mariages et des baptêmes, avec lys et roses, champagne et musique de chambre.

Le Cancer/Chat peut avoir quelques aventures éphémères quand il est jeune et désœuvré. Mais il n'est pas du genre à se contenter toute sa vie d'aventures d'une nuit. Les Cancer/Chats ont besoin de votre amour, total, inconditionnel et éternel. En échange, vous recevrez plus que votre part de sécurité et d'illusions, de rêves et de bonnes tasses de thé, de gâteaux et même, parfois, quelques gouttes du meilleur bordeaux. Mais n'oubliez pas de sortir la poubelle, de laver les vitres, de préparer la chambre d'ami pour grand-mère et de passer à cinq heures chez le restaurateur d'objets anciens pour récupérer votre miroir à cadre doré. Vous serez heureux ! Mais, Dieu, que vous serez occupé !

Divorces, séparations et ruptures de toutes natures déprimeront le Cancer/Chat. Lorsqu'on lui brise le cœur, le Cancer/Chat boude, rumine et lèche ses blessures très, très, très longtemps. Il ne retombe pas tout de suite sur ses pattes. Mais patience. Quand enfin le Cancer/Chat trouve le nouveau partenaire de sa vie, il prend un peu de recul, se ramasse sur lui-même, puis bondit. Vous êtes accroché pour la vie. N'essayez pas de vous échapper. C'est sans espoir.

COMPATIBILITÉS

CANCER/CHAT : Le Taureau, la Vierge, le Scorpion et le Poissons séduisent votre imagination. La romance vous plaît particulièrement lorsqu'elle est partagée avec des Chèvres, Chiens et Cochons des signes ci-dessus mentionnés. Je ne vous vois pas vous lier avec un Bélier, une Balance ou un Capricorne/Tigre, Dragon ou Coq. Pour vous donner une impression de sécurité et maintenir votre intérêt en éveil, votre partenaire doit avoir distinction et amour du foyer.

FAMILLE ET FOYER

J'ai déjà parlé de ce qu'est le FOYER idéal pour le Cancer/Chat. Etonnant comme il est souvent chez lui quand on lui téléphone. Stupéfiant l'ordre qui règne dans sa maison, où il s'affaire tout le jour avec bonne humeur.

Le Cancer/Chat est un parent infatigable, généreux et aimant, chaleureux et indulgent. Mais il est aussi passablement exigeant. Par conséquent, le Cancer/Chat supportera mal des enfants indisciplinés, négligés, maladroits et vulgaires. Tous ses enfants l'admireront et le respecteront. Le Cancer/Chat est capable de grands sacrifices par amour pour ses enfants — mais il ne leur permet jamais de les oublier.

L'enfant du Cancer/Chat a besoin de chaleur et de sécurité. Il sera capable de mille efforts dans les domaines artistiques les plus variés. Mais ne le forcez pas à jouer au football s'il n'en a pas envie. Cet être est tout raffinement. Solide, mais pas nécessairement athlétique, pas nécessairement ceinture noire de karaté ou champion olympique de patinage artistique.

PROFESSION

Naturellement, cet amoureux du foyer s'entend comme personne à se créer un intérieur merveilleux. S'il reste chez lui toute la journée, ce natif ne s'ennuiera jamais et ne restera pas oisif une minute. Son intérieur lui suffit pour conserver équilibre et bonne humeur.

Si toutefois ce natif arrive à sortir de chez lui, il fera un excellent employé, fiable et loyal. Il s'entend bien avec ses collègues parce qu'il sait que c'est nécessaire — non nécessairement parce qu'il les aime ou parce qu'il s'amuse de leurs bavardages à la cafétéria. Il préfère un joli petit bureau douillet, avec porte fermant à clé (la porte lui importe plus que la fenêtre) qui tiendra les fâcheux à l'écart. Patron, le Cancer/Chat sera efficace et juste. Souvent, ses employés ne l'aimeront guère, parce qu'il est un tantinet trop snob pour leurs goûts. Mais peu importe. Il veille à ce que le travail soit fait.

Carrières convenant aux Cancer/Chats : marchand de biens, bijoutier, assistante sociale, haut fonctionnaire, commissaire aux comptes.

Cancer/Chats célèbres : Neil Simon, Saül Bellow, Simone Weil, Georges Folgoas.

<table>
<tr><td>

CANCER

Imaginatif	Avare
Lucide	Irritable
Tenace	Cyclothymique
Câlin	Possessif
Prévenant	Cafardeux
Prudent	Hypersensible

Eau, Lune, Cardinal
« Je sens »

</td><td>

DRAGON

Puissant	Rigide
Battant	Méfiant
Hardi	Insatisfait
Enthousiaste	Emballé
Vaillant	Vantard
Sentimental	Volubile

Bois positif, Yang
« Je préside »

</td></tr>
</table>

Une grande vitalité émotionnelle constitue le fondement de cette étonnante personnalité. Le Cancer/Dragon naît avec la capacité cancérienne de ressentir profondément la vie sous tous ses aspects. Mais il reçoit également en partage le cran et le feu du Dragon, que nous connaissons bien et que nous aimons tous. Personnalité énergique et intrépidement enthousiaste. Le punch et la vigueur du Dragon, qui lui permettent, comme le phénix, de renaître de ses cendres, allégeront l'humeur sombre du Cancer. Le bon sens et la dignité du Cancer tempéreront la forfanterie du Dragon.

Le Cancer/Dragon ruisselle d'un charme presque juvénile. Ses œillades sensuelles s'accompagnent d'une imperceptible lueur d'amusement. Regard langoureux et œil en vrille. Le Cancer veut retenir ce sujet au foyer. Le Dragon n'aspire qu'à sortir s'amuser en ville. D'où un conflit intérieur inévitable. Qui décide? Qui tranche à chaque fois le nœud gordien? La sentimentalité. Ce Cancer/Dragon est d'une sentimentalité dangereuse, qui tend à le rendre hypersensible. Ce Cancer est le seul Dragon qui pleure aux mariages et s'évanouit aux baptêmes et aux communions. Il sait fort bien aussi allier le sentiment et le spectacle.

Au premier abord, ce sujet donne l'impression d'une grande force de caractère, et de capacités illimitées. « Nom d'un chien, penserez-vous, elle a l'air de bouffer de l'éléphant à tous les repas ! » Mais si vous parvenez à la mieux connaître, vous découvrirez que cette puissance est rarement exploitée. Les Cancer/Dragons ont du muscle, mais ils n'aiment pas s'en servir.

Bien qu'étant rarement séduisant au sens classique du terme, ce sujet aura beaucoup de succès auprès du sexe opposé. L'eau du cancer douche quelque peu le feu du Dragon. Le Dragon/Cancer sera donc moins arrogant et égotiste que les autres Dragons. C'est un Dragon adouci. Et un Cancer dopé.

Les Cancer/Dragons sont des gens pleins de curiosité, qui aiment voyager et rapportent récits et trophées de leurs aventures. Ce sujet sait quand et où se servir de son énergie dynamique, et fait un compagnon intéressant — quoique un tantinet trop loquace pour mon goût. Les Cancer/Dragons sont idéalistes. Ils aimeraient transformer le monde — ou du moins essayer.

Le Cancer né dans une année du Dragon sera attiré par tout ce qui est artistique et sera sans doute avide de culture. Il aime se montrer en public, bien vêtu et suffisant. Le Cancer/Dragon est un signe de force — sans les désavantages qui accompagnent souvent la domination.

AMOUR

En amour comme dans sa vie en général, le Cancer/Dragon agira principalement par sentiment et sensualité. Alliance turbulente dans le meilleur des cas. Je ressens ceci, j'aime cela, elle, je l'adore, mais lui je le hais, je me passionne pour tout le monde, et, ce qui est pire... je suis d'une séduction assassine. Pauvre petit abandonné ! Ne vous sentez pas si coupable ! Ne mettez pas votre charme dans votre poche. Lancez-vous, et séduisez-les par votre allant ! Mais soyez prudent. N'oubliez pas comme vous êtes sentimental. Ce monde d'étrangers admiratifs est plein de pièges pour les petits comme vous.

Vous comprenez, pour qu'un Dragon soit à la fois digne et discret, noble et réservé, il faut qu'il soit en même temps un Cancer. Extérieurement, ce sujet sera adorablement humble, mais le magnétisme du Dragon, qu'il n'arrivera jamais à dissimuler totalement, lui sortira par tous les pores de la peau. Pour cette raison, je ne jurerais pas de sa fidélité. Si vous aimez un Cancer/Dragon, restez chez vous près du téléphone, et ayez toujours à portée de la main votre agenda qui vous offrira des alternatives.

COMPATIBILITÉS

CANCER/DRAGON : Les Taureau, Scorpion et Poissons/Singes vous taquinent et vous fascinent, audacieux Dragon. Vous pouvez aussi trouver le bonheur avec un Scorpion ou un Poissons/Rat. Vous aimez les Serpents pour leur beauté innée, alors, pourquoi ne pas essayer un Taureau ou un Poissons/Serpent? Les Taureau/Cochons et leurs frères et sœurs du Coq vous font également beaucoup d'effet. Ne cherchez pas à vous accoupler avec un Bélier, Balance ou Capricorne/Chien, avec un Capricorne ou Balance/Bœuf. ni même avec un Bélier /Chat.

FAMILLE ET FOYER

Ce sujet est Cancer, il aura donc une vie familiale confortable et sage. Mais comme il est aussi Dragon et qu'il aime briller, je dirais que sa maison sera grande et imposante, ses jardins bien entretenus, et son luxe apparent. Les Dragons cancériens aiment l'apparat. Vous ne pourrez manquer d'être impressionné.

Le parent du Cancer/Dragon est un chou. Il ou elle aime ses enfants à la folie, et s'en enorgueillit en toutes occasions aux yeux de la famille et du monde. Il assure la sécurité et exige en retour obéissance et tenue. Il ou elle adore les amuser. (Si vous avez un père ou une mère du Cancer/Dragon, je vous conseille de rire de leurs plaisanteries.)

Bon naturel et esprit vif caractérisent l'enfant du Cancer/Dragon. Il ne devrait pas vous poser trop de problèmes, pourvu que vous proposiez beaucoup d'exutoires à son énergie innée. Il faudra le former à de nombreuses disciplines différentes, car c'est un élève doué et travailleur, qui aime faire plaisir. Il ou elle s'intéressera sans doute au théâtre.

PROFESSION

Ce sujet est un leader-né. Il a besoin d'une solide instruction, qu'il devrait commencer dès sa plus tendre enfance. Les études supérieures seront favorisées par sa curiosité naturelle. Le Cancer est diligent et persévérant. Le Cancer/Dragon adulte a un talent réel pour les emplois exigeant de l'autorité personnelle. Il est décidé. Mais il n'est pas entêté. Il est méticuleux. Mais il n'est pas Sainte-Nitouche.

Patron, ce sujet sera à la fois strict et indulgent. Le hic, c'est de déterminer la bonne proportion. Lorsque le Cancer/Dragon rencontre un obstacle, il sent d'instinct la meilleure solution. J'ai mes doutes quant aux capacités du Cancer/Dragon d'occuper un emploi subalterne. Ces sujets détestent jouer les second violons, et font des subordonnés maussades. Des montagnes de diplômes devraient lui permettre de démarrer sa carrière près du sommet.

Quelques emplois convenant à ce sujet : prédicateur, actrice, aventurier/écrivain, journaliste, restaurateur, animateur à la télévision, avocat international.

Cancer/Dragons célèbres : Haïlé Sélassié, Pablo Neruda, Corot, Pearl Buck, Olivia de Havilland, Ringo Starr, Pierre Mauroy, Bernard Buffet, Jacques Chancel.

CANCER		SERPENT	
Imaginatif	Avare	Intuitif	Dissimulateur
Lucide	Irritable	Séducteur	Dépensier
Tenace	Cyclothymique	Discret	Paresseux
Câlin	Possessif	Sensé	Cupide
Prévenant	Cafardeux	Clairvoyant	Présomptueux
Prudent	Hypersensible	Compatissant	Exclusif
Eau, Lune, Cardinal « Je sens »		*Feu négatif, Yang* « Je sens »	

Pour un Cancer, le Cancer/Serpent est plus libre d'entraves émotionnelles que ses pareils. Bien entendu, il aime la famille, et même s'y cramponne — après tout, il est à la fois Serpent et Cancer ! Mais le Cancer né dans une année du Serpent, contrairement à certains autres Cancer que nous connaissons et aimons, reconnaît ses faiblesses, comprend ses humeurs noires, et, grâce à sa froide sagacité, parvient généralement à surmonter le cafard si fréquent chez ce signe.

La sentimentalité mélancolique et la profonde affectivité du Cancer adoucissent le Serpent, caressent sa peau écailleuse et diaprée et réchauffe son cœur qui en devient presque affable. Les Serpents sont parfois des clients très cools. Rampant et serpentant, ils entrent et sortent de toutes les situations, les tournant toutes à leur avantage avec une astuce toute serpentine. Cette tendance à désirer la vedette dans tous les films de la vie se voit tempérée par le bon sens et la réserve, naturels chez le Serpent cancérien.

Tous les Serpents sont des menteurs-nés. Mais certains plus que d'autres. Les Cancer/Serpents se rangent parmi les Serpents les moins glissants. Ils escroquent rarement leur grand-mère simplement pour « faire bien ». Néanmoins, même le raisonnable Cancer/Serpent est capable de dissimulation, et se plaît à raconter d'ingénieuses craques.

C'est plus fort que lui. L'équivoque fait partie du plaisir de la séduction et de la capture. Et tous les Cancer/Serpents désirent qu'on les trouve charmants, captivants, beaux, meilleurs que leurs voisins, plus grands, plus élégants et mieux vêtus que personne ne l'a jamais été nulle part au monde.

Ces natifs se laissent parfois aller à s'enorgueillir de leurs relations et de leurs fournisseurs. Imaginez le splendide Serpent cancérien assis, en blue jeans de grand couturier, sur son canapé signé du meilleur ébéniste. Ses bras bronzés couverts de bracelets embrassent une bande de merveilleux bambins en bermudas et robes sortant de chez le bon faiseur. Derrière lui — un Picasso. A ses pieds, un énorme berger des Pyrénées, introuvable ailleurs que dans les grottes les plus inaccessibles de l'Andorre. Tout le monde sait que ces énormes bêtes mangent au moins un veau par jour, sont très, très à la mode et coûtent une fortune. Aucune importance. Pour le Cancer/Serpent, l'image est le message. Quelque prix ou labeur que ça lui coûte, vous pouvez être sûr que votre ami le Cancer/Serpent aura tout ce qui se fait de plus chic et de plus à la mode.

Incidemment, si vous n'habitez pas un quartier résidentiel, vous n'aurez peut-être jamais l'occasion de rencontrer ces merveilleuses créatures. Les Cancer/Serpents n'aiment guère les quartiers miteux. S'ils naissent dans la pauvreté — ils n'ont de cesse d'en sortir. Ils se lancent à l'assaut de l'échelle sociale, fréquentent les meilleures écoles, et les gens les plus « branchés », épousant la personne de la bande qui a le plus de chance d'atteindre à la richesse et à la célébrité. Les Cancer/Serpents non seulement aiment le confort, mais... sont persuadés de l'avoir inventé.

Ce natif aime recevoir. Dès qu'il s'est assuré un minimum de sécurité et de relations, comptez sur lui pour donner les réceptions les plus luxueuses et les mieux fréquentées de la ville. Bien entendu, le Cancer/Serpent commandera tout chez le traiteur, engagera quelques barmen et attellera plusieurs domestiques à l'écaillage des huîtres. Puis il circulera parmi ses invités. Le Cancer/Serpent aime être servi. S'il a les moyens de s'offrir des esclaves, il en aura.

Ces sujets sont extrêmement doués sur le plan artistique. Ils ont le chic pour embellir tout ce qu'ils touchent. Et ils sont de bon conseil. Ils savent vraiment se mettre dans la peau des autres...

De plus, les Cancer/Serpents aiment s'amuser. Ils restent toujours à danser jusqu'à l'aube avec les jeunes, fabuleusement en forme, et ravis de susciter l'envie de tous les assistants. « Cette femme qui s'est déshabillée jusqu'à sa petite culotte dans la meilleure boîte de Soho » pourrait très bien être du Cancer/Serpent. Les Serpents cancériens ne reculent pas devant les situations risquées. Ils se plaisent à agir de façon un tantinet exotique et provocante.

AMOUR

Possessif ? Exclusif ? Exigeant ? Intraitable ? Vous y êtes. Le Cancer/ Serpent est si beau, si séduisant, si sexy que les gens s'attroupent simplement pour le regarder entrer dans un lieu public, ou en sortir.

Leur élégance souveraine cache une âme de boy-scout, une étonnante capacité d'amour et d'amitié pour amants et amis. Le Cancer/ Serpent ne sera pas fidèle. Mais il sera toujours séduisant et d'une allure folle. Même s'il/elle a une liaison fracassante avec le/la secrétaire d'un ministre allemand, il/elle s'occupera toujours de son partenaire légitime comme si de rien n'était.

Si vous aimez un Cancer/Serpent, apprêtez-vous à gagner beaucoup d'argent, à le dépenser jusqu'au dernier sou, puis à repartir en gagner davantage. En tant que partenaire de cette excitante personne, vous vivrez dans le luxe et l'élégance, et vous aurez mille amis et connaissances du « meilleur ton » à qui vous pourrez vous plaindre que votre compagnon Cancer/Serpent est trop séduisant pour les autres hommes ou femmes, ajoutant que vous regrettez amèrement de n'avoir pas épousé un brave Taureau/Chien bien solide.

COMPATIBILITÉS

CANCER/SERPENT : Vous êtes branché par les Coqs. Parmi eux, c'est dans les signes du Taureau, de la Vierge, du Scorpion et des Poissons que vous trouverez vos meilleurs partenaires. La même chose est vraie pour les Bœufs de tous ces signes. Les Bélier/Tigres ou Singes ne vous excitent guère. Les Capricorne/Tigres et Cochons et les Balance/ Cochons vous laissent plus froid que vous ne l'êtes déjà par nature.

FAMILLE ET FOYER

La résidence principale du Cancer/Serpent se trouvera, cela va sans dire, dans le quartier le plus résidentiel de la métropole la plus proche du Paradis. Mais il y a aussi, naturellement, la résidence secondaire. Il faut aussi avoir une maison au bord de la mer. Et n'oubliez pas le petit mas en Provence — ou ne serait-ce pas plutôt en Toscane ? De toute façon, et où que ce soit, le Cancer/Serpent se fera un plaisir d'investir à l'étranger dans l'immobilier.

Dans ces demeures vivront des tas d'enfants, de chiens, de chats, d'invités, de domestiques et de nurses — bref, vous trouverez chez le Cancer/Serpent tout le monde et n'importe qui. Vous comprenez, malgré toute leur élégance et leur savoir-vivre, les Cancer/Serpents adorent les enfants et les animaux, les cochons d'Inde et les chevaux, etc. Les Cancer/Serpents sont incroyablement adorables. Ça ne les contrarie vraiment pas que votre doberman pose ses grosses pattes sales sur leur chemise neuve de chez Hermès.

Si vous avez un enfant du Cancer/Serpent, ne manquez pas de lui assurer une sécurité totale et de lui donner des tas d'animaux à aimer. Comme il en est pour tous les Serpents, il vaut sans doute mieux pour l'enfant du Cancer/Serpent qu'il soit enfant unique — ou du moins le petit dernier de la famille. Les enfants du Cancer/Serpent font de brillantes études et travaillent dur pour arriver. Généralement, ils causent peu de problèmes à leurs parents et vivent leur vie avec indépendance, sans que les parents aient à y intervenir outre mesure. Ces petits sont très affectueux. Il faut toujours aller les embrasser dans leur lit.

PROFESSION

Dans sa jeunesse, le Cancer/Serpent, comme tous ses frères et sœurs du Serpent, tentera discrètement d'échapper à toutes basses besognes et corvées. Et ce n'est pas parce qu'il est un Cancer qu'il n'aura pas à lutter vaillamment contre la paresse innée chez tous les Serpents. Mais à l'approche de l'âge adulte, alors que le Serpent s'affranchit de plus en plus de la tutelle parentale, il comprendra que la richesse et le travail sont irrémédiablement liés.

Doué pour tout ce qui concerne le foyer et la beauté, ce natif réussira dans la décoration, l'architecture, le design de toutes sortes, la mode et la publicité. Roublard, persévérant et suprêmement intuitif, le Cancer/Serpent pourra aussi choisir le droit — ou même la politique. Ce sujet est plus cérébral que manuel, mais il pourra bien employer ses talents dans le métier modestement manuel d'architecte-paysagiste. Les Cancer/Serpents peuvent commander les autres de façon très satisfaisante. Ils n'ont jamais besoin d'abuser de leur pouvoir car leur autorité est si naturelle que personne ne la conteste jamais. Employé, le Cancer/Serpent est du genre un peu distant et « je-sais-tout ». Je ne suis pas certaine que j'en engagerais un dans un emploi subalterne.

Carrières convenant aux Cancer/Serpents : paysagiste, directeur de banque, conservateur de collection d'objet d'art, diplomate, rentier.

Cancer/Serpents célèbres : Andrew Wyeth, Henri Salvador, Christiane Rochefort, Emmanuel Leroy-Ladurie, Alain Krivine.

CANCER		CHEVAL	
Imaginatif	Avare	Persuasif	Égoïste
Lucide	Irritable	Autonome	Indélicat
Tenace	Cyclothymique	Branché	Rebelle
Câlin	Possessif	Elégant	Soupe au lait
Prévenant	Cafardeux	Adroit	Anxieux
Prudent	Hypersensible	Talentueux	Pragmatique
Eau, Lune, Cardinal		*Feu positif, Yang*	
« Je sens »		« J'exige »	

Le Cheval, vous vous en souvenez peut-être, est capable de se donner corps et âme à une passion romanesque, et de tout plaquer — y compris le respect qu'il se doit — pour l'objet de sa flamme. Le Cancer/Cheval est, avec le Scorpion/Cheval, le signe le plus porté au sacrifice. Le Cancer/Cheval est très capable de prendre en main l'amour et ses vicissitudes, la préservation de la maison, des enfants, des animaux, le paiement de l'assurance et du téléphone. Si on lui demande pourquoi il continue de lutter si vaillamment et si manifestement seul, sans coopération ni compassion, le Cancer/Cheval se contente de sourire en disant : « C'est pour Janet. Je l'aime. »

Le Cancer/Cheval dégage une impression de calme et de force pleine de noblesse. On a le sentiment de pouvoir faire partir un pétard sous sa chaise sans qu'il se trouble le moins du monde. Peu d'événements imprévus parviennent à le perturber.

Le Cancer/Cheval s'habille de façon conservatrice. Il aime les bleus et les beiges en lainages et flanelles de bonne qualité. Accessoires de cuir, chic mais discrets, et le strict minimum en fait de bijoux — une montre, une bague ou une broche anciennes. Aucunes fanfreluches dans sa tenue.

Intérieurement pourtant, ils ont un certain goût du baroque. Il se passe des tas de choses dans leur esprit. Ils semblent avoir une boussole dans la tête. Ils l'étudient avant de plonger tête la première dans des entreprises insensées et l'orientent toujours dans la direction du bon sens et de la mesure.

Le Cancer/Cheval a-t-il des défauts ? Bien sûr. N'oublions pas qu'aucun signe n'est tout bon ou tout mauvais. Avec son penchant aux actes sacrificiels par amour des autres et/ou d'une personne aimée, il est naturel qu'il se retrouve souvent blessé et aigri. Parfois, l'aimé préférerait peut-être que son Cancer/Cheval mette la pédale douce à son amour. La soumission en amour, c'est bien, mais trop c'est trop. Enlevez son abnégation au Cancer/Cheval, et vous lui enlevez en même temps sa raison d'être. Il s'en trouve abattu et se met à prononcer des phrases du genre : « Je ne sais pas ce que je vais faire à propos de Sara Jane. Elle boit trop. Elle sort trop et rentre trop tard. Ça m'inquiète beaucoup. Je crois qu'elle va me quitter. » La lamentation de la victime professionnelle résonne dans la nuit.

Pourquoi n'essaye-t-il pas de boire lui-même ou de la quitter ? Pourquoi ne peut-il pas se faire violence et montrer à Sara Jane qui porte la culotte ? Parce qu'il est Cancer/Cheval, voilà pourquoi. C'est son plaisir à lui d'être l'aimant, l'adulateur, l'admirateur. Le *bravado* ne l'intéresse pas si, pour en faire preuve, il doit blesser la personne qu'il aime.

Quand même, ne vous en faites pas trop pour lui. Malgré son air de martyr, le Cancer/Cheval a toujours mis à son nom la maison, les bureaux de sa femme, les enfants, les animaux et les voitures. Il connaît la musique — et ne recule pas devant un petit tour de passe-passe — pour assurer son avenir, naturellement, et celui de sa famille.

N'allez pas croire que ce sujet est avare. Pas du tout. En fait, il est très généreux, d'esprit et de portefeuille. Mais il est méthodique et prudent, et tellement certain de ce qu'il désire qu'il se l'approprie parfois, tout simplement.

Il existe chez ce natif une forte prédisposition à la mélancolie. Le Cancer/Cheval est sans doute le moins égoïste des Chevaux, mais il préfère néanmoins agir à sa guise. Aussi, quand la chance commence à tourner, ou même parfois quand la moindre ombre de résistance paraît à l'horizon de ce Cheval, peut-il sombrer dans un abîme de dépression dont il ne lui est pas facile d'émerger. Ses proches ne s'apercevront peut-être même pas de son désespoir. Il pourra continuer à vaquer à sa routine journalière, sans même un soupir signalant qu'il est en train de glisser sur la pente de la catastrophe émotionnelle. Puis, un beau jour, un accident survient, sa voiture entre dans un arbre, ou il se sectionne l'index en coupant des légumes. C'est la faute au cafard. Tension nerveuse et douleur muette sont les spécialités du Cancer/Cheval.

AMOUR

L'amour est ce qui fait tourner le monde du Cancer/Cheval. Il découvre très jeune que, ce qu'il recherche, c'est un être honorable et merveilleux sur qui il pourra déverser sa tendresse et son affection excessives, et qu'il pourra aimer jusqu'à la mort d'une passion brûlante et abusive.

Ainsi donc, le Cancer/Cheval chevauche, le cœur plein de son désir irréaliste, et jette son amour à la tête d'une personne qu'il en croit digne, mais il arrive souvent que cette personne qu'il aime tant, ne soit pas du tout sur la même longueur d'onde. « Bien sûr que je t'aime. Mais ça t'ennuierait que je descende de ce piédestal ? » dit la personne aimée. Il n'est pas toujours facile d'être à la hauteur de son idéal, et notre Cancer/Cheval aura bien des déceptions sentimentales.

Si vous aimez un Cancer/Cheval et si vous voulez être l'amour de sa vie, mettez vos souliers de danse. Vraiment. S'il vous aime, adore votre style et vous a choisi parmi tant d'autres pour vivre avec vous jusqu'à ce que la mort vous sépare, vous n'avez plus à chercher la stabilité émotionnelle. Le Cancer/Cheval vous la donne. Et vous n'avez plus qu'à exécuter les pas de la danse journalière avec charme et élégance.

COMPATIBILITÉS

CANCER/CHEVAL : Les Taureau, Vierge, Scorpion et Poissons sont possibles pour vous lorsqu'ils s'incarnent sous forme de Tigre, de Chèvre et parfois de Chien. En fait, vous ne vous entendrez peut-être pas parfaitement avec le tranchant Vierge/Chien et le Poissons/Chien légèrement pessimiste. Parmi les Chiens, accordez votre préférence aux sujets nés sous les signes du Taureau ou du Scorpion. Les Bélier, Balance et Capricorne/Rats sont vos ennemis jurés. Vous n'êtes pas fou non plus des Bélier ou des Balance/Bœufs. Ne tombez pas amoureux d'un Bélier ou d'un Capricorne/Cochon, s'il vous plaît. Vos natures sont trop différentes pour que règne l'harmonie.

FAMILLE ET FOYER

Le foyer du Cancer/Cheval sera toujours accueillant, vivant mais pas désorganisé, encombré mais pas en désordre. Vous pouvez vous vautrer sur le canapé d'un Cancer/Cheval, même s'il a coûté quatre mille dollars de plus qu'un canapé ordinaire parce qu'il est en tissu tissé à la main par des Indiens Hopi aujourd'hui à la retraite. Vous pouvez prendre votre bière dans le réfrigérateur, et la boire à la bouteille. Ou bien il vous servira lui-même dans un verre en cristal — le poison de votre choix. Le Cancer/Cheval adore la compagnie.

Parents, ces natifs sont extrêmement aimants et possessifs. Leurs enfants, comme toutes les personnes qu'ils aiment, doivent être heureux, stables, bien élevés, raisonnables, pratiques, etc. Le Cancer/Cheval s'empêtre tant dans ses exigences à l'égard de ceux qu'il aime qu'il se prépare bien des déceptions. Parfois, ses enfants n'arrivent pas à être à la hauteur, tout simplement. Dans certains cas, ils désirent quitter le nid de bonne heure à cause des pressions qu'ils ne peuvent supporter de la part de leur parent Cancer/Cheval.

Un enfant du Cancer/Cheval aura besoin de beaucoup de sécurité. Il faudra aussi lui apprendre à ne pas idéaliser les professeurs, les copains, etc. Très jeune, il essaiera d'investir les autres de ses hautes qualités. Il faudra l'en décourager, et pour ce faire, se servir de la logique dès qu'il sera en âge de raisonner. Une solide instruction classique ne lui fera pas de mal non plus. Il accepte facilement la discipline, et son sens pratique le poussera à réussir et à faire plaisir à ses parents et à ses professeurs. Il passera peut-être par une période de rébellion. Laissez-le tranquille. Il reviendra au bercail quand il sera prêt. Patience.

PROFESSION

Il est peu de domaines fermés à ce natif. Il est à la fois intellectuel et manuel. Comme nous le savons, les Chevaux sont travailleurs. Ils travaillent plus dur que pratiquement tout le monde, excepté le Bœuf qui travaille par plaisir. Le Cancer accentue encore cette disposition.

C'est un excellent employé, et un patron encore meilleur. Naturellement, sa méthode pour faire travailler les gens, c'est de montrer l'exemple. Si lui, le P.-D.G. de la compagnie, nettoie les toilettes, pourquoi la secrétaire hésite-t-elle à le faire? Il vide les corbeilles à papier et reste debout toute la nuit juste pour montrer qu'il travaille aussi dur — sinon plus dur — que personne au bureau.

Ce natif peut se lancer pratiquement dans n'importe quelle carrière, mais il serait bien avisé de fuir toutes celles exemptes de contacts humains. Il aime trop les gens pour rester seul des jours entiers, à écrire des poèmes, par exemple.

Carrières convenant au Cancer/Cheval : le Cancer/Cheval peut être restaurateur, professeur, docteur, diplomate, menuisier ou entrepreneur.

Quelques natifs célèbres du Cancer/Cheval : Rembrandt, le duc de Windsor, Ingmar Bergman, Claude Chabrol, Karen Black, Guy Béart, Yves Mourousi, Pierre Sabbagh, Françoise Mallet-Joris.

CANCER

Imaginatif Avare
Lucide Irritable
Tenace Cyclothymique
Câlin Possessif
Prévenant Cafardeux
Prudent Hypersensible

Eau, Lune, Cardinal
« Je sens »

CHÈVRE

Inventif Parasite
Sensible Primesautier
Persévérant Nonchalant
Fantaisiste Erratique
Courtois Rêveur
Bon goût Pessimiste

Feu négatif, Yang
« Je dépends »

J'aime ce signe. Mon père était Cancer/Chèvre. Les larmes me montent aux yeux chaque fois que je pense à cette fantaisie sérieuse qui faisait son charme. Mon père n'était pas seulement Cancer et Chèvre — il était le parfait Cancer/Chèvre! Pour commencer, ces gens sont adorables. Ils allient l'esprit capricieux, fantaisiste et enjoué de la Chèvre aux tendances stables, tenaces et aimantes du Cancer. Mariage magnifique. Légèreté farfelue et stabilité inébranlable.

Le Cancer/Chèvre est facile à meurtrir. Il veut être un citoyen solide et fait son travail du mieux possible, espérant que, par-dessus le marché, tout le monde sera content. Il désire sincèrement que tout le monde s'amuse, soit honnête et juste et il voudrait être ami avec tout le monde. Mais le Cancer/Chèvre est trop naïvement sérieux. Ses terribles désillusions auraient dû le rendre méfiant mais le Cancer/Chèvre s'obstine à croire au Père Noël. Bien sûr, il n'atteint pas l'âge de trente ans en croyant encore sérieusement que ce sont les cloches qui apportent les œufs de Pâques. Mais tout juste. Le Cancer/Chèvre est un enfant excessivement enjoué enfermé dans le corps d'un adulte. Comptes et réparations, prêts et assurances embrument ses yeux immensément innocents. « Pourquoi faut-il que je fasse toutes ces choses si ennuyeuses? » gémit la Chèvre à l'intérieur de ce colosse d'enfantillage. « Parce que tu es une grande personne maintenant, que tu dois gagner de l'argent pour ta famille et ton foyer, et assurer l'éducation de tes enfants », répond la part Cancer de ce sujet. Le rire et l'argent sont constamment en guerre dans son casse-tête.

Par suite de cette aspiration innée du Cancer à la stabilité, cette Chèvre pourra décider de bonne heure de tout faire pour échapper à la pauvreté. En fait, ce sujet rêve de gagner beaucoup d'argent, de faire fortune, de tirer le bon numéro. Pourquoi ? Parce qu'il veut se coucher au soleil dans l'herbe odorante et regarder passer les nuages. Il est fatigué. Mais il travaille inlassablement jusqu'à l'aube à un projet qui lui permettra sans aucun doute de « se faire un paquet ». Il est épuisé. Mais il fera mille kilomètres en voiture simplement pour traiter un marché avec celui qui est peut-être le seul à pouvoir lui faire remporter la timbale. Aussi dès quarante ans, ce sujet est-il épuisé par ses tentatives d'atteindre une situation qui lui permettra de se reposer. Renonce-t-il alors ? Passera-t-il le flambeau à quelqu'un de plus jeune et de plus roublard que lui ? Pas du tout. Il se tuera s'il le faut, mais il joue à quitte ou double. Il recommence donc à tout parier sur un autre projet, travaille, bûche et passe les nuits pour échouer une fois de plus.

Ce qui plairait au Cancer/Chèvre, ce serait de vivre dans le luxe avec la personne qu'il adore. Il aimerait voyager, visiter des pays exotiques. Mais il ne peut pas. Il est trop pressé d'aller travailler.

Chez le Cancer/Chèvre, la chère a toujours de l'importance, de même que l'élégance de la table. Mon père insistait toujours pour que ma mère sorte le Limoges, les cristaux et l'argenterie à la moindre occasion. Qu'il qualifiait toujours de « joyeuse ». Et joyeux, ce l'était. Les Cancer/Chèvres adorent les réceptions. Ils aiment bavarder en société, boire et manger avec excès. Et ils sont toujours heureux comme des rois de revoir de vieux amis perdus de vue depuis longtemps. Les Cancer/Chèvres sont très sentimentaux et obstinément attachés à leurs amis. Ils en ont généralement beaucoup.

AMOUR

Le Cancer/Chèvre ne sait peut-être pas très bien faire fortune, mais il sait tout sur l'amour. Il est aimant et fidèle. Et il est amusant, de compagnie enjouée, et très inventif quand il s'agit d'imaginer des divertissements. Les Cancer/Chèvres aiment leur partenaire profondément et sans réserve. Ils prennent les sentiments au sérieux et ne jouent pas avec le cœur des autres.

Si vous aimez un Cancer/Chèvre, efforcez-vous de lui faire croire qu'il est le centre de votre univers, la vedette de son propre spectacle et le chéri du cercle où vous évoluez. Ce sujet en fait des qualités de star. Mais il a tendance à se croire le nombril de l'univers qui l'entoure. « Moi, le toqué », c'est ainsi que les Cancer/Chèvres se perçoivent eux-mêmes. Alors, montrez-lui qu'il n'est pas seulement votre fantaisie multicolore, mais aussi que son amour est tout ce qui compte pour vous. L'amour partagé est l'idéal du Cancer/Chèvre. Il a besoin de sécurité, et il a besoin d'être aimé — non, adoré !

COMPATIBILITÉS

CANCER/CHÈVRE : Pour le meilleur partenaire possible, choisissez parmi les natifs Taureau, Vierge et Scorpion/Cheval. Vous aimerez peut-être aussi un Taureau, un Scorpion ou un Poissons/Chat. Sinon vous pouvez fameusement vous entendre avec les Taureau, Vierge, Scorpion ou Poissons/Cochon. Ne fréquentez pas les natifs Bélier, Balance ou Capricorne/Chien. Le Chien et vous ne faites pas bon ménage. Les Bélier et les Capricorne/Bœufs semblent trop rigides à votre nature douce. Et je ne vous conseille pas de tenter quoi que ce soit avec les Balance et les Capricorne/Tigres.

FAMILLE ET FOYER

Je n'ai jamais connus de Cancer/Chèvres qui n'aimaient pas désespérément leur famille, leurs cousins, leurs oncles, leurs tantes, et bien entendu leurs enfants et les enfants de leurs enfants. Vous comprenez, ce Cancer/Chèvre n'a pas tout à fait les pieds sur terre. Il est un tantinet écervelé. Il oublie de payer le loyer. Et il ne s'est plus souvenu qu'il devait rapporter des draps pour les invités qui arrivent ce soir. Mais il a pensé à vous rapporter une bouteille de Moët et Chandon et vos petits fours préférés. Avoir une famille, c'est être directement en prise sur la vie. Le Cancer/Chèvre dépend de sa famille et de ses exigences pour ne pas s'envoler en plein ciel.

Son environnement sera toujours de bon goût. Le Cancer/Chèvre est même un rien snob quant à la décoration de son intérieur. Il s'inquiète beaucoup de ce que les gens pensent de lui. Son statut fait partie des choses qui le rattachent à la terre ferme. De même que son autorité. Aussi, comme il est natif du Cancer et non de quelque autre signe insouciant, lorsqu'il se trouve confronté à un problème grave peu fait pour sa délicatesse, commence-t-il à s'affirmer. Le parent du

Cancer/Chèvre est gentil et aimant, mais bien déterminé à être le maître.

PROFESSION

Les Cancer/Chèvres n'ont aucune prévoyance dans les questions pécuniaires. Ils adorent distribuer leur argent, faire des cadeaux somptueux, donner des réceptions pour ceux qu'ils aiment et investir dans une voiture impressionnante. Mais ils détestent payer leurs factures. Ils ne veulent pas économiser pour acheter une machine à laver. Ils la veulent tout de suite. De sorte qu'ils empruntent tous azimuts — et se retrouvent souvent endettés bien au-delà de leurs moyens.

Les Cancer/Chèvres ne se satisfont pas d'être simplement employés. Ils veulent être entrepreneurs et patrons. Bien entendu, ils ont le plus grand mal à organiser leur affaire ou leur boutique, etc., parce qu'ils ont horreur de prévoir plus loin que la fin de la semaine prochaine, et sont capables de stocker du champagne alors qu'il leur faudrait des vis et des boulons.

Carrières convenant aux Cancer/Chèvres : il serait réaliste de leur conseiller des métiers plus aventureux et fantaisistes, comme ceux de romancier, journaliste, acteur ou géant de l'industrie.

Cancer/Chèvres célèbres : Franz Kafka, Buckminster Fuller, Iris Murdoch, Isabelle Adjani, Eric Tabarly, Lino Ventura.

<table>
<tr><td colspan="2" align="center">CANCER</td><td colspan="2" align="center">SINGE</td></tr>
<tr><td colspan="2" align="center"></td><td colspan="2" align="center"></td></tr>
</table>

Imaginatif	Avare	Improvisateur	Coquin
Lucide	Irritable	Habile	Astucieux
Tenace	Cyclothymique	Stable	Loquace
Câlin	Possessif	Directif	Égocentrique
Prévenant	Cafardeux	Spirituel	Puéril
Prudent	Hypersensible	Zélé	Opportuniste

<table>
<tr><td colspan="2" align="center">Eau, Lune, Cardinal
« Je sens »</td><td colspan="2" align="center">Métal positif, Yin
« Je prévois »</td></tr>
</table>

Cancer/Singe, ou le concepteur émotionnel. Ce sujet est toujours à l'affût de nouveaux concepts et de débouchés possibles. Il est toujours sur le qui-vive. Même au milieu de la nuit, il se lèvera pour découvrir qui fabrique encore des bougies exactement semblables aux cierges polonais du XVIIIᵉ siècle. Comme tous les Singes, ce Cancer/Singe excelle à résoudre les problèmes. Non seulement il a le don de voir une situation telle qu'elle est — vu qu'il est froidement objectif quand c'est nécessaire —, mais il voit aussi à travers des dilemmes fumeux et, pour cette raison, en vient facilement à bout. Le Cancer/Singe n'a pas les deux pieds dans le même sabot.

Ce sujet plein de goût, qui s'intéresse à tout, que ce soit explorer l'Amazonie ou collectionner les différents modèles de tickets de métro utilisés dans le monde, a une certaine inclination pour l'ascension sociale. Ce penchant ne se manifeste pas toujours de la façon classique. C'est-à-dire que vous ne verrez pas un Cancer/Singe s'insinuer dans les bonnes grâces de Marie-Chantal simplement pour se faire inviter à son prochain bal. Le Cancer/Singe met plus de subtilité à son désir de se voir socialement reconnu. Il passe souvent par la réussite professionnelle. D'abord, il fait en sorte d'être le plus célèbre dans sa partie.

Ensuite, naturellement, tout le monde voudra le connaître, et il sera invité à toutes les réceptions qui comptent.

Le Cancer/Singe est peut-être un Singe astucieux et roublard, mais il est aussi, irrémédiablement, un Cancer aimant, possessif et hypersensible. Et l'amour, bien qu'il aime suprêmement bien, est aussi sa Némésis. Si, par exemple, la personne qu'il aime déteste la ville, et qu'il est un urbaniste extraordinaire, le Cancer/Singe ira vivre dans un trou pour sa bien-aimée. Il n'y sera pas parfaitement heureux, parce qu'il n'aura pas grand-chose à faire et qu'il a besoin de se sentir utile, affairé et acclamé dans son travail. Mais quand il aime, c'est avec un enthousiasme si irréfléchi, portant son cœur non seulement en écharpe mais encore répandu sur toute sa personne, qu'il n'y a pas de remède à la maladie de ce Cancer/Singe.

Le Cancer/Singe est parfois sujet à des humeurs, maussaderies et cafards de proportions épiques. Il accepte mal la critique, parce qu'il désire sincèrement toujours faire de son mieux, être le premier branché, ne jamais s'égarer ou s'écarter du droit chemin, etc. Tout échec émotionnel ou professionel peut le plonger dans de longues ruminations lugubres, l'insomnie, la boisson ou tout autre abus malsain.

Les Cancers/Singes sont extrêmement polis. Les dames d'abord, chapeau à la main dans l'ascenseur, et « Puis-je vous aider à porter vos paquets, madame ? » Serviable, sans doute. Mais ne serait-il pas aussi obséquieux ou séducteur ? Séducteur, sans aucun doute. Les Cancer/Singes aiment qu'on les aime — qu'on les adore, même. Et je dis bien qu'on les adore. Ces natifs sont très fortement sexués et toujours partants pour l'aventure sous ses formes les plus rococo et baroques. Les Cancer/Singes adorent leur foyer — mais sont capables de loucher sur celui des autres !

AMOUR

Promiscuité est un si vilain mot. Je dirai plutôt que le Cancer/Singe manifeste une certaine prodigalité dans ses exploits sexuels. Les Cancer/Singes aiment faire l'amour. Le sexe leur inspire une curiosité sans limites, et ils ne se contenteraient pas d'y sacrifier au petit déjeuner, au déjeuner, au dîner et au souper si leurs forces ne les trahissaient pas à la fin.

Comme ils sont aussi passablement possessifs et honnêtes, les Cancer/Singes souffrent souvent de leurs désirs fréquents et pressants. Ils ont secrètement peur que leur partenaire légitime, qu'ils aiment follement et qu'ils voudraient honorer tous les quart d'heure, ne soit exactement comme eux. Ce qui serait tragique, vu que le Cancer/Singe déteste qu'on le trompe, au sens classique du terme. Les Cancer/ Singes ont du génie dans leur adoration du partenaire — tous et toutes! Cadeaux. Voyages. Dîners aux chandelles. Manteaux de fourrure. Tu n'as qu'à demander, chéri(e) — et c'est fait.

Si vous voulez partager la vie d'un de ces natifs talentueux et passionnants, il faudra jouer leur jeu. C'est-à-dire qu'il faudra leur prouver votre loyauté et votre attachement par des caprices, des chichis et même des récriminations (cela les oblige à rester sur le qui-vive, et ils aiment ça). Essayez de susciter son respect, car le Cancer/ Singe s'intéresse finalement beaucoup plus aux âmes qu'à la multitude de corps qu'il a possédés et qu'il connaît trop bien.

COMPATIBILITÉS

CANCER/SINGE : Les Cancer se marient bien avec les Taureau, les Vierge, les Scorpion et les Poissons. En tant que Singe, vous seriez bien inspiré de choisir un Dragon ou un Rat natif d'un de ces quatre signes occidentaux. Si j'étais vous, j'essaierais de me dérober à un Balance/ Bœuf. Ils vous font un tout petit peu trop concurrence. Les Bélier, Balance et Capricorne/Chiens sont également hors course, de même que les Bélier et les Capricorne/Chevaux. Gardez aussi vos distances avec les Bélier/Cochons.

FAMILLE ET FOYER

Ce sujet est le champion de la responsabilité sur le plan familial. Il se mettra en quatre pour prouver son attachement filial. Il est généreux pour ses neveux et ses nièces, et pourvoit aux besoins de ses parents. Pour la fratrie, c'est autre chose. Ce sujet incline à penser qu'il s'est élevé au-dessus de ses origines, et, à la mort de ses parents, décide de voir moins souvent ses frères et sœurs.

Le Cancer/Singe se sacrifie facilement pour ses enfants. Mais il n'aime pas les traces de doigts sur son abat-jour XVIIe siècle en parchemin, aussi, pourriez-vous ramener les enfants dans leurs cages? Les enfants gênent le Cancer/Singe dans son style de vie. S'il est vraiment très riche, il aura donc à la fois des tas d'enfants et des tas de nurses. Sinon, il sera souvent dehors, enfermé dans son bureau ou terré dans sa chambre avec un bon livre. Le Cancer/Singe est vraiment trop sensible pour supporter qu'on s'amène à n'importe quelle heure pour manger dans son bol de riz. Il sera autoritaire, dans le genre semi-sérieux.

L'enfant du Cancer/Singe a énormément de sensibilité et très peu de ruse. Ce sont les dures épreuves de l'école qui le rendent astucieux et opportuniste. Il faut le protéger contre toutes les formes de cruauté (parentale, scolaire, etc.) et surveiller les symptômes d'allergies et autres troubles nerveux.

PROFESSION

Il dispose d'un vaste choix de carrières. Le ciel a accordé au Cancer/Singe toutes sortes de capacités. Il est zélé, astucieux et il aime le pouvoir. Tacticien intelligent, ce sujet s'élèvera très haut dans sa partie, par ses mouvements stratégiques complétés de beaucoup d'heures supplémentaires.

Cependant, le Cancer/Singe ne sera généralement pas le numéro un dans sa vie professionnelle. Son défaut fatal est sa sensibilité. Il ressent les choses trop profondément, et il hésitera toujours avant de commettre le crime horrible nécessaire à sa suprême réussite. Il accepte très bien le rôle de second, car il n'a pas vraiment envie de recevoir tous les coups bas qui vont avec le métier de patron. Mais il commandera de toute façon. Dans le travail, il sera peu aimé de ses collègues. Il est dur — pour lui et pour les autres. Et comme il semble s'élever sans effort presque au sommet de la hiérarchie, il suscitera des jalousies.

Carrières convenant aux Cancer/Singes : ce sujet peut être peintre, musicien ou poète. Mais il peut être aussi médecin, avocat, antiquaire ou marchand de tableaux, journaliste ou publicitaire. Il réussira bien dans les investissements bancaires. Le théâtre ou le cinéma? Il n'est pas sans talent, mais un tantinet trop snob pour devenir une vraie star.

Cancer/Singes célèbres : Jules César, Lord Byron, Modigliani, Nelson Rockefeller, Yul Brynner, Amy Vanderbilt, Michel Polnareff.

CANCER

Imaginatif	Avare
Lucide	Irritable
Tenace	Cyclothymique
Câlin	Possessif
Prévenant	Cafardeux
Prudent	Hypersensible

Eau, Lune, Cardinal
« Je sens »

COQ

Résistant	Effronté
Passionné	Vantard
Candide	Borné
Conservateur	Instable
Rigoureux	Autoritaire
Chic	Dispersé

Métal négatif, Yang
« Je surmonte »

Nature chaleureuse mais sans indulgence. On trouve chez ce sujet la profonde tendresse cancérienne, mais aussi le côté abrasif du Coq. Il est discrètement arriviste, et, malgré son apparence ronde — et même replète — poursuit toujours sa vengeance jusqu'au bout. Au premier abord, il pourra vous sembler ouvert et même charmant. Mais creusez un peu. Ou essayez de vivre dans son voisinage. C'est une expérience qu'on peut apparenter à l'épreuve du feu.

Le côté sociable de ce natif désire sincèrement aider les autres. Il proposera son assistance aux nouveaux venus, et, le dimanche, se portera volontaire pour distribuer les programmes à l'église. Mais attendez. N'est-ce pas cette charmante rondelette qui a giflé Jimmy l'autre jour au supermarché ? Eh oui. Vous avez deviné. Ce Coq cancérien a un côté hargneux et irritable, doublure sombre et sinistre de sa cordialité de façade. Le Cancer/Coq est la force personnifiée. Il ou elle débordera toujours d'énergie, et aura une résistance au travail herculéenne. N'oublions jamais que ce natif a sans doute travaillé plus dur et lutté plus longtemps que la plupart pour arriver à la situation qu'il occupe. Donc, pas question de renoncer à des avantages si durement acquis en faveur de quelque malin sans scrupules, qui, même s'il lui est supérieur dans bien des domaines, doit être écrasé.

Les Cancer/Coqs sont des gens amusants. Ils aiment rire et faire rire les autres avec leurs histoires de maison, d'animaux, d'enfants, etc. Ils sont très durs au travail et donnent volontiers des conseils — même s'ils ne sont pas sollicités. Ils présentent bien et tirent immanquablement le meilleur parti de leur physique.

Ils sont toujours prêts à faire des heures supplémentaires et à donner un coup de main pendant l'heure du déjeuner. Mais chaque fois que le Cancer/Coq consacre une seconde supplémentaire à une « cause » ou à l' « ordre », c'est toujours, consciemment ou non, en vue de conserver sa situation.

Par suite de cette rapacité à acquérir et conserver ses prises (ces deux créatures étant dotées de pinces et de serres) le Cancer/Coq n'a guère de temps à consacrer au divertissement. La frivolité l'impatiente, et il déplore le temps perdu et les biens gaspillés. Mais dans la vie, professionnelle ou amoureuse, qui trop embrasse mal étreint. C'est exactement ce qui arrive au Cancer/Coq. Le côté Cancer de sa nature saisit, agrippe et amasse. Mais un beau jour, le Coq devient un peu trop outrecuidant, et — badaboum, il s'effondre, la queue entre les ergots. Cela peut prendre du temps, mais le Cancer/Coq se relève toujours, chancelant, et finira éventuellement par se remettre à saisir et amasser.

Le Cancer/Coq n'est pas un signe désastreux. C'est un signe maussade, mais aussi prolifique et efficace. Ce sujet aura son style à lui, sera original et intéressant, surtout en famille. Il a la langue acérée et se montre hypercritique à l'égard de ceux qu'il sent pouvoir intimider. Il est à la fois aimant et généreux. Il n'a pas peur du changement si c'est lui qui le provoque.

AMOUR

Le Cancer/Coq est fidèle et sûr en amour. Il n'aime guère les manœuvres diverses indispensables à celui qui « couchaille » à droite et à gauche, et par conséquent, choisit la fidélité. En fait, la sérénité intérieure est essentielle à l'équilibre de ce sujet. Alors que sa vie professionnelle oscille d'un extrême à l'autre, et que sa vie publique est souvent débordante d'activités, il préfère une vie familiale tranquille et traditionnelle.

Si vous aimez un Cancer/Coq, apprenez à faire la cuisine. Ces natifs vivent pour manger — et boire — et ils aiment recevoir avec prodigalité et apparat, porcelaines et cristaux. Ce sont des personnes au cœur tendre. Il vous faudra supporter leurs nombreux animaux et leur désir de hordes d'enfants. En retour, le Cancer/Coq sera indéfectiblement fidèle au foyer. Il n'est pas l'amant le plus imaginatif du monde. Mais il est là et ne vous manquera jamais.

COMPATIBILITÉS

CANCER/COQ : le Taureau/Cheval vous plaît. Sinon, vous vous entendez bien avec les Bœufs, Dragons et Serpents des signes de la Vierge, du Scorpion et des Poissons. Les Taureau/Serpents, avec leur étrange intuition, vous enchantent. Surveillez-vous en présence d'un Bélier, Balance ou Capricorne/Chat. N'essayez pas de construire votre vie avec un Bélier ou un Capricorne/Chien. Evitez le Balance/Coq.

FAMILLE ET FOYER

La vie du Cancer est centrée sur le foyer. Le Coq, quant à lui, est capable de quitter facilement sa maison et, en règle générale, ne s'intéresse guère à dorloter les bébés et à les chatouiller sous le menton. Mais dans ce domaine, le Cancer domine. Les Cancer/Coqs adorent la maison. Projets et plans d'agrandissement et de surélévation occupent leur esprit pratique et leurs doigts agiles de Coqs. Ils réorganisent deux fois par semaine les placards de la cuisine et surveillent les mues, les vaccins et les puces de leurs animaux. Ils ont le talent inné du foyer. Leur décor sera douillet mais pratique et — dirai-je sans grand risque — propre comme un sou neuf.

Le parent du Cancer/Coq est une espèce de saint, aimant, généreux, et sachant d'instinct se faire obéir des enfants. Il peut être dur et vindicatif, mais sous cette carapace rébarbative, il est plutôt gentil.

Enfant, le Cancer/Coq sera sérieux et s'efforcera de s'intégrer aux autres enfants. Il sera anéanti s'il n'arrive pas à conquérir et conserver la première place dans les sports, les études, ou tout autre domaine où il excelle. Ce sera un enfant sensible, mais sa langue acérée pourra lui créer des difficultés à l'école. Il appréciera tout ce que vous lui donnerez, tendresse ou bien matériels. Encouragez-le à parler de lui. Ce n'est pas son fort, mais ce pourrait faire la différence entre bonheur et malheur pour son avenir. Il doit apprendre à s'épanouir et à s'assouplir.

PROFESSION

Ce sujet brillera dans les emplois exigeant précision et ténacité. Le Cancer/Coq est efficace. Il n'aime pas s'occuper à des vétilles. Il veut mettre son ardeur au service de projets valables, et n'aime pas chercher sans résultats.

Patron, ce sujet devrait être insupportable. De ses pinces et de ses serres, il se cramponne à son pouvoir durement acquis ce qui le rend irascible, belliqueux et lunatique. Ce sujet a un côté « dame patronesse » qui le pousse à une attitude paternaliste envers les autres. Il vaut mieux pour lui accepter un poste secondaire, avec un tire ronflant sur la porte.

Emplois convenant à un Cancer/Coq : généticien, cadre d'entreprise, secrétaire, coiffeur, producteur de télévision, dentiste, commerçant.

Cancer/Coqs célèbres : John Glenn, Carly Simon, Frédéric Dard, Katia Granoff, Jacques Martin, Stavros Niarchos, François Reichenbach.

CANCER	

Imaginatif	Avare
Lucide	Irritable
Tenace	Cyclothymique
Câlin	Possessif
Prévenant	Cafardeux
Prudent	Hypersensible

Eau, Lune, Cardinal
« Je sens »

CHIEN	

Constant	Inquiet
Héroïque	Critique
Respectable	Sainte nitouche
Déférent	Cynique
Intelligent	Insociable
Consciencieux	Sans tact

Métal positif, Yin
« Je m'inquiète »

La sensibilité est omniprésente dans le signe de ce natif. Les émotions sont profondes et exacerbées chez ce sujet sensible — et même ombrageux. Les Cancer/Chiens semblent avoir un radar incorporé. Tout les affecte, et profondément. Un mot, un regard ou, Dieu nous préserve — une remarque acerbe, peuvent transformer en un clin d'œil cet écorché vif en un zombie prostré.

Pourtant, malgré leur hypersensibilité aux stimuli extérieurs, les Cancer/Chiens réussissent dans la vie. Ils ont un emploi, des enfants, et s'occupent de leurs affaires avec sérieux et compétence. Les Cancer/Chiens adorent les projets complexes et difficiles et sont toujours attirés par les problèmes les plus baroques, qu'ils s'attachent à résoudre avec une tranquille élégance.

Les situations embrouillées, avec toutes leur complexité labyrinthique n'intimident pas le moins du monde son caractère patient et sérieux. Les Cancer/Chiens sont des gens qui veillent tard, fument trop, et se rongent au milieu d'épais fourrés d'idées et de plans jusqu'à ce qu'ils aient trouvé une brillante solution. Les Chiens nés sous le signe du Cancer adorent jardiner, redécorer leur maison, créer bâtiments, livres, tableaux ou compositions musicales. La créativité, c'est leur domaine.

Et l'inquiétude leur violon d'Ingres. Les Cancer/Chiens se rongent les sangs à propos de tout et de rien. Ils paniquent et s'angoissent au moindre délai dépassé, au moindre rendez-vous manqué. Ils se torturent pour l'exposition de leurs œuvres et ne ferment pas l'œil de la nuit, se demandant si la vendeuse du grand magasin où ils ont acheté leurs pinceaux leur a ou non menti en affirmant qu'ils étaient en poils de vison. Les Cancer/Chiens se rongent pour des vétilles qui paraîtraient insignifiantes à des créatures moins bilieuses.

Pour un Cancer/Chien, l'air même qu'il respire est chargé de menaces.

Pour l'observateur non prévenu, cette attitude exagérément soucieuse donne l'impression de la paralysie. Il semble avoir peur de son ombre. Est-il un peu paranoïaque ? Franchement, je crois que oui. Le Cancer/Chien moyen a toujours une patte posée sur le bouton-panique — et ça se voit.

Mais le Cancer/Chien aime donner. Il est généreux et gentil, et parce qu'il voudrait que les autres puissent atteindre aux mêmes hauteurs autosacrificielles que lui, il est adorablement encourageant pour ceux qu'il aime. Patient, gentil et bon, le Cancer/Chien est le partenaire idéal en toutes choses.

AMOUR

La spécialité des Cancer/Chiens, c'est leur capacité presque surnaturelle d'aimer les autres. Bien que l'harmonie ne soit pas nécessairement de toutes leurs liaisons, vous pouvez être certain que la moitié Cancer/Chien de n'importe quel couple est celle qui fait le plus d'effort pour que règne la concorde. Assez irritable, le Cancer/Chien est souvent de mauvais poil, et donne souvent l'impression d'être grincheux — impression due à son insécurité intérieure. Pour sa santé même, il a un énorme besoin de tendresse et d'affection.

De plus, le Cancer/Chien ne peut pas bien vivre sans aimer. Il faut un objet à ce puits sans fond d'affection. S'il n'a pas quelqu'un sur qui déverser son admiration et son indulgence, le Cancer/Chien sera tenté de renoncer, de se coucher et de se laisser mourir.

Si vous aimez un Cancer/Chien, il faut vous armer de patience. Vous vous heurterez à deux problèmes importants dans vos rapports amoureux. D'une part, votre amoureux Cancer/Chien sera parfois indisponible, répugnant à descendre du nuage où l'entraîne sa créativité. Mais d'autre part, cet adorable paquet de tendresse vous semblera s'accrocher à vous, à vous étouffer. Avec le Cancer/Chien, c'est tout ou rien.

COMPATIBILITÉS

CANCER/CHIEN : Vous vous entendrez avec les Taureau, Vierge et Poissons/Chats. De même, les Taureau, Scorpion et Vierge/Tigres vous conviennent parfaitement. Et vous vous évanouissez d'admiration devant les Taureau nés dans une année du Rat. Les Bélier, Balance et/ou Capricorne/Dragons et Chèvres vous énervent. Quant aux Bélier/Cochons — pas question ! Ils semblent plus joyeux qu'ils ne le sont en réalité.

FAMILLE ET FOYER

Bien entendu, cet amoureux de la beauté s'entourera de belles choses. L'environnement est capital pour le Cancer. Les Cancer de toutes persuasions ont besoin d'installer des maisons et naissent avec l'instinct nidificateur. Et le Cancer/Chien, dont la recherche esthétique ne connaît pas de limites, voudra naturellement évoluer dans une atmosphère stable et sûre — mais aussi belle et élégante.

Pour le Cancer/Chien, la famille, c'est tout. Il pourra être en train d'écrire le plus grand roman de tous les temps ou de peindre un chef-d'œuvre dans son atelier hermétiquement clos, mais il écoutera les bruits quotidiens de la famille qui lui parviennent du rez-de-chaussée. Les odeurs et les sons de l'existence journalière lui permettent de rester les quatre pattes sur terre. Parent, il est gentil et dévoué.

L'enfant du Cancer/Chien paraîtra parfois irritable et émotionnellement fragile. Il ne faut pas lui ménager votre attention affectueuse. Il a moins besoin de louanges que de tendresse, de conseils et de sincérité de la part de ses parents et de ses frères et sœurs. Leçons et encouragements de toutes sortes, apprentissage lent et patient, et des tas de gros pulls tricotés à la main dans lesquels il se pelotonnera devant le feu assureront un avenir stable à ce gentil et doux enfant.

PROFESSION

Le travail du Cancer/Chien est tout trouvé dès sa naissance. On ne saurait lui demander plus que d'apprendre à utiliser sa sensibilité et ses dons créateurs pour vivre dans le monde moderne. Il consacrera beaucoup de temps et d'énergie à diriger et modeler ses talents pour les rendre utilisables. On peut s'attendre à le voir travailler dans une banque, ou comme serveur de restaurant. Mais ces emplois impersonnels ne lui permettront pas de s'épanouir. Son grand talent, c'est d'embellir la vie.

Les Cancer/Chiens réussissent très bien dans les domaines qui stimulent leur créativité et ils peuvent être patrons — et excellents patrons — pourvu que l'environnement où ils exercent leur autorité soit esthétique. Ils peuvent diriger les opérations sur un chantier de construction, pourvu qu'il s'agisse du Louvre.

Carrières convenant aux Cancer/Chiens : ils peuvent s'essayer à être antiquaires ou marchands de tableaux, ou même diriger ou posséder une galerie de peinture. Les Cancer/Chiens excellent également dans l'art commercial, et la décoration d'intérieur est l'une de leur spécialités évidentes.

Cancer/Chiens célèbres : Claude Debussy, Marcel Proust, Jean Anouilh, Alexandre Calder, Donald Sutherland, Sylvester Stallone, Pierre Cardin, le Pr Mathé.

CANCER		COCHON	
Imaginatif	Avare	Scrupuleux	Crédule
Lucide	Irritable	Courageux	Coléreux
Tenace	Cyclothymique	Sincère	Hésitant
Câlin	Possessif	Voluptueux	Matérialiste
Prévenant	Cafardeux	Cultivé	Épicurien
Prudent	Hypersensible	Honnête	Entêté
Eau, Lune, Cardinal		*Eau négative, Yin*	
« Je sens »		« Je civilise »	

Facile au démarrage s'il en fut jamais, ce sujet pourrait vivre sur une île déserte et se lever à l'aube, dire ses prières, préparer son thé, se laver, se rendre au rocher qui lui sert de bureau, bûcher quatorze heures d'affilée, revenir au rocher numéro un, se préparer un énorme festin, le manger, roter, dire ses prières, se coucher sous son palmier et recommencer le lendemain matin. Si le mot « rectitude » n'existait pas, il faudrait l'inventer pour le Cancer/Cochon.

Le Cancer/Cochon aime la maison et le luxe. Sans doute le Cochon le plus opulent du Nouveau Zodiaque, le Cochon cancérien accumule les richesses par l'achat d'objets d'art et de biens immobiliers. Puis il trouve le moyen de faire servir sa richesse à l'acquisition d'autres richesses. C'est le plus thésauriseur de tous les Cancer thésauriseurs. Vous pouvez confier cinq dollars à un Cancer/Cochon, et revenir vingt ans plus tard réclamer votre million. Trêve de plaisanteries, ce Cancer/Cochon est sans rival pour gagner de l'argent et le conserver. Et c'est un amateur d'art de premier ordre. Aucune exposition n'échappe à son attention. Aucun jeune sculpteur qui monte ne s'en tirera sans lui vendre un bronze.

La personnalité de ce sujet est le cadre d'une curieuse dichotomie. D'une part, ce natif doit être en garde contre tous les excès sous toutes leurs formes. Toutes les extravagances l'attirent. Le revers de cette malsaine médaille est une autosévérité excessive. *Pas de divertissements. Aucun. Ne sors jamais t'amuser. Reste à la maison pour étudier. Ne t'achète jamais ni beaux vêtements ni bonne nourriture. Travaille, accumule, acquiers, économise et conserve. Le sentiment, c'est pour les autres.* Cette philosophie spartiate n'est manifestement que du sybaritisme à l'envers. C'est un problème pour les Cancer/Cochons. Ils doivent apprendre à moduler leurs désirs et à rechercher l'équilibre dans tous les domaines.

Le Cancer/Cochon fait souvent étalage de force, et c'est impressionnant. Il fronce les sourcils. Il vous foudroie du regard. Il pince les lèvres. Ce n'est pas rassurant. Mais ce n'est pas réel. Ces sourcils broussailleux ne sont là que pour l'effet. En réalité, le Cancer/Cochon est un amour, un être charitable, chaleureux et obsessivement généreux.

La ténacité est son atout secret. Rien, à part grave maladie, physique ou mentale, n'est de force à abattre longtemps le Cancer/Cochon. C'est un croyant fervent qui va obstinément au-delà des bornes de la raison dans la pratique de sa religion. Son attitude dans la vie est carrée et austère, boutonnée jusqu'au cou, ceinture de sécurité en place et voiles amidonnées. A son avis, ce qui nous manque actuellement, ce sont les principes moraux. Qu'est devenue la bonne vieille moralité d'antan ? Où est passé le bon vieux temps ? Et l'austérité de toute une génération ? Il ne comprend pas. La vie moderne déçoit le Cancer/Cochon au cœur pur. S'il arrive à lutter sans interruption et sans découragement contre toutes les forces du mal, pourquoi les autres n'en font-ils pas autant ? Parce qu'ils sont paresseux, mon petit cochon. Et égoïstes et médiocres. Mais on ne saurait le dire de toi, n'est-ce pas ?

AMOUR

Ce sujet est sensible à l'extrême, traditionaliste et dévoué. Aucune raison apparente qu'il ne jouisse pas d'une vie sexuelle et sentimentale satisfaisante. Mais il souffre toujours de ce trait particulier de son caractère, qui le pousse à l'autosévérité et au refus du plaisir. Juste au moment où il va se donner quelques minutes de plaisir, la bonne fée entre en coup de vent dans sa chambre et lui demande : « Cet acte te conduira-t-il à en commettre d'autres plus débauchés et moins positifs ? Finirais-je clochard si je prends un verre ? Vais-je exploser en mille morceaux si je fais l'amour ? » On ne va pas très loin en amour quand de telles pensées vous trottent dans la tête.

Si vous aimez un Cancer/Cochon, séduisez-le. Recherchez-le.

Courtisez-le et harcelez-le jusqu'à ce qu'il vous rende votre amour. Les repas agissent assez bien sur ces amoureux récalcitrants, que ce soient des festins gargantuesques ou de petites bouffes spartiates. Les fleurs lui font plaisir également. Mais il préférera sans doute un panier de myrtilles, un chiot nouveau-né ou un pain croustillant juste sorti du four. Les Cancer/Cochons sont inexorablement attirés par la séduction des réjouissantes routines quotidiennes.

COMPATIBILITÉS

CANCER/COCHON : Vous êtes attiré par le Taureau/Tigre légèrement fou-fou. Vous serez également bien assorti avec un Vierge, un Scorpion ou un Poissons/Chat ou Chèvre. Le Taureau/Rat sera toujours là pour vous protéger de votre propre sévérité. N'accrochez pas votre wagon à celui d'un Bélier ou d'une Balance/Singe ou Serpent. Les Capricorne/Serpents et Coqs figurent aussi sur votre liste d'exclus.

FAMILLE ET FOYER

C'est le domaine du Cancer/Cochon. Ils n'arrêtent pas d'acheter des cadeaux pour leurs filleuls, leurs enfants, et le petit du voisin qui est malade. Les Cancer/Cochons sont naturellement charitables et généreux de leur argent. Mais ce qui les rend si généreux à l'égard des enfants ou des personnes moins sophistiquées qu'eux-mêmes, c'est leur innocence. Le Cancer/Cochon admire l'innocence et la récompense toujours comme une vertu.

En famille, le Cancer/Cochon peut exercer un trop grand contrôle sur les autres. Il est si sincèrement attaché à ses proches que les membres de sa famille, adorés et sollicités par ce parent si prodigalement aimant, auront parfois l'impression d'étouffer.

L'environnement du Cancer/Cochon sera, à tout le moins, opulent. S'il n'habite pas une grande demeure aux pièces immenses et hautes de plafond, où le Cancer/Cochon suspendra-t-il sa collection de tableaux ? Cela vous paraîtra peut-être improbable, mais les revenus annuels des natifs du Cancer/Cochon sont parmi les plus élevés de tous.

Trop calme et réservé pour être un véritable enfant, ce colosse de sentiment et de culture sera un élève studieux. Ne le poussez pas à se comporter en joyeux lutin rieur. Ça ne marchera pas. C'est un petit sérieux et doux qui, si on le contrarie ou qu'on le taquine trop souvent, vous étendra mort d'un regard furibond. Ses colères sont terribles, mais grâce à Dieu, rares. Ses bouderies poseront peut-être problème. Pas de fessées. Raisonnez-le. Et embrassez-le.

PROFESSION

Au premier coup d'œil, tout le monde comprend que ce sujet austère est destiné à la grandeur. Le hic, c'est que le Cancer/Cochon ne recherche ni l'admiration ni les louanges. Mais il va de l'avant, toujours imposant, persévérant, élégant — toujours de l'avant — jamais en arrière. Le Cancer/Cochon ne sait pas ce que c'est que de ne pas agir à sa façon. Pour lui, c'est la seule façon possible. Et le pire, c'est qu'il a souvent raison !

Carrières convenant aux Cancer/Cochons : la carrière convenant le mieux à un Cancer/Cochon est celle de monarque. La seconde est pape, et la suivante milliardaire. Sérieusement, ce sujet doit s'instruire au point de ne plus arriver à distinguer les lettres sur les pages de ses livres. Puis il faudra le lâcher dans le monde de l'art ou des affaires (ou les deux). Quoi qu'il fasse, ce sera excellent et admirable, sérieux et sincère.

Cancer/Cochons célèbres : Henri VIII, Ernest Hemingway, Federico Garcia Lorca, Georges Pompidou, Marc Chagall, J. D. Rockefeller, Charles Hernu, Laurent Terzieff.

LION
24 juillet-23 août

♌

LION	RAT
Noble Arrogant	Charmeur Avide de pouvoir
Puissant Infatué	Influent Verbeux
Philanthrope Vaniteux	Économe Nerveux
Chaleureux Tyrannique	Sociable Rusé
Protecteur Libertin	Cérébrale Intrigant
Loyal Immodeste	Charismatique Ambitieux
Feu, Soleil, Fixe	*Eau positive, Yin*
« Je veux »	*« Je dirige »*

Lorsque je pense au Lion/Rat, l'image qui me vient immédiatement à l'esprit est celle de Gene Kelly chantant et dansant sous la pluie, parapluie à la main. Les Lion/Rats sont supérieurs à tout le monde dès qu'il s'agit de conjuguer la joie. Ils improvisent une soirée extraordinaire à partir d'un orage, avec une somptuosité et une efficacité inimaginables. Leurs qualités sont nombreuses. Leurs défauts graves, mais rares.

Aimé et proprement admiré, le Lion/Rat se pavane à travers la vie comme s'il allait en absorber tous les aspects avant midi. Il est actif et rayonne d'assurance. Il a son propre rythme, et sait organiser ses activités pour les caser toutes dans son emploi du temps déjà surchargé. Le Lion/Rat peut prendre un petit déjeuner matinal avec la Reine, passer la matinée à stimuler le moral d'un groupe de lutteurs de Sumo et rentrer en hâte à la maison pour déjeuner avec ses enfants. Son après-midi sera un tourbillon d'efficacité, qu'il passera à écrire des lettres au conseil d'administration de l'hôpital (dont il est, naturellement, président) et à bavarder avec le maire sur le nouveau lotissement qu'il projette. Entre les lettres, les coups de téléphone et les visites aux notables, le Lion/Rat griffonnera les plans d'une nouvelle aile pour sa maison de campagne ou fera une liste de noms possibles pour son nouveau cheval. Après le travail, il ira s'entretenir avec les professeurs de ses enfants, puis rentrera chez lui s'habiller pour aller à l'opéra, qu'il fréquente avec une régularité rigoureuse, de même qu'il assiste à tous les concerts symphoniques pour lesquels il a un abonnement, et à tous les films et pièces de théâtre. La diversité de ses activités est proprement stupéfiante. Généralement, les Lion/Rats ne languissent pas longtemps dans la pauvreté. Ils savent mesurer leur astuce en petites doses qu'ils distribuent quand besoin est, pour gagner de l'argent. Ils sont à la fois extravagants et raisonnables. Les Lion/Rats savent donner leur argent durement gagné avec générosité et même philantropie. Mais ils ne le distribuent pas à tous les clochards et bons à rien de ce monde, par pur amour de la charité.

Le Lion/Rat observe longtemps et attentivement ses partenaires avant de s'en faire des alliés. S'ils le déçoivent par leur médiocrité ou même par la tiédeur de leurs sentiments, le Lion/Rat le prend comme un échec personnel. Quand il chute, ce n'est pas à moitié, et il heurte le fond avec un vacarme assourdissant. Pour remonter, il faut faire preuve d'humilité, et l'humilité n'est pas le fort des Lion/Rats. Ils ont besoin de contrôler, de dominer. Ils se sauveront par des activités nouvelles et plus stimulantes. Non en se retirant dans une maison de repos.

Son principal talent est l'esprit d'entreprise. Il sait mieux entreprendre que la plupart d'entre nous. Le Lion/Rat analyse, comprend, conquiert et embrasse tous sports, danses ou nouveaux styles de jazz à la mode auxquels il se trouve confronté. Montrez-lui un chameau, et il vous apprendra à le monter. Le Lion/Rat est un pédagogue-né, et rayonne de tous ses feux quand ses élèves réussissent.

L'incertitude les met de mauvaise humeur. Ils aiment choisir la rangée dans laquelle ils s'assiéront au cinéma, et préfèrent conduire eux-mêmes leur voiture qu'être conduits par un autre. Ils ont un port aristocratique et un magnétisme unique. Mais ils détestent perdre. Si cela leur arrive, vous en entendrez parler.

AMOUR

Comme les natifs du Lion/Rat ont beaucoup à donner, ils tendent à exiger de leur partenaire une classe qui leur permettra de recevoir avec grâce les mille expressions de leur adulation. Si un Lion/Rat se met à aimer profondément, affectueusement et tendrement — c'est souvent irrévocablement et éternellement. Le Lion/Rat est si affairé à se rendre en des tas d'endroits, et, une fois qu'il y est, à y rester, qu'il n'aime pas perdre son temps à s'écarter du droit chemin. Il préfère faire servir son

imagination extraordinaire à prolonger et cultiver une passion exis-
tante, plutôt que d'aller en chercher de nouvelles qui ne pourraient que
le décevoir.

Si vous aimez un Lion/Rat et qu'il/elle vous paye de retour, vous
feriez bien de vous remuer pour trouver des façons d'amuser et de
divertir ce monstre d'activité. Attendez-vous à de l'irritation et à de
bruyants bâillements d'ennui si le Lion/Rat se voit forcé de rester oisif
une demi-minute. S'il s'assied, n'allez pas croire que c'est pour se
reposer. Il attend simplement que vous fassiez retentir le signal du
départ — et hop, il s'élance comme une fusée. Si vous aimez un de ces
natifs, vous devrez faire preuve à la fois d'énergie et d'émotion. On ne
peut pas être partiellement amoureux d'un Lion/Rat. Il ou elle fera
des scènes et vous infligera des souffrances indicibles si vous manifestez
le moindre doute quant à la solidité de vos rapports. Soyez confiant.
Sinon... je préfère ne pas en parler. Mais pour le Lion/Rat, « sinon »
n'est pas français.

COMPATIBILITÉS

LION/RAT : Vous vous entendez avec des tas de gens. Vos meilleurs
partenaires se trouvent parmi les Bœufs nés sous les signes des
Gémeaux, de la Balance, du Capricorne ou du Sagittaire. Vous pouvez
trouver d'autres alliés dans la famille du Dragon, surtout parmi les
Gémeaux, Balance, Sagittaire et Capricorne/Dragons. Les Bélier,
Gémeaux, Balance et Capricorne/Singes vous conviennent bien également. Vous êtes vraiment populaire. Mais évitez les repaires du
Taureau, Scorpion ou Verseau/Cheval. Et n'allez pas non plus vous
embarquer avec un Scorpion ou un Verseau/Chat.

FAMILLE ET FOYER

Le Lion/Rat pourvoit bien aux besoins de sa famille. Sortir dans le
vaste monde et en ramener des magasins entiers de provisions qu'il
rangera soigneusement dans buffets et placards est l'un de ses plus
grands plaisirs. Vous ne verrez jamais un Lion/Rat rentrer crevé de la
mine, accueilli par une épouse épuisée et des enfants débraillés.
Jamais. Après une dure journée remplie d'activités et d'énergie, ce
sujet veut être accueilli à la porte de son château par une femme
coquette, intelligente et spirituelle qui vient de téléphoner au Président
et à son épouse pour les inviter à un petit dîner intime dans la salle à

manger rouge du Lion/Rat. Et les enfants ? De préférence, des lauréats du Nobel ayant le physique de Brooke Shields, et qui parlent quatorze langues à trois ans. Les Lion/Rats ne relâchent jamais leur quête d'excellence.

L'enfant du Lion/Rat sera brillant et exigeant. Il faut lui donner une instruction de premier ordre et le guider attentivement dans le domaine culturel. Ne vous étonnez pas si cet enfant manifeste de l'intérêt pour tout ce qui a un rapport quelconque avec le pouvoir. Les Lion/Rats ne s'intéressent pas aux activités insignifiantes, et ne feront des efforts que dans les domaines offrant la possibilité de devenir une vedette.

PROFESSION

Comme l'esprit d'entreprise et l'esprit d'offensive sont les principaux talents du Lion/Rat, il est évident que ce sujet réussira dans la gestion et la création d'entreprises. S'il a de l'argent, le Lion/Rat pourra fonder sa propre affaire et la diriger jusqu'à la fin de ses jours. Mais s'il n'est pas riche et qu'il doive commencer tout au bas de l'échelle, le Lion/Rat se distinguera toujours dans son travail par son énergie infatigable et son sens de l'innovation. C'est folie que de chercher à le cantonner dans des emplois inférieurs. Je ne connais rien de plus contrariant qu'un Lion/Rat énergique et nerveux dans un petit emploi relaxe. En rogne ? Oh là là !

Le désir inné du Lion/Rat d'aider ses semblables et d'exercer sa puissance avec bienveillance le qualifie on ne peut mieux pour la politique — surtout pour la présidence.

Carrières convenant aux Lion/Rats : il peut faire un excellent professeur, qui écrira pendant ses loisirs et fera des conférences dans le monde entier sur tous ses dadas. Bien entendu, le Lion/Rat peut être propriétaire de n'importe quel genre d'affaire, et pourra même réussir dans l'agriculture à grande échelle.

Lion/Rats célèbres : James Baldwin, Yves Saint-Laurent, Léon Uris, Gene Kelly, Mata Hari.

LION	BŒUF
Ω	♉
Noble Arrogant Puissant Infatué Philanthrope Vaniteux Chaleureux Tyrannique Protecteur Libertin Loyal Immodeste	Intègre Entêté Réalisateur Étroit d'esprit Stable Lourd Innovateur Conservateur Diligent Partial Éloquent Vindicatif
Feu, Soleil, Fixe « Je veux »	*Eau négative, Yin* « Je persévère »

Autorité et esprit de commandement se combinent ici en une personnalité d'une force extraordinaire. Les rapports avec un Lion/Bœuf ne sembleront jamais intimes et détendus. On finit par se demander si un cœur bat dans leur vaste cage thoracique, ou s'ils ne seraient pas plutôt téléguidés. Ce jugement porté sur l'attitude indifférente du Lion/Bœuf est peut-être dur et peut sembler injuste. Mais le Lion/Bœuf a des manières si austères qu'il est difficile de ne pas l'imaginer inflexiblement insensible.

Les Lion/Bœufs se déplacent beaucoup. Ils ne cessent de pousser, d'avancer, d'atteindre objectif sur objectif malgré les obstacles. Nous admirons les Lion/Bœufs quand nous en rencontrons et ne pouvons nous empêcher de reconnaître qu'ils sont étonnants : forts, courageux, et, par-dessus tout, efficaces. Les Lion/Bœufs s'emparent des rênes dans n'importe quelle situation, et, une fois sur un projet, ne renoncent jamais qu'ils ne l'aient mené à bon terme.

Normalement, les Lion/Bœufs ne parlent guère. En famille et au bureau, ces sujets sont forts mais silencieux, muets même. Manifestement, le Lion/Bœuf se sent unique et à part. Et s'il participe à un groupe, à une entreprise ou à une communauté, il doit avoir la vedette, prononcer tous les discours, raconter toutes les histoires drôles et surtout pérorer. D'un seul coup, devant un auditoire prisonnier, le Lion/Bœuf devient grégaire.

Les Lion/Bœufs sont du genre « je-sais-tout » et permettent rarement à quelqu'un de placer un mot lorsqu'ils ont la parole. Ils ne semblent guère curieux des avis et réflexions des autres sur leurs points de vue. Ils sont la personnification de l'attitude « laisse faire papa ». Ils jugent en premier et en dernier ressort de ce qui est juste, convenable, intelligent.

Le Lion/Bœuf recherche la permanence et aspire à la stabilité dans sa vie privée et publique. Il est extrêmement terre à terre, et semble avoir besoin de chaleur extérieure, besoin de s'accrocher à l'amour, au mariage, et à des rêves de mariage et de famille. Oui, il est invincible et victorieux. Mais il se sent parfois bien solitaire dans son attitude autocratique. Et il lui faut quelqu'un pour le réchauffer. Le Lion/Bœuf se laisse difficilement aller à donner des marques d'affection, et lorsqu'on le connaît bien, on se rend compte que ce défaut lui pèse.

Ces sujets sont dotés d'un esprit supérieur et d'une excellente mémoire. En fait, ils ont du mal à oublier — et à pardonner. Toute humilité leur est étrangère. S'ils gaffent, ils ne veulent pas qu'on s'en aperçoive. Le mot « échec » ne fait pas partie de leur vocabulaire. Si un proche les déçoit, ils ne considèrent pas cela comme une circonstance infortunée ou même regrettable. Ils prennent cela comme un affront personnel à leur dignité. Et ils ne pourront, ne voudront jamais s'abaisser pour reconquérir un amour perdu.

Ce sujet fait régner autour de lui un ordre parfait, mais sa vie manquera d'une certaine spontanéité. Il préfère les plans et les horaires aux réunions impromptues et aux pique-niques improvisés. Ce qui, naturellement, réduit les réjouissances au minimum. Il est actif, affairé et énergique à l'extrême. Mais il est aussi lourd, et, malgré le rythme trépidant de sa vie, d'une lenteur singulière.

AMOUR

Pour le Bœuf, l'amour se réduit souvent au dénominateur commun de la sexualité. En revanche, le soleil confère au Lion une intense chaleur intérieure. Un Lion/Bœuf ne sera pas froid au lit, et ne repoussera pas l'idée du sentiment ou de la tendresse. Mais les batifolages de l'amour lui resteront étrangers. Il ne peut s'empêcher de tout prendre au sérieux.

Les Lion/Bœufs sont si exagérément raisonnables que leur partenaire devra les chatouiller, les taquiner, leur apprendre à rire et à s'amuser. Poussez votre Lion/Bœuf à faire du patin à roulettes ou du yoga. Détendez-le, et mettez un peu d'huile dans le côté coincé et raide de sa nature. Il ne vous en aimera que davantage et ne vous abandonnera jamais — tant que vous obéirez au doigt et à l'œil à tous ses ordres et que vous ne vous rebifferez pas.

COMPATIBILITÉS

LION/BŒUF : Feu vert pour les Rats, Serpents et Coqs des signes du Bélier, des Gémeaux, de la Balance, du Sagittaire et du Capricorne. Ne touchez pas aux Taureau et aux Scorpion/Dragons, aux Scorpion ni aux Verseau/Tigres et Chèvres. Les Taureau/Singes vous contrarient avec leurs éternelles blagues.

FAMILLE ET FOYER

La demeure du Lion/Bœuf sera ordonnée et impressionnante. Il vient toujours de finir de la redécorer, d'y adjoindre de nouveaux placards et bibliothèques, d'abattre des cloisons pour mieux mettre en valeur l'immense table de la salle à manger. Tout, jusqu'aux couteaux à beurre et aux fourchettes à poisson, sera conçu en vue de l'ordre, de l'efficacité, et de la commodité.

Malheur à l'enfant d'un Lion/Bœuf qui ne respecte pas la discipline, travaille mal à l'école, ne suit pas l'exemple de son père ou de sa mère, ne fait pas ce qu'on lui dit mais ce qui lui plaît. Le Lion/Bœuf prodigue tout à ses enfants, activités diverses, sorties culturelles, vacances, vêtements et tout ce qu'on peut imaginer, en surabondance. Mais il est aussi positivement dictatorial. Si l'enfant gâté pourvu de tous les jouets, pratiquant tous les sports, fréquentant tous les clubs, ne fait pas ce qu'on lui dit — on l'exile. Les enfants nés sous le signe du Lion/Bœuf sont extraordinairement réservés. Ils veulent pouvoir rester à l'écart de la fratrie, et chercheront à commander leurs frères et sœurs.

La meilleure compagnie pour un enfant du Lion/Bœuf sera celle de ses pairs, où il trouvera des personnes de force et d'autorité similaires dont il tirera un enseignement. Il faudra lui enseigner l'humilité et la valeur de la légèreté et de la frivolité.

PROFESSION

Le Lion/Bœuf exige des tâches à sa taille. Il ne s'intéresse pas aux babioles ni aux fariboles. Il veut travailler, réussir, avancer sa carrière. Il faut le cajoler, le caresser et presque le circonvenir pour qu'il consente à s'amuser. Mais attention, les natifs du Lion/Bœuf peuvent être très drôles. Ils ont le don de la satire. Mais ils donnent une impression de lourdeur.

Il est difficile de placer ce genre de sujet derrière un comptoir de Monoprix. Il prendrait le commandement de tout le magasin en dix secondes, remplacerait le directeur et réorganiserait les emplois du temps. Il lui est impossible de se cantonner dans des tâches subalternes. Le commandement c'est la vocation innée du Lion/Bœuf.

Carrières convenant aux Lion/Bœufs : romancier, journaliste, roi, reine, pape, dalaï lama, imam, ou, à tout le moins, chancelier de l'Echiquier. Ils peuvent aussi choisir la profession de réalisateur de films ou n'importe quel métier requérant à la fois des talents de conteur et de directeur.

Lion/Bœufs célèbres : Napoléon, Oscar Peterson, Russell Baker, Robert Redford, Dustin Hoffman, Darry Cowl, Robert Hirsch, Mikis Theodorakis.

LION	TIGRE

LION

♌

Noble	Arrogant
Puissant	Infatué
Philanthrope	Vaniteux
Chaleureux	Tyrannique
Protecteur	Libertin
Loyal	Immodeste

Feu, Soleil, Fixe
« Je veux »

TIGRE

寅

Fervent	Impétueux
Courageux	Emporté
Magnétique	Désobéissant
Veinard	Conquérant
Bienveillant	Immodéré
Autoritaire	Itinérant

Bois positif, Yang
« Je surveille »

Le dicton conseillant au Tigre de rechercher la modération avant qu'il ne soit trop tard convient parfaitement au Lion. Considérez les alternatives : arrogance dans la dissipation, satisfaction dans la désobéissance, tyrannie triomphante. Déplorable. Si ce sujet ne sait pas acquérir quelque modération, il finira tristement dans la fosse aux lions.

Toute sa vie, ce sujet se sentira immensément supérieur à tout et à tout le monde. Conséquence de ce complexe de supériorité : les Lion/Tigres ont du mal à se faire des amis et à les garder. Les gens ne comprennent pas toujours la solitude du roi de la montagne.

Parce que ce sujet se sent toujours tellement plus grand que ses pareils, il lui est impossible de dissimuler sa royale ascendance. Et comme il est sincèrement stupéfait d'être si extraordinaire, le Lion/Tigre donne l'impression d'être snob. Il a une tête à ne pas passer par les portes. Alors, en société, il affecte une simplicité artificielle qui malheureusement, ne trompe personne. Les Lion/Tigres essayent d'être attirants, aguichants, et même mignons. Sans succès. Tout le monde perce leur manœuvre à jour, et, pour cette raison, les gens les croient parfois insincères. Rien n'est plus faux. Ils sont simplement gênés d'être si merveilleux.

Magnifique, serait peut-être l'adjectif le plus juste. Les Lion/Tigres ont des tripes. Dans l'adversité, ils ont le courage de dix Lions et de dix Tigres réunis, et sont tous entraîneurs d'hommes. Ils sont capables de rire dans la maladie, l'exil, le chagrin et la mort d'un être cher, tout en gardant dignité et espoir au cœur des ténèbres les plus profondes. Rien à voir avec la résistance élastique du Coq ou du Bélier. Le Lion/Tigre abattu par l'adversité rôde, observe, déséquilibre mentalement l'adversaire, se glisse sous les fourrés sur des pattes de velours, tourne des centaines de fois en rond, attendant le moment propice à la revanche. Puis il BONDIT ! Et le voilà reparti ventre à terre, comme si rien ne s'était passé. Pas de migraines. Pas de douleurs dorsales. Juste le remède à tous les maux des Tigres — le mouvement. Pourvu que le Lion/Tigre n'ait pas à rester tranquille au même endroit en attendant que les choses s'arrangent, il est capable de tout surmonter — il peut même défier la mort si personne ne vient se jeter dans ses pattes.

Au fait, les natifs du Lion/Tigre sont toujours beaux. Leur port et leur démarche leur donnent toujours l'avantage sur les autres. Ils s'habillent de façon classique, et s'intéressent peu à leurs vêtements, aussi longtemps qu'ils ne gênent pas leurs mouvements. Ils ont souvent une magnifique crinière de cheveux blonds, qui plaît tant à tous et toutes.

Ce sujet a le plus grand mal à accepter la seconde place. Par exemple, vous le verrez se ruer pour s'asseoir en voiture à côté du chauffeur, puis se ressaisir et céder la place à sa grand-mère qui, après tout, a quatre-vingt-sept ans. Ce n'est pas l'inconfort du siège arrière qui ennuie le Lion/Tigre. C'est le symbolisme social, et l'impression désagréable de ne pas être devant où il pourrait, bien que ne conduisant pas, exercer un certain contrôle. Avec le temps, il se considérera avec plus de lucidité et d'humour, et, après trente-cinq ans, le Lion/Tigre devrait mûrir en un être fantastique — pourvu qu'il n'ait pas la tête irrémédiablement enflée par des années d'adulation parentale.

AMOUR

C'est un domaine difficile dans la vie du Lion/Tigre. Pour commencer, son arrogance naturelle repousse. De plus, le Lion/Tigre est intimement convaincu d'être exceptionnel et persuadé qu'il aura une vie fabuleuse, et cela peut le retenir d'engager toute sa vie auprès d'une seule personne, de fonder une famille et un foyer. Vous comprenez, le Lion/Tigre n'envisage absolument pas de s'attacher à un partenaire qui ne serait pas son égal en puissance et en stature. Ce faisant, le Lion/Tigre limite ses occasions de se marier et d'avoir une vie de famille. Mais il ne se prive pas d'aventures sexuelles où il ne se préoccupe plus guère que le partenaire soit son égal, pourvu que celui-ci l'admire en soupirant.

Si vous deviez tomber amoureux d'un de ces despotes bienveillants, ne lui donnez jamais l'impression d'être plus faible que lui. Même si vous avez envie de brailler, ne baissez pas votre garde. La fermeté le passionne, la force l'excite, l'agressivité le met en forme. Obligez ce félin à rester sur le qui-vive !

COMPATIBILITÉS

LION/TIGRE : Les Bélier, Gémeaux, Sagittaire et Capricorne enrichissent votre vie avec leurs partenaires du Dragon, du Cheval et du Chien. Choix assez limité, mais vous n'êtes pas non plus des plus faciles à satisfaire, n'est-ce pas ? Par suite de votre style de vie, les Taureau, Scorpion ou Verseau/Singes sont hors de question, comme les Taureau et Verseau/Bœufs. Vous ne plaisez pas du tout aux Taureau et Scorpion/Serpents, et ne pensez même pas à un partenaire Taureau/Chat.

FAMILLE ET FOYER

Le Lion/Tigre habitera sans doute une demeure confortable mais utilitaire. Ce sujet aime les meubles authentiques, et n'aura peut-être qu'une pièce ancienne, mais très belle, qu'il disposera fièrement pour la mettre en valeur parmi ses autres meubles moins coûteux. Le Lion/Tigre aime la qualité et le raffinement. Mais rechercher la perfection matérielle l'importune. Il se plaît à se considérer comme un aventurier sans domicile fixe, écumant les régions dangereuses et sauvant les petits Indiens des rigueurs de l'école publique. Ou quelque chose dans ce genre. Héroïsme et vie bourgeoise ne font pas bon ménage.

Ce sujet est dévoué à sa famille. Pourvu qu'il ait toute liberté de parcourir la terre et de s'affairer à l'extérieur du foyer (s'il en a un), il se délectera de la compagnie de ses enfants, cousins, frères et sœurs.

Les parents d'un enfant du Lion/Tigre doivent le surveiller étroitement et lui rappeler de temps en temps qu'il n'est pas un petit dieu. Ces enfants auront beaucoup de présence, et on sera tenté de les gâter et d'applaudir à leurs moindres actions. Enseignez-leur à se regarder dans la glace, et à faire correspondre leur reflet à l'image qu'ils se font d'eux-mêmes. « Là, Johnny. Non, plus petit. Encore plus petit. Voilà. Maintenant, tu es normal. Ton complexe de supériorité ne se voit presque plus. »

PROFESSION

Doué pour les postes de direction, le Lion/Tigre, parce qu'il recherche l'humilité, ne voudra peut-être pas être patron. Les Lion/ Tigres aiment avoir toute latitude pour évoluer à leur rythme. Ils n'aiment guère tourner en rond dans des bureaux, des cohortes de collègues et d'inspecteurs à leurs trousses. C'est pourquoi il serait plus sage qu'ils choisissent une carrière indépendante.

Le Lion/Tigre aime assez à défendre des « causes ». Il trouvera toujours des injustices qui le contrarient et qui lui inspireront de bonnes actions. Vous le trouverez peut-être à la tête d'une œuvre charitable ou sociale.

Carrières convenant aux Lion/Tigres : les Lion/Tigres parlent bien, ils feront de bons professeurs et de bons vendeurs. Ils peuvent être aussi d'excellents acteurs et chanteurs. Le Lion/Tigre est parfois doué pour les arts et peut avoir une vocation de peintre ou de sculpteur.

Lion/Tigres célèbres : Emily Brontë, Eric Hoffer, Natalie Wood, Marc Bohan, Raymond Marcellin.

LION		**CHAT**	
♌		卯	
Noble	Arrogant	Diplomate	Cachottier
Puissant	Infatué	Raffiné	Sensible à l'extrême
Philanthrope	Vaniteux	Vertueux	Pédant
Chaleureux	Tyrannique	Prudent	Dilettante
Protecteur	Libertin	Bien portant	Hypocondriaque
Loyal	Immodeste	Ambitieux	Tortueux
Feu, Soleil, Fixe		*Bois négatif, Yin*	
« Je veux »		« Je me retire »	

Ce sujet est si souple et rapide que le connaître, c'est se demander où il est passé. Le Lion/Chat est un double félin avec tout le côté évasif et furtif qu'implique cette alliance. Royal et indépendant, raffiné, et doté de la noble générosité du Lion, ce sujet a les dons nécessaires pour atteindre à la grandeur. Pourtant, les Lion/Chats recherchent rarement la puissance ou la célébrité. Généralement, ils sont parfaitement satisfaits de rester chez eux à écouter tinter leurs écus.

Ils sont délicats, et ce seul trait de caractère empêche les Lion/Chats de rechercher les feux de la publicité. Ce natif ne veut pas voir le côté sordide de la vie. Il fuit les effusions de sang, les conflits, les confrontations et les inimitiés. Il recherche une vie active et pourtant paisible.

Etant Lion, ce sujet n'aime pas passer inaperçu. Il aime qu'on l'admire. Et il préfère avoir raison. Le Lion/Chat conserve son droit léonin à la pompe et à la vanité, pourtant, il ne jette pas sa supériorité à la tête des autres. Le Lion/Chat est un égocentrique bien élevé. Il n'impose jamais aux autres la haute opinion qu'il a de lui-même. Vous ne savez pas qu'il est merveilleux ? Aucune importance. Lui, il le sait.

Vous pouvez vous fier à son jugement. Les Lion/Chats ont un

sixième sens qui leur signale les situations délicates. Ils flairent les ennuis des autres et prêtent assistance à leurs amis dans le besoin.

Malgré ce don du diagnostic, ils se laissent rarement entraîner dans les complexités humaines. Leur instinct les avertit quand quelque chose est sur le point de se détraquer, et ils s'enfuient rapidement dans la direction opposée. Les Lion/Chats évitent les eaux bourbeuses. Ils recherchent la clarté dans tous les rapports. Dans le travail, ils aiment savoir ce qui les attend. Et dans les rapports humains, ils aiment savoir où ils en sont. Si le biscuit s'effrite, ils ne veulent pas de miettes de leur côté du lit.

Le Lion/Chat a des capacités remarquables. Il est de bonne volonté, et participe de bonne grâce — pourvu qu'il ait quelques bonnes répliques. Il est également capable de comprendre la nécessité de l'humilité, et peut ainsi apprendre à jouer les seconds violons si c'est nécessaire. Si on ne lui offre pas la situation la plus en vue, le Lion/Chat s'effacera de bonne grâce — pour mieux bondir la prochaine fois.

Je crois que le Lion/Chat évite les feux de la rampe dans un esprit d'autopréservation. Si les signes du double chat ont dix-huit vies, c'est sans doute parce qu'il sait rester hors de la ligne de tir.

Les Lion sont prudents et munificents, madrés et sages. Ils savent courtiser la chance. Les Lion/Chats bondissent dans toutes les brèches. Ils ne jouent jamais des coudes.

AMOUR

Vu que le Lion/Chat est extrêmement recherché de l'autre sexe, il ou elle aura quelque difficulté à tenir les admirateurs à distance. Le Lion/Chat a un tempérament assez ardent et peut donner l'impression (fausse) qu'il est libidineux. En réalité, ce natif juge un partenaire potentiel avant tout sur sa capacité à s'intégrer à l'ordonnance de son univers. Il est plus prudent que passionné.

Si vous aimez un Lion/Chat, ne vous rendez jamais coupable de vulgarité, dans quelque domaine que ce soit. Montrez que vous avez du goût pour le raffinement. Affichez votre amour du foyer. Ce sujet trouve ses plus grands plaisirs dans sa salle de séjour. Soyez crâne, et quoi que vous fassiez, ne gémissez pas. Apprenez à le regarder avec admiration, et ne vous attendez pas à des cadeaux somptueux — juste des tas de sages conseils et exhortations sur la façon d'éviter tous les ennuis, des courants d'air aux découverts bancaires.

COMPATIBILITÉS

LION/CHAT : Vous serez attiré par les Bélier, Balance et Capricorne/ Chèvres et Cochons. Vous trouvez les Sagittaire/Cochons mignons. Ne vous étonnez pas si vous vous réveillez un beau jour près d'un Chien pour la vie. Les sujets du Chien nés sous les signes des Gémeaux, de la Balance et du Sagittaire vous enchantent. Ils ont un air « engagé » qui plaît à votre altruisme. Il n'en est pas de même des Taureau, Scorpion ou Verseau/Rats, Tigres et Coqs. Et vous n'êtes pas spécialement fou non plus des Scorpion/Dragons ni des Taureau/ Chats.

FAMILLE ET FOYER

Le Lion/Chat voudra un environnement élégant, c'est certain. Des meubles de style orneront une maison solide sur laquelle il n'aura sans doute plus de traites à payer. Le goût de ce sujet le portera peut-être à quelques détails d'une grandeur ostentatoire. C'est caractéristique, mais pas grave.

Ce sujet sera un parent aimant, qui exigera travail et respect de sa progéniture. Généralement, les Lion/Chats ne tolèrent pas que leurs enfants se laissent aller à des fariboles. La frivolité est réservée aux vacances — le reste du temps, c'est marche ou crève.

Les Lion/Chatons sont d'astucieux petits bougres qui ne mettent personne dans leur confidence, et généralement n'encombrent la vie de leurs parents que de leurs diplômes et de leur médailles. Mais ils peuvent aussi se montrer insolents, vu qu'ils ont toujours raison. Et ils peuvent même être rebelles, si, Dieu nous en préserve, ils sont nés dans une famille bruyante et vitupérante. Les Lion/Chats n'aiment pas le bruit, sauf s'ils le font eux-mêmes. Cet enfant a besoin de son coin à lui, où se reposer en paix entre les examens et les leçons de piano, les cours de danse et les cours d'informatique. Il ou elle est sans doute fort agréable à regarder.

PROFESSION

Peu de tâches dépasseront les possibilités du Lion/Chat. Manuel ou intellectuel, le travail représente l'objectif en soi. Ce sujet sera heureux dans la carrière qu'il aura choisie. Quoi qu'il ou elle fasse, le résultat sera sans doute brillant. Le Lion/Chat aime briller et être adoré de ses collègues, qu'ils soient ses subordonnés ou ses égaux.

Pour un Lion/Chat, il est très difficile de ne pas être le patron. Mais, contrairement à certains Lion, le Lion/Chat est capable d'accepter des postes relativement subalternes, ou du moins de ne pas devenir fou s'il n'obtient pas telle ou telle promotion. Patron, le Lion/Chat sera légèrement paternaliste, mais essayera d'être équitable. Toutefois, il ne fait aucun doute que la vedette n'appartienne au Lion/Chat, tous les autres employés n'étant que des spectateurs payés. Serviteur obéissant, le Lion/Chat ne sera obséquieux que s'il n'a pas le choix.

Les carrières qui conviennent le mieux à la personnalité du Lion/Chat sont : antiquaire, médecin, bijoutier, avocat, enseignant, philosophe, vétérinaire, artiste.

Lion/Chats célèbres : Fidel Castro (stratège), Ivry Gitliss, Pierre Granier-Deferre.

<table>
<tr><td colspan="2">LION</td><td colspan="2">DRAGON</td></tr>
</table>

LION		DRAGON	
♌			
Noble	Arrogant	Puissant	Rigide
Puissant	Infatué	Battant	Méfiant
Philanthrope	Vaniteux	Hardi	Insatisfait
Chaleureux	Tyrannique	Enthousiaste	Emballé
Protecteur	Libertin	Vaillant	Vantard
Loyal	Immodeste	Sentimental	Volubile
Feu, Soleil, Fixe		*Bois positif, Yang*	
« Je veux »		« Je préside »	

Mes notes sur cette alliance se résument en quelques mots : « Egocentrique total au cœur d'or ». Est-ce ainsi que nous devons juger les Lion/Dragons ? Sont-ils vraiment centrés sur eux-mêmes au point de mériter l'appellation hyperbolique d' « égocentriques » ? Oui. Ils le sont. Mais sous ma plume, c'est un compliment.

Il n'est pas donné à tout le monde de naître supérieur à ses pareils. Et, comme je l'ai déjà plusieurs fois répété dans ce livre, aucun signe n'est supérieur à un autre. Cela n'existe pas. Mais les Lion/Dragons sont des êtres si majestueux, si maîtres d'eux, si courageux, si sains, si nobles qu'on est tenté de dire que si tous les signes sont égaux, certains sont plus égaux que d'autres.

N'allez pas penser que je parle ainsi parce qu'un Lion/Dragon est le grand amour de ma vie. Ce n'est pas du tout mon genre (à mon grand dam) de fréquenter ces souveraines créatures. Je suis un Tigre. Ils ne feraient de moi qu'une bouchée. Non. Je ne suis pas amoureuse d'un Lion/Dragon. Mais j'ai toujours pensé que, si j'avais le choix, j'aurais aimé être un Lion/Dragon. C'est tellement... tellement fastueux, tellement majestueux, et aussi tellement agréable.

Le Lion est le Dragon magnanime. Le Dragon juste et équitable. Le Dragon puissant, loyal et protecteur. Le Dragon qui résume le mieux la nature profonde de tous les Dragons. Feu. Soleil. Bruit. Compétence et assurance. Et, curieusement, c'est le signe qui permet le mieux aux qualités du Lion de contrebalancer parfois son manque de modestie.

Voyez-vous, les Lion, chaleureux et généreux, aiment partager leurs richesses. Les Dragons peuvent être très égoïstes. Mais ils sont sentimentaux. Leur alliance établit un équilibre parfait entre donner et recevoir. Lorsque le Lion pourrait avoir la tentation d'être trop généreux, le côté Dragon intervient : « Non. Pas trente tonnes de bonbons pour les enfants de l'orphelinat. Oh, et puis, d'accord. Envoie-leur-en trois tonnes. » Et quand le Dragon devient un peu radin, son ange gardien Lion n'hésite pas à le gronder : « Tu n'as pas honte ? Allons, porte secours à cette pauvre veuve, et plus vite que ça ! » Lion/Dragon, c'est un mélange qui marche.

L'intégrité et l'authentique noblesse du Lion sont précisément les qualités qui manquent souvent aux Dragons. La méfiance du Dragon atténue la tendance du Lion à croire un peu trop en lui-même. Et les Dragons confèrent aux Lion une santé et une vitalité débordantes qui manquent parfois au Lion, légèrement langoureux par nature.

Ce natif est si sentimental que c'en est presque une faiblesse. Il ne supporte pas les tragédies. Dans le journal, il saute les articles sur l'enfance martyre et les chiens écrasés. Il a le cœur si tendre que c'en est presque un cœur d'artichaut. Mais il a le sens du devoir. Il prendra les rênes et montera en première ligne si la tragédie frappe sa famille ou son entourage. Sinon, il aime mieux ne pas parler de l'histoire du petit garçon enfermé dix ans dans un placard. Ça le fait souffrir.

Le Lion/Dragon jouit souvent d'une longévité exceptionnelle. Il est très vaniteux. C'est peut-être le désir de rester beau plus longtemps qui l'encourage à surveiller son régime. Les natifs prennent soin d'eux-mêmes pour être mieux capables de prendre soin des autres. En outre, ils sont toujours si pleins de grands projets compliqués qu'il leur est presque impossible de vieillir — ils n'ont pas le temps de sombrer dans la décrépitude. De plus, n'oubliez pas que les bonnes fées du Dragon lui ont accordé une santé exceptionnelle à sa naissance.

AMOUR

Voici un domaine où la vie d'un Lion/Dragon est fréquemment cahoteuse, à tout le moins. Explication : il est dès le départ absolument convaincu de sa supériorité éclatante. Il hésite ou examine la situation à fond avant de se décider. Le Lion/Dragon règne. C'est son destin, de par son titre.

Le Lion/Dragon étant parfaitement conscient de sa mission innée de surpasser les autres, il donnera du fil à retordre à son partenaire, amant ou maîtresse, époux ou compagnon. Vous ne serez pour lui qu'un accessoire, et bien que vous puissiez accéder à la situation d'accessoire nécessaire, vous resterez néanmoins superflu à sa survie.

Si vous aimez un de ces natifs, vous devrez accepter de vivre dans son ombre, qui s'étendra sur vous toute votre vie, vous protégeant du monde. Si vous aimez la compétition, n'approchez pas de ce sujet — sauf, bien entendu, si vous êtes aussi un Lion/Dragon.

COMPATIBILITÉS

LION/DRAGON : Vous avez des atomes crochus avec les Bélier, les Gémeaux, les Balance, les Sagittaire et les Capricorne. Parmi eux, vous seriez bien inspiré de choisir un Gémeaux, Bélier ou Capricorne/Serpent, un Bélier, Balance ou Sagittaire/Singe ; un Gémeaux, Bélier ou Sagittaire/Rat ; ou un bizarre Sagittaire/Coq. Les Taureau, Scorpion, Verseau/Bœufs et Chiens sont trop austères pour vous qui adorez le panache.

FOYER ET FAMILLE

Le foyer du Lion/Dragon est sa forteresse. Il peut très bien aussi l'entourer de très hautes murailles, avec ou sans douves, suivant ses moyens. Vous êtes cordialement invité à lui rendre visite ou à séjourner chez lui n'importe quand. Les Lion/Dragons sont hospitaliers à l'extrême. Ils aiment être entourés de beaucoup de monde. Ils aiment les meubles d'époque et les objets en or. Naturel, non, pour des personnes de sang royal ?

La paternité attire le Lion/Dragon. Il a souvent plusieurs enfants de plusieurs unions différentes. Mais il ne néglige aucun de ses enfants ou conjoints. Il trouve que ce serait épatant que tout ce petit monde vive sous le même toit. Ces natifs prennent très au sérieux le bien-être de leurs enfants, veillent à ce que quelqu'un s'occupe de leurs études et de leurs repas, et exigent que les petits rentrent à la maison à l'heure et exécutent leurs petites corvées domestiques sans bouder. Les mères du Lion/Dragon maternent peu leur progéniture. Elles gouvernent d'une main de fer, mais prodiguent leur amour sans compter.

Un enfant du Lion/Dragon tirera automatiquement le maximum de sa vie. Vous aurez peu à faire, à part le supporter. Ce sera certainement un enfant bruyant et exigeant. Ne faites pas attention à lui, ou alors, si vous préférez, gâtez-le, pourrissez-le. Cela ne changera rien de toute façon. Cet enfant est absolument certain de ce que la vie a à lui offrir et n'a pas besoin de conseils.

PROFESSION

Désolée, Lion/Dragon, mais le marché des despotes débonnaires est sursaturé. Je vous suggère d'essayer de fonder votre propre Etat. Trêve de plaisanterie, le Lion/Dragon est doué pour pratiquement n'importe quoi.

Quoi qu'il choisisse, ce sera bien fait. L'échec tue les Lion/Dragons comme des mouches. Généralement, ils font en sorte d'éviter l'échec. Mais s'ils le rencontrent, ils succombent. Le feu s'éteint et la sinistre Faucheuse frappe à leur porte avec insistance.

Patron, le Lion/Dragon est tout ce que je vous ai promis précédemment, et plus encore. Il ou elle se révélera sans doute juste et équitable en même temps que despotique. Bon sous son apparence majestueuse. Et généreux, malgré la tendance du Dragon à limiter les dépenses. Je ne vois pas un Lion/Dragon en situation d'employé, mais je suppose qu'ils sont bien obligés de débuter, comme tout le monde. Ils ont toutes les chances d'être insupportables jusqu'au moment où ils deviendront patron et prendront votre place.

Carrières convenant aux Lion/Dragons : informaticien ou footballeur, journaliste ou romancier, acteur ou dessinateur.

Lion/Dragons célèbres : George Bernard Shaw, Karlheinz Stockhausen, Charles Vanel, Alice Sapritch, Stanley Kubrick.

LION		SERPENT	
Ω		$\sum$	
Noble	Arrogant	Intuitif	Dissimulateur
Puissant	Infatué	Séducteur	Dépensier
Philanthrope	Vaniteux	Discret	Paresseux
Chaleureux	Tyrannique	Sensé	Cupide
Protecteur	Libertin	Clairvoyant	Présomptueux
Loyal	Immodeste	Compatissant	Exclusif
Feu, Soleil, Fixe		*Feu négatif, Yang*	
« Je veux »		« Je sens »	

Le Serpent né sous le signe du Lion a toujours raison. Même quand il a tort. Il est néanmoins absolument certain qu'il est dans le vrai. Et c'est souvent le cas, surtout s'il s'agit de lui-même et de ses objectifs personnels. Sagesse et clairvoyance font partie de l'apanage du Serpent. Mais l'alliance du Serpent réfléchi avec le Lion, bien qu'elle lui confère chaleur et rayonnement, incline ce sujet à la vanité. Maintenant, le Serpent, déjà extravagant et présomptueux, est obligé de transporter un excès de bagages, sous forme de tête enflée qui ne désenflera pas de si tôt.

Bien entendu, quelqu'un qui a toujours incontestablement raison aura souvent totalement tort. Les extrêmes se touchent. Mais comme on dit, si haut qu'on soit assis, on est toujours sur le derrière. Accepter à l'occasion de considérer son orgueil comme de la folie, ou s'humilier assez pour recevoir aide ou assistance, cela le dépasse. Ils sont de ces gens qui vous toisent avec un rire indulgent en déclarant : « Ne soyez donc pas si naïf ! Je sais ce que je fais. » Peu après que vous avez tourné les talons et laissé le présomptueux Lion/Serpent chancelant à l'extrême bord de son précipice préféré, vous entendez le bruit de sa chute. Il n'est pas du genre à se plaindre.

Les Lion/Serpents arrivent invariablement aux sommets qu'ils gravissent au moyen de leur charme et de leur séduction. Ils ne charment même pas intentionnellement. Ils respirent, exsudent, rayonnent naturellement la séduction. Si vous en rencontrez un, soyez sûr que ça fera « tilt » dans votre tête. Même si vous n'aviez pas l'intention de faire attention à eux, les Lion/Serpents, par leur seule présence dans la même pièce que vous, attireront silencieusement vos regards.

A mesure qu'ils vous connaîtront mieux, les Lion/Serpents se détendront et se réchaufferont à votre égard. Ils ont besoin d'amitié et sont loyaux envers leurs amis — surtout envers leurs vieux copains. Mais, quelle que soit votre intimité, ils ne vous permettront jamais, non jamais, le luxe de leur donner des conseils. Ils passeront eux-mêmes des heures à vous dire : « Tu devrais faire ceci » et « Tu ne devrais pas faire cela », mais notre Lion/Serpent ne tolérera pas de vous ces sottises.

Tout au fond d'eux-mêmes, les Lion/Serpents méditent de grands gestes charitables et des actes philanthropiques. Ils croient vraiment qu'un jour ils pourront faire une généreuse donation qui guérira les plaies sociales ou aidera les affamés. Mais ils font rarement plus qu'adopter un orphelin de guerre ou couper le ruban à l'inauguration d'un jardin d'enfants. Non qu'ils soient négligents, mais les Lion/Serpents sont trop absorbés par leurs propres tragédies et pertes (dont ils ont plus que leur part, les pauvres) pour veiller à la réalisation de leurs généreuses idées.

Le Lion/Serpent ne peut vivre heureux sans des montagnes de parures. Le plus pauvre des Lion/Serpents aura toujours des bas filet à la dernière mode, un fume-cigarette en ivoire et regardera le monde à travers sa voilette. Ils ont naturellement du style et de la classe. Même les laids sont beaux. C'est leur port et leurs yeux qui semblent dire « Approchez-vous donc » qui les rendent irrésistibles.

Ne sous-estimez jamais le penchant du Lion/Serpent pour la drogue. Ces sujets ont une dangereuse attirance pour les substances qui altèrent la conscience. Peut-être le Lion/Serpent cherche-t-il à se consoler de la froideur de son habitat naturel ? En tout cas, c'est une tendance à surveiller, et très étroitement.

AMOUR

La personnalité du Lion/Serpent se distingue des autres par son caractère aimant. Les natifs du Lion/Serpent sont souvent célèbres par l'amour qu'on leur porte. Ils inspirent et suscitent de grandes amours, comme celles de Juliette, Isolde ou Ulysse. Les Lion/Serpents sont les plus grands « bien-aimés » du monde. Ils semblent faire sortir les partenaires du néant, les enserrent tenacement de leurs anneaux, jusqu'à ce qu'ils soient épuisés d'admiration pour l'objet de leur flamme, puis — parfois, pas toujours — libèrent la pauvre créature et la laissent retomber dans l'oubli.

Si vous aimez un Lion/Serpent, rendez votre clé du Club de la Ceinture de Chasteté, ruez-vous dehors et devenez P.-D.G. de la General Motors, ce qui lui donnera les moyens de satisfaire ses instincts voracement thésauriseurs. Et inscrivez-vous à un gymnase. Vous ne cesserez jamais d'adorer votre partenaire du Lion/Serpent, et il/elle le saura sans doute. Un conseil à quiconque désire garder un certain contrôle sur un Lion/Serpent rapace : rendez-vous inaccessible. Faites à l'occasion un « voyage d'affaires ». Qu'il s'inquiète de ce que vous lui mijotez — *vous*, pour une fois.

COMPATIBILITÉS

LION/SERPENT : Oh, toi Serpent ! Les Gémeaux, Balance, Sagittaire et Capricorne/Bœufs vous suivront partout où vous irez. Même remarque pour les Bélier, Balance et Capricorne/Dragons. Les Sagittaire et Capricorne/Coqs seront fous de vous. Regardez les choses en face. Vous êtes splendide. Même les Balance/Coqs tombent à plat ventre devant vos charmes. Taureau, Scorpion, Verseau/Tigres et Cochons sont à exclure.

FAMILLE ET FOYER

Sortez l'adresse et le numéro de téléphone de votre agence de services préférée, et faites-les-vous tatouer au poignet. Les Lion/ Serpents ont besoin de luxe, à foison ! Entrer dans la demeure d'un Lion/Serpent, c'est comprendre enfin le sens du mot « opulent ». Les Lion/Serpents ont été créés pour faire salon, pour se prélasser, toujours beaux, en négligé ou veste d'intérieur, pour qu'on leur promette tout et qu'on leur donne de l'Arpège.

Les Lion/Serpents attirent les cadeaux. Ils aiment inviter, ils adorent recevoir du champagne, des fleurs, des maris, et se faire choyer, gâter, chouchouter par les autres. Leur environnement est ultra-important. Et toujours impeccable — pourvu que ce ne soit pas le jour de sortie de la bonne.

Le Lion/Serpent moyen met rarement d'enfants au monde dans sa vie. La paternité et la maternité ne sont pas leur « truc ». Essayez de vous représenter une antique princesse, à la beauté glaciale et lointaine, vêtue d'un aérien peignoir couleur pêche, en train d'enfourner des épinards dans la bouche d'un nourrisson gigotant. Impossible. Un Yorkshire ? Peut-être. Mais pas un bébé ! Pourtant, quand ces sujets ont des enfants, ils sont des parents sérieux et intelligents. Il ne fait pas vraiment partie de leur jeu, mais si bébé arrive, on l'adore.

Les enfants du Lion/Serpent vous font comprendre dès leur plus jeune âge qu'ils ne sont pas du genre à accepter de faire les basses besognes dans la maison, ou de passer l'aspirateur en rentrant de l'école. Ils offriront peut-être de vous trouver un monsieur riche qui vous paiera une femme de ménage. Mais normalement, les enfants du Lion/Serpent aiment deux choses : se pavaner et étudier. Ils sont de santé un peu fragile. Emmenez-les souvent chez le médecin. Et chatouillez-les de temps en temps. Les enfants du Lion/Serpent se prennent trop au sérieux.

PROFESSION

Les Lion/Serpents sont capables de travailler, pourvu que le travail soit de nature cérébrale et puisse s'exécuter — chose surprenante — couché sur une chaise longue. Les Lion/Serpents sont industrieux, mais seulement intellectuellement. Ils détestent le mouvement et les chambardements. Je ne vois pas un Lion/Serpent s'affairer à transporter des faitouts de vichyssoise dans un emploi de traiteur, ou même diriger un bureau plein de minettes jacassantes. Le Lion/Serpent est super-nerveux et branché sur le brillant. Si vous avez un employé du Lion/Serpent, attention à votre poste. Vous courez un sérieux danger d'être supplanté par votre subordonné. Et pourtant, les Lion/Serpents ne font pas d'excellents patrons. Ils n'aiment guère commander les gens. En négligé de grand couturier ?

Il sera difficile de tenir tête au Lion/Serpent volontaire dans quelque travail que ce soit.

Carrières convenant aux Lion-Serpents : ils peuvent faire des avocats ou des vendeurs extraordinaires. Mais les Lion/Serpents moyens préféreront acquérir une immense culture, puis devenir vedette de cinéma — c'est plus flatteur que d'être avocat.

Lion/Serpents célèbres : Cecil B. De Mille, Dorothy Parker, Mae West, Gracie Allen, Jackie Kennedy-Onassis, Robert Mitchum, Peter Bogdonovich, Hughes Aufray, Nathalie Delon.

LION	CHEVAL

LION

Ω

Noble	Arrogant
Puissant	Infatué
Philanthrope	Vaniteux
Chaleureux	Tyrannique
Protecteur	Libertin
Loyal	Immodeste

Feu, Soleil, Fixe
« Je veux »

CHEVAL

午

Persuasif	Égoïste
Autonome	Indélicat
Branché	Rebelle
Elégant	Soupe au lait
Adroit	Anxieux
Talentueux	Pragmatique

Feu positif, Yang
« J'exige »

Ce coursier accommodant chevauche tête haute au milieu de ses pareils et passe toutes les revues sans problème. Le Lion/Cheval est toujours gagnant. Aucun obstacle n'est trop haut et il ne craint pas l'adversité. Plus que tout dans la vie, ce sujet désire arriver, se surpasser dans tous les domaines, et cela dans une ambiance joyeuse. Le Cheval né sous le signe du Lion n'est pas boudeur. L'intrépidité qu'il tient du Lion lui permet d'oublier presque totalement la peur de l'échec qui hante tous les natifs du Cheval. Une fois que le Lion/ Cheval sait ce qu'il veut faire, il s'attache au téléphone, prend des rendez-vous, va voir les banquiers, obtient des prêts et commence à repeindre les murs de son futur bureau ou de sa nouvelle boutique. Le Lion/Cheval agit.

Bien entendu, un heureux caractère et un solide sens civique ne suffisent pas à s'assurer une victoire instantanée. Et toute l'huile de coude de l'univers ne peut garantir la réussite. Mais le Lion/Cheval ne le sait pas. Le Lion/Cheval croit que tout ce qu'on FAIT devient immédiatement viable. C'est là que, à l'occasion, notre héros fait une chute et se casse une jambe ou deux. Et c'est aussi pourquoi le Lion/ Cheval est si souvent perplexe et déçu.

Comment ces collaborateurs, à qui il a offert un marché si équitable et profitable, ont-ils pu chercher à le tromper ? Pourquoi cette dame est-elle venue voler dans *sa* boutique ? Elle la trouvait si bien, c'était une si bonne cliente. Le Lion/Cheval secoue la tête, perplexe et déconcerté. « Pourquoi quelqu'un chercherait-il à avoir ma peau ? Je suis si bien. Je travaille dur. Je ne suis pas paresseux. Pauvre de moi. »

Chez certains, ce genre de déception mène à la dépression et même à l'abandon. Pas chez le Lion/Cheval. Il a horreur des revers, méprise l'échec, déplore la supercherie (à moins bien entendu qu'il ne soit le prestidigitateur qui l'exécute). Confronté à l'une de ces calamités, il adopte tout simplement la même tactique que l'adversaire. Il rend coup pour coup — sans compter ! Il ne recherche pas la bagarre, mais s'il la trouve, le Lion/Cheval est un rude et impitoyable adversaire. Foin des scrupules. Pour lui, le mal c'est le mal, et le bien c'est incontestablement la force.

Ce sujet est affligé d'un ego particulièrement susceptible. Il est incapable d'accepter la critique de bonne grâce et combat vigoureusement la moindre réserve à son égard. Il a l'esprit analytique, et pourtant s'abstient de juger les autres. Il ne veut pas qu'on se mêle de ses affaires, et n'hésite jamais à le dire.

Ami des proclamations impromptues, le Lion/Cheval se trouve éloquent. Aux réceptions ou réunions de famille, c'est souvent un Lion/Cheval qui se sent l'obligation soudaine de haranguer la compagnie. Franchement, ces sujets souffrent d'une tendance à l'emphase, et parfois même au prêchi-prêcha.

Mais le Lion/Cheval est charitable. Peut-être donner à de moins fortunés que lui n'est-il qu'une punition qu'il s'impose pour se trouver si « bien ». Il présidera souvent des comités pour l'extirpation de quelque plaie sociale, lèvera des fonds pour les associations de parents d'élèves ou donnera les cents premiers dollars pour la restauration de l'église. Le Lion/Cheval aime les actions philanthropiques — surtout si elles sont bien visibles.

Physiquement, ils savent extrêmement bien se mettre en valeur. Les hommes du Lion/Cheval sont élégants et fringants — parfois même jusqu'à l'affectation. Et les femmes passent pratiquement leur vie à se pomponner, toujours parées avec un goût parfait, avec le foulard de soie noire qui mettra le mieux en valeur leurs jolies boucles d'oreilles en jade. Leur apparence physique compte beaucoup pour eux. Ils font du jogging et de la gymnastique, et s'efforcent d'avoir un régime alimentaire équilibré.

AMOUR

Le Cheval est généralement passionné, plein de vigueur et d'allant. Et pour ce qui est de la passion, le Lion n'est pas en reste non plus. La combinaison des deux signes donne un sujet extrêmement ardent et super-séduisant. L'ennui, c'est qu'en amour le Cheval peut être totalement dénué de scrupules. N'oubliez pas qu'il est incapable de voir les choses du point de vue de l'autre. Le Lion/Cheval trouve parfaitement naturel de rater un rendez-vous, d'oublier de rentrer à la maison plusieurs jours de suite, d'aller se promener tout seul dans les bois, vous laissant vous ronger d'inquiétude au foyer. « Oui, évidemment que je t'aime. Je suis rentré, non ? » dira le Lion/Cheval revenant chez lui après une absence de trois ou quatre jours.

Ou bien le Lion/Cheval prend l'amour de cette façon cavalière... ou bien il tombe amoureux, sabots par-dessus tête, et renonce à tout pour sa passion. Rien ne compte plus alors, que l'objet de sa passion, et les caprices de l'objet de sa passion. C'est une faiblesse dont souffrent tous les Chevaux, mais le Lion/Cheval, avec sa vanité et sa suffisance innées, a plus de chances d'être victime de ces extravagants accès de fièvre passionnelle.

De toute façon, si vous aimez un Lion/Cheval, attachez votre ceinture et soyez prêt à tout. Le voyage sera mouvementé.

COMPATIBILITÉS

LION/CHEVAL : Les Bélier, Gémeaux, Balance, Sagittaire et Capricorne/Tigres sont vos chéris. Même chose pour les Chiens des mêmes signes. Vous tomberez amoureux en un clin d'œil d'un Bélier ou d'un Capricorne/Chèvre. Rien à faire avec les Taureau, Scorpion ou Verseau/Rats ou Singes.

FAMILLE ET FOYER

Le Cheval aime un environnement beau et confortable. L'opulence ne l'attire pas, et il ne recherche pas le luxe pour le luxe. Il est toujours pratique. Pour le Lion/Cheval, la maison devra avant tout fonctionner avec efficacité. Le décor sera chic — mais conservateur. Aucun détail ne sera négligé. Le Cheval né sous le signe du Lion n'est pas du genre à tolérer les robinets qui fuient. Réparera-t-il lui-même sa plomberie? Uniquement en cas d'urgence.

L'état de parent lui permettra de briller de tous ses feux. Il n'est pas ouvertement autoritaire, mais plutôt affectueusement dominateur. Pas de mauvaises manières. Le Lion/Cheval aime l'ordre et la propreté. Il ou elle communique très bien avec les enfants, aime leur consacrer son temps, lire et jouer avec eux.

L'enfant du Lion/Cheval désirera qu'on lui accorde beaucoup d'attention, et aura besoin (sans jamais vraiment la demander) d'une immense tendresse. Il ou **elle** sera d'un heureux naturel et fera la joie de la maison. Généralement, ces enfants manifestent leurs talents de bonne heure. Ils seront d'excellents candidats pour les expériences scolaires hors programme, et adoreront entreprendre des projets à grande échelle.

PROFESSION

Ce sujet peut faire pratiquement n'importe quoi. Le Lion/Cheval a des aptitudes à revendre, qu'il mettra en œuvre grâce à sa volonté indomptable et à son sens pratique, à son application et à son ardeur impétueuses. Il joue pour gagner et gagne souvent. Donnez à ce natif un bureau et un téléphone, et en moins de temps qu'il n'en faut pour le dire, il aura démarré une affaire. La réussite ne l'effraye absolument pas.

Vu que le Lion/Cheval méprise l'autorité et ne supporte pas la moindre critique, vous le trouverez souvent occupant lui-même des situations d'autorité. Les règles ne le gênent pas pourvu que ce soit lui qui les édicte. Parce qu'il lui manque en subtilité ce qu'il possède en brillant, il peut être son pire ennemi dans les affaires ou le travail d'équipe. Le Lion/Cheval est parfois gaffeur. Le Lion/Cheval est un excellent employé pour le patron qui n'aime guère commander. La haute idée qu'il se fait de lui-même lui permet de passer du stade A au stade B sans courir demander au contremaître ce qu'il doit faire. Le Lion/Cheval est naturellement majestueux. Il présente bien. Donnez-lui un emploi exigeant de l'allure et du flair. Il ne vous décevra pas.

Quelques professions et domaines qui lui conviendront : vendeur, relations publiques, publicité, réceptionniste, négociant.

Quelques célébrités du Lion/Cheval : Percy Bysshe Shelley, Aldous Huxley, Ted Hughes, John Huston, Marcel Bleustein-Blanchet.

LION	CHÈVRE
♌	未
Noble Arrogant Puissant Infatué Philanthrope Vaniteux Chaleureux Tyrannique Protecteur Libertin Loyal Immodeste	Inventif Parasite Sensible Primesautier Persévérant Nonchalant Fantaisiste Erratique Courtois Rêveur Bon goût Pessimiste
Feu, Soleil, Fixe « Je veux »	*Feu négatif, Yang* « Je dépends »

Ce Lion a l'esprit d'un artiste et l'ambition de deux Napoléon Bonaparte. Ce mélange parfait de sensibilité et de résolution lui permet, malgré une apparence négligée et un esprit fantaisiste, de toujours se mettre en vedette au moment opportun. Le Ciel a accordé aux Lion/Chèvres la qualité dont sont totalement dépourvues la plupart des Chèvres : le bon sens.

Bien entendu, une Chèvre reste toujours une Chèvre, et celle-ci ne fait pas exception à la règle. Comme toutes les Chèvres, elle sera donc affligée du handicap qui cause souvent leur perte : l'absence de prévoyance. La Chèvre vit dans le présent, dans l'instant, dans la fraction de seconde qui passe. Mais si ses désirs deviennent des réalités, il arrive fréquemment qu'elle les regarde glisser entre ses sabots, sans rien faire. La Chèvre est incapable de persévérer longtemps en quoi que ce soit. On dirait qu'elle ne le désire pas.

La brillante intelligence du Lion s'alliera joliment à la nature hyperimaginative de la Chèvre. Ces sujets ont à la fois l'allant et la pénétration nécessaires à une grande variété d'entreprises artistiques. Toutefois, les Lion/Chèvres détestent la critique ; généralement, ils font semblant de l'ignorer, continuent et recommencent ce qui l'a suscitée. Ils n'hésitent pas à se servir des autres pour leur propre avancement, et, à ce titre, peuvent (une fois de plus) être taxés de dépendance. C'est souvent grâce à la diligence d'un tiers qu'ils se voient catapultés dans la célébrité ou dans la puissance, phénomène découlant de la malléabilité même de la Chèvre, jointe à l'allant naturel du Lion. Le Lion/Chèvre ne travaille jamais comme un galérien.

Les Chèvres planent toujours quelque part, à trois pieds au-dessus de leur propre tête, à regarder passer le monde. Les Lion, quoique avec plus de pompe, font de même. Les Lion sont si enflés d'orgueil qu'ils arrivent à perdre de vue leurs chaussures. Combinaison surprenante, à tout le moins. Vous trouverez peut-être ce sujet altier et même distant. Sonnez-le deux fois. Et s'il ne répond pas, suspendez-vous à la sonnette.

L'opportunisme est partout présent dans ce signe. La Chèvre n'a pas souvent les pieds tout à fait sur terre. Mais quand elle les a, elle est très fine et perçoit les moindres nuances. Le Lion domine. Le Lion surveille. Le Lion protège. Et quand la Chèvre, ayant détecté une chance d'avancement, donne au Lion le signal de bondir — arrrrgh ! Il devient Président du monde.

A condition toutefois que ce sujet apparemment meneur d'hommes se serve de sa tête autrement qu'en guise de porte-chapeau, sinon, sa présidence sera de courte durée. Les Lion/Chèvres doivent abandonner leur pouvoir de décision à des sages dont ils devraient rechercher et suivre les avis. Leur malheureuse disposition à oublier le lendemain minera toujours leur force, à moins qu'on ne les prévienne méthodiquement et intelligemment des dangers qui les attendent.

Les Lion/Chèvres sont des têtes brûlées. Jeunes, ils se lancent souvent seuls dans la vie, et tentent de conquérir la notoriété en choquant de plus conservateurs qu'eux-mêmes. Ils sont aussi quelque peu emphatiques, et ne se lassent jamais du son de leur propre voix.

AMOUR

Si ce sujet incline à la dépendance (et dépendance il y aura sans aucun doute) ce sera dans sa vie amoureuse. Avec le Lion qui la pousse par-derrière, la Chèvre est plus que capable de conquérir la personne aimée. Mais généralement, la volonté de conquête du Lion/Chèvre n'ira pas plus loin. Il rugit : « Ah ! Maintenant, tu es à moi ! ». Mais soudain, l'œil s'éteint, et PATATRAS, la Chèvre prend le relais, soupirant et roucoulant (subtilement au début) : « Occupe-toi bien de moi, grosse brute ! » Le Lion/Chèvre donne la poussée initiale, puis le héros disparaît et se voit remplacé par un parasite émotionnel non venimeux mais néanmoins débilitant.

Toutefois, les Lion/Chèvres sont sacrément séduisants, aussi ne vous étonnez pas si vous vous retrouvez attaché à l'un d'eux. Dans ce cas, ne paniquez pas. En vous y prenant bien, votre Lion né Chèvre peut devenir tout ce que vous désirez qu'il soit. Elle a une imagination vaste et fantaisiste. Il a une conception de la vie pas du tout égocentrique. Le Lion/Chèvre constitue un matériau à partir duquel vous pourrez façonner un être extraordinaire. Mais c'est vous qui ferez le travail à façon. En tant que partenaire d'un Lion/Chèvre, vous êtes le Dr Frankenstein. Laissez les coudées franches à votre monstre rêveur. Il vous emmènera en des lieux dont vous n'imaginiez même pas l'existence.

COMPATIBILITÉS

LION/CHÈVRE : Les Bélier, Gémeaux, Sagittaire et Capricorne/ Cochons sont vos meilleurs choix pour un partenaire à long terme. Ils savent vous protéger discrètement pour que vous puissiez vous consacrer à vos efforts créatifs. Les sujets du Balance, Sagittaire et Capricorne/Cheval vous aiment aussi. Les Capricorne et les Balance/ Chats vous adorent et vous le leur rendez bien. Les Taureau, Scorpion, Verseau/Bœufs et Chiens ne sont absolument pas votre type.

FAMILLE ET FOYER

La maison de ce sujet ne sera pas toujours située en un lieu où il a grandi. Le Lion/Chèvre, si facilement entraîné et irréfléchi dans sa jeunesse, s'expatrie aisément, ou du moins, préfère vivre loin de sa famille. Les Lion/Chèvres aiment se créer un environnement individualiste. Ils se sentent mal à l'aise dans un cadre démodé ou traditionnel. Ils aiment l'espace. Ils recherchent la sécurité, sous forme d'élégance et de confort. La plupart des Chèvres sont habiles de leurs mains. Elles adorent construire et façonner elles-mêmes leur environnement. Elles ont des goûts « bien à elles », reconnaissables à leur grande originalité.

Les parents du Lion/Chèvre sont sincères et chaleureux avec leurs enfants. L'âme enfantine de la Chèvre aime naturellement les petits. Et, comme ce sujet possède aussi le punch du Lion, il saura n'user de son indulgence qu'à bon escient.

Le petit Lion/Chèvre est un amour d'enfant. Joyeux et imaginatif. Fier et pourtant effacé. Il ou elle a besoin d'ouvertures sur l'art. Donnez à votre Lion/Chèvre un bain quotidien de beauté, et immergez-le dans une sécurité à base de câlins et d'activités dirigées. Cet enfant exceptionnel égaiera votre vie.

PROFESSION

Le Lion/Chèvre, comme d'ailleurs la plupart des Chèvres, est doué pour tout ce qui est créatif. C'est un magicien en poésie, danse, musique et imitation. Il saura sans doute aussi peindre et dessiner. De plus, ce sujet est malléable et adapte volontiers son style aux désirs de son public. Il est énergique. Mais il n'est pas entêté.

Patron, ce sujet se laissera parfois entraîner à l'écart de ses objectifs, à moins qu'un strict conseil d'administration ne l'oblige à s'y conformer. Employé, il voudra occuper une situation élevée, mais ne désirera pas nécessairement prendre le commandement de tout le bureau. Il a besoin d'aisance matérielle, et sera donc attiré par des carrières lucratives. Idéalement, ce natif devrait travailler seul, avec seulement quelques parents ou amis intimes pour l'aiguillonner.

Professions convenant aux Lion/Chèvres : artiste (tous les genres), interprète, personnalité publique.

Lion/Chèvres célèbres : Mussolini, Andy Warhol, Geraldine Chaplin, Robert de Niro, Michel Déon, Ménie Grégoire, Jean-Claude Killy, Dominique Lapierre.

LION		**SINGE**	
Noble	Arrogant	Improvisateur	Coquin
Puissant	Infatué	Habile	Astucieux
Philanthrope	Vaniteux	Stable	Loquace
Chaleureux	Tyrannique	Directif	Égocentrique
Protecteur	Libertin	Spirituel	Puéril
Loyal	Immodeste	Zélé	Opportuniste
Feu, Soleil, Fixe		*Métal positif, Yin*	
« Je veux »		« Je prévois »	

Ce sujet a le cœur en or, la langue en argent massif et l'esprit semblable à un piège en acier. Il peut vous faire rire aux larmes, et peut vous émouvoir à en pleurer. Et si vous le fréquentez assez longtemps, il peut même vous entraîner à boire. C'est un petit diable puissant.

Le Singe né sous le signe du Roi des Animaux tient pourtant plutôt de l'agneau que du Lion. Oh, il a cette allure hautaine et impénétrable si célèbre chez les Lion. Mais, par son alliance avec le Singe, d'esprit stable et délié, ce Lion échappe au principal défaut de ses pareils, à savoir la mégalomanie. Point n'est besoin de flatter, caresser et acclamer sans arrêt l'ego du Lion/Singe. Dieu doit l'avoir oublié quand il distribuait la vanité. Le Lion/Singe bien que méritant souvent la louange, a beaucoup d'abnégation, de gentillesse et d'altruisme.

Le Lion/Singe a remarquablement peu d'illusions sur ses lacunes. Naturellement, comme tout le monde, il commet des erreurs et a même des défauts éclatants. On peut dire à un Lion/Singe : « Tu ne trouves pas que tu es bien irascible ce soir, de vouloir tes légumes cuisinés de telle ou telle façon ? » Et, surprise ! Il ne sort pas noblement en claquant la porte ou en vous assénant un coup de journal sur la tête. Il répond simplement : « Oui. Tu as raison. J'étais ridicule. » Et il n'en parle plus.

Ainsi, le Lion/Singe est sensible et objectif. Mais il ne faut pas le prendre pour un imbécile. Il ne supporte pas les scènes et les jérémiades. Il n'aime pas non plus exécuter des besognes subalternes, se faire l'esclave de quelqu'un ou s'aplatir devant ses collègues et ses partenaires amoureux. Le Lion/Singe est un Lion dans toute l'acceptation du terme, mais comme il est aussi un Singe, il est généralement plus cool que ne le sont les Lion en moyenne. Il est plus gentil, et, qui plus est, c'est un modèle de cran et de stabilité. En fait, le Lion/Singe a plus de courage pour les autres que pour lui-même. Il ne supporte pas de voir ceux qu'il aime blessés ou maltraités. Bien qu'il ne soit pas particulièrement agressif, il n'hésite pas à risquer sa vie pour défendre un ami. Le Lion/Singe est la force personnifiée.

Les Lion/Singes sont très séduisants. Ils ont souvent un minois de pékinois et sont petits et râblés. Ils aiment être propres et nets mais ne sont pas spécialement portés sur les parfums et les cosmétiques. Les Lion/Singes sont toujours lucidement optimistes. Ils savent que la vie n'est pas parfaite, mais qu'il vaut mieux en jouir tant qu'elle dure. Ils ont leurs humeurs, mais leur maussaderie ne dure jamais longtemps. Dans leurs rapports avec les autres, les Lion/Singes évitent soigneusement l'usage de la force et de l'injure. Ce sont des gens raisonnables, avec un côté lutin malicieux et taquin.

Un Lion/Singe vous téléphonera d'Alaska en Louisiane s'il croit avoir trouvé un nouveau modèle de piège à souris. Il adore résoudre les problèmes, ordonner le chaos, et, par-dessus tout, le Lion/Singe a plaisir à voir le bonheur de ceux qu'il aime. Si vous êtes aimé d'un Lion/Singe, votre joie est son plus grand plaisir.

AMOUR

C'est uniquement en amour que le Lion/Singe a des ennuis avec son incommode ego. Les Lion/Singes sont jaloux et possessifs. Ils peuvent paraître enjoués et affecter de dédaigner ce qu'ils appellent « les valeurs petites-bourgeoises », il n'en est pas moins vrai qu'ils détestent qu'on marche sur leurs plates-bandes sentimentales. C'est bien là qu'il ne faut pas leur dire : « Chéri, je te trouve bien susceptible de m'avoir fait quitter ce restaurant tambour battant simplement parce que ce monsieur charmant m'a adressé la parole ! » Un Lion/Singe amoureux est un parfait insensé.

S'il se trouve que vous soyez amoureux d'un de ces natifs, permettez-moi de vous donner un amical conseil. Ne l'accablez pas de caresses. Ne soyez pas tout le temps sur son dos. Ne les harcelez pas. Mais protégez-le et conseillez-le. Entourez-le d'affection et de douceur. Les Lion/Singes ont besoin de tendresse. Ils ont besoin de savoir que vous leur appartenez, à eux seuls ; cela les rassure. Ils ne tolèrent pas non plus la paresse ou l'indolence. Ils sont capables de se détendre, mais au fond, ils ne respectent que le travail acharné. Vos vaillants efforts les inspireront. S'ils vous voient travailler très dur, ils auront envie d'en faire autant. Sinon, si vous restez assis à vous tourner les pouces, votre industrieux Lion/Singe sera profondément déçu. Il pourrait en prendre mauvaise opinion de vous, ou même vous abandonner tout à fait.

COMPATIBILITÉS

LION/SINGE : Cherchez un Gémeaux, Balance, Sagittaire ou Capricorne/Rat. Les Bélier, Gémeaux, Sagittaire et Capricorne/Dragons sont aussi de bons partenaires pour vous. Vous n'aurez pas grand succès auprès d'un Scorpion ou d'un Verseau/Serpent. Le Taureau et le Verseau/Cheval n'apprécient pas votre sens de l'humour, et vous n'obtiendrez jamais grand-chose d'un Taureau né dans une année du Cochon.

FAMILLE ET FOYER

Voilà une personne sur qui vous pouvez compter pour se consacrer totalement à sa famille. Si le Lion/Singe a des enfants, il aidera avec enthousiasme dans la maison, changera les couches, essuiera les larmes, donnera le biberon avec l'entrain et la bonne humeur qu'il apporte à toutes les activités de sa vie. Il est fiable et sérieux pour tout ce qui est important, comme le travail et le jeu. Mais le Lion/Singe n'est pas très à cheval sur l'étiquette et la discipline. Les parents du Lion/Singe font davantage appel à leur charme qu'à leur autorité pour obtenir ce qu'ils veulent de leurs enfants.

Leur demeure sera originale et confortable. Les Lion/Singes apprécient un certain confort dans leur vie quotidienne. Mais ils ne sont pas matérialistes ni âpres au gain. Et ils ne se soucient pas d'impressionner la galerie.

Il ne faut pas materner l'enfant du Lion/Singe, ni bêtifier avec lui. Il veut être traité en égal par ses parents. Il a besoin d'une solide éducation et de beaucoup d'encouragements. Il a davantage besoin d'affection qu'il ne le laisse paraître. Cajolez cet enfant. Plaisantez avec lui. Mais, par-dessus tout, aimez ce petit Singe.

PROFESSION

Le Lion/Singe a de nobles intérêts intellectuels. Il aime l'étude de la métaphysique et sera peut-être attiré par la spiritualité. Il y a un poète dans ce petit lutin. Pourtant, le Lion/Singe aime se servir de ses dons artistiques dans la vie journalière, car il a aussi les pieds sur terre. Curieux mélange que ce Lion/Singe.

Aucun métier — si ce n'est celui de galérien — ne lui est interdit. Le Lion/Singe réussit bien lorsqu'il travaille seul, et accomplit alors sa tâche avec une rare diligence. Il n'a pas besoin de chef et préfère ne pas l'être lui-même. L'organisation de la vie des autres va contre ses principes humanitaires, aussi laisse-t-il l'autorité aux autoritaires.

Carrières convenant aux Lion/Singes : ces dons variés lui permettent de prétendre à des emplois nombreux et variés, de directeur sportif à guide touristique en passant par journaliste, assistante sociale ou secrétaire dans l'armée.

Lion/Singes célèbres : Alexandre Dumas fils, Henri Cartier-Bresson, Jean-Jacques Sempé, Salvador Allende, Ray Bradbury, Mick Jagger, Bella Abzug, Robert Waterfield, Edgar Faure, Louis Pauwels, Sylvie Vartan.

Les nombreux talents du Coq permettront à ce Lion une grande variété de choix, généralement interdite aux capacités moins différenciées du Lion. En revanche, le Coq bénéficiera de l'aura du Lion, noble, généreuse, magnanime. Si l'un des deux signes est fort dans un domaine, l'autre y est faible. Ils sont parfaitement complémentaires.

Sans argent, le Lion/Coq devient morose, maussade — ou pire, il peut se droguer ou s'abandonner à d'autres dangereuses débauches. Ce sujet est affligé d'un orgueil presque insensé. L'image qu'il se fait de lui-même dépend entièrement de la façade qu'il crée et à laquelle il veut croire. Une fois qu'il a projeté cette image sur son écran intérieur et qu'elle lui plaît, le Lion/Coq se met en devoir de la projeter à l'extérieur. Il est beaucoup moins spontané qu'il n'en a l'air.

Le physique filiforme du Lion/Coq fait partie intégrante de sa force indomptable. Ces natifs sont sujets à des hauts et des bas de proportions épiques. Ils s'envolent, planent et s'élèvent plus haut que leurs rêves les plus fous. Puis, tout d'un coup — bing ! — le Lion/Coq redégringole sur la terre à la vitesse grand « V ». Et, miracle, il se relève, époussète son beau manteau, rajuste sa coiffure et repart d'un pas noble à la conquête de nouveaux territoires. Comme le bon vieux coq de combat, les Lion/Coqs sont résistants, musclés et durs à cuire.

Les Lion/Coqs sont parfois d'un orgueil exagéré. Ou bien ils se complaisent dans la pensée qu'ils sont extraordinaires, ou bien ils sont contrariés parce qu'ils sont tellement extraordinaires, et que personne n'a l'air de les remarquer. Dans un cas comme dans l'autre, lors de ces crises de suffisance, les Lion/Coqs sont impossibles. Ils se pavanent, ils pérorent, essayant d'attirer l'attention de tous. Cette outrecuidance est souvent insupportable.

Ces crises de présomption ne durent pas longtemps. La vie, dans sa sagesse inimitable, a vite fait de remettre les choses au point. Bébé tombe malade, et il faut le transporter d'urgence à l'hôpital. A l'aide, Lion/Coq! Maman a encore eu une attaque. Vite, allez chercher le Lion/Coq! Il saura ce qu'il faut faire. Etonnant d'observer le Lion/Coq, qui semble toujours se soucier de tout comme d'une guigne, dans les situations délicates et urgentes. Il s'en tire toujours à son avantage.

Le Lion/Coq est un dandy. La parure et tout ce qui a un rapport avec la toilette plaît à son sens de l'élégance. Il ne sort jamais de chez lui en négligé, sauf en cas de force majeure; il y a toujours un petit foulard, une broche ou un ruban pour rehausser la simplicité étudiée qu'aime affecter le Lion/Coq.

Tous les Lion/Coqs ont des amis à profusion. Quand on s'attache à un Lion/Coq, on lui reste fidèle dans la prospérité et dans le malheur. Et comme il y aura beaucoup de malheurs et pas assez de prospérité dans la vie turbulente du Lion/Coq, les personnes qui cultivent sa compagnie seront des amis sûrs. Les Lion/Coqs sont drôles et intéressants. Ils sont aussi intelligents et talentueux, et capables de toujours repartir à zéro. Nouveaux rêves et projets constituent la trame même de leur vie affairée. Pourtant, ils ont peur du danger. Et à juste titre. Le danger rôde partout dans leur vie trépidante. Il leur faut rechercher la modération et s'entourer d'alliés loyaux qui se porteront à leur secours en cas de difficulté (chose assez fréquente).

AMOUR

L'amant du Lion/Coq s'enorgueillit de ses passions. S'il a jamais existé un être attaché aux rapports amoureux durables, c'est bien le Lion/Coq. S'il a choisi un partenaire, c'est généralement pour la vie, pour avoir un foyer, des enfants et un jardin avec arroseuse automatique et motoculteur assorti. Les Lion/Coqs ont tant de talents, capables qu'ils sont de faire sortir la musique de la cacophonie et les fleurs des orties, que la monogamie ne les ennuie pas vraiment. Il y a tant de choses plus intéressantes que de tromper son partenaire. Alors, pour quoi faire ?

Si vous aimez un Lion/Coq, vous feriez bien de prendre votre patience à deux mains. Ces natifs sont sujets à des cafards énormes et à de fréquentes sautes d'humeur. Ils passent parfois des jours entiers prostrés, les couvertures rabattues sur la tête, se plaignant du mal qu'on leur fait et du courage qui leur manque pour repartir du bon pied, et vous demandent d'ouvrir le gaz et de refermer la porte derrière vous avant de partir. Ou ils circulent dans la maison — sans raison apparente — allumant des chandelles, mettant des fleurs dans les vases et une musique fabuleuse sur la platine, pleins d'une joie dont vous pensiez qu'elle les avait quittés pour toujours lors de leur dernière déprime. Toujours les hauts et les bas. Ils sont comme ça. Vous aimez ou pas. Mais si vous aimez — vous adorez.

COMPATIBILITÉS

LION/COQ : Le Bœuf, le Serpent et le Dragon vous courtisent et vous conquièrent avec facilité. Vous avez besoin d'être accompagné, cajolé, encouragé. Ayez soin de vous choisir un partenaire durable parmi les Bélier, Balance, Sagittaire et Capricorne des années ci-dessus mentionnées. Les Taureau, Scorpion et Verseau ne sauront où chercher le déclencheur de tendresse que vous cachez derrière votre oreille gauche. N'approchez pas des Chats et Coqs de ces signes. Et fréquentez peu les Verseau/Chiens.

FAMILLE ET FOYER

Le Lion/Coq règne sur le poulailler avec panache. Il prend le foyer au sérieux. Bien qu'il semble parfois préoccupé par des influences extérieures et des abîmes intérieurs que lui seul ose sonder, le Lion/Coq aime le foyer. Et bien qu'il aime voyager, visiter et exciter sa curiosité sans bornes par des aventures de toutes sortes, il finit toujours par avoir la nostalgie de la maison.

La demeure du Lion/Coq est souvent très belle, toujours confortable et d'un goût excellent — parfois un peu conservateur. Les Lion/Coqs exigent qu'un certain ordre règne dans la maison. Ce sont des parents sérieux, excellents, mais qui ne s'intéressent guère aux couches et aux biberons. C'est à l'adolescence que les enfants leur plaisent le mieux, âge auquel ils peuvent leur parler sérieusement, et échanger des idées avec eux, comme avec des adultes.

Si vous avez un enfant du Lion/Coq, n'oubliez pas qu'il s'intéressera de bonne heure aux vêtements et aux apparences. Le spectacle attire aussi ce jeune impertinent. Il ou elle rêvera de monter sur les planches. Encouragez-le à jouer des sketches, et faites-lui donner de bonne heure des cours d'art dramatique. Et vous pouvez être certain qu'il ou elle sera brillant. De bonnes écoles au programme exigeant s'imposent.

PROFESSION

La réussite ne vient pas facilement aux Lion/Coqs. La première partie de leur vie adulte est souvent pleine d'échecs répétés qui chaque fois donnent l'impression, par leur amplitude même, qu'ils ne s'en relèveront pas. Morts et maladies, découragements et discordes, déveine et accidents se succèdent.

Si ce sujet arrive à serrer les dents et à traverser l'enfer ardent de ses premières années de vie professionnelle, sa destinée sera sans doute grandiose. Souvent promise de naissance à un destin insolite, la femme du Lion/Coq que vous avez connue à trente ans alcoolique au dernier degré, à la suite de la mort d'un de ses enfants dans un accident idiot, peut très bien, à quarante, être présidente de sa banque, abstinente totale et citoyenne modèle en plus.

Bien entendu, le Lion/Coq est un chef-né. Mais je ne dirais pas qu'il adore être patron. Lancer projets et modes, c'est sa façon à lui de diriger. Il aimerait mieux enseigner que pontifier. Les Lion/Coqs aiment AGIR. Ils entreprennent un projet énorme qui nous intimiderait tous et toutes, et, en un clin d'œil ils l'ont mené à bien et s'attaquent au suivant. Ça ne leur fait rien de travailler seuls — ils trouvent même cela préférable au travail de groupe ou d'équipe. Mais il leur faut des admirateurs convaincus.

Carrières convenant aux Lion/Coqs : ils réussissent bien dans les carrières où leurs efforts se voient couronnés d'un succès public : réalisateur de films, écrivain, politicien, musicien, journaliste, moniteur de ski.

Lion/Coqs célèbres : Alex Hailey, Jacqueline Susann, Jerry Falwell, Roman Polanski.

LION	CHIEN
Ω	戌
Noble Arrogant	Constant Inquiet
Puissant Infatué	Héroïque Critique
Philanthrope Vaniteux	Respectable Sainte nitouche
Chaleureux Tyrannique	Déférent Cynique
Protecteur Libertin	Intelligent Insociable
Loyal Immodeste	Consciencieux Sans tact
Feu, Soleil, Fixe	*Métal positif, Yin*
« Je veux »	« Je m'inquiète »

La respectabilité, l'héroïsme et la fidélité éternelle du Chien, alliés à la loyauté, à la noblesse et à l'esprit philanthropique du Lion nous donnent le sujet le plus sérieux et consciencieux qu'il soit possible d'imaginer. Il est si indulgent avec ceux qu'il aime, que si un de ses amis commettait un crime sanglant sous ses yeux, il nierait l'avoir vu. Les Lion/Chiens se soucient des autres, contre vents et marées.

Pour les raisons ci-dessus, quoi qu'il arrive à ces natifs, ils sont rarement vraiment déçus. Dès le départ, ils considèrent la vie comme une sorte d'enfer sur la terre, grouillante d'injustices et de méfaits de toutes sortes, qu'ils s'efforcent de chasser par leurs furieux aboiements. Inutile de se le cacher, les Lion/Chiens sont pessimistes. Mais leur pessimisme ne détruit pas leur immense potentiel de foi. Certains autres natifs du Chien ont tendance à se réfugier sous une chaise et à y rester jusqu'à la fin de leurs jours, grondant et montrant les dents si quelque chose ou quelqu'un cherche à les en faire sortir. Pas le Lion/Chien. Les caprices de leurs vies leur infligent de lourdes défaites, qu'ils supportent vaillamment et dont ils sortent en souriant, et faisant face à leurs responsabilités.

Je connais certains natifs du Lion/Chien. Tous se sont mariés plusieurs fois. Les hommes de ce signe que j'ai connus sont incontestablement des hommes à femmes. Idem pour les femmes du Lion/Chien. Cinq et six mariages! Des liaisons auprès desquelles les vedettes d'Hollywood paraîtraient des nonnes. Chauds lapins, ces Lion/Chiens. Ils aiment le sexe. Mais, plus important, ils adorent la passion.

Le Lion/Chien est connu pour sa capacité de travailler dur et longtemps dans des domaines différents et difficiles. Aucun Lion/Chien ne s'est jamais imaginé que le succès vient facilement, et qu'il aurait dû être promu avant un autre, moins compétent que lui. C'est sa spécialité d'avancer dans la vie avec punch et rigueur. Les Lion/Chiens ne rêvent pas. Ils agissent.

Les Lion/Chiens sont notoirement lents. Ils détestent se presser et préfèrent les situations où l'on peut prendre son temps. Ils sont pondérés et prudents.

Les Lion/Chiens sont presque tout le temps sur leurs gardes, et ils peuvent être assez belliqueux. Ils ont une tendance certaine à la bagarre. Le Lion/Chien ne peut s'empêcher de s'attacher aux détails. Ils vous fera remarquer que vous aviez promis d'acheter le poulet, et que vous revenez avec une dinde. Et la désapprobation d'un Lion/Chien suffit à vous donner l'impression d'être un criminel. Mais rassurez-vous, elle ne dure pas. Aussi vite qu'il est né, le désir de vous mordre retombe. Un simple sourire fera fondre le cœur tendre du Lion/Chien, et si vous allez jusqu'à pleurer — même des larmes de crocodile — pendant qu'il aboie, il vous emmènera au restaurant pour se faire pardonner.

Comme le Lion/Chien rend beaucoup de services à tout le monde, il est particulièrement sensible à ceux qu'il reçoit. N'importe quelle faveur — prêt d'argent ou porte-clés — vous sera rendue, avec les intérêts. Ce faisant, ils vous montrent le monde tel qu'ils voudraient qu'il fût. Ils énoncent leur politique en donnant l'exemple. Façon terriblement subtile d'essayer d'améliorer la société. Mais, malheureusement, pas très efficace.

AMOUR

Comme je l'ai déjà mentionné, le Chien né sous le signe du Lion est amoureux de l'amour. Ce sujet ne ressentira pas le besoin de rester physiquement fidèle à son partenaire. Mais sa fidélité morale et spirituelle sera sans reproche. Ce sujet défendrait les intérêts de son mari même s'il commettait un meurtre, molestait ses enfants, battait sa femme. Elle a cru en lui au départ, et elle croira en lui quoi qu'il arrive.

La bonne façon d'aimer un Lion/Chien, c'est de comprendre son orgueil chatouilleux. En apparence, les Lion/Chiens sont fort modestes. Ils ne plastronnent pas, ils ne remuent jamais la queue (sauf s'ils sont saouls). Mais leur noble cœur abrite un ego gigantesque, que le Lion/Chien ne montre pas souvent. Nous savons à peine qu'il existe. Mais vous, l'amant ou la maîtresse, le mari ou l'épouse de ce monstre de modestie, vous devez apprendre à connaître son ego et à protéger sa fragilité. Vous serez alors le préféré du Lion/Chien, pour la vie.

COMPATIBILITÉS

LION/CHIEN : Vous souffrez d'irascibilité et d'inquiétude occasionnelle (sans parler de paranoïa). Rapprochez-vous des Bélier, Gémeaux, Balance, Sagittaire et Capricorne nés dans des années du Tigre ou du Chat. Le Gémeaux/Cheval vous convient bien également. Vous serez moins satisfait d'un Taureau, Scorpion ou Verseau/Dragon ou Chèvre. Inutile de vous rappeler que le monde est plein de périls et de malheurs. Vous voulez juste vivre avec un partenaire agréable et joyeux qui vous remonte le moral et vous applaudit suffisamment.

FAMILLE ET FOYER

N'allez pas chercher le luxe dans la demeure du Lion/Chien. Pour lui, la maison est simplement l'endroit où l'on vit. Généralement, elle est vivante et confortable. Les livres ont tendance à traîner un peu partout, et la vaisselle à séjourner dans l'évier quelques heures. Mais, dans l'ensemble, le Lion/Chien aime l'ordre. Malgré un certain fouillis, la propreté règne dans sa maison. Il attache peu d'importance à l'opulence.

En famille le Lion/Chien est merveilleux. De caractère responsable, il ira chercher les enfants au cinéma ou passera prendre ses neveux après le match de foot. Il est agréable en compagnie, et aime recevoir et sortir. Mais attention : les Lion/Chiens ne sont guère amusants. Ne les encouragez pas à raconter des histoires drôles. Et ils s'inquiètent. Constamment, sérieusement, et sans retenue. Encouragez le Lion/Chien dans tous les domaines exigeant de la responsabilité. N'hésitez pas à lui demander de se lever pour s'occuper du bébé à trois heures du matin. Il le fera volontiers, et finira peut-être même par s'en faire une religion. N'ayez pas peur non plus de lui demander de l'argent. Les Lion/Chiens sont généreux. (Je n'ai pas dit prodigues.)

L'enfant du Lion/Chien paraîtra maussade et réservé au premier abord. Sa réserve, c'est simplement sa façon à lui de vous observer et de vous évaluer avant de participer aux joyeuses activités de la vie. Il a besoin de beaucoup d'affection et de gaieté. Il faut aussi lui apprendre à ne pas bouder. Ce sera un enfant intelligent, mais lambin. N'essayez pas de le faire se presser. Il aime traîner sur son assiette, sur ses maths, sur ses jouets. N'oubliez pas qu'il est prudent.

PROFESSION

Les Lion/Chiens sont doués pour toutes sortes de travaux compliqués, exigeant analyse et logique, réflexion et planning. Ils sont capables de travailler seuls, et survivent bien dans des emplois où aucun contact humain n'est nécessaire.

On en voit peu devenus patrons. Ou bien ils arrivent, à leur guise et à leur rythme, dans une profession indépendante, ou bien ils restent dans le rang. Ce qui ne les empêche pas d'occuper des situations importantes dans ces rangs. Mais les Lion/Chiens ne recherchent pas la puissance, et n'aiment pas vraiment commander les autres. C'est pourquoi, ou ils seront des piliers du bureau, ou ils y occuperont des emplois invisibles.

Carrières convenant aux Lion/Chiens : l'ingénierie et les sciences sont les domaines naturels du Lion/Chien. Ils peuvent aussi choisir des carrières leur permettant d'utiliser leurs dons humanitaires. Sinon, je conseille les nombreux emplois où l'on travaille seul, et où le Lion/Chien ne subira guère de pressions pour respecter des règles qu'il trouvera peut-être stupides et inutiles.

Lion/Chiens célèbres : Norman Lear, Alain Robbe-Grillet, Micheline Presle.

LION		**COCHON**	
♌		亥	
Noble	Arrogant	Scrupuleux	Crédule
Puissant	Infatué	Courageux	Coléreux
Philanthrope	Vaniteux	Sincère	Hésitant
Chaleureux	Tyrannique	Voluptueux	Matérialiste
Protecteur	Libertin	Cultivé	Épicurien
Loyal	Immodeste	Honnête	Entêté
Feu, Soleil, Fixe		*Eau négative, Yin*	
« Je veux »		« Je civilise »	

Même dans les circonstances les plus tragiques, alors que les dés sont jetés et que le Lion/Cochon semble désespéré, de ce petit tas frissonnant de désespoir sortira une dernière plaisanterie, un dernier calembour, une remarque sarcastique qui vous fera sourire. Les Lion/Cochons ne peuvent s'en empêcher. Ils sont amusants. C'est peut-être le soleil du Lion qui brille sur le compteur de sincérité du Cochon, ou l'honnêteté du Cochon pénétrée de l'esprit philanthropique du Lion. Quoi qu'il en soit, son sens du comique et du sarcasme sera capital.

Les excès de toutes sortes menacent constamment le Lion/Cochon. Excès de nourriture, sexe, aise, travail, amour, confort, conversation et luxe. Comme ils aiment se vautrer dans l'opulence! Il leur faut un environnement magnifique, somptueux, extraordinaire. Et ils veulent bien travailler dur pour l'obtenir. Les Lion/Cochons ont la classe.

Souvent, ils ont aussi beaucoup d'argent. Ils sont généreux et partageurs, magnanimes et hospitaliers. Ils vous donneraient la chemise Dior en soie naturelle qu'ils ont sur le dos. Et le lendemain, se présenteraient avec une chemise en cachemire de Givenchy. Ils donnent à pleines mains, au point qu'on les accuse parfois de gaspillage. Mais ce qui les en protège, c'est leur amour de la sécurité, du foyer, et du bien-être de leur famille. Les Lion/Cochons sont indépendants, fiables et responsables, et possèdent une aura scintillante d'intelligence et de chaleur très convaincante. En compagnie d'un Lion/Cochon dont vous avez attiré l'attention, vous avez l'impression d'être unique au monde, que son bonheur dépend de votre souffle même, et que vous êtes exactement ce que le docteur lui a prescrit.

Le magnétisme des Lion/Cochons assure souvent leur réussite professionnelle. Ils n'ont aucun mal à trouver un emploi et à le conserver. Ils sont si capables, serviables — et tellement amusants. Mais ils trouvent que grimper péniblement jusqu'au « sommet » proverbial est au-dessous de leur dignité. Si les Lion/Cochons atteignent une réussite éclatante, c'est toujours par leur travail acharné et leurs solides qualités.

Dans l'adversité, le Lion/Cochon est le courage personnifié. Naturellement, aucun Lion/Cochon qui se respecte ne voudra le reconnaître. « Je ne suis pas brave », vous dira-t-il. « Je ne suis qu'une chiffe molle dans les circonstances difficiles. » Non seulement le Lion/Cochon est courageux, mais il est modeste. Il ne recherche pas les louanges et les applaudissements. Pas tant de tapage, s'il vous plaît ! Silence ! Mais secrètement, il a besoin d'être acclamé, respecté et admiré. C'est peut-être un Cochon au cœur pur, honnête et courageux. Mais c'est aussi un Lion vaniteux.

AMOUR

En amour, la vertu du Cochon dore le côté chaleureux du Lion. Malgré la tendance du Lion à courir le monde en se pavanant, c'est la réserve et la discrétion du Cochon qui l'emporteront. Ce sujet sera peut-être inconstant, et même un peu coureur, mais il ne sera jamais indiscret. Vous ne recevrez pas une invitation pour l'exposition de ses infidélités.

Dans l'ensemble, les Lion/Cochons ont besoin d'un partenaire indéfectiblement fidèle et loyal. Et comme il subira bien des échecs et aura de nombreux moments de découragement dans sa vie, le Lion/Cochon doit aussi choisir un partenaire capable de les porter dans ses bras, lui et son humour sarcastique, par-dessus les jungles dangereuses, jusqu'au havre suivant.

Si vous aimez un Lion/Cochon, préparez-vous à vous montrer intelligemment dévoué et sobre. Lorsque votre Lion/Cochon se met à faire la bombe, mangeant à lui seul un saumon fumé entier et un kilo de caviar, il désire que vous le rappeliez à l'ordre. Je vous conseille quelque chose du genre : « Dis donc, on dirait que tu as envie de te suicider ! » Pas de drame, gardez un ton léger. Les Lion/Cochons n'aiment pas avoir l'impression qu'on les commande. Mais ils aiment que leur partenaire les aide à se restreindre un peu. Achetez une serrure médiévale chantournée avec clé en or, et installez-la sur la porte du réfrigérateur. Les Lion/Cochons sont partisans d'un décor d'époque.

COMPATIBILITÉS

LION/COCHON : Comme l'humour (plus il est noir, meilleur il est) les attire, vous réussirez bien auprès des Bélier, Gémeaux, Balance, Sagittaire et Capricorne/Bœufs, Chats et Chèvres. Vous aimez le confort et la chaleur, mais vous ne voulez pas qu'on vous étouffe, alors restez à l'écart des Serpents — surtout de ceux nés sous les signes du Taureau, du Scorpion et du Verseau. Le bonheur pour vous ? C'est un Gémeaux/Chien qui sait faire la cuisine.

FAMILLE ET FOYER

Et ils feront n'importe quoi pour vivre dans le luxe. Le Lion/Cochon est toujours celui qui a le plus joli jardin, les plus grosses roses de concours, les projets de vacances les plus inusités et coûteux. A vous en faire pleurer d'envie. Le Lion/Cochon ne peut se coucher dans un lit qui, le jour, n'est pas revêtu d'un couvre-pied en velours, et la nuit pourvu de draps en satin et dentelles anciennes. Ce n'est pas une bonne idée d'inviter votre frère du Lion/Cochon à un concert de rock en plein air un jour de pluie. Ce n'est pas son genre de se geler le derrière dans l'herbe simplement pour entendre vaguement quelques « Yee-Yee-Yee » apportés par la brise. Il préférera de beaucoup s'installer dans son fauteuil en cuir, pour écouter sa stéréo hifi en buvant une coupe de champagne.

En famille, le Lion/Cochon est à la fois sérieux et sarcastique. Il a sa façon à lui de traiter les déceptions du partenaire, des enfants ou de la belle-famille. Il dissimule ses contrariétés sous l'humour. « Eh bien, Judith n'a jamais aimé le foie gras », dira-t-il de sa fille, qui vient de rater un examen. Le Lion/Cochon est convaincu d'être lui-même un individu supérieur, mais il n'exige pas la perfection chez les autres.

Si vous avez un enfant du Lion/Cochon, ne le laissez pas pousser tout seul, cahin-caha, en espérant que tout finira pour le mieux. C'est vrai, dès le berceau, il aura l'air de tout bien faire. Il sera réservé et profond — type penseur. Mais l'enfant du Lion/Cochon a désespérément besoin d'être guidé, doucement aiguillonné, et il faut lui apprendre à développer ses talents. S'il n'a pas développé ses capacités dans sa jeunesse, il pourrait misérablement échouer à l'âge adulte. Et personne ne subit d'échecs plus spectaculaires que le Lion/Cochon. Dès sa naissance, le Lion/Cochon se fixe des normes si élevées qu'il lui faut atteindre un haut degré d'excellence dans sa partie; sinon, il renonce (bien avant tout autre). Le Lion/Cochon déplore la médiocrité. Ne lésinez pas sur les leçons de musique, et les écoles privées très sélectes. Les petits Lion/Cochons ont besoin d'apprendre.

PROFESSION

Un Lion/Cochon de mes amis me dit toujours que son ambition a été écrasée dans l'œuf dès son âge le plus tendre par une paresse indicible. Il prétend être si paresseux qu'aucun projet sérieux ne le tente vraiment plus de cinq minutes. Bien entendu, je sais qu'il a souvent réussi dans ses entreprises, et que des projets qui feraient peur à Lindberg et Amelia Erhardt, à Jacques Cousteau et à Superman, ne sont que routine pour ce talentueux Lion/Cochon.

Un Lion/Cochon heureux est celui dont les talents s'épanouissent par suite d'un heureux concours de circonstances, ou de son choix judicieux de collègues ou d'un partenaire. Le Lion/Cochon peut faire merveille dans une ambiance où il trouve sécurité émotionnelle, encouragements, liberté d'expression et motivations financières.

Carrières convenant aux Lion/Cochons : banquier, journaliste de mode, avocat international, interprète, savant, clown.

Lion/Cochons célèbres : Carl Jung, Henry Ford, Lucille Ball, Alfred Hitchcock, Catherine Langeais, Anne-Marie Peysson.

VIERGE

24 août-23 septembre

VIERGE		RAT	
Consciencieux	Perfectionniste	Charmeur	Avide de pouvoir
Distingué	Négatif	Influent	Verbeux
Gracieux	Snob	Économe	Nerveux
Pratique	Méticuleux	Sociable	Rusé
Serviable	Grincheux	Cérébrale	Intrigant
Délicat	Inabordable	Charismatique	Ambitieux
Terre, Mercure, Mutable « J'analyse »		*Eau positive, Yin* « Je dirige »	

Le sujet né sous ces deux signes forts aura un caractère analytique et vigoureux. Sans avoir le punch dévastateur d'autres signes puissants, le Vierge/Rat vaque à ses affaires avec adresse, méthode et industrie. L'intelligence méthodique de la Vierge tempère ici l'agressivité du Rat. Les Vierge/Rats ne sont ni impétueux ni fous — sauf en amour.

Ce qui élève les Vierge/Rats au-dessus du *vulgum pecus*, c'est leur totale indifférence aux pressions du dehors. Ils font ce qui est nécessaire au moment qu'ils trouvent propice, et ne tolèrent pas qu'associés ou adversaires les pressent ou les coincent. « Attendez », dira le Vierge/Rat, levant la main à une réunion importante. « Laissez-moi réfléchir. » Et pour réfléchir, il réfléchira — aussi longtemps qu'il le faudra pour draguer du fond de son cerveau l'information dont il a besoin. Ce sujet travaille mieux seul, et n'a nul besoin d'approbation ou d'applaudissements pour avancer.

Comme les Vierge/Rats agissent si résolument à partir de leur propre sphère d'influence, il leur est parfois difficile d'écouter ou de suivre avis et conseils venus des autres. Ils semblent parfaitement absorber les informations au moment où on les leur communique. Puis, surprise ! Ils n'ont pas assimilé les faits tels quels, mais ils en ont entré certains dans les mémoires de leur monde intérieur, en leur langage personnel, d'une exactitude méticuleuse.

Naturellement, cette pièce a son revers. Les gens excessivement verbeux et impulsifs peuvent tirer grand profit de l'assistance d'un Vierge/Rat. Le processus de pensée, régulier et sinueux, de la Vierge née dans une année du Rat peut trier les faits des sentiments en quelques secondes. Allez donc un jour pleurer dans le giron d'une amie du Vierge/Rat, et observez son style. « Bon, assieds-toi. Calme-toi. Rassemble tes idées. De quoi s'agissait-il ? » vous dira-t-elle, méthodique.

Vous éclatez en sanglots. Le temps de relever les yeux de votre mouchoir mouillé de larmes, la Vierge/Rat est au téléphone. Généralement, elle a commencé à composer le numéro avant la fin de votre premier sanglot. Elle n'a pas besoin d'entendre tous les détails sordides. Elle va droit au cœur du problème et, clac, l'ennemi est en ligne.

J'ai des amis du Vierge/Rat qui semblent prospérer à partir des ennuis que leur causent les autres. Ils épousent les problèmes, ils couvent les problèmes, ils s'amourachent des problèmes de leurs problèmes. Chez le Vierge/Rat, les désastres appellent les désastres. Mais ils continuent à avancer, tranquilles, arrivant à l'heure au bureau, téléphonant au psychiatre pour leur gendre, appelant les pompiers pour savoir les derniers exploits de leur cousin l'incendiaire, puis écrivant une lettre à la police au sujet du petit accident arrivé à leur femme ou à leur mari, etc. On pourrait les croire accablés de la complexité de la vie des autres. Il n'en est rien.

AMOUR

Dans le domaine du cœur, la lucidité n'est pas leur fort. Bien qu'ils puissent avoir du génie pour éplucher le contrat d'un copain qui vient d'obtenir un rôle dans un film et ne veut pas se faire exploiter, le Vierge/Rat ne parvient pas même à une objectivité modérée dans sa vie personnelle. Il adore les gens d'une passion irrationnelle. Et je suis au regret d'avoir à vous apprendre qu'il les idéalise également. Le Vierge/Rat est si droit qu'il croit tout le monde aussi direct et juste que lui. Naturellement, les Vierge/Rats souffrent d'une déveine catastrophique en amour, parce que l'arbre leur cache la forêt. En amour, on peut les faire marcher jusqu'au bout du monde.

Si vous aimez un Vierge/Rat, rendez-lui service : ne lui faites pas la vie facile. Soyez compliqué. Faites des scènes, déclenchez des algarades et incendiez le salon de temps en temps. Mais... et c'est un « mais » d'importance avec le Vierge/Rat, soyez toujours gentil. Les Vierge/Rats sont toujours un peu raides. La douceur et la docilité les subjuguent. Ils aiment la gentillesse et ne se soucient pas vraiment de ce que vous faites, pourvu que vous vous montriez toujours aussi gentil que vous l'êtes.

COMPATIBILITÉS

VIERGE/RAT : Je vous vois nageant dans la félicité auprès d'un Bœuf, d'un Singe ou d'un Dragon des signes du Taureau, du Cancer, du Scorpion ou du Capricorne. Je ne suis quand même pas trop sûre de ces Scorpion/Dragons. Ils sont passablement intrépides, et vous préférez intimider. Si j'étais vous, j'éviterais les Gémeaux, Balance, Sagittaire et Poissons nés dans les années du Cheval et du Chat.

FAMILLE ET FOYER

Modèle de responsabilité familiale, le Vierge/Rat aime s'occuper des autres, leur donner tout ce qu'il a et leur permettre tous leurs caprices et toutes leurs fantaisies. Mais curieusement, malgré toute cette indulgence apparente, les Vierge/Rats exigent le respect des règles. Eux-mêmes respectent les droits des autres et sont toujours calmes et bien élevés. Ils ne sont pas capables de comprendre un enfant, un conjoint ou un membre de la famille qui n'en ferait pas autant. La règle d'or exposée ci-dessus résume la façon dont le Vierge/Rat traite sa famille. Certains enfants exploitent cette attitude juste et bienveillante et martyrisent leur parent du Vierge/Rat en ne jouant pas le jeu. Je ne citerai personne, mais certains enfants ont parfois besoin qu'on leur botte le derrière.

La demeure du Vierge/Rat sera un havre pour tous ceux qu'il aime, et qui pourront lui rendre visite, s'asseoir autour du feu, pour bavarder, jacasser et discuter pendant des heures. Comme il est sensuel et apprécie les bonnes choses, il les partagera avec vous comme si demain n'existait pas. « Tiens, goûte donc ce Romanée-Conti. Non ? Tu préférerais du Gevrey-Chambertin ? Attends, j'en ai justement gardé une bouteille pour toi. » Et comme il est à la fois une Vierge prudente et un Rat thésauriseur, on ne peut rêver de meilleur ami en temps de restrictions alimentaires. Il a toujours des stocks de tout ce qu'on veut.

Les enfants du Vierge/Rat paraîtront trop calmes et réservés pour être vrais. Mais il n'en est rien. Les Vierge/Rats aiment les bonnes manières. Mais ils ne restent jamais longtemps tranquilles, car ils ont besoin de bouger et sont curieux de tout. Ils peuvent apprendre à faire n'importe quoi de leurs mains, et apprécient généralement le raffinement en tout, de la nourriture à la musique, dès leur plus tendre enfance. Ces enfants ont besoin de grandir dans un environnement ordonné. Ne les forcez pas à partager leur chambre avec un frère ou une sœur du Cochon. Cela ne leur apprendrait rien et ne ferait qu'exciter leur système nerveux déjà tendu à se rompre.

PROFESSION

Ce sujet est doué pour l'analyse. Il donnera sa mesure dans des domaines exigeant recherche et approche systématique. Il est capable d'agir rapidement, mais il ne prend pas de décisions rapides ou inconsidérées. Les Vierge/Rats réussissent particulièrement bien dans les emplois où ils ont la possibilité d'aider les autres à atteindre leurs buts. Ils aiment connaître les dessous cachés de toutes les situations et savent garder un secret — sauf sur leur vie personnelle.

Les Vierge/Rats ne sont pas très flexibles. Ils sont souvent remuants et inquiets. Toutes les carrières exigeant un contact avec le public leur conviennent. Je crois que le Vierge/Rat serait un patron idéal pour un employé travailleur et enjoué. Mais s'il se voit obligé d'aiguillonner ses employés comme du bétail pour les faire avancer, le patron du Vierge/Rat les met à la porte. Les Vierge/Rats ne tolèrent pas l'inefficacité, ni chez eux ni chez les autres.

Carrières convenant aux Vierge/Rats : psychanalyste, agent immobilier, croupier, restaurateur.

Vierge/Rats célèbres : Léon Tolstoï, Joseph Kennedy Sr., Maurice Chevalier, Lauren Bacall.

VIERGE		BŒUF	
Consciencieux	Perfectionniste	Intègre	Entêté
Distingué	Négatif	Réalisateur	Étroit d'esprit
Gracieux	Snob	Stable	Lourd
Pratique	Méticuleux	Innovateur	Conservateur
Serviable	Grincheux	Diligent	Partial
Délicat	Inabordable	Éloquent	Vindicatif
Terre, Mercure, Mutable		*Eau négative, Yin*	
« J'analyse »		« Je persévère »	

« On n'obtient jamais rien sans peine », dit ce bûcheur, modèle de rectitude, qui est à la fois Vierge et Bœuf. Il donne une impression d'ascétisme. Il est résolu. Il est prudent. Il est méticuleux. Il est diligent, classique, traditionaliste et sincère. Et il ne fréquente jamais personne ne possédant pas au moins l'une de ces qualités. Le Vierge/ Bœuf a besoin de diriger sa vie tout seul. Il ne demande jamais l'aide de quiconque, sauf des siens, qu'il a ou bien engendrés, ou bien choisis et triés sur le volet au cours des ans.

On peut lui adresser bien des critiques. Il est d'une lourdeur frisant la caricature, et ses points faibles rempliraient des paragraphes. Mais ce serait trop facile. Vous pouvez constater par vous-même que, de toutes les caractéristiques de la Vierge et du Bœuf, deux tout au plus ont une certaine légèreté. Ce sujet est, dans le meilleur des cas, à la fois courtois et innovateur — terminé pour le côté avenant, mes enfants. Quant à la solennité, ce sujet est passé maître en gravité pesante.

Ce qui l'empêche de sombrer sous le poids de sa lourdeur naturelle, c'est sa lucidité et, bien entendu, son éloquence imbattable. Ce sujet parle bien et est très pointilleux sur les manières et la tenue. Il ne croit pas à la facilité ni aux expédients. Le Vierge/Bœuf est fermement convaincu que ce qui est bien est inaliénablement et immuablement bien. Le noir est noir, et le blanc est blanc. N'essayez pas d'encombrer son esprit de nuances.

Vous pouvez confier à ce natif votre maison, votre vie, votre mari, votre femme, vos enfants et vos animaux. Le Vierge/Bœuf s'enorgueillit de sa respectabilité. Il est fiable et efficace. Il est aussi, dans le genre cassant et sévère, aimant. Ces sujets sont loyaux et honnêtes. Bien que ce soit rare, la ruse peut les tenter, mais toute participation à des manigances tortueuses causera leur perte. Ils ne peuvent supporter d'avoir mauvaise conscience, et veulent toujours garder les mains propres. Chez eux, c'est tout ou rien. S'ils se faisaient prendre la main dans le sac, ils se suicideraient sans doute.

Ils réussissent mieux que personne par le travail acharné. On pourrait même les accuser de se droguer par le travail. Les Vierge/Bœufs ne s'intéressent pas aux conversations mondaines, et fuient les bavardages. Certains les trouvent insociables. Mais c'est leur nature. Ils parlent s'ils ont envie de vous raconter une histoire, et ils la racontent brillamment. Puis ils se taisent. Autrement dit, les Vierge/Bœufs ne sont amusants que sous le feu des projecteurs.

Le Vierge/Bœuf résiste au changement. Si l'on fait les choses d'une certaine façon, et cela depuis très longtemps, s'il a appris à les faire ainsi avec une perfection tout artisanale, il ne voit pas de raison de changer sa façon de procéder. Il peut innover et inventer un produit parfait. Mais il le testera pendant dix ans avant d'essayer de le commercialiser. Il est conservateur et s'épanouit dans le travail et dans l'effort. Quant à endurance, persévérance et régularité dans le labeur, le Vierge/Bœuf remporte la timbale à tous les coups.

AMOUR

La constance est la seconde nature du Vierge/Bœuf. Il est essentiellement pratique, et tombe amoureux d'une personne qui sera utile en même temps que, disons, décorative, sexy ou brillante. La discrimination est un de ses traits les plus caractéristiques. Ces sujets sont extrêmement difficiles sur leurs fréquentations, et recherchent avant tout la probité et l'industrie chez leurs amis. Franc comme l'or, le Vierge/Bœuf trouve les amours passionnées trop embrouillées pour son goût.

S'il se trouve que ce colosse maniaque, aux plaisanteries enjouées et au portefeuille rebondi, vous attire, montrez-lui vos mains calleuses et racontez-lui que vous deviez traire les vaches à l'étable dès l'âge de cinq ans. Suscitez son admiration, et essayez de vous résigner à la faiblesse pour le restant de vos jours. Les Vierge/Bœufs n'aiment pas que leurs partenaires leur fassent concurrence. Pour eux, l'obéissance est la plus grande qualité d'une personne.

COMPATIBILITÉS

VIERGE/BŒUF : L'harmonie est possible à trouver. Surtout si vous la recherchez dans la compagnie d'un natif du Taureau, du Cancer, du Scorpion ou du Capricorne. Chez les Taureau, vous apprécierez particulièrement les Serpents et les Dragons. Les Cancer de votre vie seront sans doute nés dans une année du Cheval ou du Chien. Même chose pour les Scorpion et les Capricorne — Cheval et Chien jusqu'au bout. Mais n'allez pas jusqu'au bout avec les Gémeaux/Dragons, Chevaux ou Chèvres. Evitez de vous associer avec les Sagittaire/Chèvres ou Tigres. Et quoi que vous fassiez, ne vous embarquez pas avec un Poissons des deux derniers signes chinois. Leur fluidité excessive vous ferait sombrer.

FAMILLE ET FOYER

L'intérieur de ce sujet sera extrêmement traditionnel et confortable. Il n'est pas du genre à acheter de ravissants fauteuils fragiles ou des poufs en satin ou en soie. Il veut des meubles à la fois pratiques et d'une élégance rustique.

Par-dessus tout, il veut que son environnement soit adapté à la vie de famille. Le luxe ? Ça viendra plus tard. Je connais un Vierge/Bœuf qui refait la cuisine de sa femme pour la première fois en cinquante ans. « Elle s'est montrée très patiente », dit-il.

Si votre mère ou votre père était du Vierge/Bœuf, vous savez parfaitement que, dans votre jeunesse, vous deviez choisir exactement la même carrière qu'eux ou, en cas d'excentricité patente, devenir à tout le moins médecin ou avocat. Les Vierge/Bœufs font de grands sacrifices matériels pour leur famille. En retour, ils exigent du petit et de la petite qu'ils respectent la discipline et suivent leur exemple. En famille, le Vierge/Bœuf dirige la maison, porte la culotte et tient les cordons de la bourse.

L'enfant du Vierge/Bœuf sera entêté et résolu. Inutile de chercher à l'égayer. Bornez-vous à lui inculquer certaines compétences ou à l'orienter vers des activités sérieuses qui stimuleront son immense capacité de travail. Cet enfant cherche une structure au départ, et ne tolère pas longtemps l'oisiveté.

PROFESSION

Ce sujet aime les environnements calmes, loin de la vie trépidante et bruyante de la ville. Il s'adapte bien aux exigences de la campagne. Il garde une certaine nostalgie du gentleman-farmer ou de l'épouse provinciale, bourgeoise et élégante. Il est précis et minutieux, consciencieux et loyal. De plus, le Vierge/Bœuf est doté d'une vive intelligence, qui lui permet de bien faire tout ce qu'il choisit de faire.

C'est un patron extraordinaire. Les Vierge/Bœufs ordonnent, édictent des règles et veillent à leur application. Ils savent déléguer l'autorité et n'ont pas peur de prendre des mesures disciplinaires. Ils réussissent bien dans les affaires et ils savent vivre avec économie. Ces remarques restent vraies si ce sujet est employé. Il n'a pas peur de la discipline et il n'est pas trop fier pour obéir quand c'est nécessaire. L'autorité naturelle du Vierge/Bœuf ne s'appuie pas sur son ego. Ce sujet sait recevoir des ordres aussi bien qu'en donner.

Professions convenant à ces natifs : analyste de marché, artisan, dresseur de chiens, athlète, éleveur de bétail, agriculteur.

Vierge/Bœufs célèbres : La Fayette, Julien Green, Peter Sellers, Robert Bresson, Philippe Labro, Henri Krasucki.

VIERGE		TIGRE	
Consciencieux	Perfectionniste	Fervent	Impétueux
Distingué	Négatif	Courageux	Emporté
Gracieux	Snob	Magnétique	Désobéissant
Pratique	Méticuleux	Veinard	Conquérant
Serviable	Grincheux	Bienveillant	Immodéré
Délicat	Inabordable	Autoritaire	Itinérant
Terre, Mercure, Mutable		*Bois positif, Yang*	
« J'analyse »		*« Je surveille »*	

Le Vierge/Tigre est un « dur » au cœur d'or. Rien n'échappe aux Vierge/Tigres. Ils observent, calculent, additionnent, prévoient et bondissent, puis ré-additionnent et re-bondissent. Combinaison imbattable pour le sujet lui-même, qui paraît pourtant du genre « je-sais-tout » irritable à ses proches. A-t-il des qualités qui le rachètent ? A revendre.

La Vierge restreint l'impétuosité du Tigre, l'incite à tourner trois fois sa langue dans sa bouche avant d'exposer ses projets téméraires et façonne l'existence généralement aventureuse du Tigre en une vie assez extraordinaire.

Tout d'abord, le Vierge/Tigre est un travailleur acharné. Aucune tâche n'intimide ce sujet inflexiblement industrieux. Quelle que soit la tâche, quel que soit le nombre des convives au déjeuner ou au dîner, quel que soit le nombre d'arrêts sur la route pour que bébé fasse pipi ou que la sœurette prenne l'air, le Vierge/Tigre sera admirable.

En revanche, cette énergie dépensée avec prodigalité à cuisiner, nettoyer, accueillir, et à re-cuisiner, re-nettoyer et ré-accueillir ne le sera pas sans plaintes. Le Vierge/Tigre est peut-être un esclave. Mais un esclave récalcitrant. Ou plutôt, il se sent lié par son devoir, emprisonné par ses obligations, ligoté par sa foi fervente en la justice.

Sans un soupir, il se rendra tous les matins à pied à son bureau exécré, pendant trente ans s'il le faut, sans manquer un seul jour. Mais malheur à ses proches qui n'apprécient pas ce que ce raisonnable Vierge/Tigre fait pour leur bien-être.

Vous comprenez, les Vierge n'ont aucun mal à se comporter avec sérieux. Le sérieux fait partie de leur nature. Mais alors, d'un bond, le Tigre entre en scène, un grand sourire gamin aux babines, et vient débaucher la Vierge, l'inciter au mouvement et aux fredaines. Si le Vierge/Tigre est raisonnable et ne se laisse pas entraîner par le Tigre, il pourra vivre une vie merveilleuse.

Ces natifs auront une tendance certaine à la charité, et la capacité de percevoir les problèmes des autres comme s'ils étaient les leurs. Les Vierge/Tigres sont de bon conseil. Ils sont solides, raisonnables et sages. Ils ont tendance à s'ingérer dans les affaires des autres, et n'hésitent pas à gronder vertement leurs amis pour d'infimes peccadilles. Ils sont méticuleux et maniaques pour leur nourriture, leurs affaires et la qualité de leurs amitiés.

Ce Tigre sera snob. Les Tigres ont déjà assez haute opinion d'eux-mêmes. Les Vierge sont lucides quant à leurs limitations, mais aiment à penser qu'ils fréquentent les gens « qui comptent ». Il peut être assez contrariant de se voir constamment rappeler par un hôte du Vierge/Tigre qui est « Untel » au lieu d'avoir la liberté d'aller engager la conversation avec lui.

Les Vierge/Tigres sont plutôt gais de nature. Ils aiment s'amuser, faire rire les autres, farceurs et joueurs. Ils sont sportifs et pratiquent leur tennis, golf ou ski avec le plus grand sérieux. Les Vierge/Tigres consacrent les plus grands efforts à modeler leur vie en quelque chose d'extraordinaire. Ils partagent volontiers et se plaisent à faire le bonheur des autres. Et ils n'ont pas grand besoin de louanges. Simplement, ils font de leur mieux — ce qui est toujours beaucoup plus que la plupart d'entre nous.

AMOUR

Impossible de rêver partenaire de vie plus honorable, plus intègre, plus fiable et organisateur en tout — y compris le sentiment. Mais ne comptez pas sur le Vierge/Tigre pour la volupté lascive et débridée. Les Vierge/Tigres aiment faire l'amour, et s'y adonnent avec autant de vigueur qu'à la cuisine et au jogging. L'ennui, c'est qu'au cours des plaisirs charnels, les Vierge/Tigres vous donnent l'impression gênante qu'ils s'inquiètent de ce gâteau glissé dans le four juste avant les préliminaires. Est-ce qu'il monte, ou est-ce qu'il s'affaisse ? C'est plus fort qu'eux. Les Vierge/Tigres sont *contraints* d'être utiles.

Si vous aimez un Vierge/Tigre et si vous voulez lui plaire, je vous conseille de faire tous les efforts possibles pour devenir un personnage respectable et même très important dans la société. Les Vierge/Tigres sont sensibles à la situation sociale. Ils s'attachent aux gens qu'ils peuvent admirer et respecter. En face de paresseux et de médiocres, le côté critique de la Vierge se réveille chez ce Vierge/Tigre. Ils pourront se montrer grincheux et amers leur vie durant s'ils s'allient à quelqu'un qu'ils aiment mais ne respectent pas.

COMPATIBILITÉS

VIERGE/TIGRE : Vous êtes attiré par les Capricorne. Votre style un peu sec est comparable à celui du Capricorne/Cheval et Chien. Vous vous entendrez. Le Taureau, Cancer et le Scorpion/Cheval et Chien sont aussi pour vous d'excellents choix. Vous êtes trop impétueux pour le lourd Bélier/Bœuf, et pas assez indolent pour le Gémeaux/Chèvre. Les Gémeaux, Sagittaire et Poissons/Serpents et Singes ne feront pas l'affaire.

FAMILLE ET FOYER

La demeure du Vierge/Tigre sera décorée de façon assez traditionnelle. Ce sujet recherchant ce qui est stable et réel, il aime s'entourer de meubles anciens et d'objets de valeur. Son choix de couleurs tend à préférencier les jaunes et les turquoise. Confort et beauté égayent son environnement. Il y aura toujours une certaine somme réservée pour les fleurs dans son budget hebdomadaire, et les thés et confitures exotiques lui plairont.

La famille, si le Vierge/Tigre trouve le temps d'en fonder une, tient la première place dans sa vie. Les cartes n'annoncent pas des douzaines d'enfants. Turbulents marmots gambadant dans ses salons capitonnés et renversant ses vases cadrent mal avec l'image que se fait le Vierge/Tigre de la félicité familiale. Pourtant, s'ils ont un ou deux enfants, ils se montreront très attachés à leurs petits, et toutes leurs actions tendront à assurer l'avenir et le bonheur de leurs rejetons. Ils seront pleins d'égards pour leurs parents, appelant maman pour son anniversaire et accompagnant papa chez le docteur pour son check-up annuel, mais ils ne leur permettront pas de s'ingérer dans leur vie et ne cohabiteront pratiquement jamais avec eux l'adolescence passée.

Les enfants du Vierge/Tigre sont de merveilleux petits. On peut compter sur eux pour tenir leur chambre, faire les courses, laver la vaisselle, etc. Toutefois, ils seront parfois d'une nervosité exacerbée et légèrement grognons. Ils étudieront sans doute bien, mais pas long-temps.

PROFESSION

L'énergie réaliste du Vierge/Tigre fera merveille dans toutes les carrières exigeant mobilité et responsabilité. Toutefois, il conviendrait de ne pas confronter ce sujet amoureux de sécurité à un excès de libre entreprise et de projets mal définis. Les Vierge/Tigres sont légèrement emportés et peuvent être impétueux. Mais ils réserveront sans doute leur impulsivité pour des actions sensées et solides se déployant à l'intérieur d'un cadre établi.

Carrières convenant aux Vierge/Tigres : Le Vierge/Tigre ne manque pas de charité et pourra trouver son bonheur à travailler pour une église ou pour la Croix-Rouge. On trouvera aussi des Vierge/Tigres dans les très sérieuses carrières de contrôleurs des comptes et de banquiers. Et comme la femme du Vierge/Tigre adore son petit nid propre et douillet et se soucie de son image sociale, elle fera une merveilleuse ménagère dont la tâche quotidienne est de veiller à l'évolution favorable de sa famille.

Vierge/Tigres célèbres : Kitty Carlisle, Karl Lagerfeld, Elliott Gould.

VIERGE		CHAT	
Consciencieux	Perfectionniste	Diplomate	Cachottier
Distingué	Négatif	Raffiné	Sensible à l'extrême
Gracieux	Snob	Vertueux	Pédant
Pratique	Méticuleux	Prudent	Dilettante
Serviable	Grincheux	Bien portant	Hypocondriaque
Délicat	Inabordable	Ambitieux	Tortueux
Terre, Mercure, Mutable « J'analyse »		*Bois négatif, Yin* « Je me retire »	

Le Vierge/Chat est l'image même de la prudence. Et il faut lui accorder de nombreuses années pour se développer lentement et posément avant de faire son premier portrait. Vous ne l'entendrez jamais se plaindre, et vous ne le verrez jamais vous supplier. Ce sujet est d'une circonspection perspicace, se tient à l'écart du danger, et est même capable de renoncer à ce qui est le plus important dans sa vie uniquement pour préserver sa tranquillité et éviter les conflits.

Cela étant, le Chat né sous le signe de la Vierge est souvent obligé d'être seul. Il aime sa maison où il se chauffe devant l'âtre, lisant ses nombreux livres dans un profond silence. Cette félicité n'est possible qu'avec une porte blindée, des fenêtres pourvues d'alarmes et un mur de trois mètres d'épaisseur autour de la propriété. Les Chats nés sous le signe de la Vierge n'aiment pas les importuns.

Ces sujets éprouvent des difficultés à communiquer. Ils préfèrent travailler, construire, restaurer, bricoler plutôt que bavarder. Les conversations à bâtons rompus non seulement les ennuient, mais les effraient. Les papotages leur semblent tellement vains et superficiels ! Les commérages et autres remarques mesquines que d'autres trouvent si amusants les mettent mal à l'aise. *Pourquoi ces gens ne s'occupent-ils pas à des choses plus sérieuses ?* se demandent-ils.

Je ne veux pas dire que les Vierge/Chats sont des petits saints ou des utopistes. Pas du tout. Mais ces sujets n'ont pas l'habitude de se donner en exemple. C'est naturellement qu'ils ont une conduite exemplaire. Ils n'ont pas à se forcer pour être vertueux, et ne méprisent pas ceux qui ne le sont pas. Les Vierge/Chats sont suprêmement tolérants à l'égard des autres, et savent prendre en patience leurs défauts et leurs excentricités.

Le Vierge/Chat se préoccupe sincèrement de son évolution, et, tout tranquillement, ne cherche qu'à progresser et à trouver l'environnement qui lui sera favorable. Les Vierge/Chats sont fortement motivés par le devoir, et aiguillonnés par la quête d'un univers idéal où tout le monde laisserait tranquille le noble Vierge/Chat. Il se commettra avec les masses pourvu que le résultat lui procure la paix intérieure.

Par suite de cette difficulté à établir des contacts humains, ce sujet paraîtra distant et même tyrannique. Il exigera l'impossible de ses associés. Mais le Vierge/Chat est aussi exigeant, sinon plus, envers lui-même. Alors, pourquoi ses collègues n'imiteraient-ils pas ses efforts ?

On accuse souvent le Vierge/Chat d'arrivisme. Cela vient de son désir de raffinement et de son besoin de se raccrocher à tout ce qui est traditionnel. Il est tatillon sur les manières et n'aime pas commettre de faux pas en société. Il préfère ne pas prendre de grands risques, et pourtant, en cas d'urgence, il peut faire preuve d'un courage exemplaire. La routine n'ennuie pas le Vierge/Chat. Ni une certaine subordination, pourvu que son esclavage le protège des accidents. Les Vierge/Chats déplorent l'imprévu et rechignent au changement.

AMOUR

La vie amoureuse de ce sujet comportera deux époques bien tranchées. Dans sa jeunesse, le Vierge/Chat s'entichera sans doute de fantaisistes ou d'excentriques. Il aime s'encanailler un peu. Pendant cette période d'expérimentation, il peut éprouver une folle passion pour un marginal. Mais ces amours « foldingues » seront, j'en ai peur, de très courte durée. Car ce que ce sujet recherche, ce n'est pas une vie pleine de rire et de prestige sous le feu des projecteurs. Avant la trentaine, les Vierge/Chats se terrent généralement dans leur trou, loin de leurs erreurs romantiques. Ils refont souvent surface des années plus tard, épouses de quelque magnat du pétrole ou propriétaires bourgeoisement mariées d'un magasin de chaussures à Landerneau.

Ils ont l'âme sensible aux infortunes des autres. Les Vierge/Chats font parfois un amalgame de leur vertu et de leur sens du sacrifice.

Dans ce cas, ils risquent de se faire exploiter par parents, alliés ou amis, dont ils deviennent les esclaves récalcitrants jusqu'à la fin de leurs neuf vies.

Si vous aimez un Vierge/Chat, rendez-lui un grand service en vous rendant service à vous-même — apprenez à le laisser tranquille. Ne lui parlez pas à moins que ce ne soit absolument nécessaire. Ne tournez pas autour du fauteuil de votre Vierge/Chat et ne l'étourdissez pas de vos bavardages. Eteignez à jamais la télé, et allez lire dans votre chambre jusqu'à l'heure du dîner. Pour cet instrument humain aux cordes vibrantes et délicates, le Paradis, c'est la tranquillité.

COMPATIBILITÉS

VIERGE/CHAT : Oh, comme vous vous entendez bien avec les Taureau, Cancer, Scorpion et Capricorne/Cochons ! Tous ces châtelains casaniers sont capables de vous apporter le bonheur. Vous pouvez également essayer les Taureau, Scorpion et Capricorne/ Chèvres et Chiens. Vous vous entendez particulièrement bien aussi avec les Taureau/Chats. Je ne vous conseille pas les Gémeaux, Sagittaire ou Poissons/Coqs. Ils sont beaucoup trop élastiques pour s'intégrer à votre mode de vie prudent. Les Gémeaux et les Sagittaire/ Rats sont hors de question, comme les Poissons/Dragons.

FAMILLE ET FOYER

La maison de ce sujet, bien pourvue de serrures, verrous et alarmes, sera, de plus, discrètement meublée d'objets d'art et de meubles anciens, choisis pour vieillir avec grâce en compagnie de leur propriétaire. Les Vierge/Chats aiment le beige et le vieil or. Les tons ivoire et blanc cassé leur plaisent. Ils se cramponnent à la tradition en tout, du potage aux cacahuètes de l'apéritif en passant par l'évier de la cuisine.

Ce sujet sera un parent intellectuellement responsable. Il ou elle emmènera souvent Jason et Sarah au musée, et veillera à ce qu'on leur enseigne les vieilles comptines. Bien entendu, le Vierge/Chat pourvoit aux besoins de sa famille. Il gagne superlativement bien sa vie, et croit que l'humanité trouvera son salut dans la famille nucléaire. J'aimerais assez être l'enfant d'un parent Vierge/Chat. Ils assurent confort et sécurité à leurs rejetons.

L'enfant du Vierge/Chat sera peureux et délicat. Il naît avec un excessif respect du danger, et il faut le cajoler pour l'encourager à prendre quelques risques. Il prend très mal le changement ; essayez donc de ne pas avoir un enfant du Vierge/Chat si vous pensez au divorce. Cet enfant a besoin d'ordre et de routine plus que pratiquement tout autre signe

PROFESSION

Comme les Vierge/Chats ont besoin de sécurité et désirent une aisance sûre et stable, ils réussissent bien dans tous les emplois qui leur procurent un revenu décent et régulier. Bien entendu, les Vierge/Chats ne conquièrent pas toujours la gloire ou la fortune qu'ils convoitent, car ce sont des poules mouillées. Comme nous le savons tous, le gros lot tombe plus souvent dans le giron des audacieux. Les Vierge/Chats ne peuvent absolument pas faire preuve d'audace. Ils travailleront, ils bûcheront même, avec sérieux et efficacité. Mais ils ne partiront jamais à l'aventure.

Dans des positions d'autorité, ces sujets tendent à une rigueur et à une sévérité qui sous-entendent tacitement leur propre supériorité. Ce sont, en fait, des parangons de paternalisme. Ils se plaisent à penser qu'ils s'intéressent à leurs employés, pourvoient aux besoins de leurs familles et financent leurs fantaisies. C'est contrariant. Mais efficace. Employé, le Vierge/Chat est un travailleur modèle. Il est si vertueux et honorable qu'on ne le met jamais à la porte — à son grand dam, j'en ai peur. On connaît de ces sujets qui ont gardé toute la vie le même emploi idiot, régulier et pénible, par pure terreur de ne pas en trouver un autre.

Carrières convenant aux Vierge/Chats : conservateur de musée, bibliothécaire, archiviste, analyste de marché, agent de voyage, diplomate, jardinier, décorateur, musicien.

Vierge/Chats célèbres (la célébrité n'attire pas tellement les Vierges/Chats, mais j'en ai quand même découvert quelques-uns) : Ingrid Bergman, Jack Lang.

VIERGE	
Consciencieux	Perfectionniste
Distingué	Négatif
Gracieux	Snob
Pratique	Méticuleux
Serviable	Grincheux
Délicat	Inabordable

Terre, Mercure, Mutable
« J'analyse »

DRAGON	
Puissant	Rigide
Battant	Méfiant
Hardi	Insatisfait
Enthousiaste	Emballé
Vaillant	Vantard
Sentimental	Volubile

Bois positif, Yang
« Je préside »

Ce Dragon est un dur à cuire. Il a assez de cran pour faire sauter l'Australie entière. Il observe toujours une attitude de réserve modeste, comme la Vierge, afin de dissimuler avec dignité son goût pour le sang frais. Le Vierge/Dragon marie l'allant du Dragon au décorum cher à la Vierge.

Si vous recherchez l'efficacité, c'est une combinaison difficile à battre. Les bonnes manières de la Vierge tempèrent le caractère tempétueux du Dragon. Son esprit ressemble à un piège à ours en platine.

Ce Dragon est moins fanfaron et volubile que les autres, car il a l'esprit discriminateur. Pourtant, lorsqu'il est en colère (ce qui n'est pas rare), cela fait invariablement des étincelles. Le mariage du Dragon et de la Vierge, malgré tous leurs traits complémentaires, comporte un poil trop d'égocentrisme pour être harmonieux. Les Vierge/Dragons sont critiques et volontaires. Ils possèdent une langue acérée et vitupérante. L'atmosphère qui s'ensuit n'est pas exactement détendue.

Bien que ce sujet se lance dans la vie le cœur débordant de tendresse et de sentimentalité, l'âge adulte lui apporte le désenchantement. Par la suite, il sera abattu, blasé, et parfois même dangereux.

L'un des traits de caractère les plus importants du Vierge/Dragon, c'est sa volonté farouche. Ce sujet se lance dans la vie avec un zèle brûlant qui frise le fanatisme. Bien entendu, la réussite couronne souvent des individus si résolus. Mais ils laissent beaucoup de cadavres dans leur sillage. Ce que veut le Vierge/Dragon, il l'obtient.

Ces sujets peuvent être d'une séduction assassine.

Ils ont une certaine arrogance dans le port, et savent s'habiller. Ils ont reçu une bonne santé en partage, et se maintiennent en forme pour la conserver. Ce sujet veut « arriver » dans la vie, battre ses concurrents, remporter le titre mondial dans sa spécialité, et rien ne pourra l'arrêter. Excepté son exécrable caractère.

Les Vierge/Dragons trépignent, tempêtent, fulminent et hurlent. Ils passent un tiers de leur temps en fureur : contre leur famille, leur patron et eux-mêmes. Ils détestent l'échec, et même se reprochent avec véhémence le moindre bobo ou la plus petite gaffe comme de se taper sur les doigts avec un marteau. Bien entendu, un comportement si tempétueux refroidit ceux qui se sentiraient attirés par un si séduisant démon. Le Vierge/Dragon n'a pas de pire ennemi que lui-même. Il est impudent et ne sait pas passer inaperçu.

Une âme si résolue n'a pas de temps à perdre en vains bavardages, et préfère se consacrer aux choses sérieuses. La poésie n'est pas son fort. Le Vierge/Dragon aime la compétition, dans les sports et même à la guerre, dans le commerce et les transactions, et il aime avoir la vedette. Oubliez le pain d'épice, et donnez-lui plutôt un quartier de viande crue à dévorer.

Trêve de plaisanteries, ce sujet a la chance de posséder une confiance démesurée en lui. Il saura toujours garder les idées nettes. On peut compter sur lui pour terminer ce qu'il commence, et il déçoit rarement collègues et associés. Les Vierge/Dragons exigent de la vie leur juste part, et l'obtiennent la plupart du temps.

AMOUR

Cette félicité ne se retrouve pas dans la vie personnelle du Vierge/ Dragon. Bien entendu, ce sujet sera constamment en butte aux avances du sexe opposé, car il ruisselle de charme et de magnétisme. Mais malheureusement, sa carrière et sa situation mondaine l'intéressent davantage que l'intimité avec une personne aimée.

Si vous aimez une de ces créatures batailleuses, il vous faudra apprendre à aimer rester sur la touche, souriant et applaudissant aux victoires de votre Vierge/Dragon. Il ou elle insistera pour que vous collaboriez à *son* numéro. La vie avec un Vierge/Dragon ressemble toujours à une rue à sens unique. Bref, il y a beaucoup à admirer, mais peu à embrasser.

COMPATIBILITÉS

VIERGE/DRAGON : En général, vous avez un faible pour les Rats, mais les Taureau et les Capricorne/Rats sont vos cibles les plus vulnérables. Les Taureau et les Cancer/Coqs vous occupent passablement, comme les Taureau, Cancer et Capricorne/Singes. Le sexy Scorpion/Serpent vous subjugue. Les Gémeaux, Sagittaire et Poissons/Chiens vous irritent par leurs constants doutes et hésitations. Les Bœufs, surtout ceux nés sous les signes du Sagittaire et des Poissons, sont vos ennemis les plus notoires.

FAMILLE ET FOYER

Le décor sera surprenant et dépouillé. L'environnement du Vierge/Dragon est toujours sévère et de bon goût. Son penchant le porte vers les meubles traditionnels et peu confortables. Il ne faut pas s'allonger, ni s'enfoncer trop profondément dans l'oisiveté. Vous êtes le bienvenu, mais ne vous incrustez pas, telle est la devise du Vierge/Dragon.

Le Vierge/Dragon ne trouve pas facilement le temps de fonder une famille. S'il décide d'avoir des enfants, ce sera assez longtemps après le mariage. Ces natifs sont des parents responsables, mais stricts et partisans de la discipline. Pourtant, passé l'âge mûr, ils tendent à revenir à leur sentimentalité d'antan. Les Dragons nés sous le signe de la Vierge sont du genre qui mûrit en vieillissant. Grands-parents, ils sont indulgents, compensant par là la sévérité de leur maturité.

A l'école, l'enfant du Vierge/Dragon respectera la discipline. Il est de la race des chefs de classe, n'ignorant pas les avantages futurs de la situation. Peut-être sera-t-il également vulnérable, et facile à blesser. Ne vous en faites pas, il s'aguerrira en vieillissant. Mais, dans son enfance, le Vierge/Dragon a besoin de beaucoup d'attention protectrice. Vous aurez sans doute de bonnes raisons d'être fier de votre petit Vierge/Dragon. Mais si ce n'est pas le cas, ne vous inquiétez pas. Il sera assez fier de lui pour deux.

PROFESSION

Le Dragon né sous le signe de la Vierge trouve son bonheur et son épanouissement dans le travail. Il est doué pour toutes les carrières offrant des possibilités de promotion personnelle, si possible jusqu'au sommet de la hiérarchie. Le Vierge/Dragon est plus modéré que la plupart des Dragons. Il ne quitte jamais le ballon des yeux, et, quand il l'attrape, il marque un essai. C'est un patron plein d'ardeur, qui crache le feu. Il essaiera d'être juste tant que vous ne vous mettrez pas dans ses pattes. Alors... eh bien, il se dira : « Tout est permis en amour et à la guerre » et il agira en conséquence. Ces sujets font des employés très compétents, se préoccupant avant tout que le travail soit fait. Cela peut être exaltant et soulageant pour un employeur surmené. Toutefois, le Vierge/Dragon cherchera toujours à passer par-dessus la tête de ses supérieurs et, d'une façon ou d'une autre, à se frayer un chemin jusqu'à la meilleure situation de l'entreprise.

Carrières convenant aux Vierge/Dragons : politicien, metteur en scène de théâtre ou de cinéma, juge, agent de change, entrepreneur, athlète.

Vierge/Dragons célèbres : Régis Debray, Brian de Palma, Paul Williams, Raquel Welch, Jimmy Connors, Hans Hartung.

VIERGE		SERPENT	
Consciencieux	Perfectionniste	Intuitif	Dissimulateur
Distingué	Négatif	Séducteur	Dépensier
Gracieux	Snob	Discret	Paresseux
Pratique	Méticuleux	Sensé	Cupide
Serviable	Grincheux	Clairvoyant	Présomptueux
Délicat	Inabordable	Compatissant	Exclusif
Terre, Mercure, Mutable « J'analyse »		*Feu négatif, Yang* « Je sens »	

Analyse et intuition constituent deux éléments essentiels de la personnalité du Vierge/Serpent. Cette Vierge est à la fois émotive et séduisante. Elle est sage et profondément compréhensive. Elle peut paraître sérieuse et même grave, mais elle ne manque pas d'humour. La force de ce sujet, c'est qu'il n'est pas vraiment de ce monde. Les Vierge/Serpents évoluent sur une autre planète et arborent toujours un sourire mystérieux. Rien n'est d'une technicité trop complexe pour l'intellect et la perspicacité de ce sujet. Et les problèmes métaphysiques ne sont pas hors de sa portée. Nous sommes ici en présence d'un monstre de séduction et de charisme dont l'évidente — et presque froide — sensualité stimulera le sang de l'observateur le plus réservé. Les Vierge/Serpents sont calculateurs. Ils ont toujours besoin de savoir où ils vont. Avant d'entreprendre un projet, ils veulent que tous les éléments en aient été étudiés dans leurs moindres détails. Les Vierge/Serpents sont capables d'une insincérité magnifique.

Je dirais que le Vierge/Serpent est introverti, et pourtant il s'intéresse vivement aux autres. Cet esprit grégaire s'explique par son besoin d'admirateurs, dont il a toujours plus que sa part. C'est un ami fidèle qui vous écoutera et vous égaiera. Non que le Vierge/Serpent soit naturellement comique. Mais ses yeux rieurs ont un charme irrésistiblement amusant. Ce sujet est remarquablement combatif pour un Serpent. Contrarié, il devient agressif et se lance dans des diatribes monumentales pour défendre son amour-propre. Tout simplement, le Vierge/Serpent ne supporte pas qu'on s'amuse de lui. Il est digne et entend bien le rester. Toutefois, s'il voit qu'il fera inévitablement les frais de la plaisanterie, il est capable de se joindre à la gaieté générale. Vous entendez ce rire sifflant?

Ces sujets semblent inaccessibles au vieillissement et au stress. Ils vaquent à leurs besognes journalières, manifestant un détachement rare à l'égard de presque tous les problèmes. Ils insistent sur la stabilité et désirent trouver l'équilibre dans leur vie personnelle. Ils ne font jamais d'histoires inutiles.

La paresse est la grande ennemie du Vierge/Serpent. Oui. Même la Vierge efficace peut se laisser tenter par la tendance du Serpent à la langueur. De temps en temps, son côté analytique évaluera la situation, et vous vous émerveillerez de le voir se lever en coup de vent du canapé où il se reposait mollement et se lancer dans un tourbillon d'activités. Ce sujet a des capacités. Mais si le soleil brille et si la vie est facile, il peut se laisser aller. La bonne table le tentera. Les Vierge/Serpents devraient éviter les plats qui font grossir et faire de l'exercice tous les jours.

Son ouverture d'esprit est son trait le plus caractéristique. Ce sujet est toujours prêt à faire de nouvelles expériences. Il veut bien tout essayer au moins une fois, et fait un bon compagnon pour quelqu'un qui aime l'aventure.

Ce sujet est également doué de sens critique. Mais comme les natifs du Serpent sont pleins de sagacité et qu'ils se servent davantage de l'intuition que de la logique, les critiques mesquines et pointilleuses de la Vierge se voient réduites au minimum. Toutefois, les commérages plaisent au Vierge/Serpent, et bien qu'il soit discret et ne s'ingère jamais dans les affaires des autres à moins qu'on ne l'y invite, on peut souvent le surprendre à se moquer de la couleur criarde de la nouvelle voiture du voisin.

Les Vierge/Serpents sont autoritaires. Ou plutôt, ils règnent. Point final. Ils expriment leur autorité par des pressions silencieuses, et l'application de règles bien définies sans déclamations excessives.

Ils s'intéressent beaucoup au sort de ceux qu'ils dominent, et se convainquent généralement que leur despotisme est éclairé. N'espérez pas prendre à son propre jeu ce sujet raffiné. Il a pensé à tout et entend bien que tout se déroule comme il l'a prévu.

AMOUR

Les contours de sa vie amoureuse sont assez difficiles à saisir. Vous comprenez, le Serpent a tendance à serpenter d'un amour à l'autre sa vie durant. Les Vierge sont plus fidèles, mais passablement sensuels. La tendance est à l'esquive. Le Vierge/Serpent effectue en douceur la transition de l'amour à l'amitié. Il reste copain avec ses ex.

Si vous aimez un Vierge/Serpent, il vous inspirera de telles fureurs que vous ne penserez même pas à la façon dont il faudrait le « prendre ». Heureusement, la meilleure façon de s'entendre avec ce sujet, c'est tout simplement de ne pas essayer. Ne le manipulez pas. Il n'aime pas qu'on fasse des machinations derrière son dos. Ne vous moquez pas de lui, vous l'offenseriez. Respectez-le, et acceptez l'âme claire et profonde qui est l'apanage de tous ces natifs. Admirez son intelligence, et, pour l'amour du Ciel, ne l'adulez pas.

COMPATIBILITÉS

VIERGE/SERPENT : Les Bœufs et les Coqs vous séduisent. Si j'étais vous, je me cantonnerais à ceux nés sous les signes du Taureau, du Scorpion et du Capricorne. Ne vous décarcassez pas pour conquérir un Gémeaux, un Sagittaire ou un Poissons/Tigre. N'insistez pas si un Gémeaux/Singe vous refuse. Et quoi que vous fassiez, n'envisagez pas d'épouser un Cochon. Cela pourrait nuire à votre santé.

FAMILLE ET FOYER

Les Vierge/Serpents apprécient leur liberté et aiment avoir les coudées franches. Leur environnement n'a pas pour eux grande importance, car ils sont souvent sur la route. Ils aiment le confort, il y aura donc chez eux quelques fauteuils et des victuailles dans le garde-manger. Mais les Vierge/Serpents ne sont pas casaniers.

Si ce sujet a des enfants, il leur passera sans doute tous leurs caprices, les laissera se débrouiller tout seuls en espérant que tout ira pour le mieux. Le Vierge/Serpent est un autocrate, mais ce n'est pas un dictateur, et il ne s'intéresse pas à policer la vie des autres. Ce parent s'amusera avec ses enfants car il aime rire et se joint volontiers aux divertissements, quel que soit l'âge des participants.

L'enfant du Vierge/Serpent sera beau et aura un port plein de cette froide dignité dont je parlais plus haut. Il aimera sans doute les réunions entre copains, et étonnera sa famille et ses professeurs par ses capacités intellectuelles. Vous ne pourrez guère le gâter, car il exigera de lui-même toute l'attention qu'il se sait due. Il ne supporte pas les sarcasmes, qui le mettent en fureur.

PROFESSION

Industrieux la plupart du temps, le Vierge/Serpent s'enlise rarement dans l'ornière de la paresse. Dès son plus jeune âge, il manifeste des dons pour la technique, construit des modèles réduits et bricole, avec une grande attention au détail. Comme, de plus, il a reçu en partage une intelligence exceptionnelle, il dispose dès le départ d'un avantage certain dans tous les domaines scientifiques et dans les carrières exigeant des dons mathématiques.

Patron, le Vierge/Serpent est la personnification de l'expression « noblesse oblige ». Il est si naturellement supérieur qu'il serait stupide de contester son autorité. Il sera sans doute juste et régulier, mais pas parce qu'il est particulièrement altruiste. En toute situation, l'efficacité sera sa règle. Participant à un groupe de travail, il sera à la fois docile et diligent. L'employé du Vierge/Serpent est responsable et capable d'exercer l'autorité qu'on lui délègue. Il peut aussi travailler tout seul dans des postes requérant précision et autodiscipline. Généralement, les Vierge/Serpents travaillent pour vivre, et ne vivent pas pour travailler. Ils vivent pour dépenser de l'argent, aussi travaillent-ils pour en gagner. Mais ce ne sont pas des bourreaux de leur corps. Ils adorent les vacances.

Carrières convenant à ces natifs : programmateur informaticien, chercheur scientifique, économiste, rewriter, ingénieur, architecte, auditeur des comptes.

Vierge/Serpents célèbres : Goethe, Greta Garbo, Jessica Mitford, Claude Nougaro, Larry Collins.

VIERGE		CHEVAL	
		午	
Consciencieux	Perfectionniste	Persuasif	Égoïste
Distingué	Négatif	Autonome	Indélicat
Gracieux	Snob	Branché	Rebelle
Pratique	Méticuleux	Elégant	Soupe au lait
Serviable	Grincheux	Adroit	Anxieux
Délicat	Inabordable	Talentueux	Pragmatique
Terre, Mercure, Mutable « J'analyse »		*Feu positif, Yang* « J'exige »	

L'alliance de la Vierge et du Cheval donne un sujet à la fois altier et élégant. Le Cheval est un lutteur, accomplisseur de grandes choses et aussi parfois — malgré son étalage d'ostentation — un tantinet foufou et passionné à l'excès. La Vierge, comme nous le savons tous maintenant, est réservée. Elle fait bien attention à ne pas dépasser les lignes dans le livre de coloriage de la vie. La Vierge a du goût et est, de plus, un rien maniaque.

Commencez-vous à voir le même tableau que moi ? Ce sujet a tout le talent caracolant du Cheval, tempéré juste ce qu'il faut par la réticence et la discrimination de la Vierge. Et, dans l'autre direction, nous avons, de façon peut-être encore plus évidente, une Vierge qui renonce juste à ce qu'il faut de sa réserve pour savoir exactement comment communiquer avec les masses. Vous comprenez, certaines Vierge souffrent sincèrement de leur nature peu expansive. Elles sont souvent incapables de tolérer le contact avec n'importe qui. Elles font preuve de discrimination. Certains diraient plus rudement qu'elles sont maniaques et pointilleuses. Mais survient le Cheval, qui pousse au derrière la bonne vieille Vierge surannée — exactement ce qu'il faut à la Vierge pour se sentir bien dans sa peau. Une bonne dose de cette vigueur chevaline, et la Vierge part ventre à terre.

Généralement, on accuse le Cheval d'égoïsme, et l'on connaît son goût pour les parures extravagantes. Mais le sujet Vierge/Cheval est plus sec, plus métallique que la plupart des autres Chevaux et, pour cette raison, s'habille de façon plus classique. Votre Vierge/Cheval sera d'une séduction pathétique. Ce sujet possède le charme majestueux qui plaît à tout le monde, de grand-maman au caniche.

Le Vierge/Cheval est également immensément talentueux. L'imagination est bridée, mais non étouffée. La créativité est contrôlée. L'insubordination est tempérée par le sens du devoir et du décorum de la Vierge. Le sujet Vierge/Cheval a bien des qualités. Il est énergique. Il est innovateur. Il est pédagogue. Et c'est un interprète-né — et brillant.

Une ou deux petites réserves : le Vierge/Cheval a tendance à la vanité. Le Cheval souffre déjà d'une certaine enflure de son ego, et le snobisme de la Vierge n'arrange rien. Ce natif est un arriviste qui escalade plutôt qu'il ne monte l'échelle sociale. En second lieu, le Vierge/Cheval est d'un pragmatisme éhonté. Tout ce qui servira à ce sujet à avancer, ne serait-ce que d'un pas, lui paraît acceptable. Même s'il doit piétiner un ou deux subordonnés dans l'ascension qui le mènera en haut de l'échelle. Le Vierge/Cheval est passablement dénué de scrupules là où gain et avancement sont en cause. Ce sont des travailleurs compétents et consciencieux. Mais ils aiment monopoliser la vedette.

Cela dit, la Vierge née dans une année du Cheval est également charitable. Ce sujet aime lutter pour de bonnes « causes » et, lorsqu'il se regarde dans la glace, se plaît à y reconnaître l'image de quelqu'un qui « a de la compassion pour les autres ». L'un dans l'autre, le Vierge/Cheval a une personnalité équilibrée, comprend son rôle dans la vie, évite de se compromettre et d'abuser de son influence. Ce sujet est honnête et n'use pas indûment de son influence. Il est affable, et les gens l'aiment sincèrement.

Bref, ce sujet est un citoyen solide et le déclare sans fausse modestie. Il est enthousiaste et mérite le respect.

AMOUR

Sex-appeal est un terme trop faible pour qualifier la séduction du Vierge/Cheval. Les gens tombent littéralement à ses pieds, discrètement chaussés. Naturellement, il ou elle est conscient(e) de l'aimable attirance exercée sur les autres. Le Vierge/Cheval est doué pour la romance et remarquablement créatif sur le plan sexuel. Ce sujet semble à première vue digne et un peu sec. Mais au lit, il est la douceur incarnée.

Si vous aimez un de ces natifs, autant vous prévenir tout de suite que vous n'êtes pas le/la seul(e). Le Vierge/Cheval a tendance à être baratineur et coureur. Il lui faut un foyer stable et solide en toile de fond, mais quand il/elle part seul(e) en voyage... qui pourrait résister ? Certainement pas le séduisant Vierge/Cheval.

COMPATIBILITÉS

VIERGE/CHEVAL : La Vierge en vous penche naturellement vers les sujets du Taureau, du Cancer, du Scorpion et du Capricorne. Dans leurs rangs, n'hésitez pas à choisir les Chiens et les Tigres. Vos émotions s'accordent parfaitement à celles des Scorpion et Cancer/Chèvres. Vous ne trouverez pas facilement l'harmonie avec un Gémeaux, un Sagittaire ou un Poissons/Rat. Et ce ne sera pas une sinécure que d'arriver à un *modus vivendi* avec un Poissons/Singe. Contentez-vous d'aimer les gens qui vous payent de retour.

FAMILLE ET FOYER

Le Vierge/Cheval est, incontestablement, un tantinet bourgeois. Il voudra un foyer aux proportions parfaites et à l'ameublement raffiné. Si ses moyens le lui permettent, il aura des domestiques. Mais il se montrera amical envers ses esclaves. Et il donnera des réceptions et fêtes dont on parlera (au moins) dans *Vogue*.

Le Vierge/Cheval est un parent enthousiaste qui aime participer à la vie de ses enfants. Il insistera sur la discipline et de bonnes études. Comme ce sujet est d'une séduction éblouissante, les enfants auront tendance à « tomber amoureux » d'un parent du Vierge/Cheval, et à l'admirer jusqu'à l'adoration. Le père ou la mère du Vierge/Cheval doit veiller à ne pas se montrer condescendant à l'égard de ses enfants.

L'enfant du Vierge/Cheval est la joie de ses parents. Il exige beaucoup d'attention. Mais il est si mignon que même la marâtre la plus cruelle succombera à sa séduction. Il faudra évaluer et développer ses talents dès sa plus tendre enfance. Ce petit n'est pas comme les autres, et aura besoin d'entraînement et de discipline pour conquérir la vedette dans sa vie d'adulte.

PROFESSION

Le Vierge/Cheval est doué pour la vie publique. Il a la capacité innée de charmer les foules, et invente toutes les trois secondes de nouveaux moyens de captiver son auditoire. Le Vierge/Cheval est créatif et capable de bûcher de longues heures sur un projet artistique. Quoi qu'il choisisse de faire, il voudra le faire mieux que les autres. Il n'a pas de temps à perdre en échecs, auxquels, s'il devait jamais en essuyer, il sait qu'il aurait du mal à survivre.

Patron, ce sujet est strict et exigeant. Il veut que le travail soit bien fait. Mais il est également capable d'exécuter lui-même toutes les tâches, aussi subalternes soient-elles. Ce qui signifie que ses subordonnés ou bien travailleront dur et le respecteront, ou bien s'en iront. Employé, le Vierge/Cheval est sérieux et énergique. Il veut s'élever dans la vie et il sait que, d'une façon ou d'une autre, il y arrivera. Il est capable d'accepter la servitude pourvu qu'il voie la lumière à l'autre bout du tunnel, et il sait qu'il excellera dès qu'il sera sorti des ténèbres.

Carrières convenant à ce sujet : relations publiques, personnalité du spectacle ou de la télévision, marchand de biens, éditeur, politicien, compositeur, journaliste.

Natifs célèbres du Vierge/Cheval : Leonard Bernstein, Leonor Fini, Denise Fabre, Michel Drucker.

VIERGE		CHÈVRE	
Consciencieux	Perfectionniste	Inventif	Parasite
Distingué	Négatif	Sensible	Primesautier
Gracieux	Snob	Persévérant	Nonchalant
Pratique	Méticuleux	Fantaisiste	Erratique
Serviable	Grincheux	Courtois	Rêveur
Délicat	Inabordable	Bon goût	Pessimiste
Terre, Mercure, Mutable		*Feu négatif, Yang*	
« J'analyse »		« Je dépends »	

Alliées, la Vierge pure et sèche et la Chèvre, dépendante et amoureuse du luxe, donnent une personnalité manquant d'assurance. Le côté solide de la Vierge veut travailler avec sérieux et efficacité. Il soigne son image pour mieux croire en lui-même. Mais la Chèvre languissante vient invariablement gambader à la traverse, et renverse la rigidité de la Vierge. Nous obtenons alors une personne aux opinions affirmées, mais facilement influençable, proie facile pour les individus plus roublards et moins crédules qu'elle.

Les Vierge/Chèvres se livrent à des commentaires sur absolument tout ce qu'ils rencontrent. « Il fait horriblement chaud ici. Les tableaux sont accrochés de travers. Les voitures émettent trop de gaz d'échappement pour mon goût. Cette coiffure ne te va pas du tout. Pourquoi avoir choisi ces chaussures qui t'épaississent les jambes ? » Etc. Toutefois, leur bavardage est parfois agréable. S'ils doutent d'eux, ils sont moins enclins à la raillerie. Ces sujets ont besoin de brouter dans de grasses prairies, d'avoir un emploi stable, et d'être protégés — à la fois dans leur vie privée, par la famille ou un partenaire fort, et dans leur vie publique, par le système.

Ce sujet a l'habitude de se donner en spectacle, non tant clown que pédant orgueilleux et « je-sais-tout ». Bien entendu, lorsque vous êtes devenu son ami, vous réalisez que ses toilettes exotiques et ses postures chic font simplement partie du numéro mentionné plus haut. Les Vierge/Chèvres manquent d'assurance. Garde-robe flamboyante et snobisme ne sont que deux façons, parmi des myriades, de se protéger des flèches d'individus plus forts et plus superficiels.

En fait, ce sujet est un excentrique. Idéalement, il vit dans un environnement campagnard et douillet, dont les frais sont payés par un autre. Dans le meilleur des cas, la Vierge/Chèvre se contentera de tenir son emploi et de rentrer à la maison se mettre les pieds sous la table. Ce natif est fantaisiste et un peu zinzin, mais il est généralement exceptionnellement doué pour le travail qu'il choisit. Il met des tonnes d'imagination dans tout ce qu'il fait, et cela l'épuise. Ce sujet n'est pas aussi fort qu'il le paraît.

La Vierge/Chèvre sera très habile de ses mains. Vous la surprendrez parfois en pleine nuit, en train de refaire la tapisserie d'un fauteuil, ou de décorer l'arbre de Noël avec des ornements accumulés au cours de trente années, précairement perchée sur une échelle et risquant sa vie en vue d'un résultat esthétiquement parfait. Les Vierge/Chèvres sont des personnes artistes et méticuleuses. C'est chez eux ou dans leur studio d'artiste que ces sujets se sentent le plus à leur aise et donnent leur pleine mesure. Les exigences de la société affectent leurs nerfs délicats. La rudesse du monde extérieur les rend grincheux.

Avec la lucidité tranchante de la Vierge, et le penchant de la Chèvre au pessimisme, ce sujet devra lutter contre le négativisme et les préjugés. Il s'étonne que tout le monde ne perçoive avec autant d'acuité que lui. « Tu ne vois donc pas que cette fille est enceinte ? Tu n'as pas remarqué que Jim faisait la tête ? » Ce sujet est victime de sa sensibilité exacerbée. Il serait bien inspiré de choisir dès le départ un emploi stable et un partenaire avisé.

AMOUR

La vie en couple est l'idéal d'un natif de la Vierge/Chèvre. Mais, avec sa tendance à la morgue et aux opinions personnelles tranchées, la Vierge/Chèvre a parfois du mal à nouer des rapports durables. Elle est capricieuse et volette de chimère en chimère avec une assurance qui renverse l'admirateur le plus perspicace. Ce sujet doit s'humilier jusqu'à accepter sa nature dépendante avant de trouver le bonheur véritable dans le mariage ou dans une liaison durable.

Si vous aimez une de ces créatures à l'équilibre précaire, je vous conseille de faire preuve de fermeté et d'assurance avant de vous engager à fond sur le plan émotionnel. Si grande est l'insécurité de la Vierge/Chèvre que, même sans le vouloir, elle peut saper l'assurance de ceux qui l'aiment. Ce qui déclenche une sorte de réaction en chaîne. La Vierge/Chèvre soumet son partenaire à une critique incisive. Le partenaire se met alors à douter de lui-même, de sorte que la Vierge/Chèvre se sent encore moins en sécurité. Sa forteresse, son compagnon fort et vigoureux a chancelé. C'est un cercle vicieux. Attention.

COMPATIBILITÉS

VIERGE/CHÈVRE : En situations amoureuses, les sujets du Taureau, du Cancer, du Scorpion et du Capricorne plaisent à votre sens des convenances. Vos meilleurs choix se trouveront parmi les natifs du Chat et du Cochon des signes ci-dessus. Vous trouverez aussi de bons partenaires parmi les natifs du Cancer et du Scorpion/Cheval. Pour vous, je suis contre les Gémeaux, les Sagittaire et les Poissons, nés dans une année du Bœuf ou du Chien. Les Poissons/Tigres pourront vous séduire, mais épuiseront bientôt votre patience. Ils ne peuvent pas vous protéger suffisamment. Et ils ne vous laisseront pas les organiser.

FAMILLE ET FOYER

Le foyer de la Vierge/Chèvre sera décoré avec goût et originalité. Il ou elle aimera les tissus élégants — doubles rideaux de velours et linge damassé séduisent et rassurent la Vierge/Chèvre. Ce sujet veut recevoir avec classe, et est souvent un hôte ou une hôtesse hors de pair.

Parent, ce sujet oscillera entre l'autoritarisme et l'indulgence totale. Il n'est pas heureux d'avoir à assurer la sécurité de ses enfants. Gagner la vie de sa famille est très dur pour la Vierge/Chèvre, et cela finit par affecter son équilibre. Bien entendu, il est particulièrement doué pour communiquer avec les enfants, vu qu'il est un peu enfant lui-même. Certains sujets de la Vierge/Chèvre demeurent célibataires, ou n'ont jamais d'enfants, mais restent au foyer de leurs parents vieillissants qui leur assurent une couverture protectrice.

L'enfant de la Vierge/Chèvre sera adorablement affectueux, et participera volontiers à toutes les activités enfantines, poétiques et romanesques. En fait, l'enfance est la meilleure période de la vie de la Vierge/Chèvre. Tant qu'ils ont un environnement stimulant, ces enfants se sentent bien dans leur peau. Ne leur demandez pas d'être des champions. Donnez-leur autant d'occasions que possible de développer leurs dons artistiques. Vous ne serez pas déçus.

PROFESSION

D'elle-même, la Vierge/Chèvre sera attirée par les carrières stables. Elle communique bien et choisit souvent des emplois la mettant en contact avec des groupes. La Vierge/Chèvre est une personne aux préjugés aveugles et aux opinions inébranlables. Ce natif réussira bien dans des carrières où on l'appréciera pour ses points de vue originaux et sa capacité à travailler vingt-quatre heures sur vingt-quatre à l'amélioration du système.

Pour ce natif, le métier de patron est sans espoir. Ou bien il est hautain et sarcastique, ou bien il n'est que de la guimauve entre les mains de ses subordonnés. Mais il fait un employé enthousiaste qui cherche à se mettre en valeur par son travail acharné et l'emploi de sa personnalité dans les domaines qui l'intéressent.

Professions convenant aux Vierge/Chèvres : sociologue, décorateur de théâtre, sage-femme, architecte de jardins.

Vierge/Chèvres célèbres : William Carlos Williams, George Wallace.

VIERGE	SINGE

VIERGE		SINGE	
Consciencieux	Perfectionniste	Improvisateur	Coquin
Distingué	Négatif	Habile	Astucieux
Gracieux	Snob	Stable	Loquace
Pratique	Méticuleux	Directif	Égocentrique
Serviable	Grincheux	Spirituel	Puéril
Délicat	Inabordable	Zélé	Opportuniste
Terre, Mercure, Mutable		*Métal positif, Yin*	
« J'analyse »		« Je prévois »	

La Vierge née dans une année du Singe a un port de reine. Les femmes de ce signe sont d'une élégance stupéfiante et rayonnent de la même aura de supériorité que la reine mère de Blanche-Neige. Néanmoins, les Vierge/Singes n'auront jamais la vie facile. Dès l'enfance et dans tous les domaines de leur vie, ils doivent grignoter les obstacles pour s'assurer la moindre réussite.

Les Vierge ont tendance à s'entourer de « gens importants ». Le snobisme leur donne un sentiment de sécurité. En revanche, les Singes se préoccupent rarement de choses superficielles sauf dans un but pratique. S'il est dans l'intérêt du Singe de mentionner le nom d'un ami célèbre, ou d'assister à un ennuyeux cocktail, il le fera volontiers. Mais dans l'ensemble, les Singes ne se soucient guère de fréquenter les huiles.

Cette disparité du caractère du Vierge/Singe lui cause des débats intérieurs sans fin. D'un côté, la Vierge voudrait aller s'entretenir avec Herr Grosshuile. Mais le Singe a faim. Il préfère aller droit au buffet, et se priver de l'ennuyeux blabla de Herr Grosshuile. « Que m'importe cet imbécile ? » dit le Singe.

De tout cela émerge une personnalité nerveuse et fascinée par le pouvoir. Le Vierge/Singe désire contrôler sa vie et celle des autres.

Mais les circonstances l'obligent souvent à renoncer à ce pouvoir avant d'avoir eu l'occasion de l'exercer. Ce qui le déçoit profondément. Et l'incite à s'apitoyer sur lui-même et à se blâmer. « Si tout le monde m'abandonne, j'irai dans la tour consulter mon miroir magique, gémit le Vierge/Singe désillusionné. LUI, au moins, il m'aime. »

Les Vierge/Singes jugent avec bon sens de ce qui convient aux autres, et n'hésitent pas à s'ingérer dans leurs affaires pour le leur faire savoir. Ils évaluent souvent avec justesse les difficultés des autres. Et ils sont charitables et aiment aider les moins fortunés. Ils sont généreux et accableront de bienfaits ceux qui en ont besoin. L'ennui, c'est que le Vierge/Singe se fait payer en compliments, flatteries et adulation. Je dirai que le Vierge/Singe est égoïstement altruiste.

La composante de base du Vierge/Singe, c'est son autorité sèche et nerveuse. Il est thésauriseur et avide à la fois de biens matériels et de compagnie. Vous avez raison de penser que ce besoin de posséder est un rempart contre son insécurité. Les Vierge/Singes sont méticuleux et travailleurs à s'en user les doigts jusqu'à l'os. Ils sont lucides et capables de profonde compréhension. Ils font des investissements solides. Ils sont hospitaliers. Mais ils ont désespérément besoin de dominer, et rien ne les arrêtera pour y arriver.

La Vierge donne l'intelligence, le Singe, l'astuce. La Vierge est réservée. Le Singe est joyeux et extraverti. Ce sujet ne sait jamais laquelle de ces qualités il doit mettre en œuvre dans une situation donnée. La réserve gagne souvent.

AMOUR

En amour, le Vierge/Singe est parfaitement sérieux. Il est aussi archiromanesque. Il veut conquérir et garder son/sa bien-aimé(e). Il aura bien des façons ingénieuses et irrésistibles de courtiser et de séduire. Mais n'oubliez pas le point faible de ce sujet. Il faut qu'il possède totalement ce qu'il aime. Au bout d'un certain temps, l'atmosphère peut devenir oppressante dans une pièce où le Vierge/Singe se pend fougueusement au cou de son amour.

Si vous aimez un Singe né sous le signe de la Vierge, donnez-lui l'impression qu'il est la seule personne de l'univers, à part vous. Vivez en couple uni, en complicité contre le monde. Sacrifiez votre mode de vie au sien. En retour, le Vierge/Singe vous procurera confort, chaleur, nourriture et divertissement. Mais il pourra aussi fermer à clé la porte de la tour et jeter la clé par la fenêtre.

COMPATIBILITÉS

VIERGE/SINGE : Pour vous, rencontre d'esprits avec le Taureau, le Cancer et le Scorpion/Rat et Dragon. Vous les admirez vraiment. Et ils vous le rendent bien. Les Capricorne/Rats et Dragons vous intéressent également. Ils sentent votre amour de la pureté et ils respectent votre intégrité. Ne vous enflammez pas trop pour les Gémeaux, Sagittaire ou Poissons/Tigres. Vous risqueriez d'être blessé pendant l'action. Les Gémeaux et les Sagittaire/Cochons n'ont guère d'indulgence pour vos blagues. Les Poissons/Serpents aiment trop le panache et les Sagittaire/Bœufs sont trop fervents.

FAMILLE ET FOYER

Je n'ai jamais vu un foyer de Vierge/Singe qui ne fût un modèle de luxe et de tradition. La même insécurité qui règne dans la vie intérieure de ce sujet inspire son décor. Il aura fait lui-même une grande partie des travaux, peignant et décapant, plâtrant et mettant la dernière touche aux moindres détails. Quand il s'y met, il fait tout de main de maître, de la cuisine à la menuiserie.

Chez le parent du Vierge/Singe, la possessivité montre le bout de son vilain nez. Les parents du Vierge/Singe sont des seigneurs féodaux. « Je suis ici CHEZ MOI » est l'une de leurs déclarations favorites. Mais n'allez pas vous imaginer que vous pourrez quitter la maison pour ça. Le parent du Vierge/Singe inventera toutes sortes de stratégies baroques pour récupérer l'enfant prodigue. Pourtant, cela arrive rarement, car leurs enfants n'oseraient jamais s'écarter du droit chemin.

Les petits Vierge/Singes auront peur de tas de choses. L'obscurité, la foule, les cauchemars, voilà les ennemis. Cet enfant désire être entouré de confort et de tendresse, et il a besoin de beaucoup de compassion pour se sentir en sécurité.

PROFESSION

Le Vierge/Singe est très doué pour les détails. Il est toujours à l'heure et ne manque jamais une journée de travail. La vie professionnelle de ce sujet est un modèle de perfectionnisme. Il est non seulement pratique, mais encore prudent et ambitieux. Le Vierge/Singe fait un employé diligent. Patron, c'est autre chose. Bien entendu, il voudra commander. Il désirera secrètement que son nom soit écrit sur sa porte en lettres plus grandes que le vôtre et dorées en plus. Le Vierge/Singe est un signe exigeant et méthodique, plein de jugeote pour gagner et accumuler de l'argent. Il n'aime pas renoncer à un millimètre de son pouvoir ou de sa popularité. Cette avidité sera sa perte.

Carrières convenant aux Vierge/Singes : dépanneur (au propre et au figuré), philanthrope, scripte, entrepreneur, administrateur.

Vierge/Singes célèbres : Maxwell Perkins, William Saroyan, Lyndon Johnson, Craig Claiborne, Jacqueline Bisset.

VIERGE		COQ	
Consciencieux	Perfectionniste	Résistant	Effronté
Distingué	Négatif	Passionné	Vantard
Gracieux	Snob	Candide	Borné
Pratique	Méticuleux	Conservateur	Instable
Serviable	Grincheux	Rigoureux	Autoritaire
Délicat	Inabordable	Chic	Dispersé
Terre, Mercure, Mutable « J'analyse »		*Métal négatif, Yang* « Je surmonte »	

Ce Coq travaille sans relâche, et se sort victorieux des situations les plus désespérées, ou alors, il meurt en essayant. La Vierge et le Coq sont des signes de détermination et de cran. Ils ont de la persévérance à revendre. Ils sont énergiques. Leur amour du détail et de la précision dans les faits profite à la société aussi bien qu'à eux-mêmes.

Les Vierge/Coqs sont conscients de leur situation sociale. Si c'est d'argent qu'ils ont manqué dans leur jeunesse, devenus adultes, ils n'auront de cesse qu'ils n'en aient gagné. S'ils ont souffert d'un environnement vulgaire, ils seront obsédés par la « classe », et seront un peu oppressants dans leur quête du bon goût, du raffinement et des « choses à faire ». Ils savent toujours ce qu'ils méritent et à quelle place on les a relégués. Les Vierge/Coqs sont toujours très contrariés de ne pas être considérés comme le « fin du fin ».

Les Vierge/Coqs sont doués pour tout ce qui est intellectuel. Ils peuvent apprendre et retenir en un clin d'œil des faits obscurs, des formes verbales inusitées et des formules mathématiques. Cette capacité s'accompagne d'astuce naturelle. Ils se mettent rapidement au courant dans n'importe quelle situation et à n'importe quel niveau. Le Vierge/Coq veillera toujours à ce que *ses* vieux copains soient les chefs de meute. Les Vierge/Coqs comprennent la discrétion. Ils savent rester bouche cousue sur des sujets délicats ou classés. Ils sont roublards et ne reculent pas toujours devant la ruse.

Bien que le Vierge/Coq soit un tantinet vieux jeu, on ne peut jamais l'accuser de conformisme. Il est incontestablement individualiste, et ne fait pas partie de ces casaniers qui sacrifient leur avancement à leurs parents ou à leur famille. Tout ce que désire le Vierge/Coq, c'est pour lui. Il n'est pas indûment altruiste et a peu de chances de pencher vers une politique libérale. Ces sujets sont autopropulsés.

Ils peuvent toutefois, au nom de l'amitié, entreprendre des tâches ou rendre des services qui effraieraient tout autre. Le Vierge/Coq veut être aimé, et il ne recule devant rien pour assurer sa popularité. Ce sujet est très aimable et constitue toujours un merveilleux additif à n'importe quelle compagnie. Les Vierge/Coqs aiment voyager et revenir raconter leurs expériences. Ils aiment la musique et le théâtre, et passeront des heures à parler avec animation des spectacles auxquels ils ont assisté. Ils sont également bons critiques, et on pourra leur demander conseil sur n'importe quoi, de la coiffure à une liaison amoureuse.

Le don le plus précieux des Vierge/Coqs, c'est leur remarquable discipline intérieure. Ces sujets se lèveront à six heures pour étudier leur grammaire russe, puis feront une longue promenade dans les bois avec leur chien, et reviendront enfin chiader un peu leur maths avant d'attraper l'autobus pour aller au travail. Ils sont audacieux et intérieurement motivés. Je n'irai pas jusqu'à dire qu'ils sont sans peur, mais ils sont certainement plus capables que la plupart d'entre nous d'apaiser leurs angoisses.

AMOUR

L'amour est un problème pour le Vierge/Coq. Son désir naturel de surpasser tout le monde est généralement contrôlé en société. Il sait se montrer flexible et passer les vitesses pour être sympathique. Mais pour être aimé... eh bien, le Vierge/Coq est excessivement inflexible dans le domaine du sentiment. Il veut tout diriger dans la vie amoureuse, et préfère être admiré qu'admirer lui-même. Il aime impressionner son/sa bien-aimé(e) et peut-être aussi l'effrayer un peu. Sadique? C'est possible. Juste un petit poil.

Si vous aimez un Vierge/Coq, préparez-vous à une vie mouvementée. Ce sujet aime bouger. S'il ou elle décide de vous traîner à sa suite dans ses incursions mondaines, cramponnez-vous à votre chapeau. Mais si — et ce n'est pas un « si » très conséquent — votre Vierge/

Coq vous laisse à la maison, il vous faudra apprendre à faire des patiences, car cette créature est toujours « sortie » quelque part. Si vous aimez la solitude et n'avez rien contre les factures de téléphone astronomiques (elle est au Pérou cette semaine, vous vous rappelez ?), trouvez-vous un Vierge/Coq. Vous manquerez peut-être de diamants et de fourrures, mais jamais de conversation.

COMPATIBILITÉS

VIERGE/COQ : Cantonnez-vous à la population serpentine dans votre choix d'un(e) conjoint(e) ou d'un(e) amant(e). Vous serez particulièrement heureux avec un Taureau, Cancer, Scorpion ou même un Capricorne/Serpent. L'emballage est important pour votre ego, et les Serpents s'y entendent en emballage. Rien de mal ne peut vous arriver avec un stable Taureau ou Capricorne/Bœuf, et le scrupuleux Capricorne/Dragon est exactement ce qu'il vous faut pour vous pousser vers les hauteurs. Ne choisissez pas un Gémeaux, un Sagittaire ou un Poissons/Chat. Gardez-vous des Sagittaire/Coqs qui sont trop semblables à vous d'une part, et trop différent de l'autre. N'épousez pas un Poissons/Chien Ils mordent.

FAMILLE ET FOYER

Le foyer du Vierge/Coq est un musée en fouillis, ou à tout le moins une bibliothèque désordonnée. Des livres commencés traînent un peu partout. Généralement, ils coexistent pacifiquement avec les profonds fauteuils, les canapés, les sculptures précolombiennes et les caisses à demi ouvertes. « Mets ça sur le piano. Non. Là. Sur la cithare que j'ai rapportée de New Delhi la semaine dernière. »

En règle générale, les Vierge/Coqs n'ont pas beaucoup d'enfants. Ils sont très individualistes. Au mieux, ils sont capables de supporter les inconvénients mineurs de la présence d'un chien ou d'un chat. La perspective de recevoir la belle-famille ou d'aller passer le dimanche chez la grand-mère lui semble bien ennuyeuse. Le Vierge/Coq est égocentrique et se suffit à lui-même.

L'enfant du Vierge/Coq vous étonnera par sa mémoire. Ce petit qui récite toute une scène de Shakespeare avant d'être en âge de comprendre ce qu'il dit, c'est souvent un Vierge/Coq. Il pourra avoir des talents artistiques, mais la vie simple de l'artiste ne le fascinera pas

longtemps et il y renoncera de bonne heure. Les enfants du Vierge/
Coq ont besoin de compagnie et sont socialement ambitieux.

PROFESSION

« Un jour, j'aurai une maison magnifique sur une colline, avec des
murs couverts de livres, accès facile à la ville, abonnement à l'opéra et
un amant fabuleux qui m'accompagnera partout mais ne me gênera
jamais. » Telle est la vie idéale pour le Vierge/Coq. Indispensable à sa
réalisation — l'argent, bien entendu.

Bien qu'il ou elle puisse exécuter en un clin d'œil les corvées
quotidiennes les plus banales, le Vierge/Coq ne sera jamais heureux
s'il se retrouve coincé dans un emploi « idiot ». Les Vierge/Coqs ont
besoin de spectacle et de spectaculaire dans leur métier. Dans leur
travail, ils aspirent aux défis, aux dangers et aux aventures. S'il est
employé, vous vous retrouverez avec un Walter Mitty sur les bras,
rêvant de jours meilleurs et plus exaltants. S'il est patron — ce sera la
même chose. Ce sujet peut faire n'importe quoi, mais préfère presque
toujours faire exactement ce qui lui plaît.

Carrières convenant aux Vierge/Coqs : anthropologue, explorateur,
chroniqueur mondain, réalisateur de cinéma, agent secret.

Vierge/Coqs célèbres : Richelieu, D. H. Lawrence, Elia Kazan, Ben
Bradlee, Hélène Lazareff, Michel Jobert.

VIERGE	
Consciencieux	Perfectionniste
Distingué	Négatif
Gracieux	Snob
Pratique	Méticuleux
Serviable	Grincheux
Délicat	Inabordable

Terre, Mercure, Mutable
« J'analyse »

CHIEN	
Constant	Inquiet
Héroïque	Critique
Respectable	Sainte nitouche
Déférent	Cynique
Intelligent	Insociable
Consciencieux	Sans tact

Métal positif, Yin
« Je m'inquiète »

La gentillesse et le mordant s'allient chez le Vierge/Chien. Quelque acariâtre qu'il puisse parfois paraître, une petite veilleuse de douceur brille constamment au fond de ses yeux. Les Vierge/Chiens essaient parfois de dissimuler leur vulnérabilité sous le manteau de la sophistication et de la mondanité. Mais sous ce vernis superficiel, vous le découvrirez aussi sensible et doux que le duvet.

Les Vierge/Chiens sont fiables. Ils croient à la vertu et aux bonnes œuvres. Ils ne font rien au petit bonheur et laissent peu de choses au hasard. Vous pourrez toujours faire appel à un Vierge/Chien pour vous prêter assistance. Vous pourrez toujours lui demander dix francs. Consultez quiconque a un ami du Vierge/Chien et il corroborera ce que j'avance. Ils ne sont peut-être pas toujours souriants. Mais ils sont toujours obligeants, prêts à donner un coup de main et ils prennent leurs responsabilités au sérieux.

Ce sujet est calculateur et capable d'amasser une fortune par son travail acharné et un judicieux emploi de l'huile de coude. Ils sont minutieux, et même un tantinet maniaques. Mais qu'importe. On sait qu'on ne peut faire confiance à personne dans la vie, ou alors, on sait aussi comment cela se termine... n'est-ce pas ? Les Vierge/Chiens flairent le danger de loin et sont toujours sur leurs gardes. Les projets foldingues ou souterrains ne les attirent pas. Ils sont près de leurs sous, mais en même temps remarquablement généreux. Les Vierge/Chiens s'occupent de leurs proches... et bien.

Les Chiens nés sous le signe de la Vierge ne sont pas des solitaires. Ils recherchent la compagnie de ceux qu'ils estiment et chérissent. Ils aiment se sentir le centre d'un groupe chaleureux de gens « bien », et feront des pieds et des mains pour prouver leur loyauté et tester celle des autres.

Quoi qu'ils fassent, vous pouvez être sûr que ce sera de bonne foi — mais il vous faudra garder un œil vigilant sur leurs tentatives par trop naïves de redresser des injustices trop injustes pour être redressables. Signez leurs pétitions. Ils sont inoffensifs.

Le Vierge/Chien est généralement conservateur. Il n'est pas du genre pique-assiette. Comme il est partisan du travail acharné et sait enterrer ses os dans les jardins propices, il ne voit pas pourquoi la vie ou la société devraient prendre les autres à leur charge. Sa générosité ne s'étend pas aux oisifs et aux paresseux.

L'inquiétude native du chien, alliée à la méticulosité analytique de la Vierge, donne un sujet souvent très angoissé. Il ou elle épluchera à fond toutes les situations et se rongera les sangs pour des détails mesquins (et parfois insignifiants). Ce comportement frileux provoque une sorte de paralysie qui rendra tout progrès impossible. C'est alors qu'il aura besoin de ses amis pour proposer des solutions concrètes qui le tireront de cet immobilisme engendré par la peur. Il est docile aux conseils, et écoute ceux qu'il trouve plus sages que lui. Le plus grand handicap du Vierge/Chien, c'est son incapacité à refuser son aide aux plus infortunés ou plus faibles que lui. Il est excessivement honorable, et se laisse parfois duper par des truands ou des baratineurs. Dans ce cas, il est profondément blessé et peut en acquérir un air de Chien battu qu'il met longtemps à perdre. La duplicité le met en fureur. Attention à ses réactions. Vous ne savez pas ce que c'est que la rage aveugle tant que vous n'avez pas vu un Vierge/Chien furieux en action. Il perd totalement les pédales. Et il mord !

AMOUR

En amour, le Vierge/Chien se montre circonspect. Et d'abord, il ne se précipite pas pour solliciter des attentions et des faveurs qu'il ne mérite pas. Le Vierge/Chien décidera plutôt quand il veut se marier, se marie, et reste marié jusqu'à la fin de ses jours, plus ou moins calme et satisfait. Oh, il peut être sec et dur à l'occasion. Mais il est capable de surmonter les tempêtes car il a le courage de ses convictions.

Si vous aimez un de ces sujets, il vous faudra créer une atmosphère joyeuse autour de lui et essayer de provoquer son rire. Le Vierge/Chien adore s'amuser, faire le fou, et il a le sens de l'humour. Mais comme il est également inquiet et se préoccupe toujours de son devoir, il faut parfois le tirer de force de sa niche et l'encourager à jouir de la vie. Si votre Vierge/Chien partage votre amour, vous pouvez vous estimer heureux. Il ne vous laissera jamais tomber.

COMPATIBILITÉS

VIERGE/CHIEN : Vous êtes instinctivement charmé par les natifs du Taureau, du Cancer, du Scorpion et du Capricorne. Dans ces catégories, ce sont les Taureau, Scorpion et Capricorne/Tigres qui vous feront le meilleur accueil et avec qui vous vous sentirez le mieux. Les Cancer, Capricorne et Scorpion/Chats vous séduisent également. Ils sont calmes — et astucieux ! Le Scorpion et le Capricorne/Cheval vous donnent aussi bien des plaisirs et des encouragements durables. Je suis contre les Gémeaux, Sagittaire et Poissons/Chèvres, et je vous conseille solennellement d'éviter les Sagittaire et les Poissons/Dragons.

FAMILLE ET FOYER

Contrairement au Bœuf et au Cancer qui aiment le foyer parce qu'il est là, le Vierge/Chien aime le foyer parce qu'il l'a construit de ses mains. La plupart des Vierge/Chiens façonnent seuls leur cadre de vie, construisent pour eux et leur famille un mode vie dont ils sont fiers, et passent des heures et des heures à se sacrifier au nom du FOYER. L'ameublement sera sobre et pratique, peut-être un rien ascétique — mais la petite veilleuse de douceur sera toujours présente sous forme de couverture au crochet ou de bouillotte bien chaude. Le Vierge/Chien s'entend à maintenir une forte cohérence dans sa vie.

Ce sera sans conteste un parent sain et sensé. Il prend toutes ses responsabilités au sérieux. Il s'assied avec ses enfants et les aide à faire leurs devoirs, reste debout après tout le monde pour confectionner des biscuits, etc. Les enfants du Vierge/Chien doivent toujours maintenir les apparences et avoir des manières impeccables avec les étrangers. Mais à la maison, ils peuvent se détendre et jouir de la vie. Leur parent du Vierge/Chien pourrait simplement essayer de se montrer un petit poil moins critique. Mais dans l'ensemble, la maternité et la paternité conviennent bien à ces sujets.

L'enfant du Vierge/Chien serait avisé de naître l'aîné de sa fratrie. Il remplit ce rôle avec aplomb. Il ne déteste pas commander ses frères et sœurs, et aide volontiers dans la maison. En fait, l'enfant du Vierge/Chien surprend souvent les adultes par sa maturité précoce. Que cela vous plaise ou non, cet enfant sera un inquiet, et aura besoin d'être rassuré. Les cauchemars ne sont pas à exclure.

PROFESSION

Centré sur le devoir, le Vierge/Chien peut tenir une grande variété d'emplois exigeant attention au détail et application de l'intelligence aux aspects pratiques du travail. Il connaîtra parfaitement tous les rouages de sa profession. S'il rencontre parfois des difficultés à réussir, c'est souvent dû à son indulgence excessive pour les autres. Si ses collègues sont paresseux ou inefficaces, le Vierge/Chien ne dit rien mais fait leur travail à leur place. Cela l'épuise et met en danger ses nerfs et sa carrière.

Je n'arrive pas à imaginer un patron plus régulier ou plus juste. Ce sujet distribue à chacun exactement la tâche qu'il peut accomplir, suit ses progrès et lui tapote judicieusement l'épaule quand le besoin s'en fait sentir. Employé, c'est la même chose. C'est un virtuose, parfois grincheux et tempétueux, mais jamais méchant ou malhonnête.

Carrières convenant aux Vierge/Chiens : psychiatre, musicien, professeur dans une école d'infirmières, ingénieur, informaticien, professeur.

Vierge/Chiens célèbres : René Lévesque, Kate Millet, Sophia Loren, Barry Gibb, Michael Jackson, Jean-Louis Barrault.

VIERGE	COCHON
Consciencieux Perfectionniste	Scrupuleux Crédule
Distingué Négatif	Courageux Coléreux
Gracieux Snob	Sincère Hésitant
Pratique Méticuleux	Voluptueux Matérialiste
Serviable Grincheux	Cultivé Épicurien
Délicat Inabordable	Honnête Entêté
Terre, Mercure, Mutable « J'analyse »	*Eau négative, Yin* « Je civilise »

Allier la Vierge au Cochon revient à exposer des perles sur un coussin de satin ivoire. La pureté est trop grande. C'est une prime. Naïfs et industrieux, sensuels et raisonnables méthodiques, et méticuleux, les Vierge/Cochons sont des gens « BIEN ».

Pour le Vierge/Cochon, la méchanceté n'existe pas vraiment. Ils ne croient pas réellement que des individus bas, vils, sournois et méchants gambadent sous tous les climats. Les Vierge/Cochons naissent avec la croyance au « noble sauvage ». Pour eux, les gens, les animaux et même les objets inanimés sont foncièrement droits et honorables. Ils peuvent s'égarer. Oh oui, les gens, les animaux ou les téléviseurs peuvent parfois s'écarter du droit chemin. Mais c'est toujours la faute à la société.

Vous comprenez, les Vierge/Cochons sont eux-mêmes d'esprit si pur et sain qu'ils n'arrivent pas à déterminer si les autres sont mauvais. Ils ne voient pas l'enfant qui vole de l'argent dans le sac de sa mère. Ils transforment instantanément le voleur en victime qu'ils ont envie d'aider. Si cet enfant était leur fils, il n'aurait pas commis de larcins. Il serait instruit, cultivé, et n'aurait que de nobles idées dignes du fils d'un Vierge/Cochon.

Cette attitude peut nous sembler naïve. Nous sommes tentés de le trouver hautainement crédule, et de lui reprocher de s'aveugler sciemment. Mais le fait est qu'il faut attirer l'attention du Vierge/Cochon sur le mal pour qu'il le voie. En conséquence, il est fréquemment victime de tromperies.

Ce sujet est pratique. Il est peu de choses qu'il ne puisse faire de ses mains. Aucune tâche manuelle n'est trop complexe pour lui. L'art — soit par l'appréciation des belles œuvres, soit par leur création — est une seconde nature pour cette âme sensible. Ce signe garantit une activité quelconque dans le domaine des arts.

Au premier abord, ce sujet donne l'impression d'être bohème. Il y a quelque chose du poète dans les yeux et dans les vêtements de ce sujet. Pourtant, quand vous connaissez mieux le Vierge/Cochon, vous réalisez que la blouse tachée de peinture et les cheveux frisottés à la dernière mode n'arrivent pas à dissimuler son besoin et même son exigence de luxe. Voilà l'artiste par excellence, yeux cernés, traits tirés, nerveux, fragile et si timide — qui vient juste de faire refaire sa cuisine, dépensant pour cela la moitié de ce que vous gagnerez l'année prochaine. Si le Vierge/Cochon ne vit pas dans l'opulence, il est malheureux. L'art, c'est très bien, mais l'argent éloigne le gros méchant loup du bois.

Les Vierge/Cochons détestent donc la corruption, mais convoitent ce qu'elle peut procurer. Cette contradiction les rend légèrement schizophrènes. Ils clament qu'ils veulent mener une vie simple et campagnarde. Mais ils sont toujours en train de soupirer après un Picasso. Ils semblent ne se soucier que du strict nécessaire, mais n'aspirent qu'au luxe. Les Vierge/Cochons sont si purs qu'on pourrait dire qu'ils sont secrètement attirés par le mal. Quand ils ont l'air le plus innocent, vous pouvez être sûr que les Vierge/Cochons « mijotent » quelque chose — mais discrètement.

AMOUR

Loyauté et amour vont bien ensemble. Ce sujet sera d'un dévouement irréprochable envers une personne aimée et envers un ami. En retour, le Vierge/Cochon exige beaucoup de ceux qu'il aime. Il est capable de sacrifices personnels de longue durée pour sauver une liaison, et rien ne l'arrêtera pour séduire une personne qu'il ou elle trouve irrésistible. Au nom de l'amour, il offrira cadeaux et services de toutes sortes.

Attention à la colère du Vierge/Cochon! La colère est rare chez un sujet qui donne et pardonne si facilement. Mais quand le point de saturation est atteint, quand il ou elle ne peut pas encaisser une déception de plus, lorsqu'il ou elle a vu sa foi piétinée par des vauriens traîtres ou sans scrupules, alors le terme de « rage aveugle » est encore trop faible pour décrire sa réaction. Le Vierge/Cochon est capable de rompre définitivement. Pour un Vierge/Cochon en colère, ses ennemis (qui sont rares) sont comme s'ils étaient morts. Si vous aimez un Vierge/Cochon, assurez-le de votre obéissance. Si vous voulez conserver votre Vierge/Cochon, il ne doit pas avoir le moindre soupçon de la moindre trahison.

COMPATIBILITÉS

VIERGE/COCHON : Pour vous, le Bélier/Bœuf sera un partenaire hors du commun. Vous êtes une personne solide qui a besoin de luxe. Le Bélier/Bœuf y pourvoira. Sinon, vous trouverez des partenaires tout venant parmi les Taureau, Cancer, Scorpion et Capricorne/Chats et Chèvres, personnes tranquilles qui aiment la nature. Le Taureau/ Tigre ou Cochon pourra peut-être faire l'affaire. J'éviterais les Gémeaux, Sagittaire et Poissons/Serpents. Ce sont des symboles d'opulence, c'est vrai. Mais ils se plaisent à serrer les petits Cochons juste un poil trop fort pour le bien de ces derniers. Vous n'aurez guère de chance avec les Gémeaux ou les Poissons/Singes. Et oubliez ce Poissons/Dragon que vous avez rencontré la semaine dernière.

FAMILLE ET FOYER

Les Vierge/Cochons aiment le confort. Ils vivent toujours dans un cadre agréable et, en fait de meubles, sont attirés par l' « authentique ». Pour ce sujet, meubles anciens et beaux tableaux passeront avant les plaisirs de la table. De tous les natifs du Cochon, celui-ci est peut-être le plus ascétique. Il ne sera pas vaniteux, et le décor ne sera ni surchargé ni baroque.

L'état de parent constitue un débouché naturel pour la vertu. Et les Vierge/Cochons sont des spécialistes de la vertu. Ces parents cousent à la main le costume d'angelot pour la fête de Noël de l'école, se gèlent dans la neige pour applaudir les slaloms et chutes de leurs rejetons, n'oublient jamais de signer les devoirs et de prendre rendez-vous tous les six mois pour le check-up dentaire. Centré sur le devoir, ce parent exigera que ses enfants soient bien élevés, leur enseignera les bonnes manières, et les punira s'ils s'écartent du droit chemin. Sérieux, capable, et attaché à son devoir.

Si vous avez un enfant du Vierge/Cochon, vous vous émerveillerez que Dieu vous ait accordé une telle bénédiction. Votre enfant sera posé et brillant. Il aura le sens de la discrétion dès son plus jeune âge, et un œil infaillible pour les détails. Cet enfant ne saura pas facilement exprimer son affection, et il faudra beaucoup le cajoler. Artistes jusqu'au bout de leurs sabots, ces petits devraient apprendre très jeunes à écrire et à peindre.

PROFESSION

Le Vierge/Cochon sera capable de bien remplir n'importe quel emploi, sauf ceux des connaissances scientifiques approfondies. Ce sujet est artiste avant tout. La science l'ennuie. Comme il saura certainement dépenser l'argent avec prodigalité, il est vraisemblable qu'il saura aussi en gagner. Les Vierge/Cochons travaillent dur et sont naturellement industrieux.

Le Vierge/Cochon sera un excellent patron, que ses employés aimeront et respecteront pour sa capacité à donner l'exemple. Il ne trouve pas au-dessous de sa dignité d'exécuter n'importe quelle corvée. Employé, ce sujet sera fiable et au-dessus de tout soupçon. Il ou elle cherchera toujours à améliorer sa situation, car, où qu'il se trouve dans l'échelle hiérarchique, il ou elle voudrait toujours être plus haut. Les Vierge/Cochons travaillent aussi extrêmement bien dans des postes où ils sont seuls.

Carrières convenant aux Vierge/Cochons : nonne, prêtre, décorateur de théâtre ou de cinéma, musicien, écrivain, peintre, conservateur de musée, archiviste.

Vierge/Cochons célèbres : Jorge Luis Borges, Robert Benchley, Stephen King, Ken Kesey, Patrick Poivre d'Arvor.

BALANCE
23 septembre-22 octobre

<table>
<tr><td colspan="2">BALANCE</td><td colspan="2">RAT</td></tr>
</table>

BALANCE		RAT	
Juste	Querelleur	Charmeur	Avide de pouvoir
Esthète	Manipulateur	Influent	Verbeux
Charmant	Temporisateur	Économe	Nerveux
De bon ton	Sybaritique	Sociable	Rusé
Équilibré	Distrait	Cérébrale	Intrigant
Idéaliste	Bavard	Charismatique	Ambitieux

Air, Vénus, Cardinal
« Je balance »

Eau positive, Yin
« Je dirige »

Doté de multiples talents à dire le moins, le Balance/Rat vit d'espoir. Il voudrait faire sauter la banque à Monte-Carlo, tenir la vedette dans une pièce de Broadway et engendrer — ou mieux encore ÊTRE — le président des Etats-Unis. Et lorsqu'il en a fini avec ces objectifs secondaires, il voudrait encore prendre le temps de devenir prix Nobel.

Les Balance/Rats sont d'une ambition confinant à l'autodestruction. Ils n'arrivent jamais à renoncer à leur quête de la suprématie. Mais comme ils sont surtout doués pour la poésie et la fantaisie, ils n'arrivent que rarement, sinon jamais, à s'emparer du véritable pouvoir — c'est-à-dire du pouvoir sur les autres. Ils sont communicatifs jusqu'à l'épuisement... de l'interlocuteur. Ils veulent *tout* raconter, tout le temps, et dans les plus petits détails.

On se plaît facilement en sa compagnie. Les Balance/Rats sont ouverts et affables. Ils sont curieux des autres et facilement émus de leurs problèmes et désirs. Le Balance/Rat est un signe fascinant. Ces sujets intriguent, manigancent et commèrent à cœur que veux-tu. Ils ont un comportement compliqué et tortueux. Ils sont à la fois avares et généreux. Ils aiment avoir de l'argent pour en donner à ceux qu'ils en jugent dignes. Ils sont idéalistes et excessifs.

Les Balance/Rats veulent dominer. Pourtant, ils ne sont ni méchants ni autoritaires. Ils ont une méthode originale pour dominer les autres : la douceur. Leur candeur apparente les rend sympathiques à ceux qu'ils admirent ou dont ils recherchent la compagnie. Cette méthode de charme leur permet de se rendre indispensables à ceux qu'ils aiment. Si vous vous faites un ami du Balance/Rat, vous ne manquerez jamais plus de compagnie. Mais vous ne serez plus jamais seul non plus.

Les Balance/Rats tendent à résoudre leurs problèmes psychologiques en en parlant. Aucun des deux signes n'est violent. Ni l'un ni l'autre n'est lourd ni maladroit. En conséquence, ce sujet donne une impression de légèreté, d'amabilité et de candeur presque enfantines. Le hic, c'est qu'il ne s'agit là que d'une attitude. La sincérité ouverte de ce sujet est en partie feinte. Les Balance/Rats affectent la simplicité, et la familiarité du genre « Salut, comment ça va ? » Mais attention ! Cet aimable roublard vous aura roulé avant que vous ayez eu le temps de vous en apercevoir.

Le Balance/Rat est d'une sensibilité fébrile. Il est capable d'inspirer de nobles idéaux à tout un auditoire. Les Balances nées dans une année du Rat ont une remarquable mémoire des détails et une immense capacité de création. Le Rat et la Balance sont tous deux profondément enracinés dans la tradition. Ils sont conservateurs à outrance dans les domaines de la religion et de la coutume.

L'esthétisme de la Balance est une bénédiction pour le Rat belliqueux. La douceur et la distinction de la Balance modèrent la dureté occasionnelle du Rat. Le Rat, enclin aux préjugés, bénéficie du sens de la justice de la Balance, et acquiert quelque subtilité en prime. Ce sujet ne manque pas d'esprit manipulateur — ni, d'ailleurs, de charisme.

AMOUR

Le Balance/Rat prend ses sentiments au sérieux. L'émotion est une denrée qu'il ne distribue qu'avec prudence et discrimination. Mais dès qu'il a jeté son dévolu sur quelqu'un, la situation change. Le Balance/Rat ne plaisante pas avec l'amour. De plus, il n'est jamais infidèle à l'amour même — uniquement à un amant ou à une maîtresse.

Si vous aimez une de ces beautés artificieuses, je vous suggère d'investir dans l'achat de gants de velours. Les mots : *A manipuler avec soin* sont gravés sur le cœur du Balance/Rat. Cet amant n'hésite pas à donner de la voix. Il ou elle vous fera un effet certain. L'impact initial ne passera pas inaperçu. Impossible d'ignorer ce personnage effervescent. Comme le bon champagne, il faut débarrasser le Balance/Rat de son excès de bulles. Puis, dégustez lentement et régalez-vous.

COMPATIBILITÉS

BALANCE/RAT : Vous êtes fatalement attiré par les Gémeaux, les Lion, les Sagittaire et les Verseau. Dans ces signes, limitez votre choix aux sujets nés dans une année du Singe. Non seulement ils vous attirent, mais ils ont quelque chose à vous offrir en retour. Les Dragons et les Bœufs vous plaisent, vous pouvez donc choisir ceux nés sous les signes mentionnés plus haut. Les Lion/Dragons risquent de compromettre votre équilibre, alors, tâchez de les éviter si possible. Je ne crois pas que vous puissiez être éternellement heureux avec un Bélier, Cancer ou Capricorne/Cheval — ni d'ailleurs avec aucun natif du Cheval. Les Chats nés sous les signes du Cancer ou du Capricorne sont trop peureux pour vous assister dans les moments difficiles.

FAMILLE ET FOYER

Personne n'aime une atmosphère douillette comme la Balance née dans une année du Rat. Mais ce sujet n'est guère habile à créer ladite ambiance, et a besoin que son partenaire s'en charge. Si ce n'était que lui, le Rat/Balance convoquerait un décorateur et lui ferait réaliser ses plans extravagants. Il est peu bricoleur, ce Rat. Et il ne se sent guère attiré par les activités non cérébrales, comme les modèles réduits ou le jardinage. La beauté de sa demeure dépend du talent de son décorateur. Elle sera joliment pratique.

Parent, ce sujet est fiable et responsable, chaleureux et sincère, communicatif à l'extrême et pas si indulgent que ça. Les Balance/Rats veulent que leurs enfants excellent en tout. Ils prennent très à cœur les victoires (et les échecs) de leurs petits. Les Balance/Rats sont des parents fondamentalement sociables et adorent prendre part aux activités de leur nichée. De la réunion des parents d'élèves au comité des fêtes de l'école, vous pouvez compter sur la présence carillonnante du Balance/Rat.

L'enfant du Balance/Rat est un moulin à paroles hypersensible. Cet enfant sera très susceptible à la critique et aura du mal à accepter la désapprobation de ses parents ou de ses professeurs. Sa personnalité constituant pour lui un avantage certain, il sera très populaire auprès de ses camarades. Encouragez cet enfant à lire. Le langage enchante le Balance/Rat, et pourra même devenir son métier.

PROFESSION

Endiguer le flot de paroles émanant d'un Balance/Rat équivaut à entraver cruellement son développement. Les Balance/Rats pensent tout haut. Ils sont suprêmement doués pour tous les emplois requérant persuasion, communication et sociabilité. Ils peuvent être querelleurs et ont tendance à se mêler de ce qui ne les regarde pas, aussi leur faut-il des supérieurs qui de temps en temps leur serrent un peu la vis. Le Balance/Rat pinaille sur les prix ; pour lui, un sou est un sou. Il est idéaliste en tout ce qui concerne sa carrière. Les Balance/Rats ne se considèrent pas comme la cinquième roue du carrosse. Ils sont intellectuels aussi bien que dynamiques.

Les Rats nés sous le signe de la Balance font des patrons moins partiaux qu'on ne pourrait le craindre. La Balance desserre l'étreinte du Rat sur ses subordonnés, le rendant plus altruiste et diplomate. Eh oui, il parle beaucoup. Mais mieux vaut un patron bavard qu'un tyran frappé de mutisme. Si vous voulez employer ce sujet avec profit, enfermez-le dans un placard sans téléphone. Il se laisse facilement distraire par les « échanges » avec ses collègues, et, si l'on n'y prend garde, peut devenir le Roi de la Pause Café. Pourtant, le Balance/Rat est efficace et vaut bien son poids en factures téléphoniques s'il s'agit de charmer au combiné.

Carrières convenant aux Balance/Rats : écrivain, cadre de publicité, enseignant, compositeur, vendeur, journaliste, comique, standardiste, psychologue, prédicateur.

Balance/Rats célèbres : T. S. Eliot, Thomas Wolfe, Eugene O'Neill, Truman Capote, Jimmy Carter, Jim Henson, Jean Piat.

BALANCE	
Juste	Querelleur
Esthète	Manipulateur
Charmant	Temporisateur
De bon ton	Sybaritique
Équilibré	Distrait
Idéaliste	Bavard

Air, Vénus, Cardinal
« Je balance »

BŒUF	
Intègre	Entêté
Réalisateur	Étroit d'esprit
Stable	Lourd
Innovateur	Conservateur
Diligent	Partial
Éloquent	Vindicatif

Eau négative, Yin
« Je persévère »

La Belle et la Bête. Ce sujet est une authentique tempête de contradictions. Tout détail doit être parfait, toute ligne bien droite et tout défaut soigneusement caché. Il faut débusquer toutes les faiblesses, déraciner la paresse. Pourtant, sous cette perfection apparente, le Balance/Bœuf cache un secret. En surface, le Balance/Bœuf est tout efficacité et puissance, exemple et sécurité. Et en profondeur ? Une fourmilière d'émotions conflictuelles. La pureté charme cet honnête sujet. Pas de complications, prétend-il. Il a besoin de calme et ne saurait vivre dans l'agitation. Pourtant, les Balance/Bœufs se retrouvent sans arrêt en plein pétrin émotionnel. Tout en paraissant « au-dessus de la mêlée », ils recueillent les paumés. La folie les attire. La complexité agit sur eux comme un aimant.

Le fait est que les Balance nées dans une année du Bœuf sont fondamentalement douces. La beauté les attire irrésistiblement et ils ne peuvent résister à ce penchant. Ils rêvent d'une vie parfaite, avec enfants et animaux propres et bien élevés, décor ravissant, musique douce en fond sonore, repas gastronomiques et somptueux, table Louis XV croulant sous les victuailles, partenaire raisonnable qui leur fait honneur, et même belle-famille agréable. Mais les Balance/Bœufs sont trop intelligents. Ils savent parfaitement que, à peine leur château de sable terminé, la moindre brise le jettera à terre.

Pour eux, la déception, voilà l'ennemie. Ils trouvent toujours les autres moins impeccables qu'ils ne le voudraient. Ils sont souvent déçus par ceux qu'ils aiment, et ne cessent pourtant de revenir s'exposer à d'autres désillusions. Si certaines configurations nous déçoivent, nous essayons de les éviter. Mais pas le Balance/Bœuf. Obstiné, et apparemment sans aucune prémonition de la catastrophe imminente, le Balance/Bœuf s'éveille après de monstrueux accès de chagrin et de désenchantement, se remet en chancelant sur ses quatre sabots, et recommence. Cette fois, ce sera différent, espère le sérieux Balance/Bœuf. Or, cette fois est exactement semblable à la précédente. Seul le décor change.

Les Balance/Bœufs sont de merveilleux conteurs. Rivé à votre siège, suspendu à ses lèvres, vous écoutez le Balance/Bœuf vous raconter ses malheurs, et les indignités infligées par la vie, la famille et les amis. Quoi, cet individu calme, modeste, ingénu et simple a une vie si étrange ? Le cœur de ce rustique abrite des émotions si baroques ? Franchement, quand on voit un Balance/Bœuf dans sa glorieuse simplicité, on se demande d'où vient cette complexité.

La vie du Balance/Bœuf, cela va sans dire, repose sur la famille. Ce sujet ne sera ni mondain ni noctambule. Le Balance/Bœuf préfère la maison (et toutes ses complications relativement maîtrisables) à la folie du monde extérieur. Parfois, avec un peu de chance, ce Bœuf (parce qu'il est né sous le signe de la Balance) parviendra, dans une certaine mesure, à se distancier de ses émotions. Alors, avec l'éloquence naturelle qu'il a reçue à sa naissance, ce sujet pourra devenir excessivement humoristique.

La Balance parle naturellement beaucoup mais sans art. Le Bœuf, en revanche, parle peu mais formule et articule habilement sa pensée. Il en résulte pour le Balance/Bœuf ce que l'on appelle « le don de la parole ». Ces sujets savent se servir des mots avec sagesse.

AMOUR

Dans l'existence de ce sujet, la province amoureuse est surpeuplée, à dire le moins. Si l'on considère la variété et la disparité des influences émotionnelles à l'œuvre dans l'esprit de ce sujet, on commence à comprendre la luxuriance des sentiments présents derrière cette façade impassible. Ce sujet est trompeusement folâtre dans les rapports amoureux. Intérieurement, c'est un chaudron bouillonnant d'exigences et de regrets sentimentaux. Le Balance/Bœuf est querelleur et manipulateur. Et malheur à vous si vous l'oubliez !

Les difficultés de la cohabitation avec le Balance/Bœuf se voient compensées par la sécurité qu'il vous assure. De plus, si tel est votre bon plaisir, il vous permet d'être aussi insensé que vous le désirez. Le Balance/Bœuf ne vous aimera que mieux pour vos excentricités, vos croyances extravagantes et vos misères complexes. N'oubliez quand même pas que la stabilité du Balance/Bœuf n'est que superficielle. Jouez les déments tant que vous voulez. Mais gardez la tête sur les épaules. Le Balance/Bœuf, dans son appétit d'expériences, peut avoir besoin de vos avis éclairés.

COMPATIBILITÉS

BALANCE/BŒUF : Vos partenaires naturels vivent généralement dans les Gémeaux, le Lion, le Sagittaire et le Verseau. Les Serpents nés sous ces signes constituent pour vous de bons choix. Vous vous entendez bien également avec les Rats nés sous les signes du Lion, du Sagittaire et du Verseau. Les Gémeaux et Sagittaire/Bœufs vous conviennent bien, de même que les Coqs nés sous les signes du Lion et du Verseau. Vous avez le choix, n'est-ce pas ? Les Bélier, Cancer et Capricorne/ Tigres ne vous enchantent guère avec leurs nobles causes qu'ils défendent avec fougue. La même remarque est valable pour les Cancer/Dragons, Chevaux ou Singes. Le Capricorne/Chèvre est à exclure absolument.

FAMILLE ET FOYER

L'union fait la force, telle devrait être la devise du Balance/Bœuf. Ce sujet manifeste un dévouement exemplaire au groupe, à la cause, à l'ordre, au système et, bien entendu, à la famille. C'est la fonction de chef de famille qui le satisfait le mieux. Le Balance/Bœuf se plaît à penser qu'il est le despote le plus éclairé, le plus bienveillant, le plus généreux et le plus philanthrope qui ait jamais foulé le sol de notre Terre. Et vous, en tant que membre officiel de son clan, devez vous sentir honoré de l'avoir pour chef. (Bâillements divers.)

J'ai déjà parlé de son goût secret pour les fanfreluches. Quelque rustique que paraisse sa maison, ce sujet sera toujours du genre « napperons de dentelle ». Dans son vêtement, il a le goût des colifichets et des parures criardes. Mais c'est dans son intérieur que la schizophrénie du Balance/Bœuf est la plus apparente. Le lourd et le rustique voisinent toujours avec le frivole. C'est tout le Balance/Bœuf : tasse en porcelaine fine sur soucoupe en grosse faïence.

Parents, ces sujets sont exigeants et affectueux. Ils exigent le respect des règles et pourtant sont indulgents aux émotions de leurs enfants. L'enfant du Balance/Bœuf sera fantaisiste et attaché à ses devoirs. Il a besoin de sécurité et aime faire partie d'une équipe. Il ou elle réagira bien au travail scolaire car cet enfant recherche toujours l'ordre et la stabilité. Ne soyez pas surpris de la solennité de votre petit Balance/Bœuf. Mais ne vous choquez pas non plus de son désir de nouer des rubans aux oreilles du doberman. Il aime que les choses soient jolies.

PROFESSION

Les natifs de la Balance nés dans une année du Bœuf tendent à réussir dans la vie. Ils ont le goût des heures régulières, savent se plier à des horaires stricts, respectent les délais et livrent leur travail dans les temps. Ils sont diligents, et (chose exceptionnelle pour des Bœufs) très coopératifs. Les Balance/Bœufs sont mêmes diplomates. Ils pinaillent beaucoup. Ils sont dotés d'une force extraordinaire et n'hésitent pas à se charger des travaux les plus durs en toutes situations.

Je ne suis pas certaine que j'aimerais avoir un Balance/Bœuf pour patron. Son comportement est si irréprochable que je me sentirais toujours diminuée par la comparaison. Le Balance/Bœuf gouverne par l'exemple. C'est la méthode la plus dure. Ce sujet est également un employé modèle. Il ne proteste pas devant les tâches les moins gratifiantes. De plus, il veut de l'avancement et est toujours d'accord pour faire des heures supplémentaires. Il sera entêté. Mais, fondamentalement, il désire coopérer. Vous pouvez vous-même l'impressionner par un comportement sans reproche.

Carrières convenant aux Balance/Bœufs : écrivain, prédicateur, journaliste de télévision, éducateur, antiquaire, assistante sociale.

Balance/Bœufs célèbres : Chester Alan Arthur, Temple Fielding, Art Buchwald, Gore Vidal, J.-P. Elkabbach.

BALANCE	TIGRE
Juste — Querelleur	Fervent — Impétueux
Esthète — Manipulateur	Courageux — Emporté
Charmant — Temporisateur	Magnétique — Désobéissant
De bon ton — Sybaritique	Veinard — Conquérant
Équilibré — Distrait	Bienveillant — Immodéré
Idéaliste — Bavard	Autoritaire — Itinérant
Air, Vénus, Cardinal	*Bois positif, Yang*
« Je balance »	« Je surveille »

Original s'il en fut jamais, le Balance/Tigre est un gagneur inoubliable. Ce sujet désire vous impressionner et vous plaire. Vous pouvez réagir froidement, mais il est plus probable que votre réserve fondra devant le charisme du Balance/Tigre et que vous voudrez en savoir plus sur lui — beaucoup plus. Séduisant ? Dieu du Ciel ! Ces sujets émettent des rayons magnétiques qui dansent sur toute leur personne. Les Balance/Tigres semblent toujours sur le point d'éclater de rire. C'est adorable. C'est fascinant. Et c'est surtout fort dangereux pour le cœur.

A l'état naturel, le magnétisme de ce sujet ne paye pas le loyer. Il n'y a pas tellement de choses à troquer contre une livre de charme intangible. Mais ces sujets parviennent à séduire le monde entier, suscitent le respect et recrutent des adeptes d'un simple claquement de doigts. Je ne suggère pas, absolument pas, que le Balance/Tigre est un individu bidon. Il ne papillonne pas et il drague encore moins. Le Balance/Tigre comprend la valeur d'une dure journée de travail et consacre volontiers son temps à une grande variété de projets. Mais la qualité la plus frappante de ce natif, c'est sa magie pleine d'assurance. Elle le mènera loin.

Les Balance/Tigres ont le sens de la justice joliment développé et se soucient de bien faire. Toutefois, ils sont excessivement irrévérencieux. Ils trouvent inapplicables à leur majestueuse personne systèmes et conventions sociales, traditions démodées et même lois à la page. Le Balance/Tigre pense qu'en vertu de sa supériorité naturelle, il sait mieux que personne ce qui convient, pour lui, et pour ceux qu'il conseille et dirige. Il est pratiquement incapable d'accepter le respect des règles du jeu, mais, heureusement, la Balance lui donne juste assez d'équilibre pour lui faire éviter la prison. En un sens, c'est assez contrariant pour une Balance de naître dans une année du Tigre. La Balance est attirée par tout ce qui est « féminin » dans la vie. Il ou elle essaye de trouver de la beauté dans toute situation, et par principe, recherche la paix. Nous savons déjà que les Tigres se soucient de la paix comme d'une guigne. Les Tigres se soucient de la vérité. Les Tigres se soucient des idéaux. Les Tigres se soucient des Tigres. Cela provoque un conflit fondamental dans la nature du Balance/Tigre. Ce fou de Tigre dédaigneux de la sécurité et méprisant des aménités sociales et mondaines fait perdre la tête à la douce Balance.

Mais ce sujet ne la perd pas longtemps. Le Balance/Tigre est intrépide dans sa quête d'une place au soleil, d'un nom à se faire, d'une étoile à conquérir au ciel de la renommée. Ce sujet essaye souvent de conquérir fortune et célébrité. Et il réussit souvent brillamment ce qu'il a entrepris. Il est emporté et parfois même insensé. Mais les Balance/Tigres ont une étincelle de raffinement et du flair pour le chic, qualités qui lui permettent de se relever de ses chutes et de rentrer dans les bonnes grâces de ceux que son impétuosité a offensés.

La spécialité du Balance/Tigre, c'est le coup de génie. Que ce soit dans le monde de la politique internationale ou dans le domaine plus modeste d'un anniversaire familial, ce sujet fait preuve d'idées imbattables. C'est charismatique, oui. Mais c'est également intelligent. Le Balance/Tigre est naturellement brillant. Rien d'ordinaire ne sortira jamais de ses mains. Ce pourra être très pervers. Mais ce ne sera jamais banal.

AMOUR

Les Balance nés dans une année du Tigre font d'excellents partenaires de vie. Ils sont suffisamment sensuels, mais leur équilibre ne dépend pas du sexe, de sorte qu'ils sont avantagés par rapport à nous autres. Pour un Tigre, ce sujet est doux et sentimental. Vulnérable, aussi, alors, ne soyez pas trop dur avec ce petit chéri. Son panache fait de sa cour un enchantement. Ces natifs sont téméraires et raisonneurs. Mais c'est amusant de se disputer avec eux.

Si vous avez la chance de connaître une de ces délectables créatures, ou même d'en être amoureux, je vous envie. Les Balance/Tigres sont parmi les individus les plus crâneurs du monde. Ils savent s'habiller. Ils portent la toilette avec panache et aplomb. Ils fanfaronnent. Si vous voulez garder ce sujet à votre foyer, il faut lui procurer des occasions toujours renouvelées de faire sensation. Ce sujet veut conquérir la notoriété aussi bien dans son cercle intime que dans le monde entier. La meilleure façon de lui plaire, c'est de ne pas se mettre dans ses pattes, de ne jamais faire des commentaires désobligeants, et de lui conseiller secrètement, adroitement, de surveiller ses paroles.

COMPATIBILITÉS

BALANCE/TIGRE : Vous adorerez un Gémeaux, Lion, Sagittaire ou Verseau né dans une année du Cheval ou du Chien. L'harmonie s'établira naturellement entre vous. Les Dragons/Sagittaire et Verseau feront mouche également. Vous pouvez vous passer sans dommages des Bélier, Cancer et Capricorne/Chats. Vous aurez du mal à vous entendre avec les Bélier/Serpents. Les Capricorne et Cancer/Bœufs et Chèvres sont absolument tabou.

FAMILLE ET FOYER

Oh la la. Que dire? Le Balance/Tigre est terriblement dépensier dans la maison. Ce charmeur impulsif orne sa maison de façon luxueuse et dispendieuse. « Change-moi ces boutons de porte vulgaires. Fais donc redorer ce cadre. Fais tendre le salon de satin importé de Thaïlande, et n'oublie pas qu'il me faut assez d'eau chaude pour mes trois bains quotidiens. » Le pratique est follement somptueux, chez le Balance/Tigre.

Le parent du Balance/Tigre s'occupe bien de ses enfants. Plein d'égards pour eux, il les conseille et les guide avec joie. Le Balance/Tigre séduit les petits comme le joueur de flûte du conte. Les rapports parents/enfants sont marqués d'un esprit d'impartialité et de coopération. Le Balance/Tigre ne sera pas toujours disponible pour surveiller la vie de ses enfants dans ses moindres détails. Mais les moments qu'il passe avec eux sont de grande qualité.

PROFESSION

Sans hésitation, je dirai que les Balance/Tigres mettent volontiers la main à la pâte et n'ont pas peur du travail. Ils ne craignent pas de se salir les mains et se plaignent rarement de fatigue. Ces sujets sont secs, nerveux et résistants. Ils ont de la grâce et n'hésitent pas à user de leur charme en vue de leur avancement personnel. L'ascension de l'échelle sociale ne les intéresse guère, à moins que les notables ne puissent leur être utiles. Les Balance/Tigres sont des leaders et n'aiment pas être des suiveurs. Comme ils ont tendance à la précipitation, il leur faut des collaborateurs avisés.

Naturellement, ce sujet voudra être le patron, et vous aurez du mal à le persuader du contraire. Il sera un chef étonnamment impartial et congénial. Les Tigres nés sous le signe de la Balance sont réguliers et honnêtes, idéalistes même, dans leur façon de traiter les autres. Ils prennent souvent des positions impopulaires, et leurs associés et subordonnés leur seront totalement dévoués. Employé, la Balance/Tigre est circonspect et sait attendre son tour pour devenir le patron. Il n'acceptera jamais de rester subalterne. S'il s'y voit contraint, il se mourra de langueur.

Carrières convenant aux Balance/Tigres : chef de gouvernement, dessinateur de mode, décorateur, révolutionnaire, rédacteur de discours, aventurier, philosophe, auteur dramatique.

Balance/Tigres célèbres : Rimbaud, Oscar Wilde, Dwight D. Eisenhower, Thor Heyerdhal, Michel Foucault, Danièle Delorme, Valéry Giscard d'Estaing, Mary McFadden.

BALANCE	
Juste	Querelleur
Esthète	Manipulateur
Charmant	Temporisateur
De bon ton	Sybaritique
Équilibré	Distrait
Idéaliste	Bavard
Air, Vénus, Cardinal	
« Je balance »	

CHAT	
Diplomate	Cachottier
Raffiné	Sensible à l'extrême
Vertueux	Pédant
Prudent	Dilettante
Bien portant	Hypocondriaque
Ambitieux	Tortueux
Bois négatif, Yin	
« Je me retire »	

L'objectif du natif de ces deux signes, tous deux fort amateurs d'esthétique, est de vivre une vie pleine de grâce et d'élégance. Les Balance nées dans une année du Chat sont des âmes casanières, soupçonneuses et craintives. Ces sujets accordent difficilement leur confiance. Chez le Balance/Chat, l'aversion de la Balance à porter des jugements hâtifs qui se transforme presque en refus pur et simple de juger qui que ce soit ou quoi que ce soit. Il hésite si longtemps avant de s'engager ou de prendre une décision que sa proie lui échappe fréquemment.

« Oh, ne ferait-il/elle pas un mari/femme merveilleux(se) pour Un/Une Tel(le) ? » se demande-t-on souvent au sujet du Balance/Chat. Extérieurement, la personne calme et délicate, raisonnable et gracieuse que nous décrivons dans ces lignes semble avoir toute l'étoffe du partenaire de vie idéal. Mais l'image ne correspond pas toujours à la réalité. N'oublions pas que le Chat, en situation conflictuelle, court se cacher. Il déteste se voir mis au pied du mur. Il n'attaque jamais de front. Il disparaît, tout simplement.

Le Balance/Chat est le plus insaisissable de tous les Chats. Il vous glisse toujours entre les doigts — même au cours d'une bataille ! De plus, atteler son sort à un idéal ou même à un autre être humain est pratiquement au-dessus de ses forces. Les Balance/Chats sont l'incarnation même de l'indécision désorientée. Et, qui plus est, cela leur plaît.

Chez un sujet très jeune, ces flottements perpétuels sont acceptables. De nos jours, les jeunes semblent consacrer un certain nombre d'années à « se trouver ». Mais si on ne s'est pas encore trouvé à trente ans, on peut en conclure sans crainte de se tromper qu'il n'y avait rien à trouver. Il arrive que des Balance/Chats soient encore en train de se chercher — à l'âge de quatre-vingts ans ! Ces sujets passent leur vie à tourner autour du pot. Rien n'est jamais assez bon pour leur goût raffiné. Aussi restent-ils fréquemment où ils sont (même si c'est toujours chez Maman) par manque de cran pour se décider à un changement quelconque.

Le Balance/Chat n'est pas têtu. S'il est confronté à une décision urgente, il peut paraître irrité ou de mauvais poil, ou donner volontairement l'impression d'un sérieux lugubre pour que personne ne vienne le voir. Il s'implique le moins possible dans les interactions humaines. Pourtant, parce que son carnet mondain est très bien rempli, vous penserez tout le contraire.

Les Balance/Chats adorent recevoir. Ils sortent volontiers, connaissent des gens célèbres (ce dont ils ont tendance à tirer vanité) ou parlent avec animation à des gens dont ils ont l'impression qu'ils peuvent leur servir, ou même simplement les amuser. Mais quand ils quittent la soirée et rentrent chez eux, ils ferment solidement les volets et se blottissent dans la sécurité du FOYER. Ils chérissent leur confort domestique et le défendent soigneusement. Les Balance/Chats sont même victimes de leurs besoins de sécurité. Les Balance/Chats sont L'incertitude les affole. Quelque avant-gardiste que paraisse le Balance/Chat, soyez sûr que ce n'est là qu'une attitude superficielle. Le Balance/Chat est un bourgeois invétéré.

AMOUR

Les intrigues amoureuses **ravissent** cette créature élégante et gracieuse. Il ou elle tombera souvent amoureux. Les Balance/Chats sont agréables, et font de délicieux compagnons qui aiment rire et recherchent en tout la beauté. Comme toutes les Balance, le Balance/Chat parle beaucoup de son amour. Ces sujets sont des amants tendres, généreux, passionnés. Mais ils ne décideront pas de se fixer avec une personne.

Si vous aimez un Balance/Chat, la dernière chose à faire est d'emménager avec lui/elle. Il faut les courtiser, exciter leur intérêt, leur rendre un peu la monnaie de leur pièce. Ne soyez pas toujours disponible pour eux, et n'adulez pas leur beauté. Ce sujet a besoin d'être le chasseur. Maintenez le peloton juste hors de leur portée, et regardez le Balance/Chat se ruer dessus. Pour qu'un Balance/Chat soit satisfait et le reste, il faut toujours le maintenir en alerte.

COMPATIBILITÉS

BALANCE/CHAT : C'est avec les natifs des Gémeaux, du Lion du Sagittaire et du Verseau que vous aurez le plus d'affinités. A l'intérieur de ce vaste éventail de possibilités, recherchez plutôt les sujets nés dans une année de la Chèvre, du Chien ou du Cochon. Vous n'êtes guère compatible avec les Bélier/Bœufs. Vous ne vous entendez pas du tout avec les Cancer ou Capricorne/Coqs ou Rats. Ne vous pressez pas pour vous marier. Vous êtes du genre prudent.

FAMILLE ET FOYER

La demeure du Balance/Chat sera raffinée et traditionnelle, et aura même une apparence de richesse. Il a le goût des maisons de pierre ou de marbre, des velours et des satins, et décore son foyer dans le goût « féminin ». Grandes baignoires pleines de mousse et papiers peints semés de bouquets. Epais tapis jusqu'au bord de la baignoire et robe de chambre chaude pour la sortie du bain. Et n'oubliez pas que le Balance/Chat ne désire impressionner autre personne que lui-même.

Si ce sujet se décide jamais à s'établir, il fera un parent convenable. Je dis « convenable » car être parent n'est pas un métier facile et exige des affrontements nombreux et réguliers. Or, le conflit n'est pas le fort du Balance/Chat. Ce sujet assumera très bien les côtés agréables de la paternité ou de la maternité, et évitera la discipline et les conflits. Non que ses intentions ne soient honorables. Il ou elle adore les enfants. Mais ils sont tellement turbulents, pas vrai ?

Un jeune Balance/Chat sera le plus heureux s'il est enfant unique. Il a besoin de paix et de tranquillité, et fuira devant les rivalités fraternelles. S'il est l'aîné, il peut commander et s'en sortir. Sinon, il souffrira de la turbulence de ses frères et sœurs. Créez pour votre petit Balance/Chat une atmosphère raffinée dans laquelle il se sentira en sécurité et pourra s'épanouir. Quand il arrivera à l'âge adulte, il vous faudra lui faire quitter le nid, en vous servant d'un levier si nécessaire. Si le foyer familial est trop douillet, il ne s'en ira peut-être jamais.

PROFESSION

N'attendez pas de ce sujet qu'il lance sa propre affaire, en fasse une entreprise multimilliardaire, et joue des coudes pour entrer dans les meilleurs cercles. Les Balance/Chats sont mieux faits pour travailler chez eux, en indépendants. A cause de leur amabilité naturelle et de leur grande force de caractère (sous leur apparence fragile, ils cachent un camion poids lourd!) ils laissent une impression indélébile partout où ils vont.

Si un Balance/Chat se voit contraint d'être patron, il fera tout son possible pour se débarrasser de l'autorité réelle sur quelqu'un de plus dur que lui. Ce sera le genre de patron à engager un « Père Fouettard » pour s'occuper des « viles besognes » et s'assurer que les galériens tirent bien sur leurs rames. Le Balance/Chat préfère rester dans la coulisse et accepte volontiers d'être le cerveau de toutes les opérations. Ce sujet a également du mal à travailler en tant qu'employé. Les Balance/Chats n'acceptent pas les ordres avec autant de bonne grâce que, par exemple, ils circulent dans un cocktail. Leur poil se hérisse si on les traite injustement ou qu'on leur demande de participer à une activité qu'ils jugent vulgaire ou futile.

Carrières convenant aux Balance/Chats : libraire, diplomate, traducteur/interprète, accordeur de piano, décorateur d'intérieur, conservateur du musée, acteur/actrice (théâtre classique), écrivain.

Balance/Chats célèbres : George C. Scott, Arthur Miller, Gunther Grass.

BALANCE		DRAGON	
Juste	Querelleur	Puissant	Rigide
Esthète	Manipulateur	Battant	Méfiant
Charmant	Temporisateur	Hardi	Insatisfait
De bon ton	Sybaritique	Enthousiaste	Emballé
Équilibré	Distrait	Vaillant	Vantard
Idéaliste	Bavard	Sentimental	Volubile
Air, Vénus, Cardinal		*Bois positif, Yang*	
« Je balance »		« Je préside »	

Les Balance sont des manipulateurs-nés. Les Dragons tendent à être soupçonneux. Les Balance recherchent l'équilibre dans tous les domaines. Les Dragons cherchent à être vus et entendus. Aucun de ces deux signes n'est particulièrement taciturne. Leur alliance est tumultueuse. Mais malgré sa nature tempétueuse, le Balance/Dragon aura le don de se tailler une destinée peu ordinaire. Le Balance/Dragon n'est pas n'importe qui.

Beaucoup de Balance, parce qu'ils sont naturellement discrets et recherchent l'équilibre, sauront mettre leur personnalité dans leur poche — ne serait-ce que pour ne pas faire de vagues. Mais voilà qu'entre en scène l'excitant Dragon. Les Dragons sont bruyants et convaincus de tout savoir. Ils veulent concourir et ils veulent gagner. J'ai l'impression que, dans ce signe, la Balance consacre une bonne part de son énergie à convaincre le Dragon volubile de battre en retraite dans cette fameuse poche. Et — si vous connaissez un de ces mastodontes, vous comprendrez ce que je veux dire — elle ne réussit pas souvent.

Le Dragon né sous le signe de la Balance arrive dans la vie. Quelle que soit son origine, vous pouvez être certain qu'il ne finira pas dans la case départ. Ces sujets connaissent le sens de l'adage : « On reçoit de la vie ce qu'on lui donne. » Ils contribuent à leurs propres réussites, ils font quelque chose de leur personne et de leur vie, et ils n'ont pas peur de risquer leur orgueil pour atteindre leurs objectifs.

Le Balance/Dragon est un signe de création. Mais c'est surtout un signe d'interprétation. Ces natifs allient le discernement à l'énergie, l'idéalisme au cran, la volubilité à la vantardise. Ils sont parfois « un peu beaucoup ». Mais aucune importance. Ces sujets exubérants nous entraînent dans des voyages fabuleux à travers leurs mondes imaginaires et exaltants. Ce signe jouit d'une distinction unique : il peut s'aduler lui-même avec une impunité apparente. Pour le Balance/Dragon, la vie existe exclusivement pour son usage et plaisir. Il manifeste peu de scrupules à prendre ce qu'il lui faut et à laisser le reste. Son ego tient la forme olympique.

Les Balance/Dragons ne renoncent jamais. Ils ne sont pas du genre travailleur morne et autosacrificiel. Oh non. Ils sont brillants et même fanatiques. Et quand je dis qu'ils « ne renoncent pas » je veux dire qu'ils n'admettent même pas d'opposition. Pour le Balance/Dragon, l'opposition n'existe pas. Les obstacles fondent devant eux. Est-ce de la magie ? se demande-t-on. Et je réponds, oui, c'est de la magie. Il y a une sorte de sorcellerie à l'œuvre dans la personnalité du Balance/Dragon. Il est égocentrique et passablement indifférent aux besoins de la foule ou aux tendances du marché. Mais, mystérieusement, il sait quoi faire pour plaire à la foule ou conquérir ce créneau du marché. Il joue sur ses intuitions — et il gagne.

Placée au centre de l'attention, la personnalité du Balance/Dragon fonctionne sans à-coups. Aucun problème tant que les projecteurs sont braqués sur lui. Ils sont expansifs, ils amusent, imitent, se pavanent et crachent le feu sans fin tant que vous restez à l'écoute de leur station. Les Balance/Dragons sont même gentils, sentimentaux et tendres quand leur ego est satisfait. Mais attention. Ne lui laissez pas soupçonner que vous êtes sur le point de changer de poste. Il ou elle peut devenir vraiment mauvais si on les lèse.

AMOUR

La vie amoureuse du Balance/Dragon est un patchwork de hauts et de bas, jusqu'au jour où, après de nombreuses expériences, il ou elle rencontre le partenaire de ses rêves. Vous comprenez, le Balance/Dragon a besoin de trouver un auditoire en une seule personne. La maison leur sert de terrain d'essai. Pour eux, la passion est importante, mais l'adulation peut-être encore plus. Les Balance/Dragons aiment être adorés. Tout ce qui ne va pas au moins jusqu'à l'hommage les laisse tièdes.

Si vous voulez conserver toute la vie une de ces petites créatures si spéciales, vous avez de quoi faire. Vous économiserez sur les loisirs, c'est sûr. Aucun besoin de téléviseur, de radios, de vidéos ou de stéréos. Le Balance/Dragon est TOUT LE SPECTACLE à lui tout seul. Votre mission ? Etre raisonnable pour deux. Ne le laissez pas prendre trop de risques. Si vous avez du mal à vous faire écouter, essayez de jouer sur la corde sensible. A ma connaissance c'est la seule façon de contrôler la prétention de ce monstre séduisant.

COMPATIBILITÉS

BALANCE/DRAGON : Les Rats nés sous les signes des Gémeaux, du Lion, du Sagittaire ou du Verseau vous attireront. Vous vivrez en bonne harmonie avec les Gémeaux, Lion et Verseau/Singes. Les Lion et Sagittaire/Coqs vous sont bénéfiques, de même que les beaux Lion/Serpents. Ne nouez pas de rapports durables avec les Cancer et les Capricorne/Chats et Chiens. Et quoi qu'il arrive, ne vous embarquez pas avec un Cancer/Bœuf.

FAMILLE ET FOYER

Physiquement, ce sujet ne sera pas d'une séduction fracassante. Mais il s'entourera de beauté, saura exactement comment il veut décorer sa maison, comment il veut s'habiller, et quelle image il veut donner de lui au monde. Comme il aime impressionner, il choisira peut-être un ameublement exotique ou original. Mais quel que soit le décor choisi, son rôle sera de mettre en valeur le Balance/Dragon.

Les Balance nés dans une année du Dragon sont de bons parents. Ils aiment que leurs enfants les respectent et les admirent. A cause de la haute idée qu'ils se font d'eux-mêmes, et de leur désir de briller à tout prix, les Balance/Dragons ont parfois des difficultés à s'entendre avec les adolescents. Ils réagissent mal à la contradiction. Et qui a davantage l'esprit de contradiction qu'un adolescent ? Pour des raisons professionnelles, de nombreux natifs de ce signe préfèrent ne pas fonder une famille. Les Balance/Dragons restent souvent sans enfants.

PROFESSION

C'est là que le Balance/Dragon brille de tous ces feux. Il ou elle
aime sa carrière plus que tout au monde. C'est là que sa magie et son
brio donnent toute leur mesure. Au travail, que ce soit dans une
boutique ou un restaurant, une émission de télévision ou une chaîne de
montage — quand le Dragon paraît traînant la Balance à sa suite, le
rideaux s'ouvre pour révéler le grand, le seul, l'unique... place,
manants... voilà le Roi !

Je ne vois pas ce sujet rester longtemps dans un emploi subalterne.
La patience et la rigueur ne sont pas le fort du Balance/Dragon. Mais
patron, ce sujet sera passablement chaleureux et bienveillant. Pour lui-
même, ses projets et sa vision du monde, le Balance/Dragon manifeste
un enthousiasme fervent. Il n'est pas méchant. Il n'est pas dur. Mais il
veut que tout se fasse à son idée. Mais il faut dire que son idée est
toujours la meilleure — n'est-ce pas ?

Carrières convenant aux Balance/Dragons : personnalité de la télévision, général, entrepreneur, personnage public, politicien, pilote,
commerçant, musicien.

Balance/Dragons célèbres : Nietzsche, Sarah Bernhardt, Graham
Greene, John Lennon, Rex Reed, Angie Dickinson, Christopher Reeve,
Jacques Chazot.

BALANCE	
Juste	Querelleur
Esthète	Manipulateur
Charmant	Temporisateur
De bon ton	Sybaritique
Équilibré	Distrait
Idéaliste	Bavard

Air, Vénus, Cardinal
« Je balance »

SERPENT	
Intuitif	Dissimulateur
Séducteur	Dépensier
Discret	Paresseux
Sensé	Cupide
Clairvoyant	Présomptueux
Compatissant	Exclusif

Feu négatif, Yang
« Je sens »

Le magnétisme personnifié. La Balance née dans une année du Serpent sera, avant tout, attirante. Mariage heureux. Les personnes nées sous ce signe le seront moins. Et cela parce qu'elles sont non seulement irrésistibles, mais encore têtues et obstinées. Ces sujets veulent faire les choses à leur tête, et aiment commander les autres, sans en avoir l'air. Souvent, des laquais complaisants font les choses pour eux, à leur idée. Ils ont du charme à revendre.

Les Balance/Serpents gouvernent souvent les autres par les sentiments. Ils sentent exactement ce qu'on attend d'eux. Ils sont remarquablement perceptifs et ont même un don pour le surnaturel. Les Balance nées dans une année du Serpent savent exalter un auditoire par leurs discours posés, raisonnables, et pourtant outrageusement sentimentaux. Ces sujets naissent pour servir de bergers aux troupeaux humains, pour être marchands de morale et de fraternité.

La nature du Balance/Serpent s'apparente un peu à celle d'une carte de la Saint-Valentin. Ils ont un « moi » en forme de cœur, et en dentelle, à travers lequel brillent leurs qualités sérieuses. Je dirais que ce signe est plus « féminin » que masculin. Ses natifs aiment materner les autres. Et ils incarnent une sorte de passivité exemplaire qui donne à leur caractère quelque chose de femelle. Ils n'ont pas l'habitude de chercher à dominer leurs pareils, à moins que leurs partisans ne l'exigent. En fait, ils doivent lutter contre la paresse, la jouissance, la dissipation et la recherche effrénée du plaisir. Ils sont portés aux excès et doivent tous les jours livrer bataille contre une monumentale tendance à l'indolence.

Dans tout cela, leur faiblesse fatale, c'est, naturellement, leur incapacité à échapper à leur propre séduction. Eventuellement, après avoir vu pendant des années les gens tomber à ses pieds d'admiration, le Balance/Serpent commence à comprendre, et se met alors à lancer des modes. Lorsqu'il défend une cause, le Balance/Serpent le fait toujours de la façon la plus élégante et la moins violente. Le Balance/ Serpent désire raisonner avec le danger, discuter les différends, négocier la paix. Puis il fera un discours touchant sur le sujet, et de nouveaux admirateurs viendront s'évanouir à ses pieds. Le Balance/ Serpent n'a jamais besoin de forcer la main aux gens. Il lui suffit de séduire.

Le Balance/Serpent est humanitaire, et cette qualité lui sert souvent dans son métier. La nature Balance de cette personne désire la justice pour tous. Le Serpent est la gentillesse personnifiée, toujours compatis- sant, compréhensif, toujours prêt à écouter les malheurs des autres ou à leur prêter son épaule pour pleurer. L'alliance de ces deux signes donne un être d'un altruisme immense, qui n'a pas peur d'agir contre la faim, la pauvreté ou l'injustice. Les organisations de secours internationales fourmillent de Balance/Serpents qui aiment assez leurs frères en humanité pour consacrer leur temps et leur argent à les aider.

Non que le Balance/Serpent soit fondamentalement généreux. Non. Ce sujet peut être légèrement regardant pour le strict nécessaire. Pourtant, si quelque mouche le pique, il se permettra l'achat d'un bibelot coûteux ou se parera de bijoux. Le Balance/Serpent dépense en cachette, et ne trouve pas au-dessous de sa dignité de bluffer un peu sur le prix de ses colifichets.

AMOUR

Le Balance/Serpent connaît-il autre chose? Ces sujets sont tout amour et sensualité, romance et sex-appeal. Bien entendu, ils sont trop splendides pour rester éternellement fidèles à une seule personne. Mais ils sont très attachés à leur partenaire dans tous les autres domaines. Et puis, malgré leur beauté et leur langueur, les Balance/Serpents peuvent être très amusants. Ils sont malicieux, un peu foldingues, et ils savent rire d'eux-mêmes.

Si vous êtes attiré par leur charme miraculeux, je vous conseille d'adopter immédiatement leurs idéaux. Vous aurez besoin de toute votre patience et de tout votre calme quand votre Balance/Serpent partira en Afrique faire la tournée de toutes les régions frappées par la famine, vous laissant à la maison pour assurer la survie des enfants. Il vous faudra une grande fortitude et beaucoup de dignité pour marcher à côté de votre bien-aimé Balance/Serpent. Relevez la tête, et ignorez la foule.

COMPATIBILITÉS

BALANCE/SERPENT : Les Coqs arrivent en tête de votre liste. Essayez de vous en tenir aux Coqs nés sous les signes des Gémeaux, du Lion, du Sagittaire et du Verseau. Les Lion, Sagittaire et Verseau/Bœufs feront pour vous d'excellents compagnons. Les Bélier et Capricorne/Singes vous tapent sur les nerfs. Les Cancer et Capricorne/Cochons sont trop critiques et scrupuleux pour votre souplesse d'anguille. Et les Cancer/Tigres, maussades et nerveux, vous rendent dingues.

FAMILLE ET FOYER

Comptez sur la Balance née dans une année du Serpent pour orner sa maison de tissus somptueux et exposer partout de précieux objets d'art. Ce sujet est amoureux du luxe et, malgré tous ses discours sur la pauvreté, adore le confort et déteste s'en passer. Vous serez toujours bienvenu chez lui. N'hésitez pas à passer n'importe quand à l'improviste. Il y a toujours de la place pour quelques hôtes impromptus.

Le Balance/Serpent voudra des tas d'enfants. Ce sujet aime soigner et protéger les autres. Pour cette raison, il aura un peu trop tendance à chouchouter ses petits et à rôder avec angoisse autour de ses bambinos endormis. Mais quand ils se réveilleront, ils auront une vie merveilleuse. Les Balance/Serpents éblouissent leurs enfants comme les autres. Toutefois, ces parents ont un peu trop tendance à moraliser. Il leur faut abréger leurs sermons. La morale fait grincer les dents des enfants.

L'enfant de ce signe sera délicieusement attrayant, et parlera avec une sagesse d'adulte tout à fait drôle. Il ne faut pas trop gâter cet enfant sensible, mais lui apprendre les valeurs fondamentales. Les randonnées et le camping lui permettront de prendre un peu de recul par rapport au clinquant de la vie citadine. Je recommande vivement les sports et le scoutisme. Cet enfant peut être sujet à des allergies psychosomatiques s'il n'est pas régulièrement et fermement ramené sur terre par la routine et la sécurité.

PROFESSION

Par nature, le Balance/Serpent est un meneur d'hommes. Mais il n'aime pas la compétition et fuit la belligérance. Sa spécialité, c'est la séduction. Les gens révèrent naturellement ce sujet, restent suspendus à ses lèvres et aspirent à l'imiter. Dévoyé, ce talent peut être extrêmement dangereux, bien sûr. Mais comme le Balance/Serpent n'est pas aussi avide de pouvoir qu'il est d'accord pour prendre les rênes si on les lui donne, le danger est moins grand qu'on ne pourrait le craindre.

Le Balance/Serpent s'accommode mal de la subordination. Non qu'il ne comprenne pas la nécessité de l'humilité, mais les postes subalternes l'ennuient. Il sait qu'il peut diriger la maison, et s'étonne qu'on ne vienne pas suspendre à sa porte un écriteau portant le mot : PATRON. En règle générale, ils n'abusent pas de leur pouvoir et sont aussi consciencieux que leurs collègues. Les Balance/Serpents sont d'excellents partenaires pour des invidivus moins charismatiques qui savent prendre en charge les activités terre à terre, comme additionner, soustraire et payer les impôts. Les Balance/Serpents aiment avoir la vedette, mais ne rechignent pas à partager les bénéfices.

Carrières convenant aux Balance/Serpents : chef spirituel, mannequin, acteur, chanteur, animateur de radio ou de télévision, cadre supérieur, journaliste de radio ou de télévision, politicien.

Balance/Serpents célèbres : Mahatma Gandhi, Thelonius Monk, Jesse Jackson, Pierre Bellemare.

BALANCE	**CHEVAL**

BALANCE		CHEVAL	
Juste	Querelleur	Persuasif	Égoïste
Esthète	Manipulateur	Autonome	Indélicat
Charmant	Temporisateur	Branché	Rebelle
De bon ton	Sybaritique	Elégant	Soupe au lait
Équilibré	Distrait	Adroit	Anxieux
Idéaliste	Bavard	Talentueux	Pragmatique
Air, Vénus, Cardinal		*Feu positif, Yang*	
« Je balance »		« J'exige »	

Ce Cheval, né sous le gracieux signe de la Balance, sera digne et « comme il faut ». Les Chevaux sont parfois rebelles et pratiques. La Balance ne l'est presque jamais. La Balance désire la paix et sait rechercher son équilibre. Dans ce signe, la Balance grimpe sur le dos du Cheval et s'y cramponne contre vents et marées jusqu'à ce qu'elle ait dompté et civilisé l'égoïste étalon.

Mariée à la Balance, la personnalité du Cheval garde la plupart de ses qualités. Il manifeste toujours autant d'intérêt à l'élégance et à la classe. Il reste extrêmement populaire et domine le marché de l'idéalisme. La Balance prête au Cheval son goût raffiné. De plus, en s'attelant avec la Balance, le Cheval n'a pas à renoncer à un iota de sa fantaisie. Vous savez comme le Cheval aime faire ce qu'il veut, quand il veut. Eh bien, la Balance n'y voit aucun inconvénient. En fait elle encourage même son esprit capricieux, car elle sait que grâce à son sens de la mesure, le Cheval a peu de chances de ruer dans les brancards.

Ce mélange de signes donne souvent de brillants causeurs. Le Cheval a une présence imposante. Son port et son assurance captiveront ses auditoires. A cette image populaire, la Balance ajoute son charme et une touche d'esthétisme. La Balance née dans une année du Cheval a des dons impressionnants pour les arts du spectacle.

Le Cheval né sous le signe de la Balance a souvent une destinée peu ordinaire. Cela vient sans doute de ce don de se trouver toujours au bon endroit au bon moment. Le Balance/Cheval est très mobile et s'intéresse à son avancement. Grâce à sa chance et à son flair pour les relations, ce sujet est un bon candidat à la célébrité ou à la fortune soudaine et inattendue.

Aucun Cheval n'est jamais paresseux. Mais le Balance/Cheval sera légèrement moins frénétique que les autres Chevaux. Il sait se détendre et ralentir par amour du gain ou du progrès, et ne se préoccupe pas tant du pragmatique que la plupart des Chevaux. Le Balance/Cheval est un exalté, aux opinions et prises de positions farouches et opiniâtres. C'est un personnage qu'on n'oublie pas. Et, comme ces sujets sont extrêmement sociables, vous pouvez très bien en rencontrer un ce soir même. Soirées et cocktails, réceptions et réunions jouent un grand rôle dans la vie de ce natif.

Le Balance/Cheval est, avant tout, convaincant. Il est persuasif et éloquent. Il n'est pas très sentimental ni compatissant. Mais il peut se laisser emporter par la ferveur d'un idéal. Il y a de la poésie dans l'âme de cet être efficace, et cela se voit à son extérieur digne et élégant. Il peut manquer de scrupules lorsque son intérêt est en jeu, et s'il essaye de vous entraîner dans un de ses projets, il n'acceptera jamais un refus.

Le Cheval né sous le signe de la Balance recherche la justice pour tous et les faveurs pour lui-même. Il parvient généralement à se rendre autonome et n'est pas au-dessus du scandale pour y arriver. Le Balance/Cheval est un extravagant qui souvent invente et exécute des tours pendables pour choquer les gens plus conventionnels que lui. Mais ne vous inquiétez pas. Ce sujet n'est jamais en proie au doute et vise toujours la jugulaire — mais avec quelle élégance.

AMOUR

Pour le Balance/Cheval, la passion a plus d'importance que la tendresse. Ce qui l'attirera chez une personne du sexe opposé, c'est un idéal, ou quelque caractéristique n'ayant rien à voir avec le physique... l'argent, par exemple. Le Balance/Cheval n'est pas aussi narcissique que certaines autres Balance, mais aime néanmoins faire tourner les têtes. Il est sensuel et enclin à courir les jupons.

Aimer un Balance/Cheval peut présenter des complications. Ce sujet constitue une île en lui-même. Il ne se préoccupe guère de l'image que donnent ses rapports amoureux, et recherche chez un partenaire la capacité d'autosacrifice qui lui manque. Si vous aimez une de ces créatures, préparez-vous à passer une bonne partie de votre temps à peigner sa crinière luxuriante et à étriller votre superbe étalon. Le Balance/Cheval est un élégant et un vaniteux.

COMPATIBILITÉS

BALANCE/CHEVAL : Cherchez un partenaire de vie parmi les Tigres nés sous les signes des Gémeaux, du Lion, du Sagittaire et du Verseau. Une amourette peut devenir chose sérieuse avec un Lion ou un Gémeaux/Chèvre. Les Sagittaire et les Verseau/Chiens font pour vous des compagnons sérieux. Je ne vous conseille pas de folâtrer avec des Rats nés sous les signes du Bélier, du Cancer ou du Capricorne. Découragez aussi les avances des Capricorne/Chèvres.

FAMILLE ET FOYER

Dans ce domaine, le Balance/Cheval jouera vraiment à quitte ou double. Ce natif désire vivre dans une atmosphère élégante et recevoir des bataillons d'amis et d'associés. Les canapés seront en velours et sans doute marron clair ou bordeaux. Le Balance/Cheval est extraordinairement amoureux du luxe. Il pourvoira sa maison de tous les derniers gadgets. Les interrupteurs seront tous équipés de variateurs, les fleurs disposées avec élégance par un spécialiste, etc. Le Balance/ Cheval ne recule devant aucune dépense pour impressionner l'auditoire. Il déplore la vulgarité et voit d'un mauvais œil les invités qui arrivent en blue-jeans loqueteux. La classe, c'est son truc.

Le Cheval né sous le signe de la Balance se sentira concurrencé par les enfants. Il ou elle aura besoin d'aide pour élever ses enfants, car ces sujets sont souvent sortis ou trop occupés par leurs activités personnelles. En fait, je crois que le Balance/Cheval moyen s'entend mieux avec ses petits quand ils commencent à grandir. Quand la turbulence de l'enfance commence à s'assagir, l'enfant devient plus acceptable pour l'élégant Balance/Cheval. Il y aura toujours une certaine distance entre ce sujet et ses enfants.

Enfant, ce sujet est plein de promesses et impressionne son entourage par son aisance apparente à acquérir manières et usages du monde. La jeune Balance née dans une année du Cheval a une certaine tendance à la rébellion, qui s'estompe lorsque l'enfant mûrit et se rend compte que la violence ne le mènera à rien. Cet enfant peut être drôle et fantaisiste — un peu marginal au milieu de ses copains. Pourtant, le

Balance/Cheval sera toujours aimé et admiré. Quoi que fassent ses parents, cet enfant n'en fera toujours qu'à sa tête.

PROFESSION

Comme ce sujet est à la fois raisonneur et persuasif, il ou elle excellera dans toutes les professions exigeant conviction et éloquence. De plus, le Balance/Cheval s'habille merveilleusement bien et fait toujours excellente impression. Son point faible, c'est qu'il rechigne à jouer le jeu pour sauvegarder la bonne entente dans le travail. Le Balance/Cheval s'inquiète moins de la concorde que de son avancement. Il ne se montrera coopératif que si le compromis ne nuit pas à son élévation dans la hiérarchie.

Suivant la situation, ce sujet peut donner les ordres ou en recevoir avec un égal bonheur. Son seul critère, c'est son intérêt personnel. Si l'autorité lui ouvre la voie du sommet, le Balance/Cheval acceptera volontiers un poste de cadre. Sinon, vous pouvez garder vos titres ronflants. Ce que le Balance/Cheval recherche avant tout dans un emploi, c'est une possibilité d'avancement — et, naturellement, de l'argent.

Carrières convenant aux natifs du Balance/Cheval : urbaniste, architecte-paysagiste, chroniqueur mondain, critique, négociant, publicitaire, acteur, restaurateur, décorateur, enseignant.

Natifs célèbres du Balance/Cheval : Chostakovitch, Leopold Senghor, Rita Hayworth, Penny Marshall, Philippe Noiret.

<table>
<tr><td colspan="2" align="center">BALANCE</td></tr>
</table>

Juste	Querelleur
Esthète	Manipulateur
Charmant	Temporisateur
De bon ton	Sybaritique
Équilibré	Distrait
Idéaliste	Bavard

Air, Vénus, Cardinal
« Je balance »

CHÈVRE

Inventif	Parasite
Sensible	Primesautier
Persévérant	Nonchalant
Fantaisiste	Erratique
Courtois	Rêveur
Bon goût	Pessimiste

Feu négatif, Yang
« Je dépends »

Ostensiblement amoureux docile de la beauté et de l'équilibre, ce sujet prétend avoir besoin d'un environnement tranquille, mais nous savons ce qu'il en est. Les Balance nées dans une année de la Chèvre sont irascibles et querelleuses. Ces sujets aiment la discussion, la dispute, le challenge. La Balance/Chèvre a besoin de l'estime de ses pairs. Elle aime qu'on la regarde, qu'on la contemple, qu'on l'admire et qu'on la prenne au sérieux. Dans ce but, la Balance/Chèvre fera pratiquement n'importe quoi une fois.

Avec la Balance et la Chèvre rassemblées sous le même toit, le sujet né sous ce signe sera doublement attiré par la langueur et la finesse. Ces natifs préfèrent sincèrement meubler leur vie d'œuvres classiques et couvrir leurs murs de livres, plutôt que dépenser leur temps et leur argent à l'achat de garde-robes à la mode ou de voitures somptueuses. Si ces sujets sont arrivistes (et ils le sont) ils préfèrent que ce soit dans le domaine culturel que dans les annales mondaines. Les Balance/Chèvres sont un peu étourdies. Mais pas superficielles. Elles ont beaucoup de créativité. Ce sujet, dans une ambiance qui lui assure la sécurité, peut inventer et imaginer toutes sortes d'objets artisanaux. Je ne dirai pas qu'il s'agit d'un « véritable artiste » au sens où l'on peut le dire de Picasso. Mais il y a dans sa tête une sorte d'imagination byzantine et kaléidoscopique. Le Balance/Chèvre saute d'idée en idée avec une grâce et une vivacité bien à lui. Il comprend la complexité et est magnifiquement doué pour tous les genres de communications.

L'un des handicaps de la Balance/Chèvre, c'est son refus à croire en elle. Je dis répugnance plutôt qu'incapacité, car il s'agit davantage d'un refus que d'un manque. « Je ne peux pas. Qu'importe ? Qui se soucie de m'écouter ? Je n'ai aucune importance. Ne faites pas attention. » Voilà le genre de discours que vous tiendra la Balance malavisée, née dans une année de la Chèvre.

Vous comprenez, les Balance/Chèvres sont extrêmement sensibles. Dans leur jeunesse, elles sont souvent attirées par des personnes de type fort, « stable », dont la seule présence semble promettre d'étayer la faiblesse de la Balance/Chèvre. Mais, au bout d'un certain temps, quand la fantasque Balance/Chèvre réalise le prix qu'elle doit payer pour être « normale » et « stable », quand il ou elle comprend l'inutile et ennuyeuse monotonie d'une vie dépourvue de créations et d'expériences, il ou elle détale. Mais la Balance/Chèvre ressent cette fuite comme une lâcheté. La normalité l'a déçue. Mais elle met cette déception sur le compte de son refus à « marcher droit ».

A son tour, cela lui fait perdre confiance en elle. Comme ce sujet n'a jamais des tonnes de confiance en lui au départ, cela le rend moins efficace. C'est un cercle vicieux.

Les Balance/Chèvres sont excessives. Elles sont susceptibles d'excès néfastes. Elles sont ambitieuses et aiment suivre la mode. Elles sont inventives et douées pour toutes sortes d'activités de prestige. L'ennui, c'est qu'en plus de son manque intermittent de confiance en soi, la Balance/Chèvre a tendance à gaspiller son énergie dans toutes les directions. Elles se dispersent facilement. Elles doivent apprendre à s'en tenir à une idée et à la mener à bon terme. Et elles doivent rechercher la sagesse des personnes plus réfléchies et plus sagaces qu'elles. C'est en écoutant les bons conseils et en s'abstenant de jeter le manche après la cognée que les Balance nées dans une année de la Chèvre réussiront dans la vie.

AMOUR

Voilà un domaine où la Balance/Chèvre se sent à l'aise et capable. Ce sujet est doué pour les rapports sentimentaux. Il ou elle s'enchantera de tous les à-côtés de l'amour : les dîners aux chandelles, les voyages dans les îles tropicales, le baratin et — bien entendu — le sexe. Les Balance/Chèvres sont de très jolies personnes, du genre fragile et évanescent. Elles s'habillent toujours conformément à leur physique et ont du flair pour le style. Il ou elle sera entièrement dépendant de ses rapports avec son partenaire. Vivre seul est hors de question. Ce sujet s'épanouit sous la tendresse.

Si vous aimez une Balance/Chèvre vous devez d'abord vous acquérir ses bonnes grâces par une cour intelligente et esthétique.

Votre Balance/Chèvre est d'une séduction fatale. Vous ne serez pas le seul à briguer son affection. Soyez original. Le mystère attire votre Balance/Chèvre, l'étrange la fascine. Les gens ordinaires ne lui plaisent que dans la toute première rougeur de leur naïveté juvénile.

COMPATIBILITÉS

BALANCE/CHÈVRE : Vous avez une propension à cohabiter avec des natifs du Chat. Choisissez-en un né sous le signe des Gémeaux, du Lion, du Sagittaire ou du Verseau. Les natifs du Cheval vous donneront aussi bien des satisfactions. Essayez de vous en tenir à un sujet des Gémeaux, Sagittaire ou Verseau/Cheval. Ils sont capables de gagner assez d'argent pour vous faire vivre avec classe. Les Lion et Verseau/Cochons ont, eux aussi, un haut niveau de vie qui ne déplaît à aucune des Balance/Chèvres de ma connaissance. Les Bélier, Cancer et Capricorne/Chiens ne sont pas dans la course, de même que les Cancer et les Capricorne/Bœufs. Les Capricorne/Tigres sont trop cassants pour vous.

FAMILLE ET FOYER

La Balance/Chèvre se soucie assez peu de décoration. Elle vit dans une sorte de désordre d'intellectuel, entourée de velours élimés, de fauteuils au cuir patiné et de vastes surfaces de travail, et c'est dans ce cadre qu'elle est le plus heureuse. Ce sujet ne s'inquiète guère de l'impression que fait son intérieur sur les autres. Il veut que sa demeure soit confortable d'abord, belle s'il se peut. Les Balance/Chèvres souffrent d'un désordre mortel.

Ces sujets sont des parents consciencieux qui veulent offrir à leurs enfants tout ce qui se fait de mieux dans le domaine de la culture. De temps en temps, la Balance/Chèvre semble dépassée par ses enfants, et même un peu perplexe. Ces sujets n'aiment pas imposer une discipline à leurs petits. Mais ils ne tolèrent pas non plus de servir de punching-ball à Johnny ou à la petite Mary. Ils laissent donc la situation se détériorer jusqu'au moment où ils sont bien obligés d'intervenir. Cette méthode éducative d'avant-garde ne manque pas de provoquer pas mal de hurlements.

Les enfants de la Balance/Chèvre sont trop adorables pour être vrais. Ce sont de petites personnes affectueuses et adorables, dont la beauté seule vous donne envie de les cajoler. Mon conseil ? N'en faites rien. Les enfants de la Balance/Chèvre, comme leurs équivalents adultes, ne sont pas aussi fragiles qu'ils en ont l'air. Ils détestent qu'on les traite comme des débiles.

PROFESSION

Les sujets d'une Balance/Chèvre ne sont pas des gens indépendants. Pour atteindre leurs objectifs, ils ont besoin d'être entourés d'aides de camp et soutenus par un système bien structuré. Ils sont talentueux et innovatifs. Les Balance/Chèvres ont de l'allure, de bonnes manières et s'habillent avec goût. Elles sont particulièrement douées pour les emplois créatifs et complexes requérant un véritable esprit d'invention. Les Balance/Chèvres se découragent facilement et sont très vite paralysées à l'idée d'en avoir trop dans leur assiette. Chaque chose en son temps. La régularité et la persévérance peuvent gagner la course, mais cela, l'esprit léger de la Balance/Chèvre a bien du mal à le concevoir.

Carrières convenant aux Balance/Chèvres : illustrateur free-lance, poète, journaliste de mode, scénariste, ménagère, artiste graphique, musicien.

Balance/Chèvres célèbres : Franz Liszt, Jules Roy, Pierre Trudeau, John Le Carré, Doris Lessing, Chevy Chase, Barbara Walters, Yo-Yo Ma, Catherine Deneuve.

BALANCE		SINGE	

Juste	Querelleur	Improvisateur	Coquin
Esthète	Manipulateur	Habile	Astucieux
Charmant	Temporisateur	Stable	Loquace
De bon ton	Sybaritique	Directif	Égocentrique
Équilibré	Distrait	Spirituel	Puéril
Idéaliste	Bavard	Zélé	Opportuniste
Air, Vénus, Cardinal		*Métal positif, Yin*	
« Je balance »		*« Je prévois »*	

« La musique de la parole adoucit les mœurs. » Par la parole, ce sujet arrive à se tirer de tous les pétrins possibles. La grande force du Balance / Singe réside dans sa brillante capacité à manipuler les mots et les idées pour les adapter à toutes situations, commerciales ou artistiques. Ces sujets sont de sympathiques baratineurs, dont le bagout et l'éloquence font rechercher la compagnie.

Par son côté Balance, ce natif voudra vivre en couple et tendra à se marier jeune. Ajoutées à la volubilité de la Balance, les caractéristiques du Singe confèrent à ce signe un besoin accru de communication, et même un certain désir de conflits salutaires. Le mélange Balance / Singe n'est pas de tout repos. Le mouvement pour le mouvement attire ces sujets. Parfois, ils ressentent le besoin d'oublier ce qu'ils viennent de vivre pour aller explorer de nouveaux territoires afin de baigner dans une atmosphère joyeuse ou tout au moins différente.

Le Balance / Singe est manipulateur. Il ne dédaigne pas exploiter les autres. Il considère le monde comme son terrain de jeu personnel. Pourquoi ne ferait-il pas abstraction du sentiment en faveur du gain ? Après tout, quelque fumisterie à laquelle il se livre, le Balance / Singe sera le premier à convaincre, et lui et vous-même, qu'il n'agit que dans l'intérêt de toutes les personnes concernées. Le Balance / Singe n'est pas un parasite. Il est actif et énergique, d'une intelligence plus fine que la moyenne et spirituellement astucieux.

Ce sujet a un côté juvénile. Il a en permanence une petite lueur dans l'œil sous-entendant qu'il a surpris la main dans le sac tout son entourage. Je ne veux pas dire que les Balance/Singes passent leur temps à policer le monde entier. Mais ils semblent doués de perceptions extrasensorielles. Ils prévoient lucidement les changements personnels et sociaux. Vous les trouverez souvent à l'avant-garde d'un mouvement politique ou artistique. Ce sujet est un observateur qui s'investit.

Parfois, la vie est trop dure à supporter pour la sensibilité exacerbée du Balance/Singe. L'euphorie tente ce sujet, et il peut être attiré par la drogue. Il ne se sent pas toujours assez fort, assez combatif — quoiqu'il soit manifestement plus qu'assez intelligent — pour relever un défi. Non que les Balance/Singes soient faibles. Loin de là ! Mais ils manquent d'assurance et hésitent à écraser un concurrent. Ils veulent bien vaincre par la ruse ou la roublardise. Mais ils préfèrent ne pas affronter l'adversité de plein fouet. Pour le Balance/Singe, la force n'est jamais le droit. La satire est son arme préférée. Il préfère se servir de son humour ou de sa cervelle pour distancer l'opposition.

Le Balance/Singe sait manœuvrer un auditoire. Il a de la dignité et une repartie mordante. Il est doué de nombreux talents et peut s'élever très haut dans tout domaine qu'il aura choisi à cause de sa capacité à s'adapter, à plier, et à changer avec le courant. C'est l'antithèse même d'un entêté. Bien qu'il se décourage parfois et puisse se laisser aller à capituler temporairement, le Balance/Singe est flexible et d'humeur égale.

AMOUR

Dans ses recherches amoureuses comme dans ses entreprises plus prosaïques, le Balance/Singe peut secrètement rechercher son intérêt personnel. Mais, dans la plupart des cas, le couple revêtant une importance fondamentale dans la vie de ce sujet, il fera passer avant tout sa défense et sa permanence. Les Balance/Singes sont sentimentaux, et même lorsqu'ils profitent indûment de l'amour que leur porte leur partenaire, ils lui restent fidèlement attachés. Ce que recherchent les Balance/Singes dans une liaison ou un mariage, c'est un équilibre entre deux personnes dont la passion et l'interdépendance peut créer une symbiose. Le Balance/Singe reçoit beaucoup en amour, mais donne beaucoup en retour.

Etes-vous amoureux d'un Balance/Singe ? Soyez sûr qu'il fera de vos rapports une quête idéaliste et permanente de l'équilibre. En fait, il place ses espoirs si haut que la responsabilité pourra parfois paraître pesante à sa tendre moitié. Le Balance/Singe désire constituer l'élément stable du couple, ce qui vous laisse toute latitude pour être aussi farfelu que vous en aurez envie. Ne vous inquiétez pas : le Balance/Singe assurera côté sentiments.

COMPATIBILITÉS

BALANCE/SINGE : Il y a peut-être un Dragon dans votre avenir. Si oui, choisissez-le plutôt parmi les natifs des Gémeaux, du Lion, du Sagittaire ou du Verseau. Vous vous entendrez bien, également, avec les Lion, Sagittaire et Verseau/Rats. Vous et les Bélier et Cancer/Chevaux n'êtes pas sur la même longueur d'ondes. Même chose pour les Cancer et Capricorne/Tigres. Les Cancer/Cochons et les Capricorne/Bœufs sont tout simplement trop ordinaires pour plaire à votre nature souple et changeante.

FAMILLE ET FOYER

Le foyer du Balance/Singe, c'est l'endroit où il suspend son chapeau. Il aime la beauté et le luxe, mais n'a pas nécessairement besoin d'une demeure gigantesque pour se prouver qu'il a des racines. Le Balance/Singe s'enracine dans l'instant. Cela lui suffit. Il n'est pas nomade ou bohème. Mais s'il a un bel intérieur, c'est davantage pour le plaisir des autres que pour se donner l'impression d'une certaine sécurité.

Le Balance/Singe est un parent sincère et aimant. Ce qu'il regrette le plus dans la vie, c'est d'avoir dû grandir, devenir sérieux, ennuyeux, bref, adulte. Ce parent sera donc du genre qui joue avec les enfants, les emmène à la foire et les accompagne sur le Grand Huit. Les Balance/Singes aimeront que leurs enfants soient imaginatifs, et les encourageront à créer.

Les enfants du Balance/Singe sont d'adorables petites personnes, toujours prêtes à sourire, toujours prêtes à accompagner tante Linda ou à sauter à l'improviste dans les bras de l'oncle Oscar. Ils sont grégaires et joyeux. Bien entendu, il faut les surveiller pour qu'ils ne fassent pas trop de bêtises. Ils n'ont pas leurs pareils pour les espiègleries. Ils sont toujours en train de « mijoter » quelque chose. Et ils ont tendance à vous saouler de paroles. Donnez-leur une solide instruction, pour qu'ils aient au moins des sujets de conversation intéressants en grandissant.

PROFESSION

Le Singe né sous le signe de la Balance a le port aristocratique. Nous savons maintenant que ces sujets sont doués pour la parole — ô combien! Ils ont aussi le talent d'adapter les mots aux idées. Le Balance/Singe fait un excellent collègue ou associé, plus compétent que tout autre Singe pour les relations publiques.

Physiquement, le patron du Balance/Singe ne sera pas du tout imposant, mais impressionnera plutôt par sa loquacité et son esprit aiguisé comme un rasoir. Les gens respectent le Balance/Singe pour la noblesse et la finesse qu'il apporte au traitement des affaires sociales ou politiques. Façons profitables d'employer les services d'un Balance/Singe : ou bien laissez-le absolument seul dans une pièce sans fenêtres, l'obligeant ainsi à se concentrer, ou bien envoyez-le sur les routes pour vendre... n'importe quoi! Mais assurez-vous qu'il a bien rempli son quota journalier. Les Balance/Singes ont une regrettable tendance à disperser leur énergie en bavardages frivoles.

Carrières convenant aux Balance/Singes : toutes celles garantissant mouvement et contacts humains : marchand de biens, acteur, professeur, courtier en assurances, rédacteur de discours, secrétaire juridique, assistante sociale, agent de relations publiques, « homme à idées » dans la publicité.

Balance/Singes célèbres : Glenn Gould, Buster Keaton, F. Scott Fitzgerald, Jacques Tati, John Kenneth Galbraith, Timothy Leary, Jacques Sallebert, Henri Verneuil.

<table>
<tr><td colspan="2">

BALANCE

</td><td colspan="2">

COQ

</td></tr>
<tr>
<td>Juste</td><td>Querelleur</td><td>Résistant</td><td>Effronté</td>
</tr>
<tr>
<td>Esthète</td><td>Manipulateur</td><td>Passionné</td><td>Vantard</td>
</tr>
<tr>
<td>Charmant</td><td>Temporisateur</td><td>Candide</td><td>Borné</td>
</tr>
<tr>
<td>De bon ton</td><td>Sybaritique</td><td>Conservateur</td><td>Instable</td>
</tr>
<tr>
<td>Équilibré</td><td>Distrait</td><td>Rigoureux</td><td>Autoritaire</td>
</tr>
<tr>
<td>Idéaliste</td><td>Bavard</td><td>Chic</td><td>Dispersé</td>
</tr>
<tr>
<td colspan="2">

Air, Vénus, Cardinal
« Je balance »

</td><td colspan="2">

Métal négatif, Yang
« Je surmonte »

</td></tr>
</table>

La vie du Balance/Coq est faite de hauts et de bas, passant des abîmes du désespoir aux sommets de la félicité. Et Dieu merci pour l'équilibre de la Balance. La Balance prête sa poésie à la crâne rigueur du Coq, chatouille son conservatisme, le pousse à quelque fantaisie occasionnelle. La Balance tempère également la tendance du Coq aux réactions excessives. Pour un Coq, ce sujet sera doux et *pourra* même se qualifier de « calme ».

Et en échange, que donne le Coq à notre amie la Balance ? Des tas de choses. Tout d'abord, le réalisme et l'enthousiasme du Coq aident la Balance à secouer son indolence occasionnelle. « Allons, viens, ma vieille, il faut travailler. Tu ne peux pas passer ta vie entre tes draps de satin à lire des magazines du cœur. Debout et à l'œuvre. Il y a du nouveau dans la cuisine, un événement fascinant devant la porte, une personne extraordinaire à rencontrer sur le trottoir, etc. », s'écrie le Coq trépidant. La résistance élastique du Coq joue un rôle intéressant dans la personnalité du Balance/Coq. Comme nous le savons déjà, la Balance n'adopte jamais des positions fermes. Elle ne porte pas de jugements hâtifs. Cette capacité innée d'accepter et de supporter des bouleversements qui détruiraient toute personne moins douée pour rebondir sauve constamment la vie du Coq à la dernière minute. Ces deux qualités sont parfaitement complémentaires et donnent au Balance/Coq un avantage certain pour négocier les virages les plus serrés sur la route de la vie. Le Coq sait frôler le désastre sans ciller et la Balance ne lui reproche pas de l'avoir fait. Ce sujet s'adonne rarement, sinon jamais, au regret.

Le Coq donne de l'énergie à la Balance, et sa candeur allège le discours de la Balance, parfois inutilement querelleur. Au Coq, la Balance prête un air de séduction détendue qui manque parfois à l'image du Coq, autoritaire et crâneur. Le Balance/Coq a de bonnes manières, des vêtements sports et confortables, et semble n'avoir rien à prouver. L'image est attrayante. Les Coqs nés sous le signe de la Balance sont populaires auprès de leurs pairs.

Ces sujets ont un petit côté « je-sais-tout ». L'attitude de celui « qui roule des mécaniques ». Il fallait bien y arriver. On peut reprocher à ce sujet une certaine suffisance. « J'ai raison parce que je suis moi », telle est l'impression qu'il dégage. Cela peut être pénible.

Ce Coq ne s'épuise pas au travail. Il aime briller et gagner du premier coup. Les matchs retour n'intéressent pas le Balance/Coq. Il préfère que vous lui proposiez une nouvelle entreprise, ou que vous lui demandiez d'interpréter une de ses œuvres en chantier. Son esprit grouille de nouveautés comme une fourmilière. Le Balance/Coq réserve souvent des surprises.

Dans l'ensemble, le Balance/Coq a assez de talent et de sensibilité pour écrire de la poésie et de la musique. Ces sujets peuvent pousser très loin une carrière artistique. Ils ont de la persévérance et savent présenter leurs œuvres de façon engageante (Blanche). Ils ne détestent pas les conflits et semblent prendre plaisir aux joutes philosophiques. Tant mieux... cela les pousse à exécuter leur tâche.

AMOUR

Le Balance/Coq veut respecter autant qu'aimer son partenaire. Il a d'énormes réserves de fidélité et d'attachement. Mais il ne veut pas les offrir à la légère. Généralement, le Balance/Coq se fixe sur un seul partenaire amoureux et est capable de s'intéresser à lui jusqu'à la fin de ses jours. Tous les Coqs n'ont pas cette chance. Mais son côté Balance donne à ce sujet plus de sensibilité que n'en a généralement le Coq.

Si vous aimez l'une de ces Balance, vous devez être très heureux. Le Balance/Coq est une personne que vous pouvez respecter, admirer et cajoler à la fois. Les Balance/Coqs apprécient la tendresse et savent recevoir les marques d'affection. Ils peuvent sembler un tantinet absorbés dans leurs éternelles fantaisies artistiques. Ne vous inquiétez pas. S'ils vous disent qu'ils vous aiment — ils le pensent. Sinon, cherchez plutôt ailleurs. Ce sujet est intraitable sur la fidélité.

COMPATIBILITÉS

BALANCE/COQ : C'est avec un Bœuf ou un Serpent que vous serez le plus heureux. Prenez soin de sélectionner votre partenaire parmi ceux nés sous les signes des Gémeaux, du Lion, du Sagittaire ou du Verseau. Evincez les Bélier/Cochons, les Cancer/Coqs et les Capricorne/Chats. Ils sont émotionnellement trop instables pour vous apporter ce dont vous avez besoin — calme et tranquillité.

FAMILLE ET FOYER

Le Balance/Coq n'a pas envie de plastronner par l'intermédiaire de sa demeure. Ce sujet ne moisit pas chez lui. Il aime que son habitat soit bien monté, mais il n'a pas envie d'enfoncer les clous ou de coudre les rideaux. Le Balance/Coq se sent plus proche du travail « cérébral » que de tout travail manuel — quelque noble soit-il. Que la maison soit pratique et traditionnelle, et le Balance/Coq s'en contentera.

Parent, ce sujet se bornera à guider ses enfants et à leur vouer une affection souriante mais distante. Les Balance/Coqs n'aiment guère changer les couches. Ils engageront plutôt une nurse. De toute façon, ils ne sont pas exactement portés sur la famille. Ils aiment faire partie d'un couple. Mais ils n'ont pas vraiment de temps à perdre à présider l'Association des Parents d'élèves ou à faire des gâteaux pour les girls scouts.

L'enfant du Balance/Coq sera aimant et affectueux. Dès son jeune âge, il sera grand consommateur de culture. La jolie sensibilité de cet enfant aura besoin d'être stimulée. La Nature et toutes ses joies exerceront un effet calmant sur l'enfant du Balance/Coq. Il sera un curieux mélange d'activité et d'indolence. Quelle que soit la façon dont vous l'éleviez, il s'en trouvera bien. Mais plus vous consacrerez d'attention à son évolution intellectuelle, mieux ça vaudra.

PROFESSION

Doué pour tout ce qui est poétique, ce sujet a une chance certaine d'utiliser ses capacités artistiques dans sa vie et d'attirer les acclamations du public. Normalement, la Balance se détourne des conflits naturels qui hantent les ombres de la notoriété. Mais voilà que le Coq entre en scène et vient pousser ses cocoricos devant le rideau pendant que vous vous débattez avec les complexités d'un contrat. La Balance alliée au Coq est une combinaison presque sûrement destinée à, au moins, une certaine célébrité. Nous n'avons pas affaire ici à un être banal.

Pour bien utiliser les capacités artistiques du Balance/Coq, il ou elle doit commencer à travailler dès son jeune âge — et le fait presque toujours. Ce sujet peut essayer de s'intégrer dans un système, ou inventer le sien. Mais, dans l'un et l'autre cas, il doit sentir qu'on le traite avec déférence. Si l'on n'écoute pas ses avis, il est fort mécontent. Vous pourriez penser qu'il ferait un bon patron, mais, paradoxalement, je crois préférable qu'il n'ait personne à commander. Il désire sincèrement être libre, créer, réagir, inventer, exposer. Les Balance/ Coqs font des employés résignés. Ils comprennent qu'il faut travailler pour gagner sa vie. Mais cela ne leur sourit pas. Ils aiment l'activité. Mais ils aiment aussi faire ce qui leur plaît.

Carrières convenant aux Balance/Coqs : naturaliste, chanteur, poète, scénariste, producteur de télévision, photographe, critique.

Balance/Coqs célèbres : Giuseppe Verdi, Louis Aragon, William Faulkner, Georges Brassens, Al Capp, Yves Montand, Geneviève Dorman.

BALANCE		CHIEN	
Juste	Querelleur	Constant	Inquiet
Esthète	Manipulateur	Héroïque	Critique
Charmant	Temporisateur	Respectable	Sainte nitouche
De bon ton	Sybaritique	Déférent	Cynique
Équilibré	Distrait	Intelligent	Insociable
Idéaliste	Bavard	Consciencieux	Sans tact
Air, Vénus, Cardinal		*Métal positif, Yin*	
« Je balance »		« Je m'inquiète »	

Altruiste. Inquiet. Idéaliste. Ronchonneur. Esthète. Scientifique. Bricoleur. Bon vivant. Ai-je besoin d'en dire plus ? Naturellement. Il y a tout un livre à écrire.

Les Balance/Chiens sont brillants et pleins de dignité. Ils sont humanitaires de nature, et ont le cœur le plus tendre du monde. Un Balance/Chien vous manifestera toujours de la compassion. Il vous aidera, vous remontera le moral et applaudira votre courage. C'est un ami merveilleux, un associé super et un paquet de nerfs.

La Balance est capable de régler toutes sortes de conflits par la diplomatie et l'impartialité. En fait, l'une des choses les plus contrariantes que j'ai découvertes chez la Balance, c'est son refus de prendre des positions impopulaires. Elle peut toujours voir les deux côtés d'un problème. Les Chiens sont assez semblables. Ils ne recherchent pas les conflits, à moins qu'il ne s'agisse de défense légitime absolument inévitable. Si donc vous mettez ces deux signes ensemble, vous obtenez une créature très pacifique et compatissante qui ne ferait pas de mal à une mouche — à moins, bien entendu, qu'elle ne se sente personnellement menacée. Dans ce cas, sortez la muselière !

Les Balance/Chiens sont assez grincheux. Ils se plaignent de la dureté de la vie et du nombre des vauriens qui gambadent dans le monde, volant les pauvres gens et blessant les handicapés. Ils grognent, ils en font même une habitude. Bien entendu, ils aboient toujours plus qu'ils ne mordent. Malgré tout, la vie avec un Balance/ Chien peut être pénible, dans le meilleur des cas.

Les Balances nées dans une année du Chien essayent toujours de trouver un compromis pour régler les différends. Ils comprennent que vous n'avez pas envie de manger leur soupe parce que vous détestez les oignons. Et Dieu sait qu'il y en a des raisons de détester les oignons. Quand j'étais enfant, moi non plus, je n'adorais pas exactement les oignons. Et il est vrai que ma mère me forçait à en manger. Ça ne me plaisait pas du tout. Je comprends donc parfaitement que vous hésitiez... etc. Alors que vous ou moi dirions simplement : « Mange ta soupe, nom d'un chien, et remercie le ciel d'avoir quelque chose dans ton assiette ! » provoquant larmes et même indigestion, le Balance/ Chien trottinera autour du problème avec tant de compassion que la fin de la semaine arrivera avant la fin de la soupe.

Bien entendu, les Balance/Chiens se font exploiter à l'envi par des canailles sans scrupule. Ils encaissent des avanies incroyables de la part de parents et d'amis qui n'hésitent jamais à user et abuser de leur hospitalité et de leur obligeance. Ils sont bien trop gentils, tout simplement. Ils le savent. Ils le sentent. Puis, quand ils en ont assez des sycophantes et des parasites, ils se mettent à se plaindre. Mais personne ne les écoute. Tout le monde a tellement pris l'habitude de leur numéro autosacrificiel, que leurs appels à l'aide ne rencontrent que des sourds.

Acquiert-il quelque circonspection à la suite de ces mésaventures ? Absolument pas. Le Balance/Chien reste toujours fidèle à ses convictions et adhère aux causes qu'il défend avec une ferveur et un zèle sans pareils. « Bien sûr que vous pouvez venir pour Noël. Amenez les gosses. »

Les Balance/Chiens ont une grande dextérité manuelle. Ils conçoivent des modèles, construisent des meubles, dessinent des graphiques et savent cultiver les plantes. Ils sont gentils et aiment la maison. Mais ils peuvent être aussi secs et tranchants, hésitants et maussades.

AMOUR

Les Balance/Chiens se montrent difficiles dans le choix d'un partenaire. Autant ils peuplent volontiers leur vie sociale de ratés et d'infortunés, les Balances nées dans une année du Chien font preuve d'un soin méticuleux pour éviter de choisir un partenaire indigne d'eux. Doués pour les rapports amoureux, ils ont peur néanmoins d'une intimité excessive. Ils n'acceptent pas la critique aussi facilement qu'ils l'exercent. La cohabitation n'est pas leur fort.

Si vous aimez un Balance/Chien, soyez patient. Apprenez à attendre (des années !) qu'il ait pris la décision de s'établir. Montrez-lui à quel point vous pouvez l'aider, et approuvez toutes ses lubies humanitaires. Les Balance/Chiens s'entendent très bien à se divertir en bricolant. Ne vous cramponnez pas. Attendez.

COMPATIBILITÉS

BALANCE/CHIEN : Soyez prudent, et portez votre choix sur un Tigre magnanime, magnétique et pourtant compréhensif. Choisissez-le parmi ceux nés sous les signes des Gémeaux, du Sagittaire ou du Verseau. Vous pouvez, aussi, bien vous entendre avec les Chats nés sous les signes des Gémeaux, du Lion ou du Verseau. Et vous vous harmoniserez parfaitement avec le Lion et le Sagittaire/Cheval, au style de vie si excitant. Les Gémeaux/Serpents sont mignons, et vous admirerez leur esprit incisif et joyeux. Les Dragons sont absolument à exclure — surtout s'ils sont nés sous les signes du Bélier, du Cancer ou du Capricorne. Vous avez peu d'affinités pour les Cancer et les Capricorne/Chèvres. Avec un Cancer/Singe, vous vous noierez dans vos larmes.

FAMILLE ET FOYER

C'est à la campagne que le Balance/Chien sera le plus heureux. La ville et ses rudesses portent sur ses nerfs délicats. Son intérieur sera propre et ordonné. Son goût le portera vers ce qui est moderne et élégant. Pourtant, ses couleurs préférées seront des rouges et des jaunes bien « rustiques ».

Le parent du Balance/Chien est autosacrificiel. Mais il faut dire que les Balance/Chiens se marient tard (si toutefois ils se marient) et n'ont presque jamais d'enfants. Ils sont gentils et aimants pour leurs petits, s'ils en ont. Mais ils sont aussi très critiques et parfois même sarcastiques. Ils savent pourvoir aux besoins de leurs enfants, et aiment l'atmosphère douillette de la vie familiale.

Les petits Balance/Chiens seront des charmeurs. Tous les voisins aimeront ces bambins. Il ou elle sera souriant, ouvert, sincère et aura son franc-parler. N'allez pas croire que des succès précoces sont hors de sa portée. Cet enfant pourra très bien être premier dès la maternelle, et le rester pendant toute sa carrière. Il a très tôt le sens du devoir et de la responsabilité. Chatouillez-le au moins une minute par jour.

PROFESSION

Les natifs de ce signe sont doués pour les carrières exigeant des connaissances techniques, de la compréhension humaine, ou des occasions de faire plaisir aux autres. Les Balance/Chiens aiment la nature et les animaux. Ils apprécient l'ordre dans la société et s'intéressent à la politique et au droit. Ce sujet est aussi un peu poète. Sa force, c'est sa gentillesse. Sa faiblesse, c'est encore la gentillesse.

Les gens aiment leur patron du Balance/Chien. Il règne toujours une atmosphère démocratique et amicale dans un bureau qu'il dirige. De plus, ses employés respectent son esprit humanitaire et travailleront dur pour s'égaler aux nobles idéaux du Balance/Chien. Il est facile pour le Balance/Chien d'être un employé. Il n'est pas de ceux qui ont toujours quelque chose à prouver, une mission à accomplir pour dépasser les autres ou battre la concurrence. Il ou elle désire simplement une existence agréable, sûre et sensée. Les Balance/Chiens sont capables d'exercer leur vie durant un métier routinier s'il est un moyen d'atteindre l'idéal que ces sujets recherchent toujours dans leur vie personnelle.

Carrières convenant aux Balance/Chiens : vétérinaires, assistante sociale, médecin, sage-femme, dresseur d'animaux, architecte paysagiste, chercheur scientifique.

Balance/Chiens célèbres : Charles Ives, George Gershwin, Brigitte Bardot.

BALANCE		COCHON	
Juste	Querelleur	Scrupuleux	Crédule
Esthète	Manipulateur	Courageux	Coléreux
Charmant	Temporisateur	Sincère	Hésitant
De bon ton	Sybaritique	Voluptueux	Matérialiste
Équilibré	Distrait	Cultivé	Épicurien
Idéaliste	Bavard	Honnête	Entêté
Air, Vénus, Cardinal		*Eau négative, Yin*	
« Je balance »		« Je civilise »	

Aimer, c'est le point fort du Balance/Cochon. Ce sujet est fidèle, exclusif, jaloux et loyal à l'extrême. Rien ne compte vraiment dans la vie du Balance/Cochon, hormis *le* lien qu'il a noué avec son partenaire. Toute activité se centre sur ce rapport que le Balance/Cochon a créé avec un autre. Le foyer, l'argent, les enfants, les hobbies, les amitiés — et j'en passe — tout se voit relégué à la seconde place. Le mariage (ou la liaison amoureuse) représente le Soleil. Il gouverne tous ses gestes et tous ses efforts, règne sur toutes ses joies et sur toutes ses peines.

Pour survivre la Balance a besoin de beauté. Le Cochon, de richesse. La Balance est capable de créer la beauté autour d'elle et aspire à la liberté de l'admirer dans une ambiance paisible. Les Cochons aiment aussi la tranquillité. Ils sont les esclaves de la culture, sous toutes ses formes et variétés. Ils s'épanouissent dans l'opulence. Si le Balance/Cochon a le choix, il vivra confortablement jusqu'à la fin de ses jours, blotti dans le luxe d'un amour unique.

Bien que cela ne soit pas toujours évident, le but du Balance/Cochon est d'être gâté par la vie. Il se perd dans des rêves d'abondance et de magnificence. Elle souhaitera secrètement être vedette de cinéma, ou au moins princesse ou reine de conte de fée. La routine journalière à laquelle excelle le Balance/Cochon n'est qu'un marchepied secret pour atteindre ce lieu où, quand viendra son heure, misère et discorde se transformeront en charme et gaieté, luxe, calme et volupté. Les habitants du monde de ses rêves l'oindront d'huiles parfumées et lui offriront des cadeaux d'une valeur et d'une antiquité indicibles. Mollement étendu, il dégustera des mets riches et délicieux et goûtera à tous les vins du monde.

Notons ici que le Balance/Cochon perçoit tout à travers la brume de ce monde de rêve, qui le handicape véritablement dans l'exécution des besognes fastidieuses. Il peut se plier à la routine et paraîtra remarquablement efficace dans les tâches pénibles. Mais le Balance/Cochon n'est pas vraiment là. Il ou elle attend que surgisse sa prochaine exaltation romanesque. Il fera la vaisselle et cirera les planchers, mais son âme sera ailleurs.

La plupart des rêves des Balance/Cochons ne se réalisent jamais. Il ou elle n'est pas vraiment un lutteur efficace. Le mot « talentueux » vient à l'esprit. Le Balance/Cochon est très doué pour la création. Mais le chemin rocailleux qui conduit à la réalisation décourage souvent l'âme fragile du Balance/Cochon avant qu'il ait accompli son projet. Son esprit vise souvent au-delà du but, saute tout de suite à la ligne d'arrivée, et le projet, naturellement, s'enlise en route.

Il devient alors coléreux, amer, querelleur. Quand ses rêves s'écroulent, quand ses espoirs sont déçus, le ressentiment prend leur place. Bien des Balance/Cochons meurent en reprochant à l'humanité entière son incapacité à comprendre ce qu'ils voulaient réaliser.

Le mieux à faire pour un Balance/Cochon, c'est de s'établir avec quelqu'un qui l'adore pour ses goûts pacifiques et sa capacité à embellir n'importe quel bouge. Sa sensualité et son amour aveugle et infatigable, voilà les points forts du Balance/Cochon. S'il insiste pour commander, il devrait le faire de la coulisse, à partir d'une maison de campagne agréable et sûre qu'il quitte rarement pour s'aventurer dans le tourbillon de la vie citadine. Le Balance/Cochon a besoin d'équilibre et réagit mal à toute résistance à ses caprices.

AMOUR

Au risque de me répéter, je souligne une fois de plus l'éblouissante capacité d'AMOUR du Balance/Cochon. Dans les rapports personnels et la complicité partagée, il est capable de donner le meilleur de lui-même, mieux que pratiquement tout autre signe. Le Balance/Cochon est autosacrificiel à l'égard de son partenaire. Il tire la plupart de ses plaisirs des achèvements de ceux qu'il aime. Et lui ? Eh bien, il n'arrive pas à décider ce qu'il préfère. Il ne désire sans doute guère plus que l'amour, le confort, et quelques occasions de se consacrer à un ou deux hobbies artistiques.

Si vous aimez l'un de ces sujets, vous savez déjà qu'ils sont prêts (quoique avec une légère résistance au début) à renoncer à tout dans l'intérêt de votre bonheur et de votre avancement. Toutefois, ils exigent de fortes compensations en échange. Le Balance/ Cochon désire le luxe, le confort, et un dévouement total et à toute épreuve. Ne le trahissez pas. Vous le paieriez chèrement.

COMPATIBILITÉS

BALANCE/COCHON : Vos penchants sentimentaux vous prédisposent à vous entendre avec les Chats et les Chèvres. Vous appréciez leur discrétion. Parmi eux, essayez de vous attacher à un natif des Gémeaux, du Sagittaire, du Lion ou du Verseau. En règle générale, les Serpents sont interdits aux Cochons, et le pire choix serait un Bélier, Cancer ou Capricorne/Serpent. Vous ne vous entendez pas non plus avec les Capricorne/Singes. Trop cérébraux et pas assez bohèmes pour votre nature sensuelle.

FAMILLE ET FOYER

La demeure du Balance/Cochon sera un modèle de luxe confortable. S'il est une chose qu'il sait faire, c'est bien d'embellir n'importe quel environnement où il vit. Il préférera toujours l'ornement au pratique, le majestueux à l'humble. Il a des goûts dispendieux.

Les parents du Balance/Cochon ont tendance à penser que leurs enfants passent après leur partenaire. Ces sujets font leur devoir à l'égard de leurs enfants. Mais ils accordent souvent plus d'attention et d'affection à leur conjoint. Pourtant, les enfants sont partie intégrante de l'image de la famille heureuse, et, comme tels essentiels au bien-être du Balance/Cochon. Les enfants de ce sujet adorable et généreux pourront lui demander pratiquement n'importe quoi. Il est presque impossible à un Balance/Cochon de dire « non »... surtout à une crème glacée ou à un gâteau supplémentaire.

PROFESSION

Le natif du Balance/Cochon s'intéresse toujours à son avancement social. Mais, une fois de plus, cet avancement ne lui importe que dans la mesure où il profite à son union. L'amour d'abord. Le travail après. Et l'amélioration de la condition sociale uniquement dans les limites du couple. Le Balance/Cochon est fort talentueux, et certes capable de toutes sortes d'entreprises. Mais il ne « se lancera » pas seul. Le Balance/Cochon s'intéressera à son travail uniquement si sa carrière améliore le lot de l'alliance qu'il a choisi de vivre.

Ce sujet fait un patron hésitant. Comme il ne s'intéresse pas à dominer ou à prendre les autres en charge, le commandement lui paraît pénible et nerveusement épuisant. Le Balance/Cochon préfère sans doute être le commandé que le commandant. Employé, il est responsable et industrieux, tant que sa vie amoureuse fonctionne harmonieusement. S'il ou elle a eu une scène avec son mari ou sa femme, sa journée sera gâchée et un noir nuage d'incertitude planera au-dessus de sa tête. Pour le Balance/Cochon, ce qui compte, c'est ce qui lui appartient et ce qu'il aime. « Et tout le reste est littérature. »

Carrières convenant aux Balance/Cochons : toutes celles qui ont quelque chose à voir avec le FOYER : Merveilleuses maîtresses de maison, excellents fermiers, cuisiniers, restaurateurs, viticulteurs et artisans.

Balance/Cochons célèbres : Le Corbusier, Michel Oliver, Julie Andrews, Jacques Manière, Julien Clerc, Cheryl Tiegs.

SCORPION

23 octobre-21 novembre

<table>
<tr><td colspan="2">SCORPION</td><td colspan="2">RAT</td></tr>
<tr><td colspan="2" align="center"></td><td colspan="2" align="center">子</td></tr>
<tr><td>Dévoué</td><td>Impitoyable</td><td>Charmeur</td><td>Avide de pouvoir</td></tr>
<tr><td>Souverain</td><td>Fanatique</td><td>Influent</td><td>Verbeux</td></tr>
<tr><td>Magnétique</td><td>Rancunier</td><td>Économe</td><td>Nerveux</td></tr>
<tr><td>Inspiré</td><td>Sadique</td><td>Sociable</td><td>Rusé</td></tr>
<tr><td>Tendre</td><td>Soupçonneux</td><td>Cérébrale</td><td>Intrigant</td></tr>
<tr><td>Discipliné</td><td>Intransigeant</td><td>Charismatique</td><td>Ambitieux</td></tr>
<tr><td colspan="2" align="center">Eau, Mars, Fixe
« Je crée »</td><td colspan="2" align="center">Eau positive, Yin
« Je dirige »</td></tr>
</table>

Pie à la langue acérée s'il en fut jamais. Le Scorpion/Rat sera bavard et mordant. Ce sujet est généralement d'esprit souple, agile et vif. Il ou elle se plaira sans doute à tous les sports gracieux et aux jeux compétitifs.

Le Scorpion/Rat est sympathique. Les gens l'aiment tout de suite, et ne devinent jamais que son sourire cache un rare appétit de pouvoir. Il ne désire pas nécessairement gouverner les autres, mais il veut avoir une situation puissante dans sa partie.

Le Scorpion/Rat a un caractère fort. Il n'est pas mollasson et sait exactement ce qu'il veut. Ce sujet sera plus réservé que les autres Rats, car ce bon vieux Scorpion sournois modérera son agressivité. Il aimera sûrement recevoir, et généreusement. Le Scorpion/Rat est souvent grégaire dans son propre intérêt, mais son charme, c'est qu'il l'avoue. Il n'a pas peur de reconnaître qu'il travaille pour lui et ceux qu'il aime et qu'il a bien l'intention de les protéger par tous les moyens disponibles.

L'un des traits les plus frappants de ce sujet, c'est sa vision et son sens de l'avenir. Il est excellent critique en art et en politique, et semble posséder un sixième sens qui l'avertit de ce qui plaira dans les années à venir. Le Scorpion/Rat est plus qu'intelligent. Il est malin, astucieux et rusé. S'il utilise ses qualités à bon escient, en tant que créateur ou protecteur, le Scorpion/Rat aura une vie bienheureuse. C'est une créature compatissante et compréhensive qui peut faire beaucoup de bien à l'humanité. Toutefois, s'il se laisse tenter par les agissements tortueux, sa vie pourra se terminer en désastre. Le Scorpion/Rat est plus vulnérable à la désapprobation qu'il ne le paraît.

C'est une nature fondamentalement noble qui, dans l'ensemble, ne souhaite pas de mal aux autres. Il est à la fois nerveux et soupçonneux. Il a donc tendance à toujours se faire du souci et peut souffrir de crises d'angoisse. Il est magnétique et agréable. Il ne verra pas d'un bon œil quelqu'un s'ingérer dans ses affaires, mais on peut l'accuser lui-même d'ingérence. Le Scorpion/Rat aime juger les autres. Il est fort habile à les épingler sur des points subtils ou à leur river leur clou sur des questions délicates. Ce sujet peut se rendre très impopulaire auprès de ses adversaires s'il ne veille pas soigneusement à bien sélectionner les victimes de ses jugements hâtifs.

Le côté créatif du Scorpion/Rat est souvent amoindri par son besoin de compétition et de victoire. Il supporte mal l'échec, qui peut l'anéantir. Il est capable de renoncer à tout et de déménager à la campagne si la société lui met des bâtons dans les pattes.

Enfin, le Scorpion/Rat se suffit passablement à lui-même. Bien qu'il s'entête à vouloir briller devant ses concurrents et à triompher de ceux qu'il considère comme ses adversaires, s'il apprend à s'asseoir pour réfléchir tranquillement, à se calmer pour examiner ses problèmes à tête reposée, il s'étonnera de constater qu'il n'a pas besoin de se mesurer à l'opposition pour prouver sa valeur. D'ailleurs, elle est évidente.

AMOUR

Le Scorpion/Rat couve sans arrêt de complexes intrigues romanesques. Il ou elle ne sera pas longtemps attiré par les aventures d'une nuit. Les Scorpions nés dans une année du Rat ont besoin de trouver exceptionnelle la personne avec qui ils feront leur vie. Ils sont extrêmement sensuels et s'intéressent très tôt à la passion. Pourtant, comme ils savent qu'ils sont eux-mêmes tentés par les conquêtes, ils décident souvent d'épouser des individus ternes dont le sérieux les maintient sur le droit chemin. Peut-être n'entendrez-vous pas souvent parler des conjoints de ces âmes affairées et parfois traîtresses. C'est parce que le partenaire idéal du Scorpion/Rat reste à la maison pour entretenir le feu.

Si vous aimez un Scorpion/Rat, il faut vous armer d'une matraque pour vous défendre. Le Scorpion/Rat est un critique dur et exigeant. Il est grand perfectionniste devant l'Eternel quant aux rapports amoureux, tournant et retournant le moindre détail pour vérifier la pureté du sentiment. Ce sujet aime la compétition et peut être d'une jalousie morbide. Si il ou elle est capable d'infidélité, alors vous aussi devez l'être. Curieuse tournure d'esprit, mais dont le Scorpion/Rat a fait sa spécialité.

COMPATIBILITÉS

SCORPION/RAT : Vous pourrez sans doute marcher la main dans la main jusqu'à la fin de vos jours avec un Cancer, Vierge ou Poissons/ Bœuf. Autres possibilités : Cancer, Capricorne ou Poissons/Dragon, et Cancer, Vierge et Capricorne/Singe. Tous ces signes adorent écouter le récit de vos malheurs très avant dans la nuit. Un Taureau, Lion ou Verseau/Cheval vous prêtera une oreille moins bienveillante. Gardez vos distances avec les Taureau et les Verseau/Chats.

FAMILLE ET FOYER

Les Rats nés sous le signe du Scorpion ont une volonté puissante. Ils aiment que leur intérieur parle d'eux, vante leurs réussites, affiche leur personnalité, et non celle d'un autre. Les Scorpion/Rats ont souvent un cadre de vie élégamment ultra-moderne. Ce sujet pense dans l'avenir et s'imagine toujours appartenir à l'avant-garde. De plus, les Scorpion/Rats sont créatifs et tendront à exposer leurs œuvres chez eux.

Le parent du Scorpion/Rat soigne et protège sa nichée. Ce sujet n'oublie jamais de se préparer à toute éventualité ou urgence. Comme les enfants vivent dans l'impromptu, le parent du Scorpion/Rat fait souvent figure de sauveur quand Junior a besoin d'une carte de Vénus pour le lendemain et qu'il est déjà minuit passé. Les Scorpion/Rats sont affectueux et communicatifs avec leurs rejetons.

Dès le berceau, l'enfant du Scorpion/Rat sera éveillé et souriant. Cet enfant est un charmeur. Il désire l'attention de ses parents et de ses professeurs, de ses voisins et de ses pairs. Il sait provoquer l'approbation par ses accomplissements. Il sera obligatoirement puissant, ou recherchera activement la puissance. Ces natifs luttent sans merci toute leur vie pour conquérir la première place. Ils ont besoin des encouragements de leurs parents pour poursuivre les choses qui les intéressent.

PROFESSION

La profession idéale pour le Scorpion/Rat, c'est critique vociférant. Il donne toute sa mesure dans l'analyse de situations qui ont besoin d'être décortiquées. Il ou elle devrait bien réussir dans le droit, être excellent pour diagnostiquer les maladies ou régler les difficultés d'une industrie ou d'un spectacle, ou pour inventer des choses exigeant une minutieuse attention au détail. Il ou elle est de dispositions enjouées, mais sera thésauriseur et affamé de puissance.

Vous pouvez engager un Scorpion/Rat, mais, dès le départ, son regard sera fixé sur le trône. Les Scorpion/Rats préfèrent la première place à la subordination, et ne s'encombrent généralement pas de scrupules indus pour atteindre leurs buts. Ils apprennent et s'entraînent jusqu'à ce qu'ils connaissent à fond le système, et puis, pan! ils dirigent toute l'entreprise. La vie du Scorpion/Rat est faite de machinations. Patron, le Scorpion/Rat sera exigeant et protecteur — paternaliste, même. Comme il ou elle est très efficace à tous les niveaux et capable d'exécuter n'importe quelle tâche, il en attendra autant de ses subordonnés.

Carrières convenant à ce sujet : journaliste de mode, courtier en assurances, inventeur, athlète, interprète, critique, politicien.

Scorpion/Rats célèbres : Claude Monet, Aaron Copeland, Dick Cavett, le prince Charles d'Angleterre.

<table>
<tr><td colspan="2">

SCORPION

Dévoué	Impitoyable
Souverain	Fanatique
Magnétique	Rancunier
Inspiré	Sadique
Tendre	Soupçonneux
Discipliné	Intransigeant

Eau, Mars, Fixe
« Je crée »

</td><td colspan="2">

BŒUF

Intègre	Entêté
Réalisateur	Étroit d'esprit
Stable	Lourd
Innovateur	Conservateur
Diligent	Partial
Éloquent	Vindicatif

Eau négative, Yin
« Je persévère »

</td></tr>
</table>

Enfant prodige un peu dingue, tel est le Scorpion né dans une année du Bœuf. Les Bœufs sont des gens simples et résolus qui, en général, marchent pesamment vers la réussite, quoi qu'il arrive. Ils sont lents et ils sont minutieux. Les Scorpions sont très rusés et fanatiques, méfiants et magnétiques. Ils tournent et virent dans toutes les directions pour atteindre les objectifs vers lesquels le Bœuf se dirige, cornes baissées, régulier comme un métronome. Mettez ces deux signes ensemble, et vous obtenez une sorte de Kremlin enjoué ou de tank Sherman légèrement farfelu.

Les Scorpion/Bœufs sont étranges. Ils semblent savoir instinctivement jouer des coudes dans une foule sans même frôler les manches de l'opposition. Ces sujets sont toujours en route pour quelque part. Auprès d'eux, Challenger semble un wagon de troisième classe à Darjeeling. Non que le Scorpion/Bœuf soit pressé — oh non ! Il est juste brutalement et sadiquement déterminé à arriver où il va, ce qui, dans son cas, est toujours le sommet de sa profession où il y a les plus gros salaires, le plus de gloire.

La supériorité tacite dont il donne partout l'impression est un curieux trait de sa personnalité. Quand un Scorpion/Bœuf est présent, on ne se demande jamais qui commande. Vous comprenez, ce sujet est doté à la fois de la souveraineté naturelle du Scorpion et de la force résolue du Bœuf. A son avis, les décisions doivent être prises sans considérations pour les sentiments. Les Scorpion/Bœufs comprennent le besoin de sentiment, et en fait, accumulent leur part de folles expériences. Mais généralement, ils ne laissent pas leurs passions interférer avec leur avancement. S'ils le font, ils savent très bien que leurs carottes sont cuites.

Bien sûr que les Scorpion/Bœufs sont dominateurs. Ils ont besoin de gouverner les autres. Mais ils sont agréables dans leur capacité à prendre la barre en toutes situations, et ils ont le bagou qui permet de faire passer le message avec charme. Ces sujets sont souvent très humoristes et savent faire rire les autres. Cependant, ils ne sont pas terribles s'il s'agit de rire d'eux-mêmes, vu que leur ego est passablement plus développé que leur lucidité.

Les Scorpion/Bœufs sont enviables. Les gens les jalousent facilement et tentent souvent d'enrayer leur avance par des moyens violents ou tortueux. Mais le Scorpion/Bœuf est un client coriace. Il ne cède pas volontiers du territoire. C'est un négociateur redoutable. C'est un adversaire dangereux et un ami dévoué. Les Scorpion/Bœufs sont des gens centrés sur eux-mêmes, dont les pas lourds se répercutent à travers des continents entiers, et qui n'hésitent pas à faire de grosses vagues (variété surf) pour s'assurer une tranquille traversée.

Aucun Scorpion n'est plus vindicatif que le Scorpion/Bœuf. Il n'oublie jamais un tort qu'on lui a fait, et se souvient d'une dette après des décennies de furie muette. Il n'est pas du genre câlin et ne se rend jamais coupable d'indulgence envers les autres. Les imbéciles? Ou bien il s'en sert, ou bien il les décapite! Parce qu'il ou elle s'entête dangereusement dans son obstination et mène à cent à l'heure une vie d'écervelé, il ou elle se trouve souvent en danger mortel.

AMOUR

Vu que le Scorpion/Bœuf est séduisant aussi bien que puissant, il ou elle aura de nombreux admirateurs. Parmi eux, il ou elle choisira le partenaire de sa vie davantage pour sa beauté et sa malléabilité que pour son intelligence. Il ne s'intéresse guère à des échanges intellectuels avec la personne aimée, mais en revanche, il est fasciné par le tonnerre et les éclairs des colères, bagarres, séparations, ruptures, etc. Les crises émotionnelles le stimulent.

C'est passablement risqué que d'être le partenaire, ou même l'amant ou la maîtresse, d'un de ces enragés. Ils sont passionnés et sexy. Mais ils ont *toujours* raison, ils sont *toujours* les plus forts, et ils sont *toujours* légèrement cinglés. Agréablement cinglés, parfois, mais cinglés tout de même. Si je devais me sentir attirée par un Scorpion/Bœuf, je réfléchirais à deux fois avant de nouer des liens permanents. Le Bœuf né sous le signe du Scorpion est une canaille, et il est un peu clochard en prime.

COMPATIBILITÉS

SCORPION/BŒUF : les Rats sont d'accord avec vous, surtout ceux nés sous les signes du Cancer, de la Vierge, du Capricorne et des Poissons. Pour vous, les Coqs sont aussi des numéros gagnants. Choisissez ceux nés sous les signes du Cancer, du Capricorne ou des Poissons. Vous baignerez dans le bonheur avec un Serpent s'il appartient au Cancer, à la Vierge ou au Capricorne. Les rapports seront moins heureux avec les Gémeaux, Taureau, Lion et Verseau/Chèvres. Déceptions innombrables vous attendent avec les Taureau et les Gémeaux/Dragons. Vos humeurs boudeuses s'harmoniseront mal avec la nature du Taureau/Singe, du Gémeaux/Cheval et du Verseau/Tigre.

FAMILLE ET FOYER

Le côté Scorpion de ce sujet le rendra peut-être un peu scandaleux, mais, à cause du penchant du Bœuf pour la vie domestique, son mode de vie sera beaucoup plus terre à terre que sa personnalité ne le donnerait à penser. Le Scorpion/Bœuf aimera une vie campagnarde mais élégante, et un cadre discrètement luxueux l'attirera. Il ou elle fera sans aucun doute installer des projecteurs dans toutes les pièces de sa vaste et massive demeure.

La vie familiale de cette robuste créature dépendra de la personne qu'il aura l'intelligence de s'attacher. Comme le Scorpion/Bœuf est souvent par monts et par vaux, occupés à faire son numéro d'enfant prodige, il lui faut une équipe dévouée à la maison pour s'occuper de détails tels qu'enfants, animaux, etc., ou bien voyager avec sa famille à la remorque. La vie affairée inhérente à ce signe exige souvent la mobilité. Le Scorpion/Bœuf sera un parent dévoué et maintiendra de bons rapports avec ses enfants longtemps après qu'ils auront quitté le nid.

PROFESSION

Les professions investies de puissance sont celles qui attirent le Scorpion/Bœuf. Mais son éloquence le portera également vers tous les métiers du spectacle. De naissance, ce sujet est un acteur génial. Il peut aussi entraîner les foules à des exploits gigantesques et même à la révolution. Il est un tantinet trop fou pour qu'on lui confie des armées. De plus, il préfère le rire à l'agression.

Carrières convenant aux Scorpion/Bœufs : interprète, amuseur, acteur ou actrice, chef politique, professeur, écrivain, réalisateur de cinéma, directeur de théâtre, spécialiste en communications, comique.

Scorpion/Bœufs célèbres : André Malraux, Jawaharlal Nehru, Lee Strasberg, Robert Kennedy, Vivien Leigh, Richard Burton, Jonathan Winters, Johnny Carson, Claude Tixier.

<table>
<tr><td colspan="2" align="center">**SCORPION**</td></tr>
<tr><td colspan="2" align="center"></td></tr>
<tr><td>Dévoué</td><td>Impitoyable</td></tr>
<tr><td>Souverain</td><td>Fanatique</td></tr>
<tr><td>Magnétique</td><td>Rancunier</td></tr>
<tr><td>Inspiré</td><td>Sadique</td></tr>
<tr><td>Tendre</td><td>Soupçonneux</td></tr>
<tr><td>Discipliné</td><td>Intransigeant</td></tr>
<tr><td colspan="2" align="center">*Eau, Mars, Fixe*
« Je crée »</td></tr>
</table>

<table>
<tr><td colspan="2" align="center">**TIGRE**</td></tr>
<tr><td colspan="2" align="center"></td></tr>
<tr><td>Fervent</td><td>Impétueux</td></tr>
<tr><td>Courageux</td><td>Emporté</td></tr>
<tr><td>Magnétique</td><td>Désobéissant</td></tr>
<tr><td>Veinard</td><td>Conquérant</td></tr>
<tr><td>Bienveillant</td><td>Immodéré</td></tr>
<tr><td>Autoritaire</td><td>Itinérant</td></tr>
<tr><td colspan="2" align="center">*Bois positif, Yang*
« Je surveille »</td></tr>
</table>

Au risque de me rendre coupable du péché d'autobiographie clandestine, je confesse que ce signe est le mien. De plus, j'aime mon signe, qui est aussi celui de nombre de mes amis. Pardonnez-moi s'il m'arrive de céder à la sentimentalité au cours de ce portrait.

Tout d'abord, je vous dirai que les Scorpion/Tigres sont excessifs. Ils sont extrêmes en tout. Ils ne prennent jamais la vie comme elle vient, mais foncent, et essaient d'influencer son cours par tous les moyens. Ils se retrouvent constamment dans des situations dangereuses — où ils se sont délibérément mis eux-mêmes. Ils ne travaillent jamais à loisir, prévoient tous les détails, ou écrivent de longs inventaires pour être bien sûrs que tout est répertorié, jusqu'à la dernière boule de naphtaline dans les vêtements d'hiver. Ces natifs sont irréfléchis, emportés, et, franchement, un peu fous. Ce sont des bombes. Ils abordent toute nouvelle expérience avec des cris d'enthousiasme, mangent, boivent, consomment, construisent, façonnent, cuisinent, récurent, peignent, réparent et vlan, au revoir, merci, les voilà qui passent à l'affaire suivante. Les Scorpion nés dans une année du Tigre essayent toujours de vivre trois vies à la fois.

Le sombre magnétisme du Scorpion allié au magnétisme conquérant du Tigre le rend passablement fascinant pour les autres, de sorte que le

Scorpion/Tigre est assez populaire parmi ses pairs. Les gens le respectent, et le Scorpion/Tigre adore être respecté, admiré. En échange de l'approbation et de l'admiration dont il est l'objet, le Scorpion/Tigre fait tout ce qu'il faut pour continuer à être merveilleux, afin que les applaudissements ne s'arrêtent jamais. Les Scorpion/Tigres sont égocentriques. Mais sympathiques.

Ces sujets volontaires sont des meneurs-nés. Mais cela ne les enthousiasme pas tellement. Les Scorpion/Tigres savent faire des tas de choses différentes, et sont souvent des Maîtres Jacques. Le rêve de cette âme contradictoire, c'est de faire une seule chose, mais bien. Le Scorpion/Tigre est orgueilleux, mais s'en veut de cette tendance, et ne cesse de se donner des coups de pied au derrière en s'exhortant : « Sois plus humble. Ne te crois pas tant. Ne te fais pas la grosse tête. » Et, pire que tout ce qui précède, les Scorpion/Tigres sont des guerriers. Ce sont des adversaires féroces et même dangereux. Ils sont rancuniers et assoiffés de sang. Mais ils détestent cette méchanceté. Ils aspirent à être gentils.

Maintenant que vous comprenez la schizophrénie fondamentale des Scorpion/Tigres, je vais vous dire ce qu'ils doivent faire pour éviter de mourir jeunes : ils doivent acquérir la sagesse dès leur plus jeune âge. Cette sagesse ils ne la trouveront pas en eux-mêmes. Elle leur viendra toujours de l'extérieur. Ils doivent nettoyer soigneusement leurs jolies petites oreilles, et écouter attentivement tous les sages qu'ils rencontrent. Ils ont du cran à revendre. Mais aucune sagacité. A partir du moment où ce sujet a appris la raison et la modération, il peut déplacer des gratte-ciel d'un simple coup de queue. Sans bon sens ni mesure, il est perdu.

Dès que le Scorpion/Tigre aura mis équilibre et pondération dans sa vie, il ou elle pourra aller très loin. Ces natifs possèdent un certain brillant, du panache à l'envi, et sont compétents à l'extrême. Il n'est rien qu'on ne puisse leur confier. Ils démarrent d'eux-mêmes, sans impulsion extérieure, ils sont arrivistes mais sympathiques, et bataillent à mort contre l'injustice. Les Scorpion/Tigres détestent les règles, sauf s'ils les édictent eux-mêmes. Ils sont toujours persuadés de tout savoir mieux que personne. Ils sont emportés, jaloux, et impitoyables lorsqu'on leur met des bâtons dans les pattes. Ils n'ont rien contre la force brutale, mais détestent la fourberie. Les Scorpion/Tigres traquent la malhonnêteté jusqu'au cœur de la nuit.

AMOUR

Ce sujet ne trouve jamais le grand amour en quinze jours. Tout d'abord, il ou elle mène une vie tumultueuse, pleine d'aventures et de changements. Sans changement, le Scorpion/Tigre sombrerait dans la boisson ou dans la drogue. Il ne désire pas nécessairement changer de partenaire, et je dirais même que le Scorpion/Tigre est fidèle, mais il aime changer de cadre, modifier ses habitudes, déplacer ses meubles. Quand et s'il trouve quelqu'un qui le suivra dans ses errances incessantes, il pourra faire son choix définitif. Il est très sensuel et câlin.

Si vous aimez un Scorpion/Tigre, et si vous voulez passer toute votre vie auprès de lui, vous devrez avant tout être respectable. Les Scorpion/Tigres veulent être les seuls fous de la famille, et refusent toute concurrence dans le domaine de la fantaisie. De plus, ce sujet a besoin d'admirer ceux qu'il aime, sinon, il perd tout intérêt. Soyez donc vous-même. Soyez sage et réfléchi. Et, je le répète, évitez à tout prix de vous cramponner, de vous appuyer sur lui, de l'aduler, toutes choses qui ont tendance à l'écœurer.

COMPATIBILITÉS

SCORPION/TIGRE : La félicité peut naître de votre complicité avec le Cancer, Vierge, Capricorne ou Poissons/Cheval. Vous aboierez sous le bon arbre si vous choisissez un Chien natif de ces mêmes signes. Le feu du Poissons/Dragon éclairera votre vie. En revanche, vous ne trouverez que discorde avec un Bélier, Taureau ou Verseau/Chèvre. Les Taureau/Serpents, Singes et Cochons peuvent vous causer des tourments intérieurs. Vous vous disputerez sûrement avec un Gémeaux/Tigre. L'argent posera problème avec un Verseau/Bœuf.

FAMILLE ET FOYER

Le foyer de ce sujet sera baroque et fantaisiste. Le Scorpion/Tigre ne s'intéresse à la décoration que dans la mesure où elle exprime sa personnalité. Dès qu'il emménage quelque part, il démolit tout, met tout sens dessus dessous, surélève ou abaisse les portes pour les adapter à ses goûts, ajoute une pièce pour ses hobbies et un lave-vaisselle allant d'un mur à l'autre pour entreposer sa vaisselle sale pendant des semaines. Les Scorpion/Tigres ne se soucient pas d'impressionner la galerie, et organisent leur cadre de vie pour eux et ceux qu'ils aiment — un point c'est tout!

Le parent du Scorpion/Tigre est aimant mais strict. Il ne veut pas que la petite Mary et la jeune Betty deviennent en grandissant aussi indisciplinées que lui. En fait, ce que le Scorpion/Tigre demande à ses enfants, c'est qu'ils n'aient pas besoin de lui. A la maison, le Scorpion/Tigre est très individualiste, et n'a pas grande envie d'aider les petits à faire leurs devoirs ou à décorer l'arbre de Noël. Ce sont des parents sincères, qui s'occupent bien de leurs enfants, mais préféreraient ne pas avoir à le faire. Moucher les petits nez morveux leur tape sur les nerfs.

Les petits Scorpion/Tigres sont assez impudents et un tantinet bizarres. Ils ne se mêlent guère aux autres enfants et ont toujours mille fers au feu en même temps. Ils sont rebelles de nature, et inventent des blagues pour taquiner leurs parents. Il faut les laisser tranquilles, sauf quand ils sont sur le point de commettre une énorme bêtise — ce qui est fréquent.

PROFESSION

Si ce sujet a découvert la modération et s'est soumis à la raison, aucune carrière ne lui est fermée. Il est intelligent et astucieux, fort et fiable, capable et digne de confiance. L'ennui, c'est que ce casse-cou passera dix ans de sa jeunesse avant de faire son choix définitif. Il aime essayer des métiers, tester de nouveaux projets, s'intégrer à différents groupes et voyager avant de se fixer. Vous ne trouverez jamais un Scorpion/Tigre pour vous dire qu'il a toujours voulu être boulanger, est entré à l'école de boulangerie dès l'âge de douze ans et est toujours boulanger à quarante. Impossible. Les Scorpion/Tigres ont toujours exercé au moins une centaine de métiers avant d'arriver à cet âge.

Si je devais engager un Scorpion/Tigre, je garderais l'œil sur ses méthodes de travail. Ces sujets n'aiment pas les règles, ne l'oubliez pas. Ils ont tendance à concocter les leurs, et vous pourriez découvrir qu'ils ont totalement réorganisé votre fichier du jour au lendemain. Ils sont efficaces et peuvent obéir... jusqu'à un certain point. Patron, le Scorpion/Tigre est aimant et strict. Il inspire facilement le respect et comme il n'aime pas l'autoritarisme, il essaye de suggérer plutôt que d'ordonner. Il ne trouve pas au-dessous de sa dignité de nettoyer les latrines car il aime enseigner par l'exemple. Ces sujets travaillent bien dans des postes où ils sont seuls.

Carrières convenant aux Scorpion/Tigres : prédicateur, prospecteur, psychiatre, politicien, voyageur de commerce, directeur du personnel, publiciste, journaliste, éditeur, mercenaire, leader.

Scorpion/Tigres célèbres : Mahomet, Tourgueniev, Dylan Thomas, Charles de Gaulle, Peter Townsend, Jean Seberg, Ted Turner, Enrico Macias, Jane Pauley, Jeanne Kirkpatrick.

SCORPION		CHAT	
Dévoué	Impitoyable	Diplomate	Cachottier
Souverain	Fanatique	Raffiné	Sensible à l'extrême
Magnétique	Rancunier	Vertueux	Pédant
Inspiré	Sadique	Prudent	Dilettante
Tendre	Soupçonneux	Bien portant	Hypocondriaque
Discipliné	Intransigeant	Ambitieux	Tortueux
Eau, Mars, Fixe « Je crée »		*Bois négatif, Yin* « Je me retire »	

Figure imposante que ce Scorpion/Chat. Il est respectable, capable de gagner et de conserver son argent, et il inspire le respect de ses pairs. Extérieurement, il est calme et raffiné. Intérieurement, il bouillonne de projets. Le Scorpion/Chat pense toujours ce qu'il dit et ne dit que ce qu'il pense. Il a bien réfléchi à l'avance, et il croit fermement en tous les préceptes et théories qu'il énonce.

Sa présence inspire les autres. Il est pondéré et garde son aplomb dans les situations délicates, sachant exactement comment apaiser un fou furieux ou une foule potentiellement dangereuse. Le côté Scorpion de ce sujet comprend les ténèbres et a une connaissance approfondie de tout ce qui provoque la peur. Le Chat lui confère tact et finesse méthodique. Le résultat ? C'est une assurance imbattable. Le Scorpion tempère la couardise du Chat et lui donne du courage pour affronter l'adversité. Le Chat modère le sadisme du Scorpion, et accroît sa capacité de compassion.

Extérieurement, cette âme humanitaire est la dignité personnifiée. Intérieurement, il peut frissonner de peur à l'idée de ce qu'il a entrepris. Mais peu importe. Le trac est un état transitoire. Et lorsque le Scorpion/Chat se retrouve devant les spectateurs, sans un cheveu qui dépasse, sans un poil de moustache qui frémit, l'effet est étonnant.

Le Scorpion/Chat sait tirer parti de tout. Il peut se hisser à partir de rien, surmonter maladie et pauvreté et s'élancer vers la réussite sans un battement de cils. Ce sujet rêve d'impossibles rêves et peut, tranquillement et sans fanfaronnades, réaliser ses chimères.

Par nature, le Scorpion/Chat est à son aise devant un public, devant un groupe à qui il doit transmettre un message ou enseigner un concept. Toutefois, il n'est pas très flexible et l'on peut parfois l'accuser de préjugés ou d'étroitesse d'esprit. Il croit en ses idées avec une telle ferveur qu'il n'accepte jamais d'y renoncer. Il chérit le credo qu'il a adopté et s'y tient.

Le Scorpion/Chat a généralement le sens de l'humour. Les Chats sont circonspects et tendent à surveiller le monde à partir d'un observatoire privilégié, planant à trois pieds au-dessus des têtes. Les Scorpions ont la langue déliée et sont toujours prêts à lancer une craque. L'alliance des deux peut être d'une acidité satirique imbattable. Le côté secret ou individualiste de ce sujet est légèrement trop développé. Le Scorpion prête sa suspicion à la nature déjà furtive et réticente du Chat. Inutile d'essayer d'égayer ce sujet pour le tirer de sa réserve naturelle. Il accepte très mal la critique, persuadé qu'il est seul juge de ce qui lui convient. Le Scorpion/Chat peut être admirable, mais aussi hautain et parfois pompeux.

AMOUR

Pour le Scorpion né dans une année du Chat, l'amour est matière d'importance. Comme ce sujet a généralement une cause à défendre ou une mission à accomplir, il ne peut se permettre le luxe de perdre son temps à des vétilles. Il s'écartera parfois du droit chemin et, à l'occasion, donnera un coup de canif dans le contrat, mais ces peccadilles se passeront avec tact de délicatesse. Les Scorpion/Chats recherchent un partenaire qui expédiera les affaires courantes, et les laissera libres de s'occuper eux-mêmes de la grande affaire qu'est la vie.

Si vous aimez un Scorpion/Chat, c'est sans doute que vous avez commencé par l'admirer. Le partenaire d'une de ces impressionnantes créatures passe généralement d'une admiration à une autre, plus intime. Comme ils sont assez stricts quant à l'idée que vous devez donner de vous, en tant que leur partenaire et conjoint, il vous faudra être adaptable et prêt à vous conformer à un modèle pour plaire à la société.

COMPATIBILITÉS

SCORPION/CHAT : Vous partagerez très vraisemblablement vos lunes de miel avec un Cancer, Vierge, Capricorne ou Poissons/Chèvre, Chien ou Cochon. Leur amour de la nature et des plaisirs de la vie vous aideront à calmer vos angoisses émotionnelles intermittentes. Il existe des différences irréconciliables entre vous et les Taureau, Lion et Verseau/Coqs. Le Lion/Rat, lui aussi, ne vous vaudra que des ennuis.

FAMILLE ET FOYER

Le Scorpion/Chat est un parent fiable et responsable, bien qu'un peu autoritaire. Les règles restent tacites, mais sont néanmoins des règles qu'il faut appliquer à la lettre et respecter. Le Scorpion/Chat s'est sans doute élevé à une certaine situation sociale par son travail acharné et sa diligence. Il ne tolérera de ses enfants ni désobéissance ni mauvais exemples. Les Scorpion/Chats aiment sauver la face.

Les enfants de ce signe seront secrets et aimeront jouer seuls. Ils chercheront un auditoire pour leurs plans et leurs théories dès qu'ils seront assez âgés pour lire et formuler leurs idées. Ils aiment la sécurité, mais sont capables de surmonter les coups durs avec grâce et philosophie. Ils peuvent être irrévérencieux. Il vaut mieux les raisonner que les fesser. Ils détestent la violence.

PROFESSION

Pour moi, ces sujets sont faits pour les situations de responsabilité, c'est évident. Ils aiment sincèrement s'occuper des autres et veiller au bien-être d'un groupe. Ce sont des gens sérieux, et les employeurs apprécient leur attitude « business-business ». Comme ils peuvent être pointilleux, hautains et langues de vipère, il n'est pas facile d'être leur employé. Leur attitude, qui signifie « je-ne-fais-cela-que-pour-votre-propre-bien », peut être assez pénible.

Carrières convenant à ces sujets : astrologue, musicien, psychiatre, chercheur scientifique, prédicateur, guide touristique, enseignant.

Scorpion/Chats célèbres : Martin Luther, Evelyn Waugh, Marie Curie, Roland Barthes, Gilbert Bécaud, Rosy Varte, Grace Slick.

<table>
<tr><td colspan="2">SCORPION</td><td colspan="2">DRAGON</td></tr>
</table>

Dévoué	Impitoyable	Puissant	Rigide
Souverain	Fanatique	Battant	Méfiant
Magnétique	Rancunier	Hardi	Insatisfait
Inspiré	Sadique	Enthousiaste	Emballé
Tendre	Soupçonneux	Vaillant	Vantard
Discipliné	Intransigeant	Sentimental	Volubile

Eau, Mars, Fixe
« Je crée »

Bois positif, Yang
« Je préside »

Quand on ajoute un Dragon à un Scorpion et qu'on agite pour bien mélanger, la pâte épaissit. Le Scorpion prête mystère et brutalité à la nature déjà crâne et vaniteuse du Dragon. Ajoutez une pointe d'épate et un peu de la bonne vieille rancune et jalousie du Scorpion, et vous avez sur les bras un être sacrément baroque. Ce plat est épicé et copieux. Assez pour rassasier des millions.

Trêve de plaisanteries, le Scorpion/Dragon est le Dragon des Dragons et le Scorpion des Scorpions. Toutes les caractéristiques de chaque signe se voient magnifiées par leur amalgame. Ce sujet est ambitieux. Il ou elle aura un charme personnel énorme et saura obtenir ce qu'il veut. Ces sujets ne voient aucune raison de ne pas gouverner le monde s'ils en ont ainsi décidé. Les Scorpion/Dragons portent si haut leur verte tête écailleuse qu'ils regardent par-dessus les montagnes les verts pâturages de leurs succès. Toutefois, ils ont souvent les yeux plus grands que le ventre. La montagne à franchir leur oppose d'innombrables difficultés insurmontables. Cela peut se révéler décourageant de se traîner d'obstacle en obstacle en portant son orgueil entre ses pattes antérieures. On connaît des Scorpion/Dragons qui ont abandonné la partie. Mais, la plupart du temps, ils repartent du bon pied et, comme le phœnix, renaissent de leurs cendres pour se relancer à l'attaque. Les Scorpion/Dragons démarrent en force et ont de gigantesques réserves de courage et d'astuce. Ils veulent arriver dans la vie. Ils sont combatifs et charmants. Mais leur grande faiblesse, c'est qu'ils veulent, en plus, qu'on leur rende hommage.

La vie moderne est difficile pour ces créatures hautaines. Le Scorpion né dans une année du Dragon a le plus grand mal à faire preuve de modération. Il est attiré par l'excès et l'auto-indulgence, et dissipe souvent ses talents. Le magnétisme constitue un atout extraordinaire dans le jeu de la vie, mais qui ne suffit pas à garantir réussite ou bonheur. Dès les stades préparatoires de son existence, il faudra donner à ce sujet un peu de chaleur, de vigueur et de poids. Il ne doit pas se laisser entraîner loin de l'essentiel, et, un beau jour, se retrouver nu et terrorisé au sommet de sa montagne — tout seul ! Le Scorpion/Dragon peut sembler invincible, mais il est toujours Dragon, et donc, sentimental. Tout au fond de lui, il pleure sur les histoires de chiens perdus. C'est un colosse aux pieds d'argile et au cœur tendre. C'est peut-être pourquoi il se fait un visage impassible et semble dénué d'humour. Il ne veut pas montrer ses cartes.

Les Scorpions nés dans une année du Dragon sont très individualistes. Ils ont beaucoup d'imagination et ont cent idées à la minute. Automatiquement, les gens les aiment, et acceptent même de les accueillir, héberger et nourrir parce qu'ils sont tellement hors du commun. Le hic, c'est que le Scorpion/Dragon n'est pas toujours coopératif et se voit parfois congédié au bout de quelques jours. Pourquoi ? Parce que dans leur quête de la singularité, ces sujets s'aliènent parfois les gens simples dont ils ont le plus besoin, en les snobant ou simplement en ignorant leurs besoins. Le Scorpion/Dragon ne refuse pas d'aider à faire la vaisselle. Mais il ne lui vient pas à l'idée que de si basses besognes existent. Je ne veux pas dire que le Scorpion/Dragon est un snob. Il ne sait pas ce que c'est que la simplicité, c'est tout.

AMOUR

On ne peut demander à ce fanatique passionné de modérer ses élans où que ce soit — et surtout pas dans la chambre à coucher. Le Scorpion/Dragon est adorable et sait qu'il est tentant pour une maîtresse ou un amant potentiel. Mais parfois, par pur esprit de contradiction, il restera indéfectiblement fidèle à une seule et merveilleuse personne qui saura exactement comment l'applaudir tout en lui tirant l'oreille pour qu'il se tienne bien.

Les Scorpion/Dragons aiment à penser qu'ils sont libres sur le plan sexuel. Si vous aimez un de ces sujets intéressants et irrésistibles, je vous conseille de leur laisser les coudées franches, beaucoup de liberté, et l'impression que vous vous souciez comme d'une guigne de leurs escapades. Une attitude aussi désinvolte les empêchera de s'éloigner beaucoup de la maison. Votre indifférence apparente agira sur eux comme un défi. Le Scorpion/Dragon — comme on s'en doute — est jaloux.

COMPATIBILITÉS

SCORPION/DRAGON : Blottissez-vous dans les bras d'un Vierge, Capricorne ou Poissons/Bœuf ou Singe. Les Cancer, Capricorne et Poissons nés dans les années du Tigre constituent votre second choix. Le Cancer/Rat et le Poissons/Rat sont extraordinaires au lit. Les Cancer et les Vierge/Coqs vous attirent également. Et un mariage avec le Cancer/Serpent amoureux du luxe est béni du Ciel. Les Dragons s'entendent avec pratiquement tout le monde, sauf les Lion et Verseau/Bœufs, les Taureau et Lion/Chats, et les Taureau, Lion et Verseau/Chiens.

FAMILLE ET FOYER

Le Scorpion/Dragon aime avoir une maison confortable, mais il n'est pas du genre à tailler les haies ou ratisser les plates-bandes. Les Scorpion/Dragons ne voient pas la nécessité d'un soin excessif dans la décoration. Ils aiment les lignes sobres et les grands espaces pour travailler et recevoir leurs multitudes d'amis. Ils impressionnent autant par leur présence que par leur intérieur, et ont donc tendance à négliger un peu ce dernier.

Le parent du Scorpion/Dragon est positivement fou de ses enfants. N'oubliez pas qu'il est orgueilleux. Il met de grands espoirs dans ses descendants et dans ce qu'ils réaliseront. Ils aiment inconditionnellement, mais attendent de grands exploits. Le parent du Scorpion/Dragon sait jouer avec les enfants, invente des jeux et passe du temps en compagnie des petits. Ce parent peut aussi être possessif. Je n'aimerais pas avoir une belle-mère du Scorpion/Dragon.

L'enfant du Scorpion/Dragon est incroyablement guilleret. On a envie de l'emmener chez soi. Il sourit, s'esclaffe, roucoule et chante pour charmer et attirer l'attention. Mais il peut être boudeur, aussi. Néanmoins, vous aurez du mal à ne pas gâter ce petit cabot. Si vous résistez à la tentation de l'accabler d'admiration et d'adulation, cet enfant aura une chance d'apprendre l'humilité. Un peu de modestie inculquée de bonne heure sera comme de l'argent en banque pour cet orgueilleux petit chéri.

PROFESSION

La vie du Scorpion/Dragon est souvent criblée de mini-faillites. Je ne voudrais pas être décourageante, mais le Scorpion/Dragon a plus d'ardeur que de persévérance et attend parfois trop en échange de ses efforts. Pour réussir, ce sujet devra tout d'abord apprendre à tenir sa langue émotive et à ne considérer qu'il a gagné que lorsque tous les jeux seront faits. Il tirera grand profit d'une solide instruction classique, contre laquelle il se révoltera sans doute. Trouvez cette personne qui sait si bien lui tirer l'oreille avec amour, et confiez-lui son cas.

Ce sujet veut avoir du pouvoir sur les autres. Mais il ne l'acquiert pas sans mal. Donner de l'autorité à un individu si plein de lui-même est délicat et dangereux. Patron, ce sujet peut être parfaitement odieux. Employé pourvu d'un titre impressionnant, le Scorpion/Dragon se portera beaucoup mieux — de même que ses collègues. Surveillez sa tendance à régenter les autres. Veillez à ce qu'il soit toujours occupé et demandez-lui d'employer sa belle imagination à des fins concrètes. Un Scorpion/Dragon heureux est un Scorpion/Dragon affairé.

Carrières convenant à ces natifs : comédien de télévision, politicien, dessinateur de mode, agent de relations publiques, mercenaire, agent secret, entrepreneur, chroniqueur mondain, chef religieux.

Scorpion/Dragons célèbres : Walter Cronkite, François Mitterrand (et c'est tout) !

SCORPION	SERPENT

SCORPION		SERPENT	
Dévoué	Impitoyable	Intuitif	Dissimulateur
Souverain	Fanatique	Séducteur	Dépensier
Magnétique	Rancunier	Discret	Paresseux
Inspiré	Sadique	Sensé	Cupide
Tendre	Soupçonneux	Clairvoyant	Présomptueux
Discipliné	Intransigeant	Compatissant	Exclusif

Eau, Mars, Fixe
« Je crée »

Feu négatif, Yang
« Je sens »

Pour un Scorpion/Serpent, la vie sans beauté et luxe, tendresse et compassion, admiration et extravagance, ne vaut pas la peine d'être vécue. Ce sujet est sensible à l'extrême et, pour un Serpent imperturbable, étonnamment chaleureux et aimant. Les gens l'apprécient pour une certaine noblesse innée qui est à la fois incontestable et très réconfortante. Les Scorpions sont déjà des gens très sensuels, avec une certaine tendance à l'introspection et au soupçon. Ajoutez-y la sagacité, la clairvoyance et l'intuition du Serpent et le côté philosophe du Scorpion n'en sera en rien amoindri. Ce sujet est un penseur profond — parfois même tourmenté.

Le Scorpion/Serpent apporte une extrême attention à sa garde-robe, qui sera flamboyante et le mettra automatiquement à part des autres. Vous ne verrez jamais un Scorpion/Serpent mal habillé. Ils poussent à leur extrême limite le soin qu'ils apportent à leur toilette et à leur apparence. On pourrait même dire qu'ils se « costument ». Ils se parent invariablement d'atours si originaux qu'ils en sont stupéfiants et ne conviennent qu'à leur type de personnalité.

Ce sujet a la capacité innée de sentir intuitivement les besoins et les désirs des autres. Il ou elle comprendra des nuances qui échapperont même à l'auditoire le plus perspicace. Les Scorpions nés dans une année du Serpent ont un génie spécial pour saisir les allusions et suivre leurs intuitions qui les mènent souvent très loin dans la vie. Il peut simplement s'agir de deviner comment évoluera le prix des actions et des obligations, ou les besoins futurs d'un marché en biens ou matières premières. Les Scorpion/Serpents sont rarement pauvres.

Le genre de supériorité que possèdent de naissance les Scorpion/ Serpents est de dimension cosmique. Impossible de faire la connaissance d'un Scorpion/Serpent sans revenir de ce meeting avec son image dans la tête. Les Serpents nés sous le signe du Scorpion ne vous impressionneront pas toujours favorablement, mais ils vous impressionneront toujours. Vous comprenez, ils sont la personnification d'une sorte d'arrogance qui leur vient, je suppose, de ce qu'ils réussissent facilement dans la vie, ont de la chance en argent, et ne souffrent généralement que des peines de cœur qu'ils s'infligent à eux-mêmes. Les Scorpion/Serpents font la roue et marchent la tête haute. Mais ils n'ont pas l'air de dire : « Regardez-moi ! » comme ce serait le cas chez un sujet du Dragon ou du Rat. Disons plutôt que les Scorpion/ Serpents exigent l'attention par leur charisme tranquille.

Comme vous l'avez sans doute déjà deviné, l'ego du Scorpion/ Serpent se porte bien. Ce sujet a un sens très sain de sa valeur. Mais les Scorpion/Serpents ne permettent pas à leur ego d'étouffer leur logique. Ils savent trouver un juste équilibre entre le rêve et la réalité. Oh, ils sont capables de mentir. Le célèbre pouvoir de dissimulation du Serpent est très actif chez ce sujet. Mais les Scorpion/Serpents ne se mentent pas à eux-mêmes. Ils aiment garder la tête froide quelle que soit la tentation de s'envoler dans la lune.

Les Scorpion/Serpents sont jaloux. Ils veulent tout garder pour eux et pour ceux qu'ils aiment — tout spécialement le pouvoir. Ils n'aiment pas partager la vedette et ils n'en font pas mystère. Pour un Serpent, le Scorpion/Serpent n'est pas trop paresseux. Il est si avide d'argent et d'attention que son ambition le stimule. Le fait est qu'il n'a guère d'effort à faire pour arriver à la réussite. Elle lui vient naturellement.

AMOUR

Tout le monde veut aimer le Scorpion/Serpent. Ces sujets sont si incroyablement magnifiques et si ineffablement cool qu'on peut dire qu'ils attirent tout le monde. Mais ne vous inquiétez pas. Le Scorpion/ Serpent se montre très difficile dans le choix d'un partenaire. Souvent, il prendra une personne qu'il pourra manipuler, ou même réduire en esclavage.

Si vous aimez un Scorpion/Serpent, adhérez au club. Prenez la file. Faites la queue. Vraiment, il n'est pas surprenant que vous soyez attiré par ce sujet. Ce n'est même pas votre faute. Si vous aimez être supplanté dans toutes les situations de la vie publique, attachez-vous à une de ces vedettes. Il vaudrait mieux que vous aimiez rester à la maison pour entretenir le feu, car votre Scorpion/Serpent sera tout le temps dehors en train de slalomer à travers ses hordes d'admirateurs, que cela vous plaise ou non.

COMPATIBILITÉS

SCORPION/SERPENT : Vous et le Dragon, vous êtes amis. Choisissez le vôtre parmi les natifs de la Vierge, du Capricorne ou des Poissons. Quatre Coqs adorent votre compagnie ; ce sont le Cancer, Vierge, Capricorne et Poissons/Coqs. N'acceptez aucun substitut. Et il y a aussi le Cancer/Bœuf. Et c'est à peu près tout pour les affinités. Des alliances moins avantageuses sont possibles avec les Taureau, Lion et Verseau/Singes. Pour vous, les Taureau et Lion/Tigres ne sont pas parfaits non plus. Et si vous avez le souci de votre dignité, évitez les Taureau et Gémeaux/Cochons

FAMILLE ET FOYER

Le foyer du Scorpion/Serpent sera vaste et magnifiquement décoré. Soies et brocarts à profusion. La moindre fourchette à escargot sera en vermeil et viendra de la collection des doges de Venise. Luxe n'est pas le mot juste. Ostentation conviendrait mieux. Le Scorpion/Serpent réside dans un décor comparable à sa stature et à l'opinion qu'il a de lui-même.

Le parent du Scorpion/Serpent est sérieux, mais aime se montrer indulgent envers les petits. Il ou elle les gâtera sur le plan matériel, mais exigera qu'ils se tiennent bien en public. La jalousie pourrait poser problème. Le Scorpion/Serpent voit d'un mauvais œil toute personne qui rivalise avec lui pour attirer l'attention. Si les enfants sont trop charmants, Maman ou Papa pourrait en prendre ombrage. La maison devrait peut-être être équipée de projecteurs dans toutes les pièces.

L'enfant du Scorpion/Serpent sera, avant tout, extraordinairement séduisant. Il faudra sans doute le protéger de ses admirateurs et lui enseigner qu'attirer l'attention ne suffit pas dans la vie. Il aura aussi tendance à fabuler. Ne lui lavez pas la bouche au savon noir. Montrez-lui plutôt que vous l'avez percé à jour. Les enfants du Scorpion/ Serpent s'épanouissent le mieux avec des parents fermes mais aimants. Ne vous laissez pas tromper par cette beauté finaude. Il ou elle a besoin de vous, le parent, pour représenter la vérité.

PROFESSION

Ce sujet est avant tout créatif. Il ou elle s'adaptera bien à toute activité où l'esprit d'invention est utile et applicable. Les Scorpion/ Serpents travaillent bien seuls, mais savent aussi s'intégrer au système, pourvu que le système reconnaisse leur supériorité et la rémunère en conséquence.

C'est le commandement qui convient le mieux au Scorpion/Serpent. Il sera un subordonné récalcitrant. S'il est le patron, soyez sûr qu'il sera démocratique et compréhensif envers ses employés. Il aime le pouvoir, mais il ne s'en sert que si on l'y oblige. Alors... attention. Les Scorpion/Serpents sont brutaux et attaquent sans pitié leurs ennemis. La concurrence ? Connais pas.

Carrières convenant aux Scorpion/Serpents : roi, reine, vedette de cinéma, pape, etc. Mais, dans la réalité, s'ils sont vraiment obligés de travailler, ils aimeront peut-être essayer les métiers de : mannequin, acteur, publicitaire, agent de change. Ils font aussi des artistes extraordinaires.

Scorpion/Serpents célèbres : Pablo Picasso, Grace Kelly, Indira Gandhi, Henri Gault, Madeleine Robinson, Jean Tardieu.

<table>
<tr><td colspan="2">

SCORPION

</td></tr>
</table>

SCORPION		CHEVAL	
Dévoué	Impitoyable	Persuasif	Égoïste
Souverain	Fanatique	Autonome	Indélicat
Magnétique	Rancunier	Branché	Rebelle
Inspiré	Sadique	Elégant	Soupe au lait
Tendre	Soupçonneux	Adroit	Anxieux
Discipliné	Intransigeant	Talentueux	Pragmatique
Eau, Mars, Fixe		*Feu positif, Yang*	
« Je crée »		*« J'exige »*	

Cette sémillante créature incarne la plupart des traits positifs des deux signes. Le Scorpion/Cheval a du magnétisme. Et il est populaire, discipliné, accompli. Persuasif et inspiré, dévoué et élégant. Les Scorpion nés dans une année du Cheval sont à la fois indépendants et autonomes. Ils réussissent presque toujours dans la vie.

Ce sujet a la pénétration et la perspicacité du Scorpion, qu'il sait allier à la vitalité naturelle du Cheval. Il se lancera dans des entreprises qui intimideraient de moins compétents, et les mènera à bon terme avec une facilité remarquable. Le Scorpion/Cheval accomplit d'impossibles exploits. La réussite couronne tout ce qu'il touche. Le travail ne lui fait pas peur. Et il a parfois des idées incroyablement fantaisistes.

Ce penchant à la fantaisie cause parfois sa perte. Les Scorpion nés dans une année du Cheval « détonnent » un peu en compagnie de leurs pairs. Ils sont populaires et admirés, mais les gens ne les comprennent pas très bien. Ils sont trop différents. Trop bizarres pour que les autres se sentent parfaitement à l'aise avec eux. De plus, le Scorpion/Cheval ne craint pas l'opinion populaire et poursuit la réalisation de ses idées fantaisistes quoi ou qui que ce soit qui se mette à la traverse.

Le Scorpion/Cheval est sans détours. Et il ne tourne pas autour du pot. Il dit ce qu'il croit avoir à dire, puis il s'assied tranquillement pour regarder les étincelles. Il est la voix de la véracité. Il proclame des vérités outrageantes avec une apparente impunité. Quand on connaît ce sujet et qu'on comprend son individualisme on ne s'étonne plus de son persiflage, qui peut aussi vous faire hurler de rire.

Le Scorpion/Cheval a du mal à démarrer dans la vie. Il est facilement affecté par son environnement, et si sa vie familiale n'est pas parfaitement sereine, il peut en éprouver une certaine culpabilité injustifiée. C'est un anxieux, tellement sensible à ce qui se passe autour de lui qu'il s'en croit responsable et, enfant, peut se recroqueviller dans sa coquille. Jeune adulte, il cherche activement sa voie véritable. Passé trente ans, rien ne peut l'arrêter. C'est un gagneur, un excentrique, et aussi un penseur assez profond.

Le Scorpion/Cheval aime s'habiller avec fantaisie. Les tenues classiques l'attirent, mais il trouve irrésistible d'y ajouter un clip en zircon ou une cravate excentrique. Il aime bien présenter et se soucie beaucoup de ses attributs physiques, et de ceux des autres. Une calvitie naissante ne le laisse pas indifférent. Elle s'inquiète à sa première ride.

Ce sujet aura des dons manuels. Il ou elle sait construire des pièces, restaurer une vieille maison, dessiner des papiers peints ou tricoter des châles aux motifs compliqués. Le Scorpion/Cheval est, en fait, un peu bohème, et n'hésite pas à braver les conventions ou à « choquer » la société. Le Scorpion/Cheval est compatissant, et aide les moins fortunés que lui. L'argent le met mal à l'aise. Il est, tour à tour bêtement prodigue ou avare.

AMOUR

La vie amoureuse du Scorpion/Cheval se fonde rarement sur une passion éternelle. Le Scorpion/Cheval, comme tous les natifs du Cheval, est pratique avant tout. Il prend amants ou maîtresses s'il a envie de faire des folies. Mais dans le mariage, il est sage et perfectionniste.

Avez-vous une maîtresse ou un amant du Scorpion/Cheval? Si oui, vous savez déjà qu'il ou elle est fantasque et merveilleux jusqu'au bout des sabots. Ce sujet possède charme et profondeur. Il vous sortira et vous amusera. Le Scorpion/Cheval aime les sports et les jeux. La meilleure façon de lui manifester votre amour sera de l'assister en période de crise, sinon de ne pas vous mettre sur sa route. Le Scorpion/Cheval a besoin d'un partenaire qui soit en même temps un collaborateur. Il aimerait tout faire lui-même, et pourrait sans aucun doute... mais il préfère avoir un gentil copain-assistant.

COMPATIBILITÉS

SCORPION/CHEVAL : Si vous rencontrez un Tigre fauve ou une gracieuse Chèvre, vous succomberez sans doute à un natif du Cancer, de la Vierge, du Capricorne ou des Poissons. Les Vierge et Poissons/ Chiens, malgré leur inquiétude apparente, attirent votre nature affectueuse et dévouée. Le Rat ne s'entend jamais avec le Cheval. Méfiez-vous tout spécialement de ceux nés sous les signes du Taureau, des Gémeaux, du Lion et du Verseau — surtout pour toutes les questions concernant le foyer. Le Verseau/Chat est la dernière personne à fréquenter.

FAMILLE ET FOYER

Le Scorpion/Cheval est méticuleux dans la conception de son intérieur. Il le veut exactement à son idée, et confortable en même temps que beau. Il aime l'ordre mais n'est pas un maniaque de la propreté. Avant tout, le Scorpion/Cheval est très conscient de son environnement, et s'il est agréable, c'est parce qu'il l'a voulu ainsi.

C'est un parent fanatique. Le Scorpion/Cheval adore ses enfants. Il vit pour ses rejetons et fait beaucoup trop pour eux. Il leur donne tout ce qu'ils peuvent désirer, et au-delà. Il passe beaucoup de temps en leur compagnie et joue souvent avec eux. Le Scorpion/Cheval devrait avoir des douzaines d'enfants. C'est vraiment sa partie.

Les enfants du Scorpion/Cheval sont câlins et sages, sensibles et raisonnables. Si un parent dit : « Tu ne peux pas avoir ça aujourd'hui, mon chéri », l'enfant du Scorpion/Cheval, d'une sagesse au-dessus de son âge, répondra invariablement : « D'accord. Ce sera pour une autre fois. » Ce sont des enfants aimants et faciles à élever. Ils se débrouillent tout seuls la plus grande partie de leur vie, et n'ont besoin que d'amour et de nourriture. Ils passent beaucoup de temps seuls et aiment pouvoir se consacrer à des activités artisanales ou à des hobbies.

PROFESSION

Doué pour la réalisation, le Scorpion né dans une année du Cheval proclame silencieusement dès sa naissance : « Je demande à créer. » Ce cri de guerre lui convient parfaitement. Il pourra exercer tous les métiers avec aplomb, mais donnera toute sa mesure dans les professions artistiques.

Employé, le Scorpion/Cheval pourra être indiscipliné. Il déteste la routine. Il peut s'adapter aux habitudes requises par le travail, mais préfère faire les choses à son rythme et à sa façon. A mes yeux, le Scorpion/Cheval réussira mieux comme leader ou travailleur indépendant et solitaire. Il est toujours en train de ronger son frein pour réaliser ses projets. Nul besoin de l'éperonner. Il n'existe aucune raison qui interdise le métier de patron aux Scorpion nés dans une année du Cheval. Mais je crains qu'ils n'aient des difficultés à déléguer l'autorité, et tendent à faire le travail eux-mêmes.

Carrières convenant aux natifs du Scorpion/Cheval : agent secret, avocat, entrepreneur, chef, fleuriste, chorégraphe, changeur, urbaniste, artiste graphique, acteur.

Natifs du Scorpion/Cheval célèbres : Teddy Roosevelt, Nestor Almendros, Paul Simon, Daniel Barenboïm, Sophie Marceau, Jacques Faizant.

SCORPION		CHÈVRE	
Dévoué	Impitoyable	Inventif	Parasite
Souverain	Fanatique	Sensible	Primesautier
Magnétique	Rancunier	Persévérant	Nonchalant
Inspiré	Sadique	Fantaisiste	Erratique
Tendre	Soupçonneux	Courtois	Rêveur
Discipliné	Intransigeant	Bon goût	Pessimiste
Eau, Mars, Fixe		*Feu négatif, Yang*	
« Je crée »		« Je dépends »	

En combinant créativité et dépendance, vous vous attendiez peut-être à un génie brillant mais bon à rien. Pourtant, les Scorpion nés dans une année de la Chèvre sont des sujets ardemment inventifs, et peut-être les moins paresseux de tous les natifs de la Chèvre. Néanmoins, les Scorpion/Chèvres vivent toujours sur les autres. Je ne veux pas dire par là qu'ils ne travaillent pas. Loin de là. Mais leur travail dépend invariablement d'une structure extérieure. Ils ne sont pas disciplinés. Une fois qu'ils ont accepté ce fait, il peuvent laisser les forces extérieures structurer leur vie. Ces forces peuvent prendre la forme d'un mariage, d'une entreprise, d'un enfant ou deux, d'études ou même d'un amant ou d'une maîtresse.

Mais quelle que soit la structure, vous pouvez être certain qu'elle ne vient pas de la nature dispersée du Scorpion/Chèvre. Intérieurement, le Scorpion/Chèvre bouillonne d'idées, d'inventions, de plans, de projets et de rêves — certains réalisables, et la plupart totalement inutilisables. Vous comprenez, le Scorpion/Chèvre est tout ce qu'on veut, sauf pratique. Il est excentrique et erratique. Il a des coups de génie et est authentiquement doué pour les arts. Mais il est aussi hyperidéaliste en ce qui concerne ses projets. Il veut que ses plans soient suivis (par d'autres, naturellement) à la lettre. Il agit essentiellement par amour du gain. Il désire à la fois la gloire et l'argent. De sorte que, inconsciemment et malgré ses bonnes intentions, il se sert volontiers des autres.

Les Scorpion/Chèvres s'intéressent à absolument tout. Ils aiment connaître toutes les nouvelles, être à la page de toutes les modes, suivre la carrière des jeunes artistes, etc. Ce sujet est même un tantinet snob sur le plan intellectuel, et est un incorrigible et insupportable Monsieur ou Madame Je-Sais-Tout.

Ce natif pérorera sur tous les sujets. « Savez-vous pourquoi on a modifié les horaires à l'aéroport de Schiphool ? » Absolument pas. « Parce que les voyageurs arrivant de Malaisie... », etc. Vous n'avez pas besoin de parler au cours d'un tête-à-tête avec un Scorpion/Chèvre. Contentez-vous d'ouvrir vos oreilles. Il vous dira tout ce que vous avez à savoir... et au-delà.

A l'observateur non prévenu, ce sujet semble fragile et délicat, comme incapable de survivre à la moindre bourrasque. Mais à l'intérieur de cette frêle enveloppe, ce sujet cache une force de gorille. Le vêtement excentrique et le comportement bizarre ne sont là que pour vous égarer, pour vous faire croire que le côté Scorpion n'existe pas chez ce sujet. Ne vous y trompez pas. Le Scorpion/Chèvre n'est pas étranger à l'usage de la force. Il prend rarement le temps de considérer les alternatives. Seules les collisions frontales l'intéressent.

Sous couvert d'une générosité expansive, qui lui fait adopter des parents pauvres ou jeter des louis d'or aux clochards, ce sujet s'intéresse en réalité au moindre sou dans les transactions de toutes natures. Il se plaît à penser qu'il est philanthrope. Mais il est plutôt d'une avarice sans vergogne.

Ce qui fait l'intérêt du Scorpion/Chèvre, c'est sa curiosité d'esprit insatiable. Ce sujet veut apprendre à jouer du piano, à danser le tango, à monter à cheval et à programmer un ordinateur. Il est sincèrement attiré par les manifestations culturelles, et a lui-même beaucoup de talents. S'il arrive à trouver la structure nécessaire, ces talents pourront s'épanouir. Sinon, il se dispersera et finira désillusionné.

AMOUR

Voici un domaine où ce sujet pourra se structurer grâce à une influence extérieure. Souvent, les Scorpion/Chèvres se trouvent un partenaire hardi, astucieux et fort qui édictera certaines règles et régulations subtiles, permettant ainsi au Scorpion/Chèvre de fonctionner. Ce partenaire pourra sembler faible, et, de la même façon que l'apparente fragilité du Scorpion/Chèvre, pourra lui servir de couverture. « Patricia est malade. Nous ne pouvons pas sortir ce soir. John est déprimé. Désolée, mais je ne pourrai pas venir vous aider pour votre piano. » En réalité, Patricia et John se portent comme le Pont-Neuf Mais le Scorpion/Chèvre ne veut pas que nous le sachions.

Si vous aimez un de ces natifs, apprêtez-vous à lutter toute votre vie. Les Scorpion/Chèvres adorent la bagarre. Ils sont volontaires et égoïstes. Mais ils sont aussi fascinants, intéressants, et extrêmement fidèles à leur partenaire. Ils ont des avantages et des inconvénients.

COMPATIBILITÉS

SCORPION/CHÈVRE : Il existe de belles affinités entre vous et le Cancer, Vierge, Capricorne et Poissons/Cochon. Recherchez ces sujets. Ou bien, donnez libre cours à votre inclination pour un Vierge, Capricorne ou Poissons/Chat. Le Vierge ou le Poissons/Cheval formera sans doute avec vous un couple harmonieux. Il peut y avoir quelque animosité entre vous et un Taureau ou Verseau/Bœuf. Vous éprouvez aussi une légère aversion à l'égard du Lion/Chien, et vous n'êtes pas fou des Verseau/Tigres.

FAMILLE ET FOYER

L'intérieur du Scorpion/Chèvre est souvent magnifiquement décoré. Ces sujets aiment les belles choses et ne dédaignent pas le luxe. La décoration sera intelligente, et un poil bohème ou prétentieuse. Ils ne sont pas souvent à la cuisine, aussi cette pièce sera-t-elle peut-être dépouillée. Mais regardez donc la pile de magazines d'art sur la table basse, le petit Giacometti dans le coin, et cette gravure de Picasso au-dessus du clavecin. Quelle félicité !

Ces sujet prétendent s'intéresser beaucoup au métier de parent. Je n'en suis pas si sûre. Ils ont sans aucun doute besoin de l'affection des enfants, et ils la leur rendent bien. Mais ils manquent de sagesse dans l'éducation qu'ils leur dispensent. Ils laissent le robot de Junior et les hamsters savants de Sissy leur marcher sur le ventre (et sur celui de leurs hôtes). La chambre des enfants est passablement désordonnée, et Papa ou Maman Scorpion/Chèvre voudrait même qu'elle le soit un peu plus. Ce sont des parents joyeux. Mais un peu trop indulgents.

Le petit Scorpion/Chèvre est mignon et préfère être l'unique enfant de la famille. Il aime apprendre, et il aime aussi que des adultes l'emmènent en voyage, au musée, etc. Il s'épanouit sous l'attention des grands, et fait un merveilleux petit compagnon pour ses tantes célibataires. Ces enfants ont besoin d'une cure de rigueur de temps en temps.

PROFESSION

Si, dans son enfance, il reçoit l'instruction appropriée et se voit imposer une discipline, ce sujet pourra exercer des métiers sérieux comme sculpteur, médecin, réalisateur ou monteur de cinéma, écrivain — ou tous à la fois. Le côté touche-à-tout du Scorpion/Chèvre peut constituer un sérieux avantage. Mais le problème, c'est de l'obliger à persévérer dans un art assez longtemps pour réaliser quelque chose. Ces sujets fonctionnent bien dans un bureau, pourvu qu'ils y aient la vedette.

Patron, ce sujet sera aimé et la plupart du temps sans un sou — du moins le prétendra-t-il. J'ai toujours remarqué que les Scorpion/Chèvres dissimulent leur richesse à leurs employés. Par conséquent, attendez-vous à vous plaire à votre travail sous les ordres d'un patron Scorpion/Chèvre, mais ne vous attendez pas à faire fortune. Employé, le Scorpion/Chèvre travaille dur (même nuit et jour si nécessaire) mais d'une façon quelque peu erratique. Il fait ce qu'il a à faire. Il désire beaucoup de louanges.

Carrières convenant aux Scorpion/Chèvres : chanteur, poète, artiste commercial, peintre, sculpteur, décorateur d'intérieur, coiffeur, professeur de danse, psychologue, chirurgien esthétique, réalisateur de vidéo clips.

Scorpion/Chèvres célèbres : Le shah d'Iran, Yves Brayer, Edwige Feuillère, Morley Safer, Salvador Adamo, Annie Girardot, Joni Mitchell.

SCORPION		SINGE	
Dévoué	Impitoyable	Improvisateur	Coquin
Souverain	Fanatique	Habile	Astucieux
Magnétique	Rancunier	Stable	Loquace
Inspiré	Sadique	Directif	Égocentrique
Tendre	Soupçonneux	Spirituel	Puéril
Discipliné	Intransigeant	Zélé	Opportuniste
Eau, Mars, Fixe		*Métal positif, Yin*	
« Je crée »		« Je prévois »	

L'intrigue alliée à la créativité chez un même sujet peut provoquer des feux d'artifice. Le Scorpion né dans une année du Singe aura tous les caractères et toute la complexité du Scorpion. Il sera rusé, énigmatique, fort et dur. Toutefois il essaiera de dissimuler ces sombres caractéristiques sous une feinte jovialité et en affectant parfois une attitude légèrement farfelue. Le Singe et le Scorpion sont parfois des alliés — mais parfois seulement. Ils sont tous deux roublards et rusés, tous deux capables de diriger. Mais il arrive que ces deux signes soient en conflit. Les Singes sont parfois fourbes, mais ce n'est que par plaisanterie. Le Scorpion, pour sa part, plaisante rarement — ou pas du tout. Les Singes sont constructeurs. Les Scorpions peuvent être destructeurs. Les Singes sont zélés. Les Scorpion sont jaloux.

Les conflits intérieurs sont donc familiers aux Scorpion nés dans une année du Singe. La jolie petite tête de ce sujet est le siège de véritables tempêtes d'émotions conflictuelles. « Devrais-je me prélasser, laisser un autre faire le travail à ma place, tout en me considérant comme le cerveau qui dirige en sous-main cette opération ? » demande le tortueux Scorpion à sa conscience de Singe. A quoi le Singe, honnête et régulier, rétorque : « Et si, non content de concevoir le plan, je l'exécutais aussi, afin que tout le monde se rende compte que je suis un brave petit travailleur industrieux ? » De toute façon, le travail est fait, le plan conçu, la bataille livrée. Mais la méthode employée laisse parfois un goût amer dans la bouche de notre héros. Ses propres imperfections suscitent chez lui un sentiment d'insatisfaction. Se regardant longuement dans la glace, il aimerait pouvoir se dire : « Je fais parfaitement tout ce que je fais et j'en suis fier. » Mais son image lui revient souvent sous forme de décevante mosaïque de « peut-être la prochaine fois », de « si seulement », et de « encore un effort ». Cette vue éclatée n'est pas agréable au Scorpion/Singe. Pourtant, il a du mal à combattre ses dualités assez vigoureusement pour que l'image devienne parfaitement nette.

Le Scorpion/Singe est d'esprit vif et éveillé. On peut l'attacher, mais cela ne changera rien à son désir fondamental d'aller et venir à sa guise, de faire un détour s'il en a envie et de trouver sa propre voie après en avoir essayé de nombreuses autres. Il est fondamentalement égotiste, veut être reconnu uniquement pour ses accomplissements, et trouve insoutenable de partager les fardeaux d'individus moins capables et moins imaginatifs que lui. Le Singe dirigera. Il brillera et il triomphera. Mais il doit d'abord se débarrasser des tentations du Scorpion.

Le Singe aspire à la création. Il est capable d'entreprendre et de mener à bien des projets importants et complexes. Considéré seul, le Singe est un sujet remarquablement modéré. Le côté Scorpion de sa nature lui donne l'inspiration et l'attire sur des territoires plus sauvages que ceux fréquentés d'ordinaire par les Singes. Il se peut que le Singe proteste au début du voyage, légèrement pris de vertige dans l'air raréfié. Mais attendez qu'il commence à occuper ses quatre mains... ce sujet s'adapte instantanément aux situations nouvelles dès qu'il a découvert un projet auquel il s'attache.

Vous trouverez peut-être ce natif légèrement suffisant, et un peu trop bavard pour votre goût. Certains Scorpion/Singes semblent avoir un disque usé dans la tête, et répéteront indéfiniment des histoires qu'ils vous ont déjà racontées cent fois. Ils ont besoin qu'on leur rappelle de temps en temps leur incorrigible faconde. Heureusement, ils prennent la critique avec le sourire. Pour des Scorpions, ces sujets sont peu boudeurs. Ils peuvent être angoissés et déchirés par le doute. Mais ils reprennent toujours le dessus. C'est dans leur nature.

AMOUR

Ce sujet n'est pas seulement le Scorpion hypersexy. C'est aussi un Singe actif sur le plan érotique. La combinaison de ces deux signes fortement sexués donne un amant énergique quoique parfois inquiet. Le Scorpion/Singe veut être émoustillé, exalté, excité. Il n'a pas de temps à perdre à des liaisons tièdes, et s'intéresse avant tout aux amours durables mais souvent complexes.

Il est moins important d'admirer le Scorpion/Singe que de toujours se souvenir que ses besoins sexuels ont toujours la priorité sur toute autre chose. L'amour fatigue, épuise, vide certaines personnes. Au contraire, l'activité sexuelle donne de l'assurance au Scorpion/Singe, renforce son ego parfois inquiet, et dynamise sa créativité. Si vous aimez un de ces dévorants, ne sous-estimez pas ses besoins sexuels, ou vous risquez de vous retrouver en train de surveiller le téléphone en faisant les mots croisés, tandis que votre Scorpion/Singe sera parti chercher fortune ailleurs. N'essayez pas d'immobiliser ce sujet. Encouragez-le à voyager sans vous. Souvent, l'illusion de la liberté suffit à le retenir éternellement à la ferme.

COMPATIBILITÉS

SCORPION/SINGE : La félicité vous attend avec un Rat né sous les signes du Cancer, de la Vierge, du Capricorne et du Poissons. Les Cancer, Capricorne et Poissons/Dragons créent une atmosphère de bien-être qui vous impressionne. Les Taureau et les Lion/Tigres vous empêchent de prendre des décisions. Et il y a aussi le Lion/Cheval et le Lion/Cochon qui se mettent dans vos pattes. Les Verseau/Bœufs et Chèvres mettent votre patience à l'épreuve.

FAMILLE ET FOYER

Le Singe né sous le signe du Scorpion préférera trois pied-à-terre à un seul palace. Il a la bougeotte. Ses murs disparaîtront sous les souvenirs de voyages et de vacances en pays exotiques. Il aura souvent scié le couvercle de son piano et sa voiture ne sera qu'une guimbarde. Ce sujet est souverainement indifférent à l'élégance. Le Singe/Scorpion considère que son cadre de vie doit être fonctionnel et personnalisé.

Tous les Scorpion/Singes devraient avoir des enfants. Il y a du Peter

Pan chez ce sujet. Le Scorpion/Singe aime enseigner des tas de choses à ses petits, les enchante de ses plaisanteries et se joint à eux pour faire des blagues. La légèreté et l'innocence émanant de l'enfance attirent et fascinent le Singe né sous le signe du Scorpion. Il essaiera parfois de se montrer autoritaire, mais il éclatera de rire au milieu de son grave laïus sur la façon de se tenir à table.

L'enfant du Scorpion/Singe sera troublé s'il ne réussit pas immédiatement dans la vie. Il est très sensible, et ses émotions mûrissent plus lentement que son intellect. Le meilleur conseil que je puisse donner aux parents d'un de ces enfants, c'est de le laisser tranquille jusqu'à ce qu'il manifeste un intérêt dans un domaine quelconque. Il faudra alors sauter sur l'occasion d'enseigner à votre petit Scorpion/Singe tout ce qu'il aura besoin de savoir sur les sujets qui l'attirent. Cet enfant a besoin d'encouragements, de liberté d'action, et d'un bon exemple à suivre.

PROFESSION

Le Scorpion/Singe est tout spécialement doué pour la création, mais peut être aussi un excellent interprète. C'est un remarquable conteur, car il aime parler et a l'esprit bien structuré. Ce sujet donne le mieux sa mesure à l'intérieur de petits groupes dont les autres membres apprécient et complètent ses qualités artistiques. Pour utiliser au mieux ses talents dans la profession choisie, ces sujets, je le répète, doivent se sentir libres et indépendants. Ils peuvent devenir irrascibles s'ils sont pressés par le temps ou inquiets sur la réussite d'un projet.

Franchement, je ne pense pas que le Scorpion/Singe ait envie d'être patron. Ce sujet désire avant tout travailler dans l'indépendance à ce qui l'intéresse. Les restrictions qu'impose une situation d'autorité lui paraissent davantage prison que privilège. Il peut être un employé diligent aussi longtemps qu'on ne lui impose pas trop de compromis ou une routine excessive. Ces sujets sont heureux quand ils font « leur truc ». Le Scorpion/Singe est un original. « S'intégrer » dans le système n'est pas son but dans la vie.

Carrières convenant aux Scorpion/Singes : photographe, musicien, routier, fleuriste, potier, chorégraphe, constructeur naval, ingénieur du son, historien.

Scorpion/Singes célèbres : James Kilpatrick, Louis Malle, Alistair Cooke.

SCORPION		COQ	
Dévoué	Impitoyable	Résistant	Effronté
Souverain	Fanatique	Passionné	Vantard
Magnétique	Rancunier	Candide	Borné
Inspiré	Sadique	Conservateur	Instable
Tendre	Soupçonneux	Rigoureux	Autoritaire
Discipliné	Intransigeant	Chic	Dispersé
Eau, Mars, Fixe « Je crée »		*Métal négatif, Yang* « Je surmonte »	

Une indomptable ardeur de vivre caractérise cette combinaison. Le Scorpion, toujours mystérieux et secret, rencontre ici l'impudence, le panache et l'amour de l'apparence extérieure. Au lieu de provoquer des conflits, ce mélange engendre une synergie frémissante et une activité fébrile du genre « Qu'est-ce qui fait courir Sammy ? »

Le talent ne manque pas au Coq né sous le signe du Scorpion. Ce sujet en a souvent à revendre. Les Scorpion/Coqs sont idéalistes, et, par suite du croisement de la détermination du Scorpion avec la résistance élastique du Coq, souffriront moins que d'autres des échecs. La vie du Scorpion/Coq est jalonnée d'ascensions rapides suivies de glissades vertigineuses. Mais les chutes dans des crevasses escarpées au fond desquelles vous retrouvez parfois le Scorpion/Coq en train de battre des ailes, ne semblent pas lui avoir ébouriffé les plumes. Ils ont un ressort étonnant pour surmonter les peines engendrées par les divorces, pertes et échecs humains de toutes sortes. Ces sujets semblent délicats et même parfois fragiles comme du verre, mais ils sont en réalité forts et résistants.

Ces sujets désirent paraître souples et détendus — cools, si vous voulez. Mais grattez la surface d'un Scorpion/Coq, et vous découvrirez un conservatisme rigide d'une espèce assez rare. Le play-boy ou la séductrice au sourire facile dans sa grosse voiture de luxe n'est en réalité attiré ni par la promiscuité ni par la prodigalité. Les Scorpion sont sexy. Mais le Coq/Scorpion, quoique donnant assez bien le change, n'est pas aussi sensuel qu'il voudrait vous le faire croire. C'est un peu un Scorpion frustré qui se vante beaucoup, mais ne tient guère à commettre son précieux corps à de vils plaisirs physiques.

Ces sujets sont directs. Ils expriment tout à trac leurs désirs et leurs besoins. Ils parlent beaucoup, et se plaignent de même. Le Scorpion/Coq se sent parfois victime des autres. Il ressasse et blâme plus que nécessaire. La triste histoire de Jimmy, qui vous a quittée pour épouser Francine parce que c'était une vraie sirène, etc., est certes regrettable. Mais n'étiez-vous pas partiellement responsable? Etes-vous sûre, Scorpion/Coq, que Jimmy n'avait pas ses raisons? N'étiez-vous pas un peu trop prompte à la colère? N'aviez-vous pas tendance à lui demander la lune et à lui donner des haricots en échange? N'étiez-vous pas excessivement nerveuse et inquiète par moments? Allons, Scorpion/Coq, avouez-le. Vous avez tendance à trop vous apitoyer sur vous-même.

Le talentueux Scorpion/Coq a un côté vieille fille. Elle pense « une place pour chaque chose et chaque chose à sa place ». Il est difficile et admire la promptitude. Mais ces tendances de célibataire endurci ne sont pas toujours négatives. Le Scorpion/Coq supporte fort bien la routine et ne se laisse jamais dominer par la paresse. Le mariage de ces deux signes si particuliers rend ce sujet difficile, maniaque même, mais lui donne aussi un goût infaillible et le fait sortir du lit tous les matins.

Les Coqs nés sous le signe du Scorpion savent démarrer seuls, sans sollicitations extérieures. Ils sont capables de patauger et de peiner dans toutes sortes de bourbiers épuisants et d'en sortir en riant. Ils sont pratiquement invincibles, et, s'il leur arrive de se décourager, ils combattent la déprime par l'activité. Les Scorpion nés dans une année du Coq incarnent l'individualiste convaincu qui, malgré ses excentricités, s'arrange toujours pour rester intégré au système.

AMOUR

Parlons un peu de hauts et de bas! La vie amoureuse du Scorpion/Coq ressemble à un champ de bataille pilonné par l'artillerie lourde. Ces natifs sont perfectionnistes. Utopistes, même. Les eaux troubles des liaisons tièdes répugnent sincèrement à leurs sens délicats. Qu'exige de l'amour le Scorpion/Coq? La permanence. La tendresse. La fidélité éternelle. Un mariage qui marche et continue à marcher — une histoire d'amour qui n'a pas de fin. Vaste programme. Surtout de nos jours. En conséquence, bien des Scorpion/Coqs ne restent pas amoureux très longtemps. Le plus petit défaut d'une liaison leur paraît un vice affreux. Et ils s'en vont. Le Scorpion/Coq ne veut pas d'une vie amoureuse imparfaite. De sorte qu'il n'en a souvent pas du tout. Il préfère la solitude au compromis.

Si vous deviez vous retrouver amoureux d'un Scorpion/Coq, veillez à vous bien tenir. Si vous voulez conquérir et garder cette créature pointilleuse, c'est à vous de faire en sorte qu'elle puisse vous admirer et vous adorer. Une fois que vous aurez conquis votre Scorpion/Coq, il vous faudra accepter de respecter les règles souvent méticuleuses qui règlent invariablement l'existence de ce sujet. Si il ou elle se lève à trois heures du matin pour écrire son journal, vous seriez bien inspiré d'organiser votre emploi du temps en conséquence. Les Scorpion/Coqs aiment diriger les choses à leur guise. En retour, ils vouent à leur partenaire fidélité et protection. Ils combattront pour vos droits autant que pour les leurs. Mais ne les trahissez jamais. Les Scorpion/Coqs ne pardonnent pas. Ils partent.

COMPATIBILITÉS

scorpion/coq : les Serpents, dans leur séduction et leur sagesse infinies, plaisent à votre bon goût et à votre sens du décorum. Les Cancer, Vierge, Capricorne et Poissons seront pour vous les meilleurs Serpents. Les Capricorne et les Poissons/Bœufs vous plaisent par leur gentillesse affectueuse. Les Capricorne et les Poissons/Dragons ont une certaine considération pour votre sensibilité. Vous les trouvez irrésistibles. En revanche, il est douteux que vous puissiez cohabiter avec un Taureau/Cochon. Le Lion/Chat et Coq ne sont absolument pas votre genre. N'essayez même pas un Verseau/Rat. Vous ne vous accordez pratiquement sur rien.

FAMILLE ET FOYER

Le foyer du Scorpion/Coq est un endroit grandiose, plein de meubles anciens authentiques, pourvu de tous les appareils et gadgets imaginables et d'un équipement électrique dernier cri. Il y aura peut-être même une salle de billard. Le Scorpion/Coq est un joyeux luron, qui adore recevoir et aime être admiré. Il vous laissera boire tout son whisky et manger tout son quatre-quarts pourvu que vous lui disiez à quel point vous avez aimé sa dernière émission de télé.

Le parent du Scorpion/Coq est aimant et prudent. Il ou elle n'oublie jamais un anniversaire, et engage prestidigitateurs et clowns pour le goûter de la petite Molly. Il ou elle sera le genre de parent qui veut que les enfants profitent de leur jeunesse. Souvent, les Scorpion/Coqs n'ont pas d'enfants à cause de leurs hésitations à se marier et de leur désir insatiable d'un partenaire parfait. Mais s'ils ne fondent pas une famille, ils le regrettent. Les enfants, avec toute leur spontanéité et leur joie naturelle, offrent à cette personnalité un peu raide l'occasion de se détendre impunément.

L'enfant du Scorpion/Coq sera facile à élever. Il ou elle excellera sans doute en des domaines exigeant exactitude et précision. Cet enfant sera populaire auprès des amis de la famille, et choyé par les oncles et tantes qui apprécieront ses bons résultats scolaires. Ces enfants aimeront sans doute les sports et réussiront bien dans ceux qui ont une réputation de classe et d'élégance, comme l'escrime, le tennis et l'équitation.

PROFESSION

Le Scorpion/Coq a des dons à revendre. Il ou elle sera doué pour des emplois extrêmement différents. Ces sujets aiment les projets exigeant engagement personnel et autodiscipline. Universalité et persévérance sont les provinces réservées du Scorpion/Coq. Elle parlera trois langues étrangères. Il aura remporté plusieurs tournois de tennis et sera de surcroît un peintre extraordinaire. Le Scorpion/Coq aime surmonter les difficultés et ne s'engage que s'il pense gagner.

Gravez sur la porte de leur bureau le mot « employé » ou le mot « patron », le résultat sera toujours le même : patron. Ce Scorpion accepte mal de recevoir des ordres, à moins qu'il ne convoite la situation de la personne qui les donne. Il ou elle est naturellement rigoriste, et se cravachera aussi dur que les autres. Les Scorpion/Coqs sont également d'une créativité concrète. Ils ont des idées et ils les réalisent.

Carrières convenant aux Scorpion/Coqs : rédacteur en chef, photographe, commissaire aux comptes, producteur de télévision, publicitaire, acheteur, acteur et actrice, analyste de marché, linguiste.

Scorpion/Coqs célèbres : Ezra Pound, James Jones, Katharine Hepburn, Neil Young, Goldie Hawn.

<table>
<tr><td colspan="2">

SCORPION

</td></tr>
<tr>
<td>Dévoué
Souverain
Magnétique
Inspiré
Tendre
Discipliné</td>
<td>Impitoyable
Fanatique
Rancunier
Sadique
Soupçonneux
Intransigeant</td>
</tr>
<tr><td colspan="2" align="center">

Eau, Mars, Fixe
« Je crée »

</td></tr>
</table>

CHIEN	

Constant	Inquiet
Héroïque	Critique
Respectable	Sainte nitouche
Déférent	Cynique
Intelligent	Insociable
Consciencieux	Sans tact

Métal positif, Yin
« Je m'inquiète »

Le Scorpion, véritable marécage émotionnel d'une complexité inégalée, se casse le nez sur la nature franche, directe, ouverte et altruiste du Chien. Le Chien au cœur tendre, inquiet et incrédule, sera tout d'abord totalement démonté d'être né Scorpion. « Scorpion ? s'étonne le bébé Chien. Kekseksa ? »

Naturellement, il existe des similitudes positives entre les deux signes. Les Scorpion et les Chiens savent se consacrer et se dévouer à une personne ou à une tâche. Le Scorpion prête son feu à ce dévouement et y ajoute la jalousie en cas de trahison. Le Scorpion et le Chien sont amis des opinions tranchées. Le Chien est un poil plus « je-sais-tout » que le Scorpion cachottier. Mais le Scorpion peut être sacrément bavard. De plus, le Chien a la réplique acérée et mordante. Imaginez les reparties du Chien lancées par la langue de vipère du Scorpion, et vous comprendrez facilement que ce sujet n'est pas du genre à mâcher ses paroles.

Le Scorpion/Chien est donc acerbe et sarcastique. Mais en même temps, il sera très gentil et enclin à aimer les autres comme des frères. Contrarié (et ce sujet nerveux et inquiet l'est souvent) le Scorpion/ Chien mordra. Ces natifs sont belliqueux, et bien qu'usant rarement de violence physique, ils peuvent blesser profondément par leurs remarques sadiques. Disons que le Scorpion/Chien se sert de sa langue et de son esprit pour bagarrer et avancer dans la vie.

Les Scorpion/Chiens ont l'esprit analytique et aspirent à changer le monde dès leur plus jeune âge. Ils sont enclins aux jugements définitifs. Ils trouvent le compromis presque impossible. Ce ne sont pas des Chiens amicaux et ouverts remuant la queue à tout propos. Les Scorpion/Chiens vont droit au cœur du problème. Ils sont faciles à blesser. Mais, vers la trentaine, ils se sont généralement résignés à leur caractère insatisfait. C'est alors que leur nature de Scorpion prend le dessus et qu'ils commencent à afficher publiquement leurs dispositions critiques et sarcastiques. Dans le cas du Scorpion/Chien, la résignation est une qualité. Elle lui permet de rire, non seulement du monde en général, mais aussi de lui-même. L'âge lui donne la perspective nécessaire pour devenir un satiriste drôle et spirituel.

Il y a quand même une certaine douceur chez ce Chien enragé. Sous ses remarques acides et ses commentaires ironiques, on arrive toujours à distinguer une petite lueur de compréhension humaine et de bonne volonté sincère. Le Scorpion/Chien ne veut de mal à personne. Il aime l'humanité. C'est pourquoi il la met en pièces, afin de mieux connaître son fonctionnement interne, et d'être ainsi à même de lui apporter des perfectionnements. C'est incontestable, le Scorpion/Chien désire le bien.

Mais, comme nous le savons tous, lorsqu'on parle de bien, le mal n'est jamais loin. Le mal fait le siège de l'homme vertueux, le tente et met sa probité à l'épreuve. Le Scorpion est un tentateur de premier ordre. « Allez. Mets la main dans la caisse. Personne n'en saura rien. Ne t'inquiète pas comme ça. Prends donc ce bracelet... », etc. Les Scorpion/Chiens souffrent profondément au pouvoir de ce Jézabel-Belzébuth. Ils doivent résister de toutes leurs forces pour ne rien accorder au diable, ne serait-ce qu'un clin d'œil. Pour eux, le rire est un excellent antidote au mal.

AMOUR

Je les aime tous. Les Scorpion/Chiens sont des amours, nerveux et tendres, qu'on voudrait passer sa vie à apaiser et réconforter. Bien entendu, tous les baumes du monde n'arriveront pas à aveugler ce chasseur perspicace. Ni à réduire au silence sa langue caustique. Pour ce sujet, l'amant doit être avant tout un compagnon. Il ou elle désire un partenaire qu'il/elle peut respecter, qui ne se vautre pas à ses pieds, et qui respecte à cent pour cent ses engagements initiaux. Pas question de voyager gratis sur le dos de ce toutou. Et si il ou elle souffre d'une déception en amour, il ne tentera pas une seconde fois la chance. Pour que les Scorpion/Chiens acceptent d'être heureux en amour, il faut s'armer de douce persuasion.

Comme ce sujet est toujours en train de chercher la petite bête et de dépister le moindre défaut dans une liaison amoureuse, vous devrez être de caractère aussi égal que possible si vous en tombez amoureux. Emmitouflez-vous dans d'épaisses couettes pour résister aux flèches que vous décochera l'esprit acéré de votre bien-aimé(e) et, je le répète, ne prenez jamais une attitude défensive. Faites semblant de ne pas l'avoir entendu. Leurs traits ricocheront sur votre indifférence.

COMPATIBILITÉS

SCORPION/CHIEN : Vous avez toutes dispositions pour vous harmoniser avec les Tigres nés sous les signes du Cancer, de la Vierge, du Capricorne et des Poissons. Le Cancer, Capricorne et Poissons/Chat et Cheval apprécient votre tolérance toute spéciale et votre compréhension compatissante. Inversement, les Gémeaux et Verseau/Dragons portent sur vos nerfs fragiles. Votre nature loyale trouve que le Taureau/Coq ou Cochon manque de fidélité. Le Verseau/Chèvre vous tentera, mais ne vous en approchez pas.

FAMILLE ET FOYER

C'est chez lui que le Scorpion/Chien se sent le moins menacé par la méchanceté du monde. Il essaiera de se créer un cadre de vie à base de pipes et de pantoufles. Le Scorpion/Chien ne se soucie guère de froufrous et de falbalas, mais voudra simplement qu'on se sente bien chez lui. Il aura sans doute une cheminée et beaucoup de livres. Mais vous ne verrez pas trace d'or — chez lui, l'or est sous les matelas.

Le parent du Scorpion/Chien idolâtre ses enfants. Pour cet idéaliste, les enfants représentent l'avenir et l'espoir. La sordide réalité ne les a pas encore souillés. Ce parent fera l'impossible pour éduquer et guider ses petits. Le Scorpion/Chien croit sincèrement qu'une formation précoce peut altérer le cours de la vie. Ce sujet est insatisfait de son enfance, et veut faire amende honorable.

L'enfant du Scorpion/Chien ne sera pas du genre potelé et enjoué qu'on a envie de cajoler. Il aura plus de chances d'être osseux et musclé. Cet enfant rêvera beaucoup à l'avenir. Le parent sage entretiendra les rêves de cet enfant par un contact permanent avec la nature et la bonté. La sensibilité exacerbée du Scorpion/Chien peut facilement tourner au vinaigre si on l'abandonne sans défense à la dure réalité avant qu'il ne soit en âge de se battre par lui-même. Protégez donc votre petit Scorpion/Chien. Et essayez de lui apprendre à rire de lui-même.

PROFESSION

Dans son travail, le Scorpion/Chien devrait avoir l'occasion de mettre à profit ses dons pour l'analyse et la critique. Le temps qu'il arrive à l'âge adulte, il devrait être prêt à essayer de mettre un peu d'ordre dans le chaos social qu'il voit si clairement. S'il existe un défaut quelque part, le Scorpion/Chien met immédiatement le doigt dessus.

Le Scorpion/Chien est moins autoritaire que caustique. L'autorité en tant que telle ne l'intéresse guère. Ce sujet a besoin de sa liberté d'action dans le travail, et ne devrait pas se laisser ligoter par la routine du commandement, ni d'ailleurs par toute autre routine. Trop de monotonie tue le challenge qui est la vie du Scorpion/Chien. Il ou elle sera sans doute un employé fiable, mais qui détestera les horloges pointeuses et les chefs de bureau pointilleux. Comme les Scorpion/Chiens sont naturellement industrieux, vous pouvez être certain qu'ils feront tout pour ne pas être chômeurs.

Carrières convenant aux Scorpion/Chiens : écrivain, urbaniste, preneur de son, photographe, humoriste, agent secret, journaliste, psychiatre, assistante sociale, négociateur.

Scorpion/Chiens célèbres : Voltaire, René Magritte, Carl Sagan, Kurt Vonnegut, Sally Field, David Stockman, Raymond Devos, Nadine Trintignant.

SCORPION		COCHON	
Dévoué	Impitoyable	Scrupuleux	Crédule
Souverain	Fanatique	Courageux	Coléreux
Magnétique	Rancunier	Sincère	Hésitant
Inspiré	Sadique	Voluptueux	Matérialiste
Tendre	Soupçonneux	Cultivé	Épicurien
Discipliné	Intransigeant	Honnête	Entêté
Eau, Mars, Fixe		*Eau négative, Yin*	
« Je crée »		« Je civilise »	

Dans son livre *La Ferme des Animaux*, George Orwell dit en plaisantant que « tous les cochons naissent égaux... mais certains sont plus égaux que d'autres ». Ce Cochon est doté d'une magnificence naturelle. Il est plus ténébreux que d'autres. Le Scorpion lui apporte exactement ce que le docteur a prescrit pour remédier à sa folle crédulité — la suspicion. C'est un bon mariage. Ce sujet ira sûrement loin dans la vie. De plus, il sera acclamé tout le long de la route par de nombreux compagnons admiratifs.

Les Scorpions nés dans une année du Cochon sont souvent exceptionnellement beaux. Ils ont quelque chose d'énigmatique que des Cochons moins complexes leur envient. De plus, les Scorpion/Cochons savent s'habiller. Les deux signes ont le goût de la sensualité et de la séduction. Attendez-vous à d'élégants décolletés et à des smokings impeccables.

J'aimerais mieux ne pas avoir à le dire, mais notre ami le Scorpion/Cochon est à la fois grande gueule et arriviste. Il sait ce qu'il veut, et n'hésite jamais à revendiquer pour l'obtenir. Il peut être bruyant et turbulent. Il adore la plaisanterie et les histoires gauloises. Le Scorpion né dans une année du Cochon est vigoureux. Dans sa jeunesse, on peut lui reprocher de faire plus que sa part de fredaines. Son dynamisme agressif s'explique·par son ambition brutale. Ces sujets n'aiment pas la pauvreté. Ils se battent farouchement pour imposer leurs créations dans leur emploi. Il n'a pas peur de téléphoner d'un trou perdu au conservateur en chef du Louvre pour lui apprendre qu'il est le meilleur peintre de Basse-Bretagne et peut-être du monde — et qu'on devrait lui organiser une exposition. Le plus fort, c'est que ça marche souvent, et très bien. De toute façon, le Scorpion/Cochon essaiera tout au moins une fois pour favoriser ses intérêts.

Le Scorpion/Cochon est moins pur que les autres Cochons. Il ou elle saura magouiller, et sera tenté de le faire pour atteindre les objectifs les plus bassement matériels. Malheureusement, l'improbité affecte profondément le caractère du Cochon. La moindre malhonnêteté peut être désastreuse pour le Scorpion/Cochon. Il ne se relève pas d'une affaire véreuse. Il s'accommode mal des remords. Il vaut mieux qu'il se garde de toute filouterie. S'il cherche les ennuis — généralement, il les trouve.

Tout geste du Scorpion/Cochon, que ce soit une invitation ou une gentillesse, sera intéressé. Ce sujet n'est pas mauvais. Mais il est très désireux d'arriver où il va. En fait, il est impitoyable. Ses soirées seront peut-être spectaculaires et ses cadeaux somptueux. Mais ils ne seront pas désintéressés. Il a sans doute besoin d'un bon mécanicien pour réparer sa voiture, ou peut-être connaissez-vous quelqu'un qui pourrait engager sa fille... Les Scorpion/Cochons ne donnent pas pour le plaisir de donner.

Ce sujet est prodigieusement doué pour les colères vertueuses. La maîtrise de soi n'est pas le fort du Scorpion. Mais un Scorpion né dans une année du Cochon... Mama mia ! S'il vous arrive de voir un de ces sujets se préparer à entrer en crise... fermez les écoutilles et enfuyez-vous ventre à terre. La colère du Scorpion/Cochon est meurtrière — mais rare.

L'un dans l'autre, le Scorpion/Cochon est un individu assez enjoué et attirant. Il est volontaire, aimant et capable d'accepter les compromis — par amour du gain. Il déteste perdre, et perd rarement. Il peut être étroit d'esprit et conservateur, mais il est amusant et présente bien en public.

AMOUR

Dans tous les domaines où agit le Scorpion/Cochon, il cherche à faire de son mieux. Mais il est égoïste. Il ou elle sera exigeant(e). Mais ces sujets sont très brillants et drôles. Ils sont également beaux à regarder. Ils adorent le sexe et tout ce qui précède et suit. Ils sont diaboliquement séduisants. Ils aimeront profondément et exclusivement.

Si vous deviez tomber sous le charme d'un de ces Scorpion, je vous conseillerais de ne jamais éveiller sa jalousie. Comme ses rages, ses crises de jalousie sont épiques... Les Scorpion/Cochons aiment qu'on les adore, et détestent qu'on les traite par-dessous la jambe. Ils jouent avec les sentiments des autres, mais n'acceptent pas qu'on joue avec les leurs. Il est bien délicat d'être amoureux d'un Scorpion/Cochon. Demandez à Louis XVI... Marie-Antoinette était native de ce signe.

COMPATIBILITÉS

SCORPION/COCHON : Votre nature bien intentionnée plaira aux Cancer, Vierge, Capricorne et Poissons/Chèvres. Vous avez l'empathie facile avec le Cancer, Vierge et Poissons/Chat. Comme vous, ils aiment le foyer et recherchent le raffinement. Essayez de résister à la séduction des Taureau et Lion/Serpents. Ils seraient capables d'abuser de votre philanthropie. Le Taureau/Cheval pourrait renâcler sous le joug d'un mariage avec vous. Je vous conseille de maîtriser votre enthousiasme à l'égard des Verseau/Singes.

FAMILLE ET FOYER

Dans la vie du Scorpion/Cochon, le décorum est une obligation. C'est le signe extérieur et visible de sa réussite. Le Scorpion/Cochon domestiqué se délecte à l'idée de construire un vrai foyer où chaque pièce, chaque objet d'art et jusqu'au moindre détail affirmeront la personnalité de son propriétaire. Le mobilier sera généralement traditionnel. Le linge brodé à son monogramme sera toujours repassé de frais et fabriqué à partir des plus beaux tissus importés. Le Scorpion/Cochon s'intéresse beaucoup à son foyer. Il est adroit, astucieux et habile à construire et à décorer. Les Scorpion/Cochons adorent donner des réceptions somptueuses où ils invitent tous les gens « qui comptent ».

Le métier de parent plaît également au Scorpion/Cochon. Ce sujet sera sans doute autoritaire et dominateur. Mais il aimera ses enfants à la folie. Chacun de ses rejetons constitue une plume de plus à son chapeau. C'est un parent orgueilleux et exigeant, qui compense son autoritarisme excessif par son immense tendresse et ses soins attentifs. Le Scorpion/Cochon passe volontiers du temps avec ses enfants, mais a quelque difficulté à accepter les adolescents : leur attitude critique menace son assurance. Il veut être obéi — et jamais désapprouvé.

L'enfant du Scorpion/Cochon est un plaisir. Primo, il sera certainement beau. Secundo, cet enfant aura une immense capacité pour le rire et adorera s'ébattre au milieu des nombreux plaisirs de l'enfance. Emmenez votre petit Scorpion/Cochon à la campagne, et laissez-le se baigner tout nu. Il aimera se prélasser dans l'herbe après son bain. Colères à part, c'est un enfant adorable qui ne demande guère plus à ses parents que leur amour et un foyer stable.

PROFESSION

Son métier sera son passeport pour la réussite. Le Scorpion/Cochon dédaigne petits salaires et sécurité à vie. Ce qui l'intéresse, c'est d'arriver au sommet de la hiérarchie, de gagner beaucoup d'argent et de vivre dans l'opulence. Il est dynamique et actif. Au début de sa carrière, ce sujet aura quelque difficulté à obtenir une situation en vue. Il ou elle constituera une menace pour les autres cadres ; de plus ses dispositions coléreuses pourraient lui poser des problèmes. Si le Scorpion/Cochon apprend à mettre un peu son ambition en sourdine, il obtiendra plus facilement un poste de commandement. En tout cas, ces sujets sont généralement riches quand ils arrivent à l'âge mûr. La fortune vient avec le reste.

Autoritaire, oui. Mais humain en même temps, et si créatif que son autoritarisme est parfois compréhensible. Il est impatient et parfois tapageur. Patron, employé ou travailleur indépendant, ce sujet réussira, ou mourra à la tâche.

Carrières convenant aux Scorpion/Cochons : peintre, acteur et actrice, éleveur de bétail, restaurateur/traiteur, décorateur d'intérieur, agent de change, politicien.

Scorpion/Cochons célèbres : Marie-Antoinette, Alain Delon, Richard Dreyfus, Jean Cazenave.

SAGITTAIRE

22 novembre-20 décembre

<table>
<tr><td>

SAGITTAIRE

Optimiste	Franc
Libéral	Imprudent
Prévenant	Fruste
Valeureux	Changeant
Honorable	Insouciant
Raisonnable	Contradictoire

Feu, Jupiter, Mutable
« Je vois »

</td><td>

RAT

子

Charmeur	Avide de pouvoir
Influent	Verbeux
Économe	Nerveux
Sociable	Rusé
Cérébrale	Intrigant
Charismatique	Ambitieux

Eau positive, Yin
« Je dirige »

</td></tr>
</table>

Le mariage du Sagittaire et du Rat donne un sujet plein de santé, de vivacité, d'énergie et d'activité bouillonnante. Le Sagittaire né dans une année du Rat ne reste jamais en repos. Ce natif aime la vie en groupe et est toujours entouré de parents, d'amis et d'invités. Moins conscient de son charme que bien d'autres Rats, le Sagittaire/Rat est impatient de réussir mais indifférent à ce que les autres pensent de lui. Il présente au monde une image candide, sans prétentions ni fioritures. Si cela vous plaît, vous apprécierez cette dynamique compagnie sagittérienne. Si sa simplicité et sa franchise ne vous attirent pas, alors, restez chez vous. C'est tout un pour le Sagittaire/Rat. Il n'a pas de temps à perdre pour plaire aux dissidents.

Tout en étant un hôte ou une hôtesse « super », ou le meilleur animateur de groupe qu'on puisse rêver, ce sujet est curieusement impénétrable et réservé. Le Sagittaire/Rat n'est pas du genre joyeux boute-en-train qui fait rire les gens à s'en décrocher la mâchoire. L'hôte du Sagittaire/Rat rassemble les gens non par besoin d'être entouré mais par désir de les voir heureux, pour les regarder s'amuser, et observer leurs interactions. Le Sagittaire/Rat est le premier à courir chercher le vin et à vous offrir le meilleur fauteuil de la maison. Mettez-vous à votre aise. Profitez de la soirée.

Cet intérêt qu'il porte aux autres, le Sagittaire/Rat le porte aussi à ceux qu'il aime et dont il se fait le protecteur. Ce sujet a naturellement un air « au-dessus-de-la-mêlée » propre à remonter le moral d'une meute de chiens inquiets ou d'une volière en folie. Non que le Sagittaire/Rat passe des heures à caresser ses animaux et sa famille, mais la présence de ce guide lumineux a quelque chose de rassurant. On a toujours l'impression que le Sagittaire/Rat n'oubliera pas d'éteindre dans toutes les pièces avant d'aller se coucher et on sera sûr qu'il a bien fermé la grille du jardin.

Les sujets nés sous le double signe du Sagittaire et du Rat sont opportunistes pour eux-mêmes et pour ceux qu'ils aiment. Ils évaluent rapidement une situation ou l'usage qu'ils peuvent faire d'une personne ou d'une chose. En cas d'urgence, ils agissent rapidement et intelligemment, gardant la tête froide malgré leur activité fébrile. Placés devant un problème, ils savent le décortiquer et le démonter, puis le remonter autrement pour le résoudre. Quand la chance frappe à leur porte, ils sautent dessus.

Les Sagittaire/Rats considèrent la vie comme une partie de poker. Ils foncent quand ils sentent le moment venu — et ils empochent souvent d'immenses bénéfices parce qu'ils ont fait confiance à leur flair. Si vous avez des doutes sur l'honnêteté ou le courage d'une nouvelle connaissance, demandez à un Sagittaire/Rat de venir jeter un coup d'œil — ces sujets savent toujours choisir un gagnant.

Ce natif est un voyageur invétéré. Il ou elle quittera peut-être la maison assez jeune pour aller à l'aventure, chercher un nouvel endroit pour s'établir, ou trouver un style de vie lui permettant d'évoluer en toute liberté, débarrassé des conventions sociales et des liens familiaux vieux jeu. Le Sagittaire/Rat a l'esprit incisif et le talent de traduire la comédie humaine sous des formes artistiques. Il a le fond pour devenir leader d'associations ou de causes charitables, car il ressent une grande compassion pour les gens moins fortunés que lui. Le Sagittaire/Rat a toutes les capacités nécessaires pour gagner beaucoup d'argent, mais il gère mal sa fortune. Il a tendance à être prodigue et outrageusement généreux à contretemps et à « contrelieu ».

AMOUR

En amour, ce sujet est idéaliste. Le Sagittaire/Rat est facilement déçu dans le domaine du sentiment et ne se mariera peut-être jamais. A cause de leur méfiance innée à l'égard de toutes les exigences de la société, ces sujets ont tendance à tiquer devant le côté « pantoufles au coin du feu » et « heureux comme un rat dans un fromage » des rapports amoureux. Ils sont si fascinés par l'exotisme et si entichés d'aventure et d'errances qu'il est fort difficile de leur trouver un partenaire pour partager leur vie.

Si votre affection vous porte vers un Sagittaire/Rat et que vous soyez tombé sous son charme inimitable, je vous conseille de réserver immédiatement deux places dans le premier avion pour Hong Kong et d'inviter votre Sagittaire/Rat chéri. Vous n'arriverez peut-être jamais à l'arracher aux palmiers et aux pousse-pousse. Mais vous pouvez toujours vous installer en pays étranger, pour être plus proche de votre aventureux Sagittaire/Rat et de ses projets. Mais ne visez pas trop au définitif, car ce sujet aime le changement. Qui sait? L'année prochaine, vous déménagerez peut-être sur la Costa del Sol.

COMPATIBILITÉS

SAGITTAIRE/RAT : L'amour réciproque est facile avec les Bélier, Lion, Balance et Verseau/Dragons. Vous pouvez nouer des liens étroits avec eux et vous approuvez leur allant. Les Lion, Balance et Verseau/Singes vous conviennent bien également. Vous êtes follement attirée par les Balance/Chèvres. Des tensions surviendront entre vous et le Gémeaux, Vierge et Poissons/Cheval ou Chat.

FAMILLE ET FOYER

Le Rat né sous le signe du Sagittaire vit dans un luxe authentique. Il sera grand amateur de tableaux ultramodernes et de meubles sculptés importés d'Italie ou de Chine. Cependant, le Sagittaire/Rat ne sacrifie jamais le confort au luxe. Son but sera toujours d'entretenir et de protéger sa famille, et de créer une ambiance où d'immenses réceptions sembleront naturelles et parfaitement à leur place. Et dans son palais, le Sagittaire/Rat n'a rien contre les domestiques. Il sera aussi gentil avec le personnel qu'avec les membres de sa famille. Par nature, ce sujet n'est absolument pas snob.

Avec les enfants, comme avec quiconque a besoin de leur aide ou de leur attention, les Sagittaire/Rats sont intelligemment attentifs. Ils ne sont pas du genre père ou mère poule. Mais ces parents bons et directs ne restent jamais une minute sans penser à leurs petits. Ils sont indulgents et aimants, mais fermes également. Un enfant qui a un parent du Sagittaire/Rat n'oubliera jamais de dire bonjour aux invités et de se lever quand des adultes entrent dans la pièce.

Encore en couche-culotte, l'enfant du Sagittaire/Rat distribuera sans doute généreusement ses jouets et son influence. Ce petit coquin ne supporte pas les entraves et apprendra de bonne heure à sortir tout seul de son parc et à faire le mur. Cette petite personne active et curieuse contractera très tôt le virus du voyage. Camps et séjours d'études dans des pays inexplorés le feront patienter jusqu'à ce qu'il soit assez grand pour prendre l'avion tout seul. Surveillez les signes de rébellion au début de l'adolescence. Cet enfant ne peut pas fonctionner dans un environnement hypocrite. Si l'atmosphère de la famille est trop tendue, ce petit essaiera peut-être de quitter la maison à sept ans, ses nounours sous le bras. Il faut jouer cartes sur table.

PROFESSION

Rares sont des attributs tels que ceux du Sagittaire/Rat. Sa capacité à fondre sur une situation humaine et à en voir la vérité d'un seul mouvement ou d'un seul coup d'œil n'est pas commune. Il sera le mieux employé et le plus heureux dans des domaines où il faut prendre des décisions et où il pourra se déplacer. Son besoin de liberté le pousse vers les métiers aventureux.

Le patron du Sagittaire/Rat ne désire pas exercer le pouvoir sur les autres à n'importe quel prix. Accusé d'user aveuglément de son autorité, ce sujet trouvera la situation intolérable. Bien qu'il ne soit généralement pas emporté, le Sagittaire/Rat est capable de congédier sommairement un employé flagorneur ou hypocrite. Il désire le contact. Pas l'obéissance. Employé, ce natif n'est pas satisfait de son sort. Il ou elle essaye sans discontinuer de devenir le chef. Il sera efficace et fera son devoir, mais ne restera jamais longtemps dans un emploi subalterne. Travailleur indépendant, ce sujet travaille admirablement en vue de la réussite.

Carrières convenant aux Sagittaire/Rat : journaliste, moniteur de ski, sociologue, journaliste de télévision, assistante sociale, chauffeur d'ambulance, volcanologue, géologue, journaliste sportif, chef du personnel, avocat, vétérinaire.

Sagittaire/Rats célèbres : Toulouse-Lautrec, Eugène Ionesco, Carlo Ponti, Tip O'Neil, Michel Tournier, Abbie Hoffmann, Lou Rawls.

<table>
<tr><td colspan="2" align="center">

SAGITTAIRE

</td></tr>
<tr>
<td>

Optimiste
Libéral
Prévenant
Valeureux
Honorable
Raisonnable

</td>
<td>

Franc
Imprudent
Fruste
Changeant
Insouciant
Contradictoire

</td>
</tr>
</table>

Feu, Jupiter, Mutable
« Je vois »

BŒUF

Intègre — Entêté
Réalisateur — Étroit d'esprit
Stable — Lourd
Innovateur — Conservateur
Diligent — Partial
Éloquent — Vindicatif

Eau négative, Yin
« Je persévère »

Les Bœufs peuvent vraiment beaucoup réaliser dans leur vie. Mais les Sagittaire/Bœufs encore plus. Ces sujets sont des dynamos électroniques d'une puissance fabuleuse. Ils sont à la fois fougueux et placides. Ils sont éloquents au-delà de toute expression. Ils sont directs, humanistes, généreux et forts. Et qui plus est, les Sagittaire nés dans une année du Bœuf ont l'ambition du pouvoir, de l'influence, de la domination et du prestige. Et ils ne dédaignent pas l'argent non plus.

La clairvoyance et la raison se fondent chez ce natif, mettant le Sagittaire/Bœuf un peu à part des autres Bœufs, plus résolus ou plus belliqueux. De naissance, ce Bœuf a du flair, du brio, du style, de la vitalité, du charme et de la séduction. Ce qu'ils veulent dans la vie, ces natifs l'obtiennent. Pour eux, la réussite est la simplicité même. Ils sont incapables d'imaginer l'échec, ne savent pas à quoi il ressemble et ne le reconnaîtraient pas s'il se jetait sur eux pour leur défoncer le crâne. Pour le Sagittaire/Bœuf, la vie n'est que réalisation. On commence petit, on travaille dur et on arrive où on a toujours voulu être. Des questions ?

« Eh bien, cher Sagi/Bœuf, je me demande comment tu t'arranges pour réussir si fréquemment, alors que tant d'autres restent à la traîne, ferment la marche ou décrochent carrément ? Comment se fait-il que ta liste de célébrités soit plus longue que dans tout autre signe ? » demande la Bonne Fée. « Tout est relatif », répond le Sagittaire/Bœuf. C'est vrai. Les Sagittaire nés dans une année du Bœuf sont irrémédiablement flegmatiques, réservés et guindés. Ils sont d'un idéalisme impeccable et d'une imprudence invincible. Ils n'ont peur de rien ni de personne. Comme une armée de fantassins gorgés de vitamines B12, ils chargent. Mais pas à la vitesse grand « V ». Les Sagittaire/Bœufs sont simplement des adeptes sérieux de l'art de la promotion personnelle et de la croyance inconditionnelle en la violence pour arriver à ses fins.

Ardent et inébranlable, courageux et téméraire, le Sagittaire/Bœuf peut diriger n'importe quoi, que ce soit un empire ou une fanfare de village, avec un entrain et un aplomb imperturbables. Hitler n'était pas Sagittaire. Hitler voulait tuer. Les Sagittaire aiment faire le bien, aider les autres et améliorer l'humanité. Ils évitent le meurtre. Et ils ne craignent pas la souffrance. Les Sagittaire/Bœufs aiment le danger et prendront des risques incroyables pour arriver où ils veulent aller. Pour leur cause ou leur « isme » ils risquent leur vie et leurs abattis sans un battement de cils. Toutefois, ils ne sont pas uniquement égotistes, et il faut bien reconnaître que ce Sagittaire sacrifie beaucoup de confort et de sécurité à promouvoir ses causes. Les Sagittaire/Bœufs ont tous des idées différentes sur ce que signifie l'amélioration de l'humanité. Mais il y travaillent tous avec une égale ardeur. Les Sagittaire/Bœufs peuvent avoir des méthodes extrêmement rudes et n'hésitent pas à exprimer des opinions impopulaires. Ou ils font preuve d'un conservatisme tout aussi peu séduisant. De toute façon, leur but est toujours le même. *Arriver, quel que soit le nombre de faiblards à intimider.*

Non. Le Bœuf sagittérien ne marche pas sur des cadavres pour atteindre ses objectifs. Il fait travailler les gens jusqu'à ce qu'ils s'écroulent d'épuisement. Puis il déploie gentiment sur eux une jolie couverture bleue, et continue.

AMOUR

Le Sagittaire/Bœuf est ordinairement marié. Ou peut-être devrais-je plutôt dire qu'il ou elle est marié, mais pas ordinairement. Ces sujets manifestent une fidélité fervente en amour. Ils crient leur passion sur tous les toits. Ils vous disent comme cette vieille Marsha est bonne, et quel merveilleux docteur Sam est devenu et comment Jim va sauver l'humanité. Cela peut être très flatteur à la fois pour le Sagittaire/Bœuf et pour son mari ou sa femme. Sinon, je ne suis pas certaine que le Sagittaire/Bœuf le ferait. Ces durs de durs sont un tantinet exhibitionnistes... pas crâneurs à moins qu'ils n'aient quelque chose à dire. Mais ils ont *toujours* des tas de choses à dire.

Si vous aimez un Sagittaire/Bœuf et qu'il ou elle ne vous rend pas votre amour, vous serez furieusement malheureux. Il est très dur de perdre cette personne. Mais si vous avez encore une chance de rafler cette excellente prise avant le mariage, je vous conseille d'apprendre immédiatement à travailler dans une équipe dont vous ne serez jamais le chef. Apprenez aussi à repérer les traces de ses pas en plein été dans le désert. Vous aurez besoin de toutes les miettes que vous pourrez ramasser.

COMPATIBILITÉS

SAGITTAIRE/BŒUF : Vos chéris se trouvent parmi les natifs du Lion, Balance et Verseau/Rat et Serpent. Vous communiquez bien avec les Verseau/Coqs. N'essayez pas de vous lier à un Dragon. Ce sont les Gémeaux, Lion, Vierge et Poissons/Dragons qui vous poseront le plus de problèmes. Les Gémeaux et Vierge/Singes vous exaspèrent, de même que le Gémeaux/Cheval, le Gémeaux ou Vierge/Chèvre et le Poissons/Tigre.

FAMILLE ET FOYER

Comme toute autre chose dans sa vie affairée, la demeure du Sagittaire/Bœuf est un modèle d'efficacité, d'entrain et de personnalité. Où qu'il vive, sa maison (ou ses maisons) criera bien haut ses goûts, ses préférences, ses attitudes. Si elle aime la voile, le séjour aura des hublots pour fenêtres. S'il fait du tir à l'arc, baissez-vous !

Le métier de parent vient naturellement à ce natif. Le Sagittaire/Bœuf est efficace en tout. Alors pourquoi ne pas élever quelques enfants, en plus ? Pourquoi pas ? Ce sujet devrait être compréhensif et compatissant, mais il peut être également intransigeant avec les petits, et les hésitants l'impatientent. Ils sera sans aucun doute sincère et fera son devoir. De plus, les Sagittaire/Bœufs racontent fameusement les histoires. Et les enfants adorent.

L'enfant de ce signe a une ambition fantastique. A ne pas croire. Il ou elle travaillera probablement bien à l'école (à moins qu'un adulte malavisé n'essaye de le rabaisser), brillera dans les comités et dirigera la vente de charité. A la maison, cet enfant sera très introverti et passera beaucoup de temps à lire. Il ou elle aura le goût du sport. La compétition enchante le Sagittaire/Bœuf — même s'il n'est en concurrence qu'avec lui-même.

PROFESSION

Ce sujet veut à toute force arriver dans sa vie professionnelle. Bien que les affaires n'intéressent pas ce bagarreur au premier chef, il ou elle gagnera probablement des montagnes d'argent. Ces sujets s'intéressent à tant de choses et sont si branchés sur la vie, les projets, les aventures et les détails, qu'ils ne peuvent pas voir sans la rectifier l'erreur la plus insignifiante sur un relevé bancaire. Ils sont avides de sécurité, mais là n'est pas la question. Ce qui fait courir les Sagittaire/Bœufs, c'est « le complexe du berger ». Ils prennent soin de tout et de tout le monde, que ce soit ou non nécessaire. Et le Sagittaire/Bœuf aime garder la moitié des bénéfices.

Patron. Incontestablement, situation de puissance. La volonté de dominer est reine chez le Sagittaire/Bœuf. Naturellement, personne n'approchera de sa perfection dans les situations de groupe, aussi, s'il n'est pas élu ou choisi pour le poste de directeur, il le prend, tout simplement. L'idée d'être employé subalterne n'effleure même pas le subconscient de ce monstre sympathique. Travaillant seul, il ou elle aura la force de toute une usine.

Carrières convenant aux Sagittaire/Bœufs : star, auteur de best-sellers, pilote de course, célèbre n'importe quoi, dessinateur de B.D., scientifique, historien, président, pape, roi, reine, empereur, infirmière chef, mère supérieure, censeur de lycée, Dieu, pilote.

Sagittaire/Bœufs célèbres : Jean Mermoz, Walt Disney, William Blake, William Buckley, Willy Brandt, Alexandre Godounov, Gary Hart, Sammy Davis Jr., Margaret Meade, Jane Fonda, Alain Chapel, Jacques Dessange, Jean Marais.

SAGITTAIRE		**TIGRE**	
Optimiste	Franc	Fervent	Impétueux
Libéral	Imprudent	Courageux	Emporté
Prévenant	Fruste	Magnétique	Désobéissant
Valeureux	Changeant	Veinard	Conquérant
Honorable	Insouciant	Bienveillant	Immodéré
Raisonnable	Contradictoire	Autoritaire	Itinérant
Feu, Jupiter, Mutable		*Bois positif, Yang*	
« Je vois »		« Je surveille »	

Le Sagittaire né dans une année du Tigre est une personne qui, avec entêtement, mais aussi avec charme, aspire à demeurer enfant. Ces sujets adorent tout ce qui fait l'attrait de l'aventure et des gadgets, des courses à l'espace et des longs voyages en lointains pays. Naturellement, les enfants ne peuvent pas réaliser des rêves aussi spectaculaires. Ils se contentent d'imaginer l'effet que cela peut faire de voyager dans un cosmonef ou de plonger à des milliers de pieds dans les profondeurs de l'océan. Eh bien, les Sagittaire/Tigres sont exactement comme eux. Ils phantasment sur l'aventure. Mais ils ne vont jamais plus loin que le fond de leur jardin. Oh oui, ils font de longues promenades dans les montagnes, découvrent des ruines et répertorient toutes les pierres. Mais ces sujets adorables et drôles ne quittent jamais longtemps la maison.

Non que le Sagittaire/Tigre ne se déplace. Au contraire. Il est du genre à prendre sa voiture pour aller passer la soirée avec Jerry et puis conduire toute la nuit sur des routes de montagne pour ouvrir la boutique à huit heures du matin. Ou il fait des voyages d'affaires sans jamais regretter son foyer. Ces sujets ne restent pas collés à leur rocher comme des moules. Mais ils suivent la voie de moindre résistance. Ils préfèrent rester avec ceux dont ils sont sûrs que partir en chasse de nouveaux amis ou essayer de séduire un nouveau partenaire. Bien que l'aventure demeure la meilleure part de la vie du Sagittaire/Tigre, elle se déroule surtout dans sa tête.

En société, le Sagittaire/Tigre est tour à tour extroverti et réservé. Cette irrégularité d'humeur vient, je crois, du fait que ce sujet se voit contraint de sortir de son cadre de vie par son impétueux côté Tigre, mais dès qu'il arrive à la réception, il s'ennuie immédiatement et regrette de ne pas être à la maison dans son monde intérieur. Le Tigre ne cesse d'essayer de propulser ce sujet dans la société, mais le Sagittaire s'intéresse davantage à l'occuper à ses livres et à ses bonnes causes. Il arrive que les pressions d'interaction en société le mettent si mal à l'aise — surtout avec des gens qu'il ne connaît pas — que le Sagittaire/Tigre en arrive à se tenir mal. Le Sagittaire/Tigre peut très bien être cette femme au verbe haut qui raconte des histoires gauloises en plein milieu du salon, tout en souhaitant secrètement être ailleurs.

Ce sujet est un observateur avisé. Il peut assister à des réunions ou participer à des activités de groupe dans le seul but d'observer. Le Sagittaire/Tigre remarque tout, est sensible aux moindres variations de ton ou d'atmosphère. Il ou elle sera fasciné par la nouveauté et l'excentricité. Si le Sagittaire/Tigre se met à s'intéresser à quelque chose, il traquera le sujet dans ses moindres détails et découvrira tout ce qu'on peut en savoir. De cette façon, le Sagittaire/Tigre se compose une bibliothèque intérieure de personnages sur lesquels il sait tout. Hobby singulier, mais inné chez le Sagittaire/Tigre. J'appelle cela « collectionner les gens ».

Bien entendu, ce sujet reçoit à sa naissance intrépidité et franc-parler. Il est victime de la témérité et du panache du Sagittaire et du Tigre, de leur emportement et de leurs hésitations. Cela lui donne parfois l'air de s'ingérer dans les affaires des autres, alors qu'il ne veut que les aider. Mais ces traits de caractère donnent aussi du punch à tout ce que ce sujet fait dans la vie. Comme pour tous les autres Tigres, son premier but doit être la modération. Ralentis, Sagittaire/Tigre, réfléchis avant de bondir, tourne ta langue sept fois dans ta bouche avant de parler, et abandonne la conviction que l'opinion publique est cinglée. Chaque fois que tu t'aventures dans le vaste monde, n'oublie pas d'en rapporter un litre ou deux de sagesse.

AMOUR

Le secteur romanesque est difficile pour le Sagittaire/Tigre. Tout d'abord, il ou elle a du mal à accorder sa confiance. Les Tigres essayent toujours de repérer le moindre défaut et de noter de subtils signes négatifs chez les autres. Les Tigres sont magnétiques. Les Sagittaire sont généreux et pleins de sollicitude. Ce sujet semblera disposé à s'engager dans une relation amoureuse. Mais n'allez pas vous y tromper. Ce que vous voyez n'est que l'extrême sommet d'un iceberg très complexe. La générosité facile du Sagittaire/Tigre peut aisément tourner à l'aigre. Déçu, il ou elle peut devenir cynique. Il faut manier cette personne comme de la dynamite. On devrait imprimer sur tous ses T-shirts : « Ne croyez pas que je vous appartiens ! » Le Sagittaire/Tigre est un grand personnage bidon. Mais ce sujet gentil et orgueilleux ne porte jamais son cœur en écharpe.

Si vous deviez être attiré par un de ces sujets, marchez en regardant où vous mettez les pieds. Manipulez adroitement et avancez prudemment. Le Sagittaire/Tigre a besoin d'être rassuré et tendrement aimé, mais il ou elle ne vous demandera jamais rien. Si j'étais vous, j'offrirais à cette prunelle de vos yeux une bonne excuse pour venir chez vous — ne pourrait-elle pas venir vous apprendre à faire la cuisine, ou ne saurait-il pas vous enseigner à parquer votre voiture ?

COMPATIBILITÉS

SAGITTAIRE/TIGRE : Vous pouvez compter sur l'amour d'un Bélier, Lion, Balance ou Verseau/Cheval. Ils servent bien vos causes et vous donnent de bons conseils. Les Lion, Balance et Verseau/Chiens chauffent votre calorifère en plus. Vous comprenez leur loyalisme. Rien à faire avec les Vierge, Gémeaux et Poissons nés dans des années du Bœuf, du Chat ou du Serpent. Les Vierge et les Poissons/Singes vous rebroussent le poil. Et vous trouvez les Gémeaux/Chèvres incurablement frivoles.

FAMILLE ET FOYER

La demeure du Sagittaire/Tigre n'a pas grande importance pour lui. Il aimerait sûrement qu'elle soit confortable et facile à vivre. Mais comme ce sujet reste souvent célibataire jusque dans son âge mûr, et ne désire pas vraiment grandir, il ou elle ne se souciera guère de décoration d'intérieur. Il y aura toujours des boissons au frais dans le réfrigérateur et une bonne chaîne stéréo pour jouer la meilleure musique. Mais tout ce qu'il faut au Sagittaire/Tigre, c'est un nid pour rêver aux îles désertes où les nids sont faits de brins de paille et où le soleil ne se couche jamais.

Ce sujet n'est guère centré sur la famille. Cependant, tout le monde peut avoir des enfants, aussi, s'il ou elle en a, je crois qu'ils seront du genre à être copains avec leurs rejetons, à les emmener aux matchs de foot et à leur enseigner à faire du ski nautique. Le Sagittaire/Tigre est du genre à se ronger les sangs pour les autres, et prendra toujours le temps d'écouter les malheurs des enfants, de les réconforter quand ils seront tristes et de sincèrement sympathiser avec eux s'ils sont incompris. Le parent du Sagittaire/Tigre ne vaudra rien pour la discipline. Il pense que tout le monde — et tout spécialement lui — devrait être libre.

L'enfant du Sagittaire/Tigre constituera une compagnie chaleureuse et aimante pour ses parents. Il appréciera beaucoup les plaisirs du foyer, comme une partie de Monopoly avec Papa et Maman, ou les préparatifs de la fête de Noël. Sa plus grande qualité, c'est sa bonne volonté à se méfier du danger et à s'occuper de lui-même et des autres enfants. Ce petit sera inventif et travailleur. Il ou elle adorera les jeux électroniques.

PROFESSION

Ce natif est à la fois exigeant et infatigable dans le travail. Les Sagittaire/Tigres sont des ambitieux qui ne se soucient guère de ce que pensent les autres des moyens qu'ils emploient pour arriver à leurs fins. Pour cette raison, ils sont spécialement aptes à reprendre des projets dont la valeur n'est pas prouvée et que les observateurs désapprouvent. Les Sagittaire/Tigres s'embarquent souvent dans des entreprises d'envergure. L'ampleur d'un projet séduit leur côté explorateur intrépide. Ils aiment se représenter la grandeur et la pompe, mais ne se soucient guère de la voie hiérarchique ou des hypocrisies bureaucratiques.

Généralement, le Sagittaire/Tigre ne s'inquiète guère de savoir qui est le patron. Il ou elle s'intéresse avant tout à travailler sans s'enliser dans la routine. Ces natifs espèrent toujours échapper à la monotonie et transcender le train-train quotidien.

Bien qu'ils puissent être des employés efficaces, les Sagittaire/Tigres penseront souvent qu'ils savent tout mieux que le patron. Il leur réussit mieux d'être travailleurs indépendants, faisant leur « truc », dirigeant leur affaire ou écrivant des poèmes. Ils sont excellents dans les emplois exigeant des voyages fréquents. Mais quelque carrière que choisisse ce fougueux sujet, vous pouvez être certain que sa vie même, du matin au soir, n'est qu'un éternel voyage. Le travail est sa meilleure forme d'expression.

Carrières convenant aux Sagittaire/Tigres : physicien, urbaniste, facteur, vagabond, prédicateur, acteur/actrice, athlète, journaliste, leveur de fonds, voyageur de commerce, ingénieur de la NASA.

Sagittaire/Tigres célèbres : Ludwig van Beethoven, Emily Dickinson, Liv Illmann, Christina Onassis, Tracy Austin.

Par son dynamisme joyeux et son charme envoûtant, il fait oublier la gravité qui plane sur ce qu'il fait. Il met énormément d'efforts dans tout ce qu'il entreprend. Il préfère souvent dans ce qu'il accomplit faire appel à l'intellect. Mais toujours, même là où on veut le jour tout offrir, il prendra pour lui ce qu'il a de plus pénible.

<table>
<tr>
<td>

SAGITTAIRE

Optimiste	Franc
Libéral	Imprudent
Prévenant	Fruste
Valeureux	Changeant
Honorable	Insouciant
Raisonnable	Contradictoire

Feu, Jupiter, Mutable
« Je vois »

</td>
<td>

CHAT

卯

Diplomate	Cachottier
Raffiné	Sensible à l'extrême
Vertueux	Pédant
Prudent	Dilettante
Bien portant	Hypocondriaque
Ambitieux	Tortueux

Bois négatif, Yin
« Je me retire »

</td>
</tr>
</table>

Dans ce couple, le prudent Chat tripote et tiraille la flèche insoucieuse du Sagittaire jusqu'à ce qu'il la lâche. Elle tombe par terre avant d'avoir quitté l'arc. Autrement dit, chez ce sujet, la vertu et le sens de la mesure du Chat désactivent la témérité du Sagittaire. Ce Sagittaire n'est pas aussi fougueux que ses frères et sœurs. Le Sagittaire né dans une année du Chat est sensible à son environnement, conscient de la nécessité de la diplomatie, et, grâce à l'ambition sérieuse du Chat, sagement attelé à sa carrière.

Une sorte de mélancolie intrépide fait partie intégrante de sa nature. La peine semble l'avoir amélioré ou « remonté », les pertes et les souffrances semblent l'avoir modéré. Il est allègre, et pourtant résigné à certaines vérités amères que d'autres préfèrent ignorer. Le Sagittaire/Chat ne se laisse pas accabler par son air sombre, mais au contraire l'exploite, attirant la sympathie de millions de gens par son sourire triste. Ce Sagittaire, parfaitement peaufiné par sa nature prudente de Chat, est capable de synthétiser suffisamment ses énergies pour donner de lui une image puissante. Armé de ce sens irrésistible de son « Moi », le Sagittaire/Chat peut affronter pratiquement toutes les oppositions. Non qu'il recherche les ennuis, mais il n'a pas peur de l'adversité. La provocation est sa seconde nature. Il est intrépide, et ose conquérir la domination et surmonter la concurrence.

Le Sagittaire/Chat est également suffisamment astucieux pour savoir conserver sa situation durement acquise. Il jette en pâture à son public exactement ce dont il a besoin pour qu'il lui reste indéfectiblement attaché. Le Sagittaire/Chat dispense discrètement de généreuses portions d'amour à ses fans, qui, en conséquence, lui restent fidèles.

Les gens croient en le Sagittaire/Chat parce qu'il comprend le délicat amalgame de sollicitude et d'autorité nécessaires pour séduire les foules.

Les personnes qui se prennent au sérieux paraissent souvent insupportables à la famille et à l'entourage. Mais dans le cas d'individus très directs comme les Sagittaire/Chats, l'arrogance et l'autosatisfaction semblent naturelles. Ou du moins savent-ils comment les faire paraître naturelles. Le Sagittaire né dans une année du Chat se place sur un piédestal et rend sa personne inabordable, c'est vrai. Mais cela fait partie de son personnage, et ça marche.

Le Sagittaire/Chat est hautement individualiste. Ses méthodes ne sont jamais ordinaires. Ces sujets peuvent être sans scrupules, et s'ils ne réussissent pas (ce qui est souvent le cas) à entraîner leur auditoire, à captiver les foules et à convaincre les multitudes, ils ont assez de sagesse pour reconnaître leur défaite.

Généralement, le Sagittaire/Chat est sympathique. Une impression de gaieté émane de sa personne. Le Chat a le sens de l'élégance et de la représentation — qualité qui réprime presque complètement l'outrecuidance du Sagittaire — et ne lui laisse que ce soupçon de vulgarité que nous nous plaisons à nommer « petit air populaire ». Les Chats nés sous le signe du Sagittaire se conforment aux normes sociales et se soucient profondément de ce que les autres pensent d'eux. Ils ne sont pas faciles à percer à jour et n'ont aucune intention que ça change. Nous sommes ici en présence d'un Chat courageux et d'un Sagittaire atténué. Mariage très puissant, scellé par l'intérêt mutuel.

AMOUR

Ce sujet tend à s'engager dans des liaisons multiples mais successives. Il a beaucoup d'énergie sexuelle, pour la plus grande part secrète et refoulée. Personne ne s'imagine le Chat sous la personne d'un obsédé sexuel. Mais le Sagittaire/Chat a quelque chose du matou. Il ou elle rôde furtivement partout, marquant ses territoires, et en revendiquant certains qui ne lui appartiennent même pas. Par la même occasion, il n'hésite pas à « faire des chatteries » avec le partenaire d'une autre personne. Le Sagittaire/Chat n'est pas véritablement infidèle. Mais il a un tel besoin d'être admiré que la fidélité sexuelle lui est impossible. Toutefois, il prend très au sérieux la fidélité à la personne. Ces sujets peuvent changer d'amant ou de maîtresse comme de chemise, mais ils n'oublient jamais ceux qui leur ont plu et entretiennent soigneusement leurs vieilles amitiés.

Ainsi, vous êtes amoureux d'un Sagittaire/Chat ? Je vous suggère de lever vers lui des yeux toujours pleins d'admiration. Caressez et cajolez ce Chat plein de courage, mais n'essayez pas de le garder au coin du feu. N'oubliez pas que votre admiration lui est agréable. Ce sujet a besoin de milliers d'adorateurs. Si vous parvenez à ne pas être jaloux de sa nombreuse suite, et si vous pouvez supporter de le voir constamment se pavaner et se rengorger devant des admirateurs potentiels, je suppose que ça ira. Mais je crois que seules des personnes autosacrificielles pourront se marier ou partager une longue liaison avec ce chéri des foules.

COMPATIBILITÉS

SAGITTAIRE/CHAT : Les Bélier, Lion et Verseau/Chiens savent instinctivement toucher vos émotions les plus profondes et font pour vous de merveilleux amants ou maîtresses. Les Lion, Balance et Verseau/Cochons sympathisent aussi avec vous, de même que les Bélier et les Verseau/Chèvres. Le Bélier/Serpent vous séduit presque sans essayer. Mais les Gémeaux, Vierge et Poissons/Coqs et Tigres s'entendent à vous mettre les nerfs en pelote. Dites-leur d'aller s'attaquer à quelqu'un de leur taille.

FAMILLE ET FOYER

Le foyer du Sagittaire/Chat sera dans de nombreux endroits à la fois. Ce sujet est un itinérant, et, pour atteindre ses importants objectifs, il doit avoir toute latitude pour voyager. En première classe aller et retour. Cela va de soi. Mais parce qu'après tout, il est quand même un Chat, ce sujet peut très bien avoir une maison qu'il considère comme son foyer. Elle sera vraisemblablement située dans une lointaine campagne. Il ou elle l'aura pourvue de tout le confort, y aura installé quelques domestiques ou même parfois une seconde famille — et, naturellement, j'allais oublier, les gardes du corps.

Le parent du Sagittaire/Chat est très égotiste. Ces sujets se marient souvent et ont des enfants, mais ils laisseront sans doute le soin de les élever à un partenaire casanier. Ce natif ne se soucie guère des bambins. Mais quand les enfants grandissent et deviennent capables de communiquer, le parent du Sagittaire/Chat leur accorde souvent un intérêt amical. L'éducation qu'il dispense est du genre « Faites ce que je dis, ne faites pas ce que je fais. » Sévère et orienté sur les internats.

L'enfant du Sagittaire/Chat a certainement du talent pour le théâtre ou la musique. L'athlétisme ou même les discours et les débats publics. La capacité de captiver un auditoire est le don qui se manifestera en premier chez ce bébé souriant. Il faut l'encourager à développer ces talents et lui donner l'occasion de s'en servir en les disciplinant. Tant que votre petit Sagittaire/Chat est jeune et malléable, essayez de l'habituer à davantage communiquer en tête à tête. Cet enfant vous semblera peut-être introverti sauf quand il devra monter sur la scène. Il ou elle aspirera à la grandeur et aura beaucoup de séduction.

PROFESSION

Les talents du Sagittaire/Chat, qu'ils soient artistiques ou commerciaux, mécaniques ou techniques, seront supérieurs. Autrement dit, ce sujet aura un don majeur et sera capable de l'exploiter. Il ou elle devra veiller à ne pas disperser son énergie dans ses drames personnels ou à ne pas diluer ses talents en poursuivant plusieurs lièvres à la fois. Ces sujets peuvent aller loin s'ils maintiennent leur viseur braqué sur la réussite dans un domaine bien défini — le leur.

Le Sagittaire/Chat est un solitaire. Il ou elle peut monter une affaire ou diriger une usine. Ces sujets peuvent travailler pratiquement sans relâche. Et ils exercent une attirance spéciale sur les groupes. Ils peuvent commander tout un bureau. Mais il faut leur laisser la bride sur le cou, et, comme ce n'est pas toujours possible, je suggère à ces sujets d'être leur propre employeur. Les Sagittaire nés dans une année du Chat aiment trop agir à leur guise pour se plier à des systèmes et à des heures stricts. Ils savent se diriger eux-mêmes.

Carrières convenant aux Sagittaire/Chats : politicien, jockey, guide touristique, diplomate, acteur/actrice, danseur, chanteur, restaurateur, gérant de supermarché, chef religieux, musicien.

Sagittaire/Chats célèbres : Edith Piaf, Augusto Pinochet, Frank Sinatra.

SAGITTAIRE	DRAGON

Optimiste	Franc	Puissant	Rigide
Libéral	Imprudent	Battant	Méfiant
Prévenant	Fruste	Hardi	Insatisfait
Valeureux	Changeant	Enthousiaste	Emballé
Honorable	Insouciant	Vaillant	Vantard
Raisonnable	Contradictoire	Sentimental	Volubile

Feu, Jupiter, Mutable
« Je vois »

Bois positif, Yang
« Je préside »

Personnage admirable mais pas toujours aimable, le Sagittaire/ Dragon est un guerrier grand format. Ces sujets sont séduisants et ambitieux. Ils croient en la réussite et foncent avec bravoure à l'assaut de leurs objectifs. Ni brutal ni emporté, son style est noble et digne. Les Sagittaire/Dragons n'ont pas peur des périls de la vie. Ils prennent tous les risques et vont même jusqu'à courtiser le danger. Ils dansent autour des flammes de l'aventure et de l'exploit extraordinaire, mais il est rare qu'ils se fassent grièvement brûler. Les Dragons nés sous le signe du Sagittaire déjouent les manœuvres de leurs adversaires, les prennent à leurs propres pièges et les invitent à déjeuner pour le lendemain. Après tout, il faut bien fêter la victoire !

Aucune arrogance dans cette méthode. Le Sagittaire/Dragon ne voit nulle raison de snober les gens ou de leur imposer sa supériorité. Au contraire, ce sujet est du genre jovial idéaliste qui fait signe à tous de le suivre, de brandir son drapeau et de porter ses couleurs. Les Sagittaire/Dragons ne sont ni égoïstes ni avares. Ils désirent le meilleur pour tous ceux qui travaillent avec eux — mais ils sont absolument convaincus que tout le monde devrait s'atteler à leurs projets.

Ce sujet est un visionnaire et lance seul des entreprises à la force du poignet. Il ou elle peut conclure des marchés, tirer des conclusions et prendre des décisions dans la foulée. Mais il n'aime pas les complications. Il déplore la tromperie. Malheur à qui dupe un Dragon sagittérien. Le Dragon ne fera aucun mal à l'offenseur. Jamais de la vie! Il ne lui fera plus jamais confiance, tout simplement... ce qui, venant de ce sujet honorable, équivaut à un coup bas.

Vous comprenez, le Sagittaire/Dragon est un optimiste. Il ou elle désire croire en la bonté fondamentale de l'homme. Ces sujets ne sont ni des naïfs ni des innocents ayant besoin de protection. Les Sagittaire/ Dragons sont plutôt des chefs-nés, qui ont besoin de bons lieutenants, chefs de file, chanceliers, conseillers, ministres, épouses, maris et aides fidèles, posés et pondérés pour les protéger de leur propre précipitation idéaliste.

Le Sagittaire est généreux et direct. Le Dragon, lui aussi, aime donner. Tous deux adorent les réceptions et voudraient faire de la vie une fête perpétuelle. Le Sagittaire et le Dragon désirent tous deux augmenter l'envergure de leurs opérations, englober des groupes et des sphères d'influence de plus en plus larges pour leur imposer leurs théories et essayer leurs méthodes. Livrés complètement à eux-mêmes, ces despotes bienveillants peuvent parfaitement arriver à se mettre hors jeu. C'est pourquoi ils doivent rechercher les sages conseils et suivre les avis de personnes plus conservatrices.

Le Sagittaire/Dragon doit constamment lutter contre une petite voix intérieure qui l'exhorte à aller de l'avant quoi qu'il arrive. Plus que tout, ce sujet veut prouver qu'il PEUT. Généralement, personne n'en doute, sauf le Sagittaire/Dragon lui-même. Néanmoins, il peut être parfois trop optimiste et entreprenant parce qu'il voudrait montrer au monde entier qu'il a raison. Et effectivement, il a très souvent raison. Mais une fois de temps en temps, le Sagittaire/Dragon se retrouve au tapis pour avoir pris des décisions trop hâtives ou suivi des intuitions trompeuses.

Le Dragon né sous le signe du Sagittaire peut être irritable et parfois caustique, mais il est le plus souvent miséricordieux et bon envers les autres. Son feu n'est pas la petite flambée douillette dans la cheminée, mais un brasier crépitant qui brûle comme un phare à l'intention de ceux qu'il aime et secourt. Il y a chez lui quelque chose du preux chevalier, quelque chose de noble et de mythique annonçant énergie et munificence. Difficile de trouver une combinaison plus puissante.

AMOUR

Le Dragon né sous le signe du Sagittaire se mariera le moment venu. Naturellement, ces sujets, avec leur vigoureux enthousiasme et leurs fougueuses aspirations, sont attirants. Pourtant, le Sagittaire/Dragon ne veut pas seulement séduire. Lorsqu'il se lance dans la vie, il recherche un partenaire qui l'aidera dans ses entreprises. Aucun Dragon — et surtout pas le Dragon sagittérien — ne pense jamais petit. Celui-là imagine un avenir gigantesque plein de douzaines d'enfants, de chevaux, d'affaires et de familles élargies. Ce Dragon n'ira pas épouser Mickey Mouse. Ce Dragon désire la qualité. Et, qui plus est, il la trouve généralement.

Si l'un de ces matamores a retenu votre regard, j'ose dire que vous ne serez pas déçu du voyage. Le partenaire du Sagittaire/Dragon vous obligera à être toujours sur le qui-vive. Si vous êtes le moins du monde flegmatique, n'approchez pas de cette bouillonnante dynamo. Mais si vous voulez travailler côte à côte avec quelqu'un dont vous aimez les idéaux et voulez bien défendre les causes, alors, recherchez l'amour de votre Sagittaire/Dragon. Mais ne le décevez jamais et remplissez toujours vos engagements. Le Sagittaire/Dragon est un grand senti-mental. Rien n'est plus blessant que l'indifférence de cette âme valeureuse.

COMPATIBILITÉS

SAGITTAIRE/DRAGON : Vous êtes vraiment très demandé. Les Bélier, Lion, Balance et Verseau sont compatibles avec vous. Dans leurs rangs, ce sont les sujets suivants qui vous aimeront le mieux : Bélier/Bœuf, Tigre, Singe et Cochon ; Lion/Rat, Singe ou Coq ; Balance/Tigre et Singe, ou Verseau/Rat et Singe. Ce sont vos alliés. Voyons maintenant vos détracteurs : tous des Chiens, surtout les Gémeaux, Vierge et Poissons/Chiens. Eh bien, ce n'était pas trop dur, non ?

FAMILLE ET FOYER

Ce qui compte avant tout pour le Sagittaire/Dragon, ce n'est pas le luxe mais le standing. Vraisemblablement, le Sagittaire/Dragon ne fera pas peindre ses armoiries sur sa porte dans n'importe quelle partie de la ville. Ce sujet veut vivre dans le meilleur voisinage, envoyer ses enfants dans les meilleures écoles, et faire ses achats dans les meilleurs magasins. Opulence discrète et originalité caractériseront la résidence du Sagittaire/Dragon. « Transformons le grenier en bureau, défonçons le carrelage de la salle de bains pour installer un aquarium. » Le Sagittaire/Dragon aime faire les choses avec style et imagination.

Le Sagittaire/Dragon est un parent-né. Ce sujet est un bon meneur d'hommes et prend ses responsabilités au sérieux. De plus, maternage et protection, entretien et surveillance procurent de réelles satisfactions personnelles au Dragon né sous le signe du Sagittaire. Il ou elle sera ferme et exigera que les enfants restent proches du cercle familial tant qu'ils grandiront. Avec un Papa ou une Maman du Sagittaire/Dragon, aucun enfant ne sera jamais en proie à un sentiment d'insécurité. Ces sujets sont notoirement attentifs aux besoins de leurs proches. Ils empilent tout le monde dans la voiture et partent en vacances en bande, préparent des pique-niques et se lancent à l'assaut des montagnes.

Enfant, ce sujet sera sans doute exubérant et enthousiaste. Il s'embarquera constamment dans des projets de groupes dont il sera le chef. Ces enfants sont généralement populaires auprès de leurs camarades de classe et de jeu. Les professeurs apprécient sa bonne volonté à diriger les autres, mais se sentent parfois un tantinet menacés par le sens qu'a le Sagittaire/Dragon de sa supériorité. Il n'est rien que cet enfant se trouve incapable d'accomplir, aussi se déçoit-il parfois profondément. Vous pouvez lui parler en toute franchise sans crainte d'abattre son moral — ces petits sont capables et résistants. On devrait leur enseigner la patience.

PROFESSION

Ce qu'un Dragon né sous le signe du Sagittaire entreprend, il entend bien l'accomplir. Manifestement, ce sujet veut ce qu'il veut au moment où il le veut. Il est bien évident que cette assurance a ses désavantages. Personne n'est invincible, et, moins que personne, ce Dragon le plus sentimental de tous — le Dragon sagittérien ! Mais cette profonde faiblesse émotionnelle est précisément ce qui fait son charme. Cette heureuse particularité de caractère lui fait gagner bien des batailles par inadvertance. Ce qui a extérieurement l'air d'un roc n'est en réalité que de la guimauve. Mais parle et agit comme un roc, de sorte que personne n'est en mesure de faire la différence. Vicelard, n'est-ce pas ?

Le Sagittaire/Dragon ne voudra vraisemblablement participer à aucun jeu dont il ne sera pas le chef. C'est un patron adoré et respecté de ses employés et de ses associés. Autre habileté de ce signe : il ou elle sait exactement quand il convient de prendre du recul et de laisser agir les événements. Ce sujet peut manifester parfois trop de précipitation, tout en étant à l'occasion d'une sagesse étonnante.

Carrières convenant aux Sagittaire/Dragons : directrice de crèche, libraire, producteur de télévision, magnat des assurances, banquier, constructeur, politicien, sénateur, avocat, théologien, conseiller commercial, écrivain, rédacteur en chef, éditeur, créateur d'entreprise.

Sagittaire/Dragons célèbres : Louisa May Alcott, Betty Grable, Richard Pryor, Robert Laffont.

SAGITTAIRE	
Optimiste	Franc
Libéral	Imprudent
Prévenant	Fruste
Valeureux	Changeant
Honorable	Insouciant
Raisonnable	Contradictoire

Feu, Jupiter, Mutable
« Je vois »

SERPENT	
Intuitif	Dissimulateur
Séducteur	Dépensier
Discret	Paresseux
Sensé	Cupide
Clairvoyant	Présomptueux
Compatissant	Exclusif

Feu négatif, Yang
« Je sens »

La sollicitude incarnée, le Sagittaire/Serpent veille sur ceux qu'il aime et admire, et s'occupe de tout, de la maison à la voiture, avec un intérêt à faire rougir de honte Florence Nightingale. C'est un être plein de dignité et de noblesse, dont les manières et le goût raffiné ne le cèdent qu'à son indéfectible attachement à la vertu. Le Sagittaire/Serpent est un article de haut luxe, sans l'étiquette astronomique.

Ce sujet n'est jamais bruyant ou turbulent. Mais cela ne l'empêche pas de dire ce qu'il a à dire. Le Sagittaire/Serpent ne brandit pas de drapeaux, ne fait pas de vagues. Mais il se fait le champion zélé de bien des nobles causes. Ce sujet garde pour lui ce qu'il pense et recule devant les conflits. Pourtant il communique avec facilité, débrouille des discussions complexes et ne perd jamais un match.

Le hic, c'est que ces sujets sont singulièrement motivés par leur désir de s'élever au-dessus de leur état. Le Sagittaire/Serpent qui réussit est quelqu'un qui a commencé petit et se faufile en douce parmi ses concurrents parce qu'il ou elle désire vivre mieux. Ce sujet est un idéaliste. Il ou elle est de cœur pur et sans détours, et pourtant discret.

Pour le Serpent né sous le signe du Sagittaire, le fait de se dépenser au travail est une preuve visible de rectitude morale. Contrairement à tant de leurs équivalents serpentins, les Sagittaire/Serpents ne sont pas paresseux, et se lèvent volontiers pour aller vous chercher un verre, ou pour courir tous les jours six kilomètres dans la neige. Sans avoir l'air d'y toucher, ces sujets sont de véritables générateurs d'énergie. Comme ils ont des manières feutrées et semblent ne jamais se presser, on ne se douterait jamais de leur efficacité. Mais ce qu'ils peuvent accomplir en un jour, sans une plainte et sans se déplacer un cheveu, est proprement stupéfiant.

Les Sagittaire/Serpents sont aussi des magiciens de l'organisation. Confiez-leur pendant quelques jours un bureau complètement désorganisé ou une bande d'enfants impossibles, et ils redresseront la situation en un clin d'œil. Ni dureté ni esbroufe. Mais à son air sévère, on devine que cet intègre personnage ne plaisante pas. S'il entreprend de nettoyer la cave, observez son style.

Les Sagittaire/Serpents ne sont pas du genre à prendre des risques. Ils ne sont ni craintifs ni lâches. Ils aiment les sports, et les pratiquent tous sans hésitation, du ski à la plongée sous-marine. Mais ils ne courtisent pas le danger et ne recherchent pas l'aventure dans la spéléologie ou les safaris africains. De même, dans leur vie quotidienne, les Sagittaire/Serpents ne tentent pas le Diable. Ils ont pour habitude d'apprécier les agréments des « bonnes choses » et savent quand ils en ont saisi une par la queue.

Le Serpent né sous le signe du Sagittaire ne s'ingère pas dans les affaires des autres. Il ou elle ne fait pas de commérages et ne se mêle pas de ce qui ne le regarde pas. Il est passablement curieux mais ne dévie pas de sa route pour mettre à nu les motifs de quelqu'un. Ces sujets ne s'intéressent pas aux affaires des autres, mais sont judicieux par nature. Le Sagittaire/Serpent est convaincu que chacun doit se faire sa place au soleil, et il aime bien la sienne. Il espère que la vôtre vous plaît aussi, mais ne creusera guère la question pour s'en assurer.

AMOUR

Les Sagittaire se marient souvent tard. Et les Sagittaire/Serpent ne se marient souvent pas du tout. Toutefois, ils tendent à apprécier les liaisons durables et de grande qualité, de caractère profond et intime. Souvent, le Sagittaire/Serpent s'engage dans de longues et sérieuses conversations avec l'époux ou l'amant/maîtresse. Il y prend un air confidentiel qui éveille parfois les soupçons chez certains. « Qu'est-ce qu'il peut bien être en train de penser? » se demandent-ils. « Un homme tellement silencieux », remarquera un autre. Amoureux, le

Sagittaire/Serpent se voue totalement à son amour. Il est généralement fidèle car le coureur de jupons lui paraît vulgaire et superficiel.

Si vous aimez un de ces distingués personnages, je vous conseille de
mettre votre numéro au point en vitesse. Si vous voulez vivre avec votre
Sagittaire/Serpent dans le style auquel il s'est accoutumé lui-même, il
vous faudra apprendre à vivre dans le calme et l'élégance, à ne jamais
élever la voix et même à faire du jogging et à rester au régime. *La sagesse
avant tout*, telle est la devise du Sagittaire/Serpent. La négligence
offense sa sensibilité. Alors, soyez cool et ne montrez pas vos cartes. Le
Sagittaire/Serpent adore le mystère.

COMPATIBILITÉS

SAGITTAIRE/SERPENT : Les alliances avec des Bœufs nés sous les
signes du Lion, de la Balance et du Verseau seront positives et
engendreront la prospérité. Vous créez facilement des liens de complicité avec les Bélier et Verseau/Coqs. Ces rapports s'épanouissent le
mieux dans un environnement citadin. Les Vierge, Gémeaux et
Poissons ne font pas partie de vos natifs préférés — surtout les
Gémeaux/Singes, les Vierge/Tigres et Cochons, et les Poissons/
Tigres, Singes et Cochons.

FAMILLE ET FOYER

La demeure de ce sujet sera d'abord, enfin et surtout attrayante. Son
mode de vie est fondé sur la tranquillité et la recherche du raffinement.
Le Sagittaire/Serpent préférera les meubles d'époque à l'ameublement
moderne. Il ou elle voudra « du vrai » en bijoux, tableaux, et même en
toiture et jardin. Le Sagittaire/Serpent est un passionné de l'authenticité. Il la recherche jusque dans le dernier poil de mohair de son
pardessus. Elle ne porte que des pulls en cachemire si elle peut se les
offrir. Pas de toc chez le Sagittaire/Serpent.

Ce sujet fera un parent fabuleusement créatif et intéressé à ses
enfants. Tous les conforts possibles et imaginables seront à la
disposition de Lisa ou du petit Georgie. Chaque enfant sera attentivement suivi par tous les spécialistes, de l'allergologue au pédicure. On
pourrait même accuser le Sagittaire/Serpent de trop mettre ses enfants
dans du coton. Il n'est pas absolument indispensable de nettoyer la
baignoire après chaque usage avec une éponge en velours, non ?
Sérieusement, les enfants sont spontanés au mieux — laissez-les

prendre des risques, même s'ils doivent se casser un os ou deux — cela leur apprend à vivre en dehors de la serre.

Le bébé du Sagittaire/Serpent manifestera des signes précoces de méticulosité, et souffrira énormément de discordes ou de dissensions familiales. Cet enfant a besoin d'un environnement calme et intellectuel et de nombreuses expériences campagnardes pour aborder le futur en douceur. Il ou elle sera ouvert et affectueux avec les autres enfants. Le sous-produit de cette personnalité, c'est son désir de plaire à ses parents. Le petit Sagittaire/Serpent veut qu'on soit fier de lui à la maison. Il fera tous ses efforts pour faire sourire Papa ou Maman s'il les voit tristes.

PROFESSION

Tous les métiers où l'on s'occupe des autres conviennent à ce solide citoyen. Il ou elle préférera naturellement les carrières permettant des contacts et faisant appel à ses dons pour organiser ou résoudre de délicats problèmes humains. La paperasserie n'ennuie pas outre mesure le Sagittaire/Serpent, et il ou elle donnera satisfaction dans tous les domaines exigeant attention au détail.

Le Sagittaire/Serpent fait un excellent patron, sensé et calme. Il s'efforcera d'être juste dans la distribution du travail et n'aura pas de chouchous. Ce sujet est un employé modèle. Pourvu que son travail ne dérange pas trop sa coiffure ou sa routine, le Sagittaire/Serpent travaille avec diligence et se rebiffe rarement. Comme ce sujet est capable de démarrer — et de finir — quelque chose tout seul, il ou elle sera un excellent créateur d'entreprises.

Carrières convenant aux Sagittaire/Serpents : maître d'hôtel, hôtesse, médecin, infirmière, philosophe, psychiatre, décorateur, chirurgien, dentiste, jardinier, fleuriste, dresseur de chiens, astrologue, cuisinier, berger, créateur d'entreprise.

Sagittaire/Serpents célèbres : Pierre Brasseur, Jean XXIII, Claude Terrail.

SAGITTAIRE	
Optimiste	Franc
Libéral	Imprudent
Prévenant	Fruste
Valeureux	Changeant
Honorable	Insouciant
Raisonnable	Contradictoire
Feu, Jupiter, Mutable « Je vois »	

CHEVAL	
Persuasif	Égoïste
Autonome	Indélicat
Branché	Rebelle
Elégant	Soupe au lait
Adroit	Anxieux
Talentueux	Pragmatique
Feu positif, Yang « J'exige »	

Noble allure, le Sagittaire/Cheval n'est qu'un quart homme pour trois quarts Cheval. Comme on dit dans les westerns, « Beau brin de Cheval ! » Chose intéressante, ce centaure est plus homme que bête. Le Sagittaire né dans une année du Cheval fonctionne d'abord à partir des valeurs traditionnelles, ensuite en quête de son self contrôle, et enfin, il se concentre sur la recherche et la réalisation de ses objectifs.

Le Sagittaire/Cheval n'est jamais fatigué. Valises sous les yeux, traits tirés et teint grisâtre ne signifient rien pour cette dynamo vivante. « Vous devez être épuisé », lui dit-on lorsqu'il est resté debout trois nuits de suite pour mettre un emploi du temps au point, alors que tout autre serait depuis longtemps mort à la peine. Le Sagittaire/Cheval vous regarde comme si vous aviez commis une incorrection. « Moi ? Fatigué ? Jamais ! » Et c'est vrai. Ces sujets travaillent jusqu'à l'épuisement total.

Le Sagittaire/Cheval a de bonnes manières. Il les acquiert assez naturellement au cours des ans, car il s'intéresse beaucoup aux mondanités et aux différences de classes sociales. Je n'irai pas jusqu'à dire que le Sagittaire né dans une année du Cheval est un snob — mais presque. De toute façon, c'est une personne qui aspire à être mise à part du troupeau. Le Sagittaire/Cheval se plaît à être différent.

Né sous le signe duel de la compassion et du pragmatisme, le Sagittaire/Cheval représente l'alliage parfait de ces deux qualités. Il ou elle défendra de nobles causes et jouera son va-tout dans les comités comme le font les Sagittaire, mais ne sacrifiera son temps qu'à ces « ismes » et croyances susceptibles de réalisation. Ces sujets sont trop pratiques pour s'embarquer dans des rêves totalement impossibles.

Le Cheval né sous le signe du Sagittaire veut être la vedette de sa propre vie. La célébrité ne l'attire pas particulièrement, mais il fonce de l'avant pour réussir et ainsi se respecter soi-même. Le Sagittaire/ Cheval a des idéaux élevés pour lui, pour son travail et pour le travail de ses proches. Le plaisir n'a pour lui d'importance que dans la mesure où il allège sa tension nerveuse et son anxiété, accroissant par là sa productivité. Ce Cheval sera la cheville ouvrière de sa famille et de son groupe de travail ; ceux qui gravitent autour de lui ne le doivent qu'à la générosité de son esprit et de son portefeuille.

Si la pauvreté pouvait apporter le bonheur au Sagittaire/Cheval et le libérer des soucis, je ne crois pas qu'il rechignerait à vivre sans argent. Mais il lui faut un cadre de vie où il se sent le maître. Et cela n'est pas donné de nos jours. Il faut bien quelqu'un pour payer le loyer, l'assurance, le chauffage et la femme de ménage. Pour cette raison, la pénurie constitue une menace pour le bien-être du Sagittaire/Cheval. Sa sécurité lui vient de l'extérieur. Il faut donc l'acheter.

Le Sagittaire/Cheval peut sembler marginal à certains. Il ou elle a parfois des idées stupéfiantes. Mais ce non-conformisme n'est étrange et baroque que comparé à un comportement plus traditionaliste. Il s'ensuit que le Sagittaire/Cheval peut parfois paraître bizarre et original, mais il n'est extravagant que par contraste avec le train-train monotone de la société. Le Sagittaire/Cheval n'est pas bohème au point de se faire ermite ou poète et d'aller s'installer dans un désert pour éviter tout contact humain. Il est trop tenté de mettre son grain de sel pour se tenir bien longtemps à l'écart.

Dans sa jeunesse, son insouciance le poussera à des jugements peu sages. Mais il acquiert de la sagesse avec l'âge. Le Sagittaire/Cheval apprend bientôt à tenir parole, à s'occuper de sa famille et de ses proches collaborateurs, et à attendre tranquillement la bonne occasion. Le galop, c'est pour les enfants. Le Sagittaire/Cheval qui a mûri veut vivre agréablement au trot, ni trop rapide ni trop lent, mais en allant toujours dans la même direction — de l'avant.

AMOUR

Dans son jeune âge, le Sagittaire/Cheval fera au moins une ou deux erreurs en amour. Ce sujet est ardent de naissance. Il a fait de nombreuses fredaines. Mais l'âge venant, le Sagittaire/Cheval apprend à contrôler son côté animal et recherche un partenaire qui s'intégrera dans le cadre dont je parlais plus haut. Le Sagittaire/Cheval ne veut pas pour partenaire un docile béni-oui-oui qui ne discute jamais ses opinions. Mais il lui faut quelqu'un qui s'occupera des détails du foyer et de la famille pendant qu'il ira gagner le bifteck de tous. Par-dessus tout, ce sujet ne veut pas d'ingérences dans sa vie, et dira clairement dès le départ qu'il considère l'amour comme une chose sérieuse. Courir le guilledou est exclu en faveur d'un travail acharné, le derrière collé au siège et le nez sur la meule.

Si vous aimez un Sagittaire/Cheval, ne vous accrochez pas à lui. Soyez vous-même. Soyez pour lui un challenge. Jouez un peu les difficiles. Mais n'espérez pas jamais convertir cet indépendant à votre mode de vie. C'est vous qui devrez apprendre à vous lever à cinq heures du matin pour faire rentrer le chat, préparer le café et faire la valise du Sagittaire/Cheval qui part pour Dallas. Et que fait le Sagittaire/Cheval pendant ce temps? Il téléphone à Bonn, Rome ou Londres, discutant à cœur que veux-tu marchés, plans et encore marchés. La mission du Sagittaire/Cheval passe avant tout. Quelle qu'elle soit, la vôtre sera automatiquement moins importante.

COMPATIBILITÉS

SAGITTAIRE/CHEVAL : Dans votre poursuite énergique de la réussite personnelle, il vous faut un partenaire de vie patient et sérieux. Choisissez-le parmi les natifs du Bélier, de la Balance, du Lion ou du Verseau nés dans une année du Tigre. Mieux encore, si vous arrivez à en prendre un au piège, prenez un Bélier, Lion ou Balance/Chèvre, qui montreront une patience d'ange pour vos allées et venues. Un Balance ou Verseau/Chien restera à vos côtés pour le meilleur et pour le pire. Inversement, je vous déconseille un Vierge, Gémeaux ou Poissons/Rat.

FAMILLE ET FOYER

La demeure du Sagittaire né dans une année du Cheval sera décorée par un spécialiste ou, au mieux, par son partenaire de vie. La seule partie de la maison qui intéresse le Sagittaire/Cheval est l'endroit où il travaille. Ce peut être un cabinet de travail, un atelier de bricolage à la cave, un studio pour peindre, un bureau ou un grenier bien à lui. Mais là, tout sera marqué du sceau de son esprit pratique. Parler de haute technologie constitue encore un euphémisme... Eclairages super-sophistiqués, vastes plans de travail en Formica et terminaux d'ordinateurs à la pelle ! Le reste ? Ces canapés de Roche et Bobois qui te plaisaient... d'accord, bien sûr, achète-les. Le Sagittaire/Cheval est généreux mais il refuse d'accorder la moindre attention aux frivolités. Ce sera la même chose pour ses vêtements : confortables et classiques, avec parfois une petite infidélité aux beiges et aux bleu marine en faveur de la flanelle grise. Du jaune ? Réservé uniquement aux bals costumés.

Le parent du Sagittaire/Cheval pourvoit parfaitement aux besoins de ses enfants. On verra, et même on entendra les enfants, mais Maman ou Papa Sagittaire/Cheval n'aura guère le temps de faire joujou avec eux. Il s'agit là de parents affairés et énergiques qui réservent leurs talents athlétiques aux sports qui les intéressent, et qui, de toute façon, ont du mal à se mettre à quatre pattes pour ramper sur le tapis avec les bambins. Noblesse oblige.

Enfant, ce sujet sera doué pour toutes les activités sportives. Les professeurs accuseront parfois le Sagittaire/Cheval d'ajouter de la fantaisie à son travail. C'est le genre d'enfant qui dessine sans arrêt un portrait de son chien dans les marges de ses interros de maths. Il ne vient pas à l'idée du professeur que peut-être cet enfant s'ennuie à mourir. C'est pourquoi on le grondera souvent parce qu'il rêvasse. A la maison, ce petit sera obéissant et affectueux. Il ou elle voudra participer à toutes les activités, et cherchera peut-être même à diriger les efforts du groupe. Franchement, le Sagittaire/Cheval ne verrait aucun inconvénient à être enfant unique. Ces sujets aiment dominer.

PROFESSION

Ce sujet est doué dans les domaines exigeant de la prévoyance, de la compassion et un sens de l'observation acéré. Toutes les carrières le mettant en contact avec des gens, et avec leurs épreuves et tribulations conviendront au Sagittaire/Cheval. Ils sont doués pour l'organisation et le management. Ils ont naturellement de la présence et de l'allure et savent traiter avec le public.

L'autorité vient naturellement à ce dirigeant. Mais le Sagittaire/Cheval n'est pas « autoritaire » au sens classique du terme. Il sera directif et silencieusement autoritaire. Un sourire accompagne toujours un ordre ou une requête. Le Sagittaire/Cheval fait également un employé extraordinaire. C'est un sujet sérieux et responsable qui se soucie de son avancement. Qu'est-ce qu'un employeur pourrait désirer de plus ? Quant au travail indépendant, le Sagittaire/Cheval est créatif et pourrait fonder sa propre entreprise, mais il préfère travailler en groupe que seul.

Carrières convenant aux natifs du Sagittaire/Cheval : professeur d'éducation physique, éleveur de bétail, promoteur immobilier, écrivain, diplomate, golfeur professionnel, entraîneur de football, acteur, actrice, journaliste, analyste de marché, politicien, chef d'orchestre, psychiatre.

Natifs célèbres du Sagittaire/Cheval : Leonid Brejnev, James Thurber, Alexandre Soljenitsyne, Jean-Luc Godard, Jimi Hendrix, Jean-Louis Trintignant, Pierre Desgraupes.

SAGITTAIRE	
Optimiste	Franc
Libéral	Imprudent
Prévenant	Fruste
Valeureux	Changeant
Honorable	Insouciant
Raisonnable	Contradictoire
Feu, Jupiter, Mutable	
« Je vois »	

CHÈVRE	
Inventif	Parasite
Sensible	Primesautier
Persévérant	Nonchalant
Fantaisiste	Erratique
Courtois	Rêveur
Bon goût	Pessimiste
Feu négatif, Yang	
« Je dépends »	

Les Sagittaire/Chèvres sont doués d'une créativité géante. L'invention et l'esprit d'entreprise sont les secondes natures de ce sujet dynamique qui pense toujours avec clarté. Mais il y a un os. Les Chèvres ne fonctionnent bien que si elles se sentent en sécurité. Le manque de moyens pécuniaires ou la menace de ruine financière, les séparations familiales et les difficultés personnelles de toutes natures déboussoleront cette Chèvre et lui feront perdre l'appétit. Le problème majeur pour ce sujet vaillant et courageux sera d'acquérir et de conserver la sécurité pour lui, sa famille et ses amis.

La personnalité de la Chèvre, avec sa grâce et son charme innés, donne de la courtoisie au Sagittaire parfois trop « rustique ». Dans cette alliance, le Sagittaire conserve toute sa sollicitude et manifeste une grande bonne volonté à aider les autres. Mais ce Sagittaire caprin n'aide pas étourdiment ou indiscrètement. Cette Chèvre dissimule dans ses cornes des antennes fort sensibles qui l'avertissent quand on a besoin d'elle. Et alors, vite, il ou elle saute dans sa voiture et vole au secours de la blonde damoiselle en détresse. Les Chèvres sagittériennes ont des solutions à tous vos problèmes. Ces natifs proposeront peut-être à vos dilemmes des solutions extravagantes, qui ne vous seraient jamais venues à l'idée au terme de toute une vie de cogitations. Ou ils emporteront simplement votre problème chez eux, pour le débrouiller à loisir jusqu'à trois heures du matin.

Horaires et emplois du temps, temps de travail et temps de repos... tout cela n'a aucun sens pour le Sagittaire/Chèvre. Il est relativement exact par politesse et par égard pour les autres. Mais l'organisation du temps n'existe pas vraiment dans l'esprit de ce créateur altruiste.

Les Sagittaire/Chèvres aiment faire un petit somme entre quatre et six heures du matin, puis se lever et conduire sans escale de Paris à Moscou, après quoi ils dorment pendant trois jours d'affilée. Si ce sujet a sommeil, il dormira. Mais dans l'intervalle, ce qui compte, c'est le projet, l'entreprise, le travail commencé. Quand ce sera terminé, il se reposera. Pas avant.

Et, avec ces innovateurs persévérants, armés d'un intrépide enthousiasme pour le détail et les œuvres de grande complexité et d'une créativité illimitée, il y a toujours un projet dans l'air. Ne regardez pas tout de suite, mais cette Sagittaire/Chèvre, qui vient juste de se construire une maison de dix pièces avec des bouteilles non consignées, est sur le point de s'embarquer dans un voyage d'études au Tibet — en marchant sur les genoux! Naturellement, elle ne partira pas avant d'avoir assuré la mise en scène de la nouvelle comédie musicale représentée au bénéfice de l'église, et installé elle-même le chauffage central chez elle. Le Sagittaire-Chèvre est un constructeur infatigable.

Le Sagittaire/Chèvre est également bon juge de ce qui est utile ou non. Il ou elle vous dira du premier coup d'œil si ce nouvel éclairage ou ces chevalets de sciage vous serviront à quelque chose. Ces sujets ont une bonne mémoire du détail, et pourtant mollissent parfois quand il s'agit de s'en occuper. Mettre la touche finale à un travail n'est pas le fort de la Chèvre née sous le signe du Sagittaire. Il ou elle se fera un plaisir d'inventer l'intrigue, d'imaginer le cadre et même de vous faire le plan de votre prochain roman, mais quant à corriger les fautes d'orthographe, il ou elle préfère passer le flambeau à un autre. Leur partie, c'est l'imagination.

Parfois, parce que ces sujets sont si spécifiquement centrés sur la conception, ils concoctent des projets irréalisables. Il n'y a pas qu'une seule idée en plan dans son placard — mais une trentaine. Certains plans n'aboutissent pas. Mais les Sagittaire/Chèvres ne pleurent jamais sur leurs efforts inutiles. Ils préfèrent inventer quelque autre engin révolutionnaire, et se mettent illico à rassembler des pièces pour construire le prototype.

AMOUR

Bizarrement circonspect dans les relations amoureuses, le Sagittaire/Chèvre n'est pas du genre à se marier adolescent. Comme nous le savons déjà, les Chèvres ont besoin de sécurité. Sans elle, ce sujet tourne, vire et bat la campagne. Aussi, tant que ce sujet n'aura pas amassé les moyens pécuniaires suffisants et réglé la plupart de ses problèmes de telle façon qu'il se sentira en sûreté, il y a peu de chances qu'il prenne la responsabilité d'une autre personne. En amour, le Sagittaire/Chèvre est plutôt indépendant et il ne veut être opprimé ou limité en aucune façon. La liberté est presque aussi importante que l'amour pour le Sagittaire/Chèvre.

Si vous aimez un natif du Sagittaire/Chèvre, il est vraisemblable que vous aurez commencé par l'estimer. Ces sujets intéressants et inventifs s'enorgueillissent toujours d'admirateurs à la douzaine. Ils sont, pour la plupart, fidèles en amour, car ils sont généralement trop occupés par leurs projets pour courir la gueuse. De plus, c'est assez de souci pour eux que d'avoir à s'occuper d'une seule personne, de l'aider, de la transporter en voiture et de supporter ses interruptions. La meilleure façon de vous rendre utile à ce sujet, c'est d'apprendre à vous occuper des détails qu'il ignore. Si vous faites la cuisine et le ménage, vous pouvez très rapidement vous rendre indispensable. La Chèvre sagittérienne oublie parfois de manger — et la vaisselle sale est sa constante compagne. Marchez sur la pointe des pieds. *Silence. Génie au travail.*

COMPATIBILITÉS

SAGITTAIRE/CHÈVRE : La liaison s'établit facilement entre vous et les natifs du Bélier, Balance et Verseau/Chat. Les Lion, Balance et Verseau/Cochons font pour vous d'excellents partenaires. Ils encouragent votre côté créatif. Pour un peu plus d'action, essayez un Bélier/Cheval. Ces natifs provoquent votre admiration. Un Gémeaux, Vierge ou Poissons/Chien vous asticotera sans cesse et vous poussera à boire. Et gardez-vous aussi des Gémeaux/Tigres, et des Vierge et Poissons/Bœufs.

FAMILLE ET FOYER

Si possible, ce sujet choisira invariablement de vivre à la campagne. Les villes, avec leur bruit et leur tapage, ne valent rien pour sa nature calme. La solitude et le silence attirent ce natif. Les nuits étoilées l'apaisent. Le tonnerre et les éclairs stimulent son esprit poétique. La proximité de la nature aide le Sagittaire/Chèvre à recharger sa batterie énergétique épuisée par les efforts inhumains qui l'ont rendu célèbre. Aussi, la maison du Sagittaire/Chèvre ne sera-t-elle peut-être pas luxueuse, mais elle sera sûrement solide et confortable — et aussi isolée que possible.

Ce sujet fait un parent extraordinaire. Il ou elle aime vraiment les enfants et s'intéresse à ce qui les attire. Le Sagittaire/Chèvre aime la façon dont travaille l'esprit des petits, et admire la spontanéité et la verve enfantines. Le Sagittaire/Chèvre, malgré son esprit créateur et innovateur, ne sera pas un parent permissif. Il encouragera ses enfants à être curieux et courtois. Mais le Sagittaire/Chèvre est quand même moderne. Il ou elle travaillera aux côtés des enfants, pour leur enseigner certaines techniques artisanales ou les aider dans leurs devoirs.

Ses vues exceptionnelles mettent souvent à l'écart du groupe l'enfant du Sagittaire/Chèvre. Cette petite personne peut se sentir souvent « hors du coup » et souffrir de solitude au milieu de la foule. Les parents seraient bien inspirés d'encourager cet enfant dans ses entreprises créatives, lui assurant leçons particulières et répétiteurs quand c'est possible. Souvent un génie réel sommeille dans l'esprit de cet enfant. Mais l'insécurité peut éteindre cette étincelle. Toutes les scènes familiales, toutes les discordes parentales ébranlent les nerfs sensibles de ce petit. Il ou elle prend toutes choses à cœur et désire aider à les améliorer. Protéger cet enfant si vous le pouvez.

PROFESSION

Généralement, les Chèvres souffrent d'un manque de prévoyance. Ces natifs sont du genre à acheter un litre de lait pour faire les biberons de leurs sextuplés affamés. Dans ce signe, le Sagittaire, toujours plein d'énergie pour transformer l'avenir, écoute les avis de la Chèvre, de sorte que les Sagittaire/Chèvres sont des gens assez prudents. Ils sont centrés sur la famille et la sécurité, et, partant, moins dépendants ou parasites que bien d'autres natifs de la Chèvre. Aucune nuance sociale ne leur échappe, et ils savent souvent transformer une petite aisance en une grande fortune. Ils sont coopératifs à l'extrême, et n'ont certes pas peur de travailler très dur — à leurs propres termes, naturellement.

Le patron du Sagittaire/Chèvre est aimé de ses employés. Il ou elle sera peut-être critiqué de n'être pas assez dur. Mais le Sagittaire né dans une année de la Chèvre gouverne par la douceur. Ses ordres sont enrobés de sucre, et les résultats ne sont parfois qu'à moitié mauvais. Salarié dans un emploi lucratif, ce sujet sera hautement apprécié de ses supérieurs. Les Sagittaire/Chèvres sont toujours des gens très précieux à avoir au bureau. Ils réussissent bien dans les postes demandant effort individuel et promettant gain personnel. Le Sagittaire/Chèvre n'est pas indifférent à ce que les autres pensent de lui, et cherche toujours à plaire.

Carrières convenant aux Sagittaire/Chèvres : psychiatre, agent d'assurances, artiste (dans n'importe quel art), peintre en bâtiment, chorégraphe, viticulteur, médecin, avocat, missionnaire, fermier, dessinateur, musicien, professeur, pasteur, couturière, encadreur.

Sagittaire/Chèvres célèbres : Jane Austen, Mark Twain, Andrew Carnergie, Anna Freud, Alberto Moravia, Busby Berkley, Randy Newman.

<table>
<tr>
<td>

SAGITTAIRE

Optimiste	Franc
Libéral	Imprudent
Prévenant	Fruste
Valeureux	Changeant
Honorable	Insouciant
Raisonnable	Contradictoire

Feu, Jupiter, Mutable
« Je vois »

</td>
<td>

SINGE

Improvisateur	Coquin
Habile	Astucieux
Stable	Loquace
Directif	Égocentrique
Spirituel	Puéril
Zélé	Opportuniste

Métal positif, Yin
« Je prévois »

</td>
</tr>
</table>

Les Sagittaire sont toujours de libres penseurs. Ils font œuvre de pionniers et se projettent dans l'avenir. Ils sont loquaces et humanitaires. Ils sont directs et joyeux. La plus grande partie de cette description convient également au Singe. Ainsi, d'une certaine façon, le Singe sagittérien est en harmonie avec les deux aspects de sa nature. Son côté extroverti n'a pas à se battre journellement avec une tendance à l'introversion qui le pousserait à courir se cacher dans une grotte quand les invités arrivent. Le Sagittaire/Singe est bien dans sa peau.

Mais il existe une fissure fondamentale entre les deux natures de ce sujet. Les Sagittaire sont altruistes et centrés sur les autres. Les Sagittaire sont francs et aiment jouer les casse-cou. Le Singe n'est pas du tout comme ça. Le Singe est la roublardise incarnée, il a grand soin de ne jamais être trop franc et il est capable d'une duplicité majuscule. Il tente rarement le Diable à moins d'être sûr de le battre, et il est plutôt égotiste qu'altruiste.

Alors, que se passe-t-il ? Eh bien, c'est simple. Le Singe transforme le Sagittaire en un leader-né. Ce sujet a l'ardeur et la force nécessaires à remuer des montagnes, et il possède aussi la ruse et l'opportunisme indispensables pour établir son gouvernement sur les autres. Le Sagittaire/Singe prend les choses en main. Il aime diriger, prendre des décisions, commander les gens, édicter des lois, imposer des changements et faire des altérations. Et en moins de temps qu'il ne faut pour dire « Sagittaire/Singe », cet astucieux personnage a une rue à son nom — et pendant qu'il y est, il fera donner le nom de sa fiancée à une autre.

Les efforts immenses ne gênent pas le Sagittaire/Singe. Ces sujets doués sont organisés et vont droit au cœur de n'importe quel problème. Ils sont sérieux et croient ardemment en leurs idéaux et en leurs idées. Ils sont séduisants. Et ils sont très convaincants. De nature, le Sagittaire/Singe adore parler en public et débat avec aplomb et bon sens de problèmes épineux. Il aime l'argent et sait le dépenser sagement et généreusement.

Le Singe né sous le signe du Sagittaire réservera ses inventions farfelues aux réceptions privées. Grave sera le personnage public de cette dynamo assoiffée de pouvoir. Le Sagittaire/Singe veut être pris au sérieux. Avec ses amis ou ses intimes, il pourra faire le clown, danser sur les tables, et égayer n'importe quelle réunion par ses commentaires spirituels et ses blagues foldingues. Mais, conscient de son image, ce sujet ne veut pas qu'on le prenne pour un imbécile.

Les Sagittaire/Singes pensent grand. Ils ne perdent pas leur temps pour des haricots. Ces sujets s'intéressent au gain et à l'autorité. Ils sont d'excellents administrateurs et n'entrent pratiquement jamais en conflit ouvert avec personne. Ils sont essentiellement conservateurs, et même lorsqu'ils ont en eux une légère tendance libérale, ils ont soin de l'habiller classique. Les Singes nés sous le signe du Sagittaire aiment le challenge. Ils sont experts en relations publiques. Ils sont leurs meilleurs ambassadeurs et semblent savoir instinctivement comment influencer discrètement l'opinion publique en leur faveur.

AMOUR

Les Sagittaire/Singes sont légèrement mal à l'aise dans l'intimité. Ils n'expriment pas facilement leurs émotions et ont tendance à reculer devant les liens qu'impose le couple. Le Sagittaire/Singe hésitera à se marier ou à s'établir avec quelqu'un pour la vie. Ce sujet voit par-delà le présent, et se demande toujours si, dans quelques années, son partenaire ne sera pas devenu bien ennuyeux. Ce sujet refuse de prendre la responsabilité émotionnelle de quoi que ce soit, à part ses missions. Il sera de compagnie très amusante, mais je ne suis pas certaine que j'aimerais que ma sœur l'épouse.

Si vous vous sentez attiré par l'excitant Sagittaire/Singe, combattez la ruse par la ruse. Ne lui faites pas trop de déclarations et ne soyez pas trop facile à séduire. Sinon, il tombera dans l'indifférence du jour au lendemain. La meilleure façon de charmer ce sujet, c'est de le défier sur le plan intellectuel, de mettre son ardeur à l'épreuve, et de l'abandonner de temps en temps pour faire de petits voyages, juste afin de le maintenir sur le qui-vive. Pour l'amour du Ciel, ne lui dites pas que vous n'allez qu'au village voisin. Prétendez qu'on vous appelle pour des affaires d'État.

COMPATIBILITÉS

SAGITTAIRE/SINGE : Les Bélier, Balance et Verseau/Rats vous stimulent et vous poussent vers les hauteurs. Vous ne regretterez pas non plus de vous être attaché à un Lion, Balance ou Verseau/Dragon. Aucun avenir pour vous avec un Vierge, Gémeaux ou Poissons/Cochon. Les Gémeaux et Poissons/Bœufs exigent beaucoup trop de stabilité pour votre goût. Et les Vierge/Chats et Tigres vous empêchent d'avancer à votre idée. Les Poissons/Serpents sont beaux, mais ils ne sont pas pour vous. Ça ne marcherait pas.

FAMILLE ET FOYER

L'intérieur de ce sujet sera pratique et raisonnable. Vous y verrez sans doute un certain nombre d'objets d'art rapportés de ses nombreux voyages. Mais le goût du Sagittaire/Singe ne le porte pas vers l'épate. Il ou elle ne désire pas impressionner par ses meubles. Ce sujet veut une maison confortable, fonctionnelle et bien organisée. La garde-robe publique du Sagittaire/Singe sera de style bourgeois vieux jeu, et sa garde-robe privée sera relaxe.

Le Sagittaire/Singe est inapte à se marier jeune et à avoir dès vingt-cinq ans une tripotée d'enfants dans les pattes. Non. Avant tout, ce sujet pense à son avancement professionnel. Et quand il sera solidement établi dans sa carrière, il sera temps de penser aux bébés. Et un ou deux suffiront, merci. Les Singes sagittériens seront des parents attentionnés qui pourvoiront bien à l'avenir de leur progéniture. Ils se soucient des apparences et exigeront que leurs petits se tiennent bien.

Si vous avez un enfant du Sagittaire/Singe, vous avez sans doute déjà remarqué comme il menace de devenir *sérieux*. Bien que ces petits puissent être très turbulents à la maison, ils arrivent généralement à se contenir à l'école. Cet enfant sera un organisateur et un leader. Une formation précoce à l'art dramatique et aux discours publics lui fera le plus grand bien. Il est sensible mais réservé sur ses sentiments. Il est plutôt difficile de savoir ce qu'il pense. N'insistez pas lourdement. Questionnez discrètement.

PROFESSION

Le Sagittaire/Singe suit vraiment la pente de moindre résistance. Il ou elle est très bon manager et a beaucoup de flair organisationnel. Ces sujets sont des solutionneurs de problèmes. Ils voient des solutions concrètes à des puzzles qui paralysent des commissions entières de spécialistes. « Alors, pourquoi ne pas transformer ça en stade ? » demanderont-ils à la réunion de la Commission municipale d'urbanisme. « Nous pourrions le rentabiliser en construisant un parking dessous. » Le Sagittaire/Singe a toujours une réponse à toutes les questions. Et s'il ne sait pas de quoi il parle, il le cache bien !

Naturellement, ce sujet est un leader et voudra être patron. Le Singe sagittérien n'est pas sarcastique ou méchant à l'égard de ses subordonnés. Mais il fait parfois le supérieur avec tant de suffisance qu'il tape sur les nerfs de ses employés Dans l'ensemble, on peut lui confier tout ce qui relève de l'administration courante. Ce sujet ne reste jamais longtemps dans un emploi subalterne, mais sait se montrer flexible dans l'intérêt de sa promotion et coopératif dans l'intérêt de son portefeuille. Ces sujets travaillent très bien seuls.

Carrières convenant aux Sagittaire/Singes : politicien, écrivain ambassadeur, chef de bureau, publicitaire, négociateur, directeur du personnel, économiste, directeur commercial.

Sagittaire/Singes célèbres : **John Milton, Jacques Chirac, Claude Levi-Strauss, Ellen Burstyn, Larry Bird.**

SAGITTAIRE		COQ	
Optimiste	Franc	Résistant	Effronté
Libéral	Imprudent	Passionné	Vantard
Prévenant	Fruste	Candide	Borné
Valeureux	Changeant	Conservateur	Instable
Honorable	Insouciant	Rigoureux	Autoritaire
Raisonnable	Contradictoire	Chic	Dispersé
Feu, Jupiter, Mutable		*Métal négatif, Yang*	
« Je vois »		« Je surmonte »	

L'exubérance est la caractéristique du Sagittaire/Coq. Tout agité, tout en émoi, il bourdonne d'histoires et d'aventures. Ce sujet, né sous deux des signes les plus exaltés, sera nerveux, franc, candide et légèrement imbu de sa personne. Le mot enthousiasme vient sous ma plume, mais il y a quelque chose de plus. Les Sagittaire/Coqs sont pleins d'élan et d'impétuosité. Ils jouent un rôle éclatant partout où ils vont — et ils vont partout !

Malgré la détermination du Sagittaire/Coq à avoir visité la moitié du globe à l'âge de treize ans, ce sujet est raisonnable en profondeur et vit beaucoup plus prudemment qu'il n'en donne l'impression. Il ou elle aura de nobles objectifs. Ces natifs ont une sorte de complexe de Robin des Bois, le désir de prendre aux riches pour donner aux pauvres. Non que les Sagittaire/Coqs soient des voleurs. Rien n'est moins prouvé. Mais ils ont une âme de pirates, ricanant au passage des navires passant dans la nuit chargés de bijoux et de fourrures, souhaitant mettre le roi tout nu pour que tout le monde voie qu'un derrière est un derrière. Le Sagittaire/Coq poursuit la vérité. Il déteste tout ce qui est bidon.

Ses nobles idéaux commencent à obséder le Sagittaire/Coq dès son plus jeune âge. Il aimerait « faire le bien » au sens classique du missionnaire. Il part en Afrique ou en Inde pour aider les pauvres, ou, pour rester plus près de chez lui, répond au téléphone dans un centre SOS Amitié. Mais sa nature fondamentalement honnête est souvent déçue des résultats. Aucune œuvre charitable n'est parfaite. Il y a toujours un os. Quelqu'un se sert dans la caisse, les fonds sont bêtement dilapidés ou les pauvres refusent l'aide proposée pour des raisons religieuses. La philanthropie est minée de déceptions.

Pour cette raison, les Sagittaire/Coqs donnent souvent l'impression d'être désenchantés, enfermés dans un idéal dont ils n'arrivent pas à se détacher mais qui ne les satisfait pas. Ce genre de désillusion conduirait des sujets moins résistants à l'abattement et même à l'apitoiement sur soi-même. Mais pas le Sagittaire/Coq. En l'espace de quelques jours, il aura repris le dessus et fera sa valise pour une autre incursion dans les régions inexplorées de l'humanitarisme. C'est toujours la même chose : qui a bu boira.

Avec tout ça, le Sagittaire/Coq a quand même pas mal de bon sens. Il semble insouciant, vaniteux et crâneur, mais ce n'est qu'apparence. En profondeur, ce sujet garde sans cesse l'œil sur l'aiguille du compteur et suit d'un regard critique sa propre progression. Il se rend compte de son attirance excessive pour la liberté et l'aventure, et sait qu'un jour il devra « se ranger » ou devenir d'un ridicule achevé. Quand vient ce jour, les Sagittaire/Coqs se décrochent des emplois lucratifs avec titres sérieux sur la porte, ou, tout simplement, ils s'asseyent et se mettent à écrire le récit de leurs nombreux exploits.

Les Sagittaire/Coqs ont de bonnes manières, et pourtant peuvent parfois être brusques et cassants. Il n'est pas rare qu'ils fassent une remarque assez dure au milieu d'une conversation calme et anodine. Ils sont d'une franchise brutale. Ils s'épanouissent dans l'adversité et le challenge. Ils n'ont pas peur de s'abaisser pour conquérir et s'intéressent énormément au bien-être de leur famille et de leurs amis. En fait, quels que soient ses voyages, ce sujet reste à jamais attaché à son devoir et à ses responsabilités envers le foyer, esprit libre enfermé dans le corps d'une sœur de charité. C'est pourquoi les Sagittaire/Coqs partent toujours en laissant la porte du poulailler entrouverte, afin de pouvoir revenir dans leur **pris**on favorite quand les jeux sont faits.

AMOUR

Les Sagittaire/Coqs ne sont pas toujours heureux en amour. Ils sont tour à tour trop exigeants et trop dociles. La tromperie met une zone d'ombre dans tous leurs rapports amoureux. Il est des choses dont il vaut mieux ne pas discuter quand il s'agit de passions et de jalousies. Eh bien, le Sagittaire/Coq n'encaisse pas la tromperie. Il ou elle veut toutes les cartes sur table et pas de coups en dessous. De plus, comme ce sujet est indomptable et furieusement dynamique, il s'attache souvent à quelqu'un qui a besoin de son aide, quelqu'un qui n'a pas de but dans la vie et qui paraît adorablement paumé. C'est ce que j'appelle le « complexe de Popeye » du Sagittaire. Son côté Bon Samaritain. Naturellement, pitié n'est pas amour. Mais parfois, le Sagittaire/Coq ne sait pas faire la différence.

Si vous aimez un Sagittaire/Coq assombri par son sens rigide du devoir, essayez de le dérider, chatouillez-le ou amusez-le d'une façon ou d'une autre. Emmenez-le au théâtre ou achetez-lui un diable à ressort. Sortez-le de l'ornière du devoir. Et, par-dessus tout, n'abusez pas de sa nature charitable et affectueuse. Un Sagittaire/Coq blessé fait peine à voir.

COMPATIBILITÉS

SAGITTAIRE/COQ : Les Bélier, Lion, Balance et Verseau/Serpents vous trouvent irrésistibles et ce sentiment est réciproque. Les Lion, Balance et Verseau/Bœufs vous donnent à la fois plaisir et protection. Quant aux Lion ou Balance/Dragons, ils incarnent toutes les joies romanesques et romantiques. Ils sont tellement impressionnants ! Les Vierge et Gémeaux/Coqs ne sont guère amusants à fréquenter pour vous. Les Poissons/Chiens vous rendent fou avec leur éternelle inquiétude, et les Vierge et Poissons/Chats sont beaucoup trop autoritaires et trop peu aventureux pour que vous les supportiez longtemps.

FAMILLE ET FOYER

Le cadre du Sagittaire/Coq sera dépouillé mais élégant. Le confort n'est pas son objectif principal. Beauté et cachet lui importent davantage. De même qu'une « bonne adresse ». Non que le Sagittaire/Coq soit snob — loin de là. Mais ce sujet est fondamentalement conservateur, préfère la sécurité au danger, et ne supporte pas la négligence et le désordre. C'est pourquoi il s'installe souvent dans un quartier résidentiel. Il ou elle passe la plus grande part de son temps en voyage, aussi le mot « foyer » n'est-il guère adéquat pour parler de sa piaule.

Ce sujet adorerait avoir des enfants. Mais où trouver le temps ? Il faut d'abord qu'il s'occupe de ses Indiens de Bolivie, de ses Porto-ricains de Harlem et de ses Mexicains du Texas. Après quoi, il doit rentrer en toute hâte pour passer Noël avec ses parents et acheter des montagnes de jouets à ses neveux et nièces. Et s'il s'établit, comment trouver la liberté d'aller faire un tour au Brésil ? La question des enfants est irritante pour le Sagittaire/Coq. C'est oui et non, oui et non, jusqu'au jour où cela semble impossible. Le Sagittaire/Coq est trop péripatétique pour avoir des enfants.

L'enfant du Sagittaire/Coq aimera les jeux aventureux. Vous pouvez essayer de l'intéresser au piano ou à la broderie, mais ça ne marchera probablement pas. Et si ça marche, c'est parce que cet enfant est sincèrement attaché à son devoir et ne veut pas blesser les sentiments de ses parents. Cet enfant est un indépendant. L'ambiance confinée de l'école ne lui conviendra peut-être pas. Elle passera son temps à rêver de devenir une danseuse étoile qui donne tout son argent aux pauvres. Si les parents leur font comprendre que les études sont indispensables, ils tiendront jusqu'au bout. Sinon, le Sagittaire/Coq quittera sans doute la maison, en une tentative pour trouver son identité dans les yeux d'étrangers.

PROFESSION

Toutes les carrières nécessitant mouvement et voyages conviendront à ce sujet. Les Coqs sagittériens sont loquaces et souvent capables de parler sans discontinuer en trois langues étrangères. Ils ont un don naturel pour débrouiller les détails, ils voient les tendances futures en visionnaires et sont toujours au diapason de la mode. Le Sagittaire né dans une année du Coq cherche à avoir une vue cosmique sur son environnement et même sur l'univers entier. Il a du bon sens et prend ses décisions sans hésiter. Les Sagittaire/Coqs sont des battants.

Né autoritaire, le Sagittaire/Coq n'est néanmoins pas très sûr de tellement désirer le bureau du patron. S'il accepte d'être le chef à Chicago, qu'arrivera-t-il aux Indiens des Indes ? La solution, c'est un emploi où il voyage beaucoup et où il peut se rendre compte des progrès accomplis en un court laps de temps. Employé, ce sujet est content pourvu qu'il aperçoive une lumière au bout du tunnel — une promotion de guide touristique, par exemple.

Carrières convenant aux Sagittaire/Coqs : photographe pour *Géo*, volontaire du corps de la paix ou de l'Unesco, éditeur de livres de voyages, écrivain, artiste interprète, journaliste, géologue, cartographe, médecin, missionnaire, routier, pirate, prospecteur, bûcheron, agent de voyage.

Sagittaire/Coqs célèbres : Bernard Haller, François de Closets.

SAGITTAIRE		CHIEN	
Optimiste	Franc	Constant	Inquiet
Libéral	Imprudent	Héroïque	Critique
Prévenant	Fruste	Respectable	Sainte nitouche
Valeureux	Changeant	Déférent	Cynique
Honorable	Insouciant	Intelligent	Insociable
Raisonnable	Contradictoire	Consciencieux	Sans tact
Feu, Jupiter, Mutable		*Métal positif, Yin*	
« Je vois »		« Je m'inquiète »	

Caustique, ce sujet incarne tous les traits idéalistes du Sagittaire : il est aventureux, visionnaire, brave et ardent. Mais il hérite aussi de toutes les estimables qualités du Chien : honneur et sincérité, loyauté et respectabilité. Les deux signes ont la langue bien pendue. Les Sagittaire aiment la franchise et les péroraisons. Les Chiens, bien que méfiants et circonspects, ont la parole cinglante et renversent les adversaires comme des quilles. Ce sont des personnes de valeur, au flair infaillible pour détecter ce qui se passe. Le Sagittaire/Chien est insolent et entêté. Ce sujet a des idées sur tout, et comme son intégrité est incontestable, les gens ont tendance à prendre ce qu'il dit pour parole d'évangile. Le Sagittaire/Chien est tout le contraire d'un poltron. Ces sujets osent des choses que d'autres considèrent comme pure folie. Ils parlent ouvertement de toutes leurs idées, et répondent au challenge par le challenge. Posez une question à un Sagittaire/Chien et il vous répondra sans doute par une autre. Dans sa vie publique, ce sujet est un infatigable fabricant d'idéaux. Il évolue dans les meilleurs milieux et veille à être vu dans les dîners et les colloques « qui comptent ». On le prend toujours au sérieux.

Ici, la nature est généreuse. Son âme est la sensibilité même. Le Sagittaire/Chien défend l'honneur et ne s'écarte pas du devoir. Il ne se défile jamais devant les obligations vertueuses de la vie. Toutefois, comme ce sujet attache beaucoup d'importance à la respectabilité, s'il lui arrive de se déchaîner en privé, le ciel est sa limite. Ce sujet se vautre dans les plaisirs aussi avidement qu'il pratique son métier. Les Sagittaire/Chiens s'appliquent à s'amuser. Et comme ils sont consciencieux, ils connaissent dans ses moindres recoins le domaine de la débauche.

Le Sagittaire/Chien est un meneur d'hommes et a des points de vue originaux. Il a une pensée très créative, et sera capable d'employer cet esprit d'invention dans sa carrière, car il a les pieds sur terre et est strict avec lui-même. Ces sujets savent allier harmonieusement le désir d'expression et d'audace du Sagittaire à la prudence innée du Chien. Ils deviennent souvent des penseurs, des écrivains ou des linguistes renommés. Ces sujets savent aligner les idées et les exprimer par des mots, avec intuition et logique.

Le Sagittaire/Chien est passablement optimiste. Le joyeux Sagittaire déride le Chien, naturellement pessimiste. Le Sagittaire donne aussi au Chien une attitude assez cavalière à l'égard de la propreté et du ménage. Mais ne vous inquiétez pas, le Chien lui rend la politesse en faisant de ce Sagittaire un être plus critique et moins impétueux que ses pareils. Le mariage du Sagittaire avec le Chien nous donne un individu puissant qui siège très à son aise sur son trône.

Lésé, le Sagittaire/Chien mordra. Ce sujet n'a aucune indulgence pour la malhonnêteté. Ses méthodes sont fougueuses et ses armes gigantesque. Ne fâchez jamais un Sagittaire/Chien, à moins d'avoir envie de sentir la douleur de sa morsure jusqu'à la fin de vos jours. Ce sujet est fondamentalement paisible, mais approchez-vous de lui avec gentillesse et n'essayez pas de le duper, ou il vous dévorera la jambe droite. Et si vous n'avez pas encore compris, il dévorera la gauche après.

AMOUR

Dans l'intimité, ces sujets énergiques sont remarquablement doux. Ils veulent sincèrement être aimés, et malgré leur timidité dans le tête-à-tête, ils savent aimer passionnément et rester longtemps fidèles à leur passion. Généralement, ils choisissent de garder leur vie privée à l'abri des regards. Sur toutes les questions amoureuses, ils sont passés maîtres en discrétion. Les Sagittaire/Chiens ne lavent jamais leur linge sale en public. Ils trouvent les feuilletons sentimentaux vulgaires et ennuyeux.

Si vous deviez vous amouracher de ce remuant sujet, vous auriez du mal à le garder longtemps à la maison. Le Sagittaire/Chien est toujours en mouvement. Dans sa vie publique, il entreprend des projets gigantesques, et, avec une vigueur non pareille, creuse et retourne la terre pour atteindre ses chers objectifs. Votre rôle consistera à réconforter et apaiser cette âme nerveuse et parfois inquiète. Le mieux, c'est encore d'avoir des tas de choses à faire pour vous occuper et de ne pas attendre dans les transes le retour de votre Sagittaire/Chien. Tant ça remonte loin, il ne sait même plus quand il est rentré avant trois heures du matin pour la dernière fois.

COMPATIBILITÉS

SAGITTAIRE/CHIEN : Vous êtes un fan du Tigre. Allié à un Tigre né sous les signes du Lion, de la Balance ou du Verseau, vous irez loin. Vos violons sont également parfaitement accordés à ceux des natifs du Cheval nés sous ces mêmes signes. Les Lion/Chats vous rendent heureux. Ils vous offrent leur optimisme. Les amours avec les Dragons ne vous apportent pas grand-chose — surtout avec les Gémeaux, Lion, Vierge et Poissons/Dragons. Les Gémeaux, Vierge et Poissons/ Chèvres n'ajoutent rien à votre vie, si ce n'est leur angoisse dont vous n'avez nul besoin. Et surtout pas de Gémeaux/Singes.

FAMILLE ET FOYER

Sa famille, ses traditions et ses manières, ses fêtes et ses funérailles, ses idéaux et ses armoiries compteront beaucoup pour le Sagittaire/ Chien. Toutefois, dans sa vie personnelle, le foyer n'a pratiquement aucune importance. Il voudra un appartement ou une maison agréablement décoré près de son bureau ou de son lieu de travail. Mais il ne veut pas perdre son temps à coller le papier peint ou à carreler lui-même la cuisine. Ce sujet s'intéresse à son travail et à sa vie à l'extérieur. S'il en a les moyens, il aura des servantes et des maîtres d'hôtel pour s'occuper des détails du ménage.

Pourvu qu'il ou elle puisse engager les personnes les plus compétentes pour les élever, ce sujet sera un parent sérieux mais exigeant. Comme la respectabilité importe beaucoup au Sagittaire/Chien, il ou elle voudra que ses enfants aient de bonnes manières et se tiennent bien. Le Sagittaire/Chien étant un peu sec dans l'expression de ses sentiments, il ou elle devra faire des efforts certains pour cajoler les petits. De plus, si ces sujets se montrent trop conservateurs et sévères avec leurs enfants, ils peuvent involontairement former des rebelles qui reviendront à la maison à vingt ans en brandissant des bannières révolutionnaires.

L'enfant du Sagittaire/Chien est une petite chose fragile, animée d'un touchant désir de plaire et d'exceller et d'un profond sérieux. Je dirais que cet enfant a besoin d'être un peu adouci par la nature, et de faire de temps en temps l'expérience de la bohème quand il est jeune, pour apprendre en partie comment vivent les autres. Cet enfant peut être nerveux et difficile. Ses parents devraient encourager son don pour l'écriture et le pousser à entreprendre dans des domaines où il peut briller. Quoi que vous fassiez, l'enfant du Sagittaire/Chien finira par faire ce qui l'intéresse. Il est comme ça — très orienté — et indépendant en diable.

PROFESSION

Les emplois qui proposent un challenge à son intellect réussissent bien à ce sujet. Le Sagittaire/Chien n'a pas de temps à perdre à lécher la main d'un patron rouspéteur ou à écouter les commérages des collègues. Il va droit à son bureau et travaille jusqu'à ce qu'il tombe d'épuisement. Puis il rentre chez lui. Ces sujets sont abrupts et emportés en affaires. Efficacité, tel est l'objectif principal de ce Chien amoureux de la liberté. Il ne veut pas être rivé à un emploi plus longtemps que nécessaire. Elle ne veut pas que sa vie se limite à son métier, sauf si elle ne peut faire autrement.

Ces sujets font des patrons efficaces. Toutefois, ils sont mordants et sarcastiques. Extérieurement brusques et business-business, ils sont pourtant d'esprit bienveillant, et très aimés des employés qui les comprennent. Mais les faibles n'apprécient pas l'atmosphère sévère qui règne autour de cet employeur. Employé, le Sagittaire/Chien sera sans doute sérieux dans son travail, mais il désobéira sûrement aux règlements imbéciles dont il se gaussera. En fait, le Sagittaire/Chien rêve de travailler seul à une occupation dont il détermine lui-même la durée — écrire, par exemple, ou diriger un hôtel, ou les deux.

Carrières convenant aux Sagittaire/Chiens : journalistes, politicien, romancier, linguiste, traducteur, chercheur, auteur dramatique, activiste, artiste, avocat, diplomate, rédacteur de discours, professeur.

Sagittaire/Chiens célèbres : Jean Genet, Winston Churchill, Sophie Daumier.

SAGITTAIRE	
Optimiste	Franc
Libéral	Imprudent
Prévenant	Fruste
Valeureux	Changeant
Honorable	Insouciant
Raisonnable	Contradictoire

Feu, Jupiter, Mutable
« Je vois »

COCHON	
Scrupuleux	Crédule
Courageux	Coléreux
Sincère	Hésitant
Voluptueux	Matérialiste
Cultivé	Épicurien
Honnête	Entêté

Eau négative, Yin
« Je civilise »

Il faut se méfier de l'eau qui dort. Le Sagittaire/Cochon, moralement sans reproche et socialement au-dessus de tout soupçon, travaille à conserver une réputation sans tache. N'allez pas croire que le Sagittaire/Cochon soit d'un optimisme enfantin, genre boy-scout. Pas du tout. Mais il soigne son image et, pour ce faire, fuit les situations troubles et joue le rôle d'un moraliste.

Les Sagittaire/Cochons sont naturellement observateurs. Ils voient tout ce qui se passe autour d'eux. Ils notent tous les détails et enregistrent les habitudes et les tics d'expression. Ils repèrent en un clin d'œil faibles et défauts, et trouvent tout cela très amusant. Quand ils sont prêts, armés, de fichiers entiers de faiblesses humaines, ils synthétisent leurs trouvailles accumulées et nous les renvoient sous forme d'œuvres d'art. Le Sagittaire/Cochon est un artiste populiste. Jamais trop abstrait ni trop tortillé dans son style, son but est de se moquer de la société, et aussi de lui-même.

Ces sujets plaisent énormément au public. Personne ne se sent jamais vraiment menacé par la présence d'un Sagittaire/Cochon. Ils sont ainsi constitués qu'ils n'ont pas peur de s'intéresser et de donner ouvertement aux autres. Le Sagittaire/Cochon est vertueux par nature, et doué d'une séduction qui transcende son apparence physique. En fait, j'ose affirmer que la plupart des Sagittaire/Cochons ne sont pas d'une beauté classique. Mais ils sont dotés d'un charme si franc et si direct que des populations entières tombent amoureuses de leur simplicité.

Ils s'intéressent sincèrement aux autres. Et que demandent les gens, sinon parler d'eux-mêmes ? Le Sagittaire/Cochon sait écouter, hocher la tête au bon endroit, et donner d'excellents conseils aux gens en peine. Et il a aussi beaucoup d'indulgence à l'égard des faiblesses humaines. Il ou elle comprend pourquoi vous avez fait un croche-pied à votre sœur cadette le jour de son mariage. Et même, votre geste les touche. Comment résister ? Il est mère et père confesseur en même temps, sans pénitence à la sortie. Je dirais que les Sagittaire/Cochons ont le cœur grand comme une maison.

Mais ils peuvent être aussi « têtes de cochon ». Le Sagittaire né dans une année du Cochon est parfois si imbu de sa vertu qu'il en oublie d'être flexible. Ce qui suscite pas mal d'ennuis à la ferme. Bien sûr, son sens de l'humour sauve le Sagittaire/Cochon de la rigidité totale. Mais sa résistance aux idées ou aux suggestions des autres peut être exaspérante, à tout le moins.

Les Sagittaire/Cochons ont un côté Don Quichotte et, bien que leurs intentions soient honorables, peuvent se montrer parfois trop fougueux et envahissants. Légère tendance à l'humour gaulois. Je recommande des injections intraveineuses de subtilité. Et attention ! Si le Sagittaire/Cochon se défend d'aimer les applaudissements, c'est parce qu'il a honte d'avouer qu'il les adore. N'oubliez pas que les Cochons sont des personnes très cultivées. Le Cochon né sous le signe du Sagittaire doit parfois se demander qui est ce monstre ardent impudent à qui il est lié depuis sa naissance. Intrépide et avide de pouvoir, le Sagittaire/Cochon est maître à son bord. Mais sur le pont inférieur se déroulent parfois de folles orgies, à faire tomber raide Federico Fellini.

AMOUR

Les Sagittaire/Cochons se marient par amour et le restent souvent jusqu'à la fin de leurs jours. Ces sujets sont d'esprit foncièrement généreux et payent de leur personne. Ils sont aussi extrêmement discrets et sincères. Bien entendu, le challenge venant d'un amant ou d'une maîtresse les intéresse — surtout dans le domaine intellectuel. Ce sujet sera toujours insatisfait s'il partage sa vie avec quelqu'un dont il ne respecte pas les opinions. Beaucoup de couples réussis comportent une moitié Sagittaire/Cochon.

Si vous êtes tombé amoureux d'un de ces professionnels de la vertu, je sais que vous devez avoir le sens de l'humour. Le Sagittaire/Cochon est drôle. Il trouve partout le côté comique. De plus, ses constantes observations et son sens humanitaire le rendent irrésistiblement attirant. Votre rôle, en tant que partenaire ou compagnon de cet appareil enregistreur merveilleusement sensible, sera de préserver votre autonomie et votre réputation pour que votre Sagittaire/Cochon puisse être fier de vous. Ce sujet ne s'intéresse pas seulement à la perfection de votre nœud de cravate. Il veut aussi que vous disiez des choses intelligentes et que vous sachiez exposer votre point de vue. Pour le Sagittaire/Cochon, l'image que vous présentez au monde affecte directement la haute idée qu'il a de lui-même. Pour vous aimer, le Sagittaire/Cochon doit aussi croire en vous.

COMPATIBILITÉS

SAGITTAIRE/COCHON : Vous adorez la campagne. Vous êtes attaché à la nature et à la sensualité, et vous prônez les valeurs du foyer. Les Chats conviennent à votre besoin de tranquillité familiale. Choisissez-le parmi les natifs du Bélier, du Lion, de la Balance ou du Verseau. Les Lion et Verseau/Chèvres sont aussi pour vous de bons partenaires. Echappez aux embrassements des Gémeaux, Vierge et Poissons/Serpents avant qu'ils ne vous étouffent. Les Gémeaux/Coqs sont trop farfelus pour votre nature solide, et les Vierge/Singes sont trop possessifs.

FAMILLE ET FOYER

Le Sagittaire né dans une année du Cochon est une personne si affairée que sa demeure sera d'abord et avant tout un lieu de travail fonctionnel. Ce n'est pas le genre qui rentre chez lui, enfile ses pantoufles et se vautre sur un canapé. Invariablement, il ou elle passe du travail au bureau au travail à la maison. Il installera peut-être sa table de travail en plein milieu du séjour. Ce sujet aime les objets de valeur, mais peut se passer de l'opulence en faveur de la productivité.

Les enfants intéressent le Sagittaire-Cochon parce que la nature humaine éveille sa curiosité et le fascine sous tous ses aspects. Il ou elle ne sera pas avare de son temps avec ses rejetons. Ces natifs leur liront des histoires et écouteront d'une oreille bienveillante le récit de leurs rivalités scolaires et de leurs difficultés avec certains professeurs. Le Sagittaire/Cochon est l'un des Sagittaire les plus cajoleurs. Ses enfants doivent se lever de bonne heure pour être déçus de leurs parents.

L'enfant du Sagittaire/Cochon manifestera très tôt la curiosité que lui inspire le monde. Il ne sera ni introverti ni boudeur. Vous pouvez compter qu'il travaillera bien à l'école et appréciera beaucoup toutes les activités théâtrales et créatives. Et ses commentaires cyniques vous feront hurler de rire. Ces enfants survivront à toutes les scènes et à toutes les discordes familiales. Ils sont autopropulsés.

PROFESSION

Réserve et volonté, telle est la devise du Sagittaire/Cochon. Il ou elle ne devrait pas avoir de gros problèmes dans le choix d'une carrière. Ils auront des dons artistiques et seront capables de transformer leurs idées créatives en véhicules viables dont ils se serviront dans tous les domaines, des affaires aux services en passant par le spectacle. Ce sujet peut être un interprète attachant ou un habile marionnettiste. Tout ce qu'il fera sera touché au coin du bon goût et accompagné d'une bonne dose de rire.

Le Sagittaire/Cochon est un patron juste et généreux. A ceux qui travaillent sous ses ordres, il ne demande que la perfection. Mais les Cochons sont honnêtes, et les Sagittaire aussi. Personne n'en veut jamais à cette âme vaillante. L'employé du Sagittaire/Cochon est sérieux et estimable. Vous pouvez lui confier la caisse. Bien entendu, ces natifs travaillent admirablement tout seuls. Ils entreprennent des projets complexes et difficiles, et les mènent toujours à bien.

Carrières convenant aux Sagittaire/Cochons : auteur dramatique, metteur en scène de théâtre ou de cinéma, acteur, chanteur d'opéra, compositeur, personnalité de la télévision, publicitaire, pasteur, écologiste, opérateur de cinéma, photographe, inventeur.

Sagittaire/Cochons célèbres : Hector Berlioz, Noël Coward, Phil Donahue, Jean-Claude Casadessus, Woody Allen, Freeman Dyson, Jules Dassin, Francis Huster, Petra Kelly.

CAPRICORNE

21 décembre-19 janvier

CAPRICORNE		RAT	
ಹ		子	
Résolu	Rigide	Charmeur	Avide de pouvoir
Sage	Maladroit	Influent	Verbeux
Ambitieux	Prétentieux	Économe	Nerveux
Généreux	Solitaire	Sociable	Rusé
Éminent	Friand	Cérébrale	Intrigant
Solide	Anxieux	Charismatique	Ambitieux
Terre, Saturne, Cardinal		*Eau positive, Yin*	
« J'utilise »		*« Je dirige »*	

Le Capricorne et le Rat désirent tous deux réussir. Le Rat recherche le pouvoir. Le Capricorne veut avoir de l'autorité sur les autres. Ensemble, ils iront loin, le Rat convoiteur et la solitaire chèvre montagnarde qu'est le Capricorne — et bien souvent au détriment de toute autre chose dans sa vie, de la réputation à la famille en passant par la santé. Le Capricorne né dans une année du Rat, comme le Tigre mais en pire, vit en permanence au milieu du danger.

Comme dit la chanson « Tout le monde aime qui aime ». Et c'est vrai, en partie. L'amour est une maladie contagieuse. Toutefois, personne n'aime l'individu affamé de pouvoir. Le pouvoir n'incite pas à la communication détendue. Qui dit pouvoir dit aussi que quelqu'un s'est fait écraser au cours de l'ascension vers les sommets. Le pouvoir implique cupidité et avidité. Or, les Rats nés sous le signe du Capricorne vivent pour acquérir le pouvoir. Ils désirent dominer leurs pairs et veulent être les meilleurs dans leur partie, quelle qu'elle soit. Ils portent l'esprit de compétition jusqu'à la folie.

Il n'y a pas de mauvais signe, ne l'oubliez pas. Mais le Capricorne/ Rat est potentiellement mauvais. Il est glissant et digne à la fois. Il donne l'impression d'une intégrité absolue. Il arrive même à séduire par son attitude « claire comme de l'eau de roche » et parfaitement bidon.

Ses discours sont clairs et faciles à suivre. Ces sujets inspirent confiance. Ils croient même, j'en suis sûre, que leurs projets les plus intéressés tendent au bien de tous, sont inspirés par l'amour de l'humanité.

C'est un signe difficile à vivre, pour le natif et pour son entourage. Le succès de cet être complexe et imposant dépend entièrement de la façon dont il a assimilé ou non les leçons de morale de son enfance. S'il a dépassé le stade « par ici la bonne soupe », c'est généralement parce qu'une main ferme et aimante l'a guidé dans sa jeunesse.

Bien entendu, la plupart des Capricorne/Rats ont dépassé ces premiers stades de cupidité primitive et occupent des situations d'importance remarquable dans leur spécialité. Ils sont méticuleux et efficaces. Ils sont sympathiques et industrieux. Ils sont prudents et conservateurs, et pourtant généreux et discrètement aimants. Les Capricorne/Rats sont tout spécialement doués dans les domaines où la maîtrise de l'art exige une immense application. Ils ne reculent devant rien, n'ont peur de personne et souvent, malgré des contacts brutaux avec le pavé, savent se relever et revenir à la charge, frais et odorants comme des roses

Sa tête bouillonne d'idées, de projets et de plans ambitieux et astucieux. Ces natifs ne craignent jamais que de moins scrupuleux qu'eux-mêmes (oui, ça existe) pillent leurs idées ou chipent leurs inventions. Ils sont si conscients de leur supériorité ! Ils distribuent leurs créations géniales comme des baisers à une vente de charité. « Approchez, mesdames et messieurs, et servez-vous de mes incroyables trouvailles », dit le Capricorne/Rat. « J'en ai encore bien d'autres en tête. » De plus, comme les Capricorne/Rats ne dédaignent pas d'en faire autant à l'occasion, ils comprennent.

Avoir une idée est une chose. La réaliser en est une autre. Mais ne vous en faites pas. L'une des grandes forces des Capricorne nés dans une année du Rat est leur capacité de mener leurs idées à bon terme. Le Capricorne a l'esprit concret. Le Capricorne/Rat n'est pas un songe creux. Il ou elle a le don d'appliquer les concepts abstraits aux situations de la vie réelle. Mais le contraire n'est pas vrai. Les Capricorne/Rats sont assez désarmés devant les situations sentimentales ou subjectives. Ils sont assez coincés dans le domaine des sentiments, et toujours aux prises avec leur raideur et leur rigidité natives. Et c'est précisément cette approche statique ou inflexible qui finira par causer leur perte. Ils ont besoin de conseillers flexibles et scrupuleux qui leur évitent de tomber dans le pétrin.

AMOUR

Ces sujets se caractérisent par leur aspiration sincère à un mariage d'amour durable. Les sentiments n'étant pas d'importance capitale pour ce natif, il n'est que mollement attiré par le clair de lune et les roses (à moins qu'il ne soit acheteur ou vendeur de l'un ou des autres). Ce qu'il recherche chez un partenaire, c'est de l'aide, du cran, et un dévouement à toute épreuve. Le Capricorne/Rat sait très bien qu'il ne peut compter sur sa seule énergie pour parfaire les millions de détails nécessaires à la bonne marche du foyer et de la famille. Lucides créatures, que ces Capricorne/Rats ! Ils ne s'aventurent dans le domaine des sentiments que s'ils sont à peu près certains de pouvoir le maîtriser.

Si vous deviez vous sentir attiré par ces sujets, type magnat industriel, je suggère que vous soyez passablement merveilleux vous-même. Aucun Capricorne/Rat qui se respecte ne se commettra avec un zéro. La force est sous-entendue dans ce signe. Si vous êtes fort vous-même, vous satisferez mieux aux besoins et aux normes de cette exigeante créature. Le Capricorne/Rat aime d'abord et avant tout parce qu'il admire ou respecte. Si vous ne vous sentez pas particulièrement l'égal de votre Capricorne/Rat, si il ou elle vous donne l'impression d'être petit et insignifiant... déménagez. Le Capricorne/Rat est capable de réduire les pusillanimes à l'état de zombies.

COMPATIBILITÉS

CAPRICORNE/RAT : Le Bœuf et vous, vous savez chercher et trouver ensemble la sécurité et le pouvoir. Recherchez votre Bœuf parmi les signes suivants : Taureau, Lion, Vierge, Scorpion et Poissons. Les Singes des mêmes signes vous rendent heureux également, sauf peut-être le Vierge/Singe dont l'ardeur méticuleuse vous irrite. Les Taureau, Vierge et Poissons/Dragons vous font beaucoup sourire. Vous pouvez tenter votre chance avec l'un d'eux. Les alliances Cheval/Rat ne sont jamais idéales, car survient inévitablement une lutte pour le pouvoir. Ainsi, bas les pattes sur le Cheval — surtout sur le Bélier, Cancer ou Balance/Cheval. Il est douteux que vous soyez attiré par un

Bélier ou Balance/Chat. Mais si c'est le cas, ne venez pas dire que je ne vous ai pas prévenu.

FAMILLE ET FOYER

Les Capricorne/Rats ne se privent jamais de confort. Ces sujets aiment que leur environnement soit en accord avec leur haute opinion d'eux-mêmes. Aucune commodité ne manquera à sa demeure. De plus, les Capricorne/Rats étant fort attachés à la tradition, leur ameublement sera sans doute d'époque, mais ni rustique ni campagnard. Ils veulent une certaine sophistication dans leur décor. Vous trouverez des hordes de Capricorne/Rats dans les salles des ventes chic et les importantes liquidations de successions.

Etant donné que le Capricorne/Rat moyen n'est pas démonstratif, vous pourriez imaginer qu'il n'aime pas les enfants. Rien n'est plus faux. Les Capricorne/Rats adorent leurs enfants, et les protègent et les élèvent avec soin. Ce sujet désirera ardemment la compagnie de ses rejetons. Longues conversations et activités en commun attireront ce Capricorne centré sur la famille. Il ou elle sera strict(e). Pas de question là-dessus. Mais son dévouement à leur égard sera instinctivement ressenti par les enfants affectueux.

Il faudra très tôt enseigner la morale à l'enfant du Capricorne/Rat, pour modérer son triomphal besoin de triompher. Disons simplement que cet enfant est déterminé à réussir, et que peu de choses l'arrêteront. Je déconseille la discipline militaire. Cet enfant réagira violemment à toute tentative de contrainte physique. Mais il a un talent certain pour le raisonnement et la logique. La méthode à appliquer est donc simple. On pourra commencer ainsi : « Je t'aime, mais je n'aime pas toujours ce que tu fais. » Expliquez-lui la différence entre le bien et le mal. N'ayez pas peur de lui donner une solide éducation morale ou religieuse. Insistez sur l'adage : « Ne fais pas aux autres ce que tu ne voudrais pas qu'on te fît. »

PROFESSION

Un Capricorne/Rat victorieux est un Capricorne/Rat heureux. Ce sujet a besoin d'atteindre ses objectifs, l'un après l'autre, escaladant comme l'éclair et en se jouant la falaise qui le mènera à l'isolement de la domination. Ce sujet devrait de temps en temps jeter un coup d'œil derrière lui. En tous temps et en toutes circonstances, il est poursuivi par au moins un ennemi juré. Arriver dans la vie signifie passer par-dessus la tête de nombreux collègues et marcher sur pas mal de pieds. Les Capricorne/Rats vivent entourés d'individus sournois qui n'ont pas oublié ce jour de 1948 où « elle s'est installée dans le bureau du directeur, pendant qu'on me nommait standardiste ». Ah, malheur! Vengeance! Oui. Des tas de gens attendent le Capricorne/Rat au tournant. Ces natifs doivent être perspicaces. Je leur conseillerais bien d'être un peu moins ambitieux, mais je sais que cela leur est impossible.

Les Capricorne/Rats sont des chefs. Ils n'accepteront un emploi subalterne que s'il leur garantit une promotion dans les cinq minutes qui suivent leur engagement. A la barre, ils font régner à bord l'ordre et la discipline. Mais je ne dirais pas que leurs subordonnés les adorent.

Voici un choix de carrières pour ces sujets qui dominent si naturellement les autres : administrateur universitaire, écrivain, interprète, politicien, musicien, entrepreneur, avocat, banquier, journaliste de radio ou de télévision, cadre supérieur.

Capricorne/Rats célèbres : Pablo Casals, Rod Serling, Richard Nixon, John DeLorean, Gérard Depardieu, Donna Summer, Michel Debré.

CAPRICORNE		BŒUF	
🜨		♉	
Résolu	Rigide	Intègre	Entêté
Sage	Maladroit	Réalisateur	Étroit d'esprit
Ambitieux	Prétentieux	Stable	Lourd
Généreux	Solitaire	Innovateur	Conservateur
Éminent	Friand	Diligent	Partial
Solide	Anxieux	Éloquent	Vindicatif
Terre, Saturne, Cardinal		*Eau négative, Yin*	
« J'utilise »		*« Je persévère »*	

Le Capricorne né dans une année du Bœuf est un penseur réaliste et conservateur. Il est persévérant et lent, entêté et résolu. Il entretient sur tout des opinions hautement individualistes, ne perd guère de temps à considérer l'avis des autres, et peut même être accusé d'une certaine brutalité mentale. Les Capricorne/Bœufs ne sont pas violents. Mais leurs méthodes sont parfois brutales — et même cruelles.

Parlons de force dans la détermination ! Le Capricorne/Bœuf est un monstre de résolution et de diligence. Il n'abandonne jamais un projet qu'il ne l'ait poussé à ses extrêmes limites. Il arrachera plutôt tous les poils d'un chien si nécessaire, pour trouver l'unique puce qui le pique. C'est une montagne, mais je ne vous conseille pas de vous amuser à faire des glissades sur ses flancs. Cette montagne sera difficile dans le choix des personnes autorisées à monter et descendre ses pentes escarpées. Et quant à y chercher refuge contre les éléments, il vaudrait mieux être chaleureusement recommandé ou faire partie de la famille. Sinon, ce Capricorne snob et même sourcilleux pourrait faire appel au vent du Nord pour vous exiler en Sibérie.

Vous comprenez, ce monolithe austère et pourtant plein de vitalité, est l'équivalent humain de la chaîne des Alpes. On n'arrive jamais à explorer toutes ses vallées ou à sonder tous les gouffres qu'il dissimule dans son sac à malices. Certains jours, c'est la personne la plus joviale, joyeuse et agréable du monde. Le lendemain, il sera sombre et mélancolique. Et névrosé. « Je ne peux pas, et je ne veux pas et je n'ai pas et je ne voudrais pas... »

Oh, pitié ! Pour solides, concrets et tangibles qu'ils paraissent, les Capricorne/Bœufs sont en réalité assez fragiles. Un poète réside dans toutes les cavernes de leur esprit, et un artiste sensible dans leur âme. Pourtant, à en juger sur leur apparence impénétrable, on se demanderait parfois si le cœur de ce sujet bat encore.

Le Capricorne/Bœuf moyen est brillant. Je dirais même que la plupart des Capricorne/Bœufs qui ont l'occasion de continuer leurs études le font. Les intellectuels foisonnent dans les rangs de ces sujets pénétrants et ambitieux. Le Capricorne/Bœuf sait manier la langue, sera attiré par les classiques et bien informé des choses traditionnelles. D'un dépôt ferroviaire en ruine au fin fond de la Slovénie, il peut faire un monument internationalement photographié pour les exigeants lecteurs de la *Maison Française*. Tout sera restauré à la perfection dans son ethnicité originelle. Les Capricorne/Bœufs sont des perfectionnistes, pour eux-mêmes et pour nous autres aussi, humbles créatures.

La table passionne le gourmand Capricorne né dans une année du Bœuf. Rien à voir toutefois avec le vulgaire bâfreur. Le Capricorne/Bœuf habille sa vilaine gloutonnerie des dehors les plus élégants. Ce sujet refuse les nourritures vulgaires. Il ne demande qu'à s'attabler devant une montagne de foie gras. Les papilles gustatives du Capricorne/Bœuf sont aussi discriminatives que le reste de sa personne.

Il est fort difficile de faire renoncer ce sujet à ses idées préconçues. Autant chercher à soigner les dents des poules. Le Capricorne/Bœuf est le souverain indiscuté du Royaume des Idées Fixes. Ce qu'il a appris sur les genoux de grand-mère restera gravé à jamais dans la pierre de son esprit, et ne quittera jamais le groupe de cellules cervicales qui a reçu ce dépôt.

« Tu prends l'autobus de la Cinquième Avenue, direction nord, et tu changes à la 59e Rue », déclare-t-il.

« Mais il n'y a pas d'autobus direction nord sur la Cinquième Avenue. Elle est à sens unique, direction sud », protesterez-vous.

Un conseil ? Prenez l'autobus de la Sixième Avenue et n'en parlez plus. Les Capricorne/Bœufs sont beaucoup plus agréables quand ils croient avoir raison.

AMOUR

Inébranlable et fort intéressé par le sexe, le Capricorne/Bœuf aura une vie amoureuse robuste et active. Le mariage est une obligation. Il a trop le sens de la famille pour vouloir vivre seul au monde. Le Capricorne/Bœuf aura peut-être des aventures en dehors du mariage. Mais ne vous inquiétez pas. Le sérieux et respectable Capricorne/Bœuf ne quittera pas le foyer pour du menu fretin. En fait, s'il remarque un goujon qui essaye de jouer les requins, il rentre tambour battant à la maison qui est sa véritable place. Le divorce peut anéantir ce colosse délicat. Pour le Capricorne/Bœuf, divorce signifie échec. Les Capricornes de toutes persuasions détestent l'échec, et le prennent très à cœur.

Si donc vous cherchez un partenaire solide qui rapportera le bifteck à la maison jusqu'à la fin de vos jours, trouvez-vous un Capricorne/Bœuf, rassis et carré. Pardonnez-lui une peccadille à l'occasion, et donnez-lui toutes les raisons de vous respecter. Le Capricorne/Bœuf réagit bien à de fortes doses de ses propres remèdes. N'ayez pas peur de vivre un peu.

COMPATIBILITÉS

CAPRICORNE/BŒUF : Le Taureau, le Lion, la Vierge, le Scorpion et les Poissons s'harmonisent le mieux avec vous sous leur forme serpentine. Le Scorpion/Serpent vous paraîtra peut-être « un peu beaucoup ». Sinon, vous pourrez tenter votre chance avec un Coq des signes ci-dessus. Les Taureau, Lion, Vierge et Poissons/Rats vous conviennent bien également. Et puis, il y a toujours le Lion/Cochon ou le Scorpion/Dragon pour vous amuser. Les Bélier/Dragons sont trop hâtifs pour vous. Les Cancer/Dragons trop maussades. Le Cancer ou la Balance/Chèvre ne vous vaut rien. Le Balance/Bœuf, Tigre et Singe sont hors jeu également, comme le Cancer/Cochon, résolu et compétitif.

FAMILLE ET FOYER

Prétentieux, c'est le mot. Dedans et dehors, la demeure du Capricorne/Bœuf empestera la prétention. Il a toujours une adresse élégante, et s'enorgueillit invariablement de l'antiquité de sa maison.

En prime, il vous fournira gratuitement le nom de l'architecte célèbre qui l'a conçue en des temps reculés. S'il a une résidence secondaire (que dis-je ? NATURELLEMENT, il possède une ferme !) ce sera l'authenticité même. Avec moulin restauré qui marche encore pour moudre la farine du blé qu'il cultive et dont il a fait ce pain au goût merveilleux que vous mangez en ce moment même. Ou peut-être est-ce une vieille église avec vitraux gothiques amenés de Chartres par d'antiques navires à voile. Ces sujets n'aiment que l'authentique et n'acceptent aucun substitut.

Le parent du Capricorne/Bœuf est fier de ses enfants. Il ou elle promènera fièrement Bébé Julia ou le Petit Alexandre dans leur landau spécialement importé de Londres, dans le plus beau parc et en la meilleure compagnie. A ses yeux, ses enfants ont toujours raison. Le fait est que, ne serait-ce que pour sauver sa peau, l'enfant de ce sujet ne commettra pas de grosses bêtises tant que Maman ou Papa aura l'œil sur lui. Le Capricorne/Bœuf est un tyran dynamique qui prodigue volontiers son temps et sa peine, mais exige être payé de retour.

Notre enfant du Capricorne/Bœuf sera d'abord et avant tout sérieux. Puis, lorsqu'il grandira et ira à l'école, il deviendra encore plus sérieux. Le fort en thème. La bête à concours. Le bon géant. Enfin, quand l'adolescence approche et que l'amour commence à pointer à l'horizon, le jeune Capricorne/Bœuf commencera à s'adapter à de nouvelles exigences. A l'approche de l'âge adulte, il apprend à être séduisant et met en valeur son charme sensuel et son humour satirique. Cet enfant n'a pas besoin de grand-chose, à part un toit sur la tête et des tas de bonnes choses dans son assiette. Sa voie est toute tracée dès sa naissance. Quand il sera grand, il sera Capricorne/Bœuf. Inflexible mais drôle.

PROFESSION

Ce bûcheur réaliste n'a pas la célébrité dans son jeu. Il arrive qu'un Capricorne/Bœuf conquière la notoriété, mais elle ne fait pas partie de ses objectifs. Et comme le Capricorne/Bœuf ne vit que pour atteindre ses objectifs, eh bien, il deviendra rarement célèbre. En revanche, il atteindra une situation respectable dans sa vie professionnelle. Les gens l'envieront sans doute, souhaitant lui ressembler. Ainsi, c'est par son excellent exemple que le Capricorne/Bœuf obtient de ses pairs la considération suffisante à satisfaire ses modestes besoins d'attention. Sa plus grande inquiétude, et qu'il gardera toute sa vie, c'est de ne pas donner toute sa mesure dans la carrière de son choix. Le Capricorne/

Bœuf veut sentir qu'il a utilisé avant sa mort absolument tout le talent et toute l'intelligence qui lui ont été dévolus à la naissance. Il se cravachera durement et sans relâche pour remplir ce respectable programme.

C'est seul que le Capricorne/Bœuf travaille le mieux. Il est tellement individualiste que le travail en groupe lui rebrousse le poil. Et il peut être également difficile à supporter pour le groupe. Le Capricorne/Bœuf sait toujours tout mieux que tout le monde et ne démord jamais de ses idéaux, de ses choix et de ses habitudes. Ce sont des patrons intransigeants et des employés irascibles — à moins, bien entendu, qu'on ne leur donne carte blanche pour avancer à leur rythme (lent) et utiliser leurs méthodes (réfléchies).

Carrières convenant aux Capricorne/Bœufs : enseignant, fermier, théologien, critique gastronomique, journaliste de mode, encadreur, architecte, directeur artistique, consultant.

Il est peu de Capricorne/Bœufs célèbres : Chuck Berry, Mary Tyler Moore, Pierre Beregovoy.

CAPRICORNE	
Résolu	Rigide
Sage	Maladroit
Ambitieux	Prétentieux
Généreux	Solitaire
Éminent	Friand
Solide	Anxieux
Terre, Saturne, Cardinal	
« J'utilise »	

TIGRE	
Fervent	Impétueux
Courageux	Emporté
Magnétique	Désobéissant
Veinard	Conquérant
Bienveillant	Immodéré
Autoritaire	Itinérant
Bois positif, Yang	
« Je surveille »	

Le geste brusque et la repartie prompte, ce tourbillon est un monument vivant d'aimable bonne volonté. Il est là, on le voit, et l'instant d'après on ne le voit plus. Et tel on le voit, tel il est — rapide et congénial. Le Capricorne né dans une année du Tigre s'ennuie facilement. Le Capricorne ambitieux et concret s'allie ici au Tigre sympathique et toujours pressé, farfelu et bohème. Comment ce sujet arrive jamais à trouver une seconde pour caresser un toutou ou embrasser un bébé, cela me dépasse. Le Capricorne/Tigre est propulsé par un moteur à réaction. Plein d'une charmante et sincère bonhomie, il a l'activité de tout un vol d'oiseaux-mouches.

Comme tous les Capricorne, ce Tigre est un tantinet maladroit. En société, là où douceur et souplesse feraient merveille pour éviter la gaffe, soyez sûr que le Capricorne/Tigre finira par mettre les pieds dans le plat. Pour lui, les aménités mondaines ne sont que foutaises et blabla. Il est toujours trop pressé pour prendre le temps de s'incliner devant Mme Untel en baisant sa main baguée, ou pour faire le pied de grue dehors en attendant que le maître d'hôtel l'introduise. De tous les natifs des deux zodiaques, le Capricorne/Tigre est celui que vous avez le plus de chances de voir débarquer, dégoulinant de pluie, au milieu de votre salon. « Salut, dira-t-il joyeusement, quel temps de chien ! »

Comme les Capricorne/Tigres sont dédaigneusement oublieux des rythmes sociaux et vivent à cent à l'heure, ils ont tendance à mener une existence parallèle à celle que nous connaissons. Dans leur travail, ils peuvent passer par des périodes interminables d'efforts inhumains. Mais ils en sortent toujours en souriant. Ils aiment le challenge. Ils préfèrent les résultats aux louanges. Le Capricorne/Tigre veut obtenir des preuves tangibles de ses pouvoirs. Il n'attache pratiquement aucune importance à ce que les autres pensent de lui.

Leur corps sec et musclé leur permet de traverser la vie au galop, jouissant toujours de la forme olympique. Rapides comme l'éclair et nerveux en apparence, ces sujets sont pourtant étonnamment bien dans leur peau. Ils constituent une compagnie délicieuse et sont attirants pour le sexe opposé.

Cette sympathique étoile filante a-t-elle quelques défauts ? Bien sûr. Nous sommes en pleine astrologie. Personne n'est parfait. Les Capricorne/Tigres se dispersent facilement. Leurs énergies partent dans tant de directions à la fois, qu'il leur arrive de ne plus très bien savoir quelle était la bonne au départ. Ils ont aussi des goûts dispendieux et une certaine tendance à dilapider leur fortune. Ils perdent souvent de vue les choses matérielles.

Mais dans l'ensemble, ces sujets sont étonnamment « bien ». Ils sont raisonnables et réussissent suffisamment bien dans la vie pour offrir un foyer agréable à leur famille. Ils sont naturellement empathiques et aiment sincèrement leurs semblables. Ils ont davantage confiance en eux que le Capricorne moyen qui doute toujours de lui-même et de ses motivations. Pour un Tigre, ce sujet est plutôt posé. Lorsqu'il n'est pas brouillon, il est très fiable, et fera toujours tout son possible pour assister quelqu'un dans le besoin.

AMOUR

Sous son air débraillé naturel, le Capricorne/Tigre cache une profonde sensibilité pour tout ce qui vit. Il y a chez lui quelque chose du Bon Sauvage. Il ou elle aimera sans doute les animaux et recueillera les chiens perdus. Pourtant, c'est avec le plus grand soin qu'il sélectionnera son partenaire, qui devra s'accorder à l'idée profonde qu'il se fait de la façon dont on doit vivre. Il veut créer un foyer solide pour les enfants. Le Capricorne/Tigre a besoin d'un porte d'attache d'où il pourra s'élancer pour réaliser telle ou telle de ses idées. Il lui faut de l'amour à foison, et en retour, il dispense la générosité à pleines mains et la joie en toutes occasions.

Si vous vous êtes attaché un de ces natifs, ne le lâchez pas ! Pas de bêtises ! Ne désespérez pas simplement parce qu'elle est partie au Chili à la chasse au putois, dans le cadre d'une campagne de désodorisation internationale. D'ici quelques jours, votre Capricorne/Tigre atterrira en plein milieu de votre lit de camp, tous ses clignotants allumés. La solution pour le partenaire d'un de ces doux dingues, c'est de savoir s'occuper sans interruption pendant leurs absences, et d'apprendre à vivre agréablement sans s'appuyer sur ce bon vieux Capricorne/Tigre. Ce sujet déteste les liens mais adore le mariage. C'est un peu paradoxal, sans doute, mais c'est ainsi. Ne grinchez pas. Cela vous mènerait au désert, et vite.

COMPATIBILITÉS

CAPRICORNE/TIGRE : De naissance, vous aimez les Chiens. Choisissez votre Toutou parmi les natifs du Taureau, du Lion, de la Vierge, du Scorpion et des Poissons. Si cela ne marche pas, essayez un Lion, Vierge, Scorpion ou Poissons/Cheval. Un Scorpion/Dragon pourra éventuellement provoquer votre mort sentimentale, mais le voyage est la moitié du plaisir. Les Bélier, Cancer et Balance/Chèvres ne figurent pas sur votre liste de favoris. Ni d'ailleurs les Bélier et Cancer/Chats, les Bélier et Balance/Singes, les Bélier/Cochons et les Cancer/Bœufs ou Serpents.

FAMILLE ET FOYER

Le Capricorne/Tigre aime posséder biens, meubles et immeubles, mais il n'est pas du genre à s'en occuper par la suite. Ce sujet fuit le « do-it-yourself ». Appelez un expert. Convoquez un spécialiste. Mais ne demandez pas à votre Capricorne/Tigre insouciant de réparer quoi que ce soit, sinon votre cœur brisé. Le foyer de ce natif sera confortable et sans prétention. Otez vos chaussures, et reposez-vous, les doigts de pied en éventail. Cette hôtesse veut que ses invités se détendent. Elle s'occupera de tout, merci.

Marié, le Capricorne/Tigre pourvoie aux besoins de sa famille, bien entendu. Pour ce natif adorable mais toujours en mouvement, les enfants représentent la stabilité. Il pourra se montrer sec et tranchant si ses petits l'impatientent, et se distinguer par ses gueulantes dans les moments de crise. Mais dans l'ensemble, les Capricorne/Tigres laissent faire et laissent vivre. Pour eux, liberté et amour, c'est la même chose. Pourquoi devrait-il en être autrement pour leurs rejetons ?

L'enfant du Capricorne/Tigre sera hyperactif. Il sera peut-être folâtre et chahuteur, et aimera faire le clown. Le mieux à faire, c'est de laisser cet enfant folâtrer. Mais ce n'est pas toujours possible. Nous ne vivons pas tous au milieu d'une vaste propriété où le jardin accueillera les excès cinétiques du petit Jason jusqu'à ce qu'il se calme. Mon conseil ? Occupez sans interruption cet enfant à autant de projets qu'il est capable d'en réaliser. Il a de naissance une intelligence considérable, qui, bien employée (guidez-la d'une main tendre mais ferme) devrait faire de Jason un beau spécimen d'adulte hyperactif, mais avec la tête sur les épaules.

PROFESSION

Ce sujet est fait pour les emplois permettant une grande liberté de mouvement. Il peut s'adapter aux règles des autres, pourvu qu'elles aient un sens. Le Tigre n'est guère obéissant. Le Capricorne l'aidera en ce domaine. Mais quand même... un Tigre est un Tigre... il trouvera sa satisfaction dans la liberté d'action et le challenge. Ses talents sont innombrables, et curieusement, il aime la compétition. Quel que soit l'obstacle, comptez sur le Capricorne/Tigre pour repérer une solution rapide et efficace. Les Capricorne nés dans une année du Tigre sont convaincus que l'événement le plus important est l'événement présent. Ils se soucieront de l'avenir... à l'avenir.

Si vous arrivez à les immobiliser assez longtemps pour les installer derrière un grand bureau d'acajou, ces natifs feront des patrons justes et compatissants. Ils sont du genre qui conserve la même secrétaire pendant cent cinquante ans.

Les Capricorne/Tigres s'adaptent bien à des situations d'employés. Ces natifs n'ont pas d'ambitions mondaines, et, pourvu qu'ils soient raisonnablement payés, ils se satisferont d'un emploi subalterne.

Carrières convenant aux Capricorne/Tigres : médecin, professeur d'éducation physique, vétérinaire, éleveur de bétail, cow-boy, forestier, critique littéraire, traducteur, scénariste, acteur et actrice.

Capricorne/Tigres célèbres : Jon Voight, Lucien Bodard, Richard Antony.

CAPRICORNE		CHAT	
亢		卯	
Résolu	Rigide	Diplomate	Cachottier
Sage	Maladroit	Raffiné	Sensible à l'extrême
Ambitieux	Prétentieux	Vertueux	Pédant
Généreux	Solitaire	Prudent	Dilettante
Éminent	Friand	Bien portant	Hypocondriaque
Solide	Anxieux	Ambitieux	Tortueux
Terre, Saturne, Cardinal		*Bois négatif, Yin*	
« J'utilise »		« Je me retire »	

En cet alliage le Chat circonspect et le prudent Capricorne se fondent harmonieusement et donnent un individu dont l'ambition ne le cède qu'au don pour la réussite. Doté dès le départ de qualités qui le poussent lentement mais sûrement vers la prospérité, le Capricorne/Chat ne prend jamais hâtivement une décision importante, ne se lance à la légère dans aucune entreprise, ne noue jamais de nouvelles relations sans faire au préalable une étude de marché. Ce sujet possède la sagesse naturelle. Il est dynamique, vigoureux et du modernisme le plus avancé. Mais il surveille avec vigilance les dangers possibles et flaire les menaces à un kilomètre.

Le Capricorne né dans une année du Chat a une personnalité agréable. Pour un Chat, généralement réservé, ce sujet est ouvert et extraverti. Rien ne lui plaît davantage que la perspective d'une soirée chez lui avec des amis, passée à boire, manger et rire. Il mettra les disques de votre choix et vous montrera ses dernières photos. Mais il ne monopolisera jamais la conversation et ne cherchera pas à voler la vedette aux autres.

C'est bien vrai que les Chats nés sous le signe du Capricorne ont besoin de confort, d'abord et avant tout. Pour avoir l'impression d'appartenir au monde, ce sujet devra tout d'abord s'être constitué un bastion matériel quelconque, qui le protégera du dehors. Il n'aime pas affronter de face la morne réalité. De plus, il est trop absorbé dans ses tactiques et stratégies, additionnant, soustrayant et calculant ses pourcentages, pour prendre en main les réalités monotones. Il a besoin qu'on le protège de l'ennui du train-train quotidien, du genre « fais réparer la voiture, va au supermarché, et raconte-moi tes malheurs ». Dans ce but, le Capricorne/Chat s'entoure généralement de gens qui se chargent des corvées journalières, ce qui lui permet de se consacrer pleinement à son ascension vers les sommets de sa profession.

Bien que la réussite éclatante du Capricorne/Chat puisse l'élever parfois jusqu'au trône, il ne sera jamais le Roi du Tact. Notre héros lâche malencontreusement et tout à trac exactement ce que personne n'a envie d'entendre, et toujours au plus mauvais moment. « Dis donc, d'où sors-tu cette affreuse cicatrice au visage ? » ou encore « Qu'est-ce que tu as grossi ! » C'est qu'on peut s'aliéner ses meilleurs amis par de telles remarques ! Mais cela n'arrive jamais à notre Capricorne/Chat, pourtant un tantinet outrecuidant. Les gens aiment la compagnie de ce natif, malgré ses commentaires gênants à l'occasion, et sa maladresse générale. Le Capricorne/Chat a la capacité sympathique de rire de lui-même, de se moquer de ses propres sottises et de rester stable et sûr de lui en toutes circonstances.

Le Capricorne/Chat est altruiste et sentimental. Mais il n'est pas du genre à donner jusqu'à sa chemise à une œuvre de charité. Sa conception de l'amitié est très équilibrée. Dès sa naissance, la panique fait partie de ses émotions majeures. Il n'est pas fondamentalement changeant ni écervelé. Mais, confronté à la probabilité d'un changement soudain ou d'une nouveauté brutale, l'adrénaline se met à circuler dans tous les sens à la fois. Certains disent que le Capricorne/Chat panique pour tout et pour rien.

Le Capricorne/Chat aime se lever tard, est assez désordonné dans la maison et tout le contraire d'un manuel. Sur le plan physique, c'est peut-être le plus gracieux de tous les Capricorne.

AMOUR

Un Capricorne né dans une année du Chat sera affectueux et câlin. Mais jamais en public ! Ce sujet garde toujours des dehors dignes, et ne sanglote pas sur ses amours devant témoin. Les Capricorne/Chats sont essentiellement pratiques. Ils seront attirés par des partenaires actifs. Ils admirent ce qui est tangible et recherchent des résultats dans tous les domaines de la vie. Beauté ou élégance ne leur suffisent pratiquement jamais dans les rapports durables. Ce qu'ils recherchent, c'est le contact avec la personnalité profonde du partenaire. L'exotisme les fascine également, et ils peuvent très bien s'établir avec une personne totalement différente d'eux-mêmes, dont le caractère artiste ou bohème les amuse et les étonne.

Si vous aimez un Capricorne/Chat, montrez-lui que vous savez être utile et créatif dans votre partie. Montrez-lui qui vous êtes. Ne soyez ni craintif ni timide. Le Capricorne/Chat, qui a eu à la surmonter, considère l'appréhension comme un défaut. Il ne s'intéresse pas à ce qu'il ne connaît que trop bien. Soyez vous-même, et inventez des moyens d'étonner votre Capricorne/Chat. Il aime les surprises. Il a horreur de s'ennuyer.

COMPATIBILITÉS

CAPRICORNE/CHAT : Les Taureau, Lion, Vierge, Scorpion et Poissons/Chiens s'adaptent facilement à votre style de vie raffiné. Les Taureau, Lion et Vierge/Cochons satisfont vos besoins de richesse et de culture. Les Lion, Vierge et Poissons/Chèvres seront pour vous des partenaires doux et créatifs. Pour éviter les conflits (et vous les évitez !) fuyez les Gémeaux, Cancer et Balance/Coqs. Les Cancer et les Balance/Rats ne vous conviennent pas du tout, de même que les Balance/Tigres ou Dragons.

FAMILLE ET FOYER

Pour le Capricorne/Chat, le foyer doit être à la fois confortable et personnalisé. Il y a un peu de snobisme chez cet ambitieux grimpeur de l'échelle sociale. Comment dire ? Les Capricorne/Chats veulent vous impressionner. Ce natif voudra que son confort se nuance d'élégance et même de somptuosité, et fera l'impossible en ce sens. Tout d'abord, il veut que vous vous sentiez à votre aise. Mais il veut aussi que vous remarquiez que ses canapés sont du plus beau cuir de Cordoue, et que ses chandeliers sont en cuivre. Un environnement impressionnant donne confiance en lui au Capricorne/Chat. Il veut que son décor satisfasse à toutes les convenances. Je ne dirais pas qu'il est bourgeois — mais presque.

Le Capricorne/Chat veut un enfant qui satisfasse à son attente. Interdit de gémir et de pleurnicher. Ce sujet pourvoira abondamment aux besoins de sa famille, et fera donner la meilleure instruction possible au petit Alexandre. Mais malheur à l'enfant paresseux qui ne travaille pas bien à l'école, ne rapporte pas de bonnes notes et ne se conforme pas à la morale de Maman ou Papa Capricorne/Chat. Le Capricorne/Chat a tôt fait d'exprimer clairement son point de vue sur la question. « Si tu habites ici, je veux être fier de toi. Sinon — voici la porte. »

L'enfant du Capricorne/Chat est d'une sagesse au-dessus de son âge. Il ou elle reconnaît très tôt la nécessité du sérieux dans le travail. Il ou elle ne verra pas d'un bon œil les interférences d'un parent encombrant dans sa jeune vie. Les Capricorne/Chats sont pudiques dans le domaine du sentiment et n'apprécient pas qu'on se mêle de leur vie intérieure. Cet enfant posera peu de problèmes à un parent affectueux. Il désire plaire et s'intégrer. Il a souvent besoin d'être réconforté et préférera sans doute les animaux en peluche aux animaux vivants. L'enfant du Capricorne/Chat est humble, et pourtant sûr de lui. Vous n'aurez pas besoin de l'aiguillonner pour qu'il fasse ce qu'il aime.

PROFESSION

Les professions exigeant un haut degré de sérieux et une overdose d'ambition brute conviendront bien à ce sujet. Etre socialement accepté et reconnu est d'une importance capitale pour lui. Il ne veut pas entendre parler d'affaires tortueuses, ou même simplement malheureuses ou inopportunes. Tout ce qui se passe en sous-main sera considéré comme tabou dans la discussion. Il fuit les procès et même les vérifications fiscales. Mais, s'il doit jamais recevoir un ou deux inspecteurs des impôts, il sera sans peur et sans reproche. Le Capricorne/Chat est peut-être désordonné dans sa maison, mais vous pouvez être certain que ses papiers sont en ordre.

Le Capricorne/Chat s'efforcera sincèrement de ne pas rebrousser le poil de ses employés en leur criant ou aboyant ses ordres. Ce sujet fonctionne mieux dans une atmosphère de coopération, et préfère que ses subordonnés travaillent avec le sourire. Comme il met lui-même la main à la pâte et fait de grands sacrifices pour atteindre ses objectifs, il n'aura pas de temps à perdre avec des subalternes qui ne mettront pas tout leur cœur et leurs efforts dans le travail. Employé, ce sujet ne cherchera pas à contester le système. Bien sûr, il ou elle tentera, par tous les moyens acceptables, de conquérir une certaine indépendance dans son emploi. Mais il sait que s'il travaille pour d'autres, il doit savoir recevoir des ordres et faire au moins semblant de respecter la discipline. Les Capricorne/Chats naissent affamés de réussite — réussite qu'ils veulent personnelle et intégrale. Rien ne les satisfera hormis le succès professionnel total.

Carrières convenant aux Capricorne/Chats : entrepreneur, écrivain, leader, politicien, négociateur pour relations internationales, grand avocat, propriétaire d'une franchise, cadre de banque, général, commissaire aux sports, recteur d'université.

Capricorne/Chats célèbres : Henry Miller, Joseph Staline, Cary Grant, George Balanchine, Maurice Béjart, Robert Hossein, Fritz Mondale, Judith Krantz.

CAPRICORNE		DRAGON	
禸			
Résolu	Rigide	Puissant	Rigide
Sage	Maladroit	Battant	Méfiant
Ambitieux	Prétentieux	Hardi	Insatisfait
Généreux	Solitaire	Enthousiaste	Emballé
Éminent	Friand	Vaillant	Vantard
Solide	Anxieux	Sentimental	Volubile
Terre, Saturne, Cardinal « J'utilise »		*Bois positif, Yang* « Je préside »	

Personne ne condamne la médiocrité à l'égal du Capricorne/ Dragon. Pour les natifs de ce signe, la prospérité, résultat du travail personnel, constitue le meilleur rempart contre l'ordinaire.

Le Capricorne/Dragon est spécial. Il ou elle se sent différent des autres dès son plus jeune âge, se rend compte de sa terrible fragilité et désire plus que tout préserver à jamais son unicité. Le Capricorne/ Dragon est conscient des pièges de l'ascension sociale. Il sait comment il faut lutter pour trouver une solution à l'amiable et signer un armistice avec l'adversité. Mais cela n'intimide pas le farouche Dragon. Menaces et drapeaux rouges ne découragent pas son zèle.

Ici, l'austérité du Capricorne n'est guère visible. Au premier abord, vous pourriez confondre cette personne rayonnante à la franche poignée de main et au sourire ouvert avec un Gémeaux volubile ou un Lion munificent. Mais non. Les Dragons capricorniens sont naturellement lumineux et joyeux — tant qu'on ne les contredit pas. Sinon, vous remarquerez immédiatement que l'atmosphère s'est électrisée. Maintenant, vous voyez, n'est-ce pas ? Cette raideur, cette rigidité ?

Les Capricorne/Dragons sont doués pour les tâches exigeant véhémence et brio. Ce natif a des égards pour les autres, et apprécie les marques de gratitude qu'ils lui prodiguent en retour. Il aime plaire —

mais pas par intérêt. Ses motivations ne sont pas égoïstes. Il recherche l'attention, mais par des moyens positifs.

Les Dragons aiment les fêtes et les vacances, les réceptions et les foules. Le Capricorne/Dragon ne fait pas exception à la règle. La seule différence, c'est que le Capricorne préfère inviter lui-même, s'occuper de ses hôtes avec ce charme qui lui est particulier, et s'assurer que tout le monde se sent bien et s'amuse. Le Capricorne/Dragon est le traiteur du double zodiaque. Il est toujours partant pour une réunion impromptue — il fera même les courses, la cuisine et le ménage après — pourvu que vous promettiez de rentrer chez vous content.

Le principal défaut de ce caractère, c'est son incapacité à dire tout haut ce qu'il ressent. Le Capricorne/Dragon sait communiquer avec compétence et éloquence pour tout ce qui concerne les choses extérieures. Mais s'il s'agit d'intimité, le Capricorne né dans une année du Dragon cale sur place. Il n'arrive pas facilement à sortir : « Je vous aime », « Vous avez des cheveux magnifiques », « Ne me quitte pas » ou « Mon Adam chéri, tu es le meilleur ». Dans leur vie privée, les Capricorne/Dragons sont réservés. On les accuse sans cesse de froideur en amour.

Cette personne sans détour fait un ami merveilleux et fidèle. Il ou elle remplira tous ses engagements vis-à-vis d'un ami, et prendra même des risques s'il le faut. Si un Capricorne/Dragon vous a pour ami, il marchera sur le feu pour vous voir réussir. Non seulement il est loyal, mais encore il met ses actes en accord avec ses croyances. Si vous avez du mal à récupérer une radio que vous avez prêtée à quelqu'un il y a un an, confiez votre problème au Capricorne/Dragon. Il courra lui-même chez la personne en question. Il portera l'affaire devant les tribunaux. Les Capricorne/Dragons font des copains merveilleux. Mais Dieu vous vienne en aide si vous les lésez... le Capricorne/Dragon abandonne les traîtres aussi totalement qu'il se dévoue à ceux qu'il aime.

AMOUR

Les Capricorne/Dragons ont un fort penchant à la pureté. Ils sont douloureusement honnêtes quant à leurs préférences, et bien que diplomates dans tous les autres domaines de la vie, ils font parfois de terribles faux pas en amour. Je crois que le Capricorne/Dragon aimerait se marier et avoir des enfants — un point c'est tout ! Pourtant, ce sujet est trop séduisant pour son bien. Et il aime plaire. Aussi, lorsqu'il se rend compte qu'il plaît, le Capricorne/Dragon est fortement tenté de pousser les choses plus loin. Le hic, c'est que les

Capricorne/Dragons sont passablement conservateurs. S'ils se laissent aller à des rapports extra-muros, ils aiment à penser que c'est le Diable qui les y a poussés. En amour, leur jalousie tumultueuse est positivement effrayante. Ils se déchaînent.

Si vous aimez un Capricorne/Dragon, n'hésitez pas à vous montrer ferme avec lui. Faites-lui comprendre que vous l'aimez pour des raisons plus solides que sa beauté ou son sex-appeal. Et limitez les invitations. Ce qui, avec cette bonne âme, ne se révélera pas facile. Les Capricorne/Dragons s'emploient avec ardeur à être gentils et ne réalisent pas qu'ils ont oublié de vous dire qu'ils vous adorent. Il faut le leur rappeler. Mais ils ne sont pas contre. Ils sont du genre à considérer comme une faveur le fait de voyager sur le siège arrière. « Oh, vraiment ? Un stop ? Où ? » Franchement, ils sont trop mignons !

COMPATIBILITÉS

CAPRICORNE/DRAGON : Les Dragons sont immensément populaires. Ainsi sont les Capricorne. Il existe donc des masses de gens avec qui vous pouvez vous entendre. Commencez par les Rats. Un Lion, Vierge, Scorpion ou Poissons/Rat devrait faire l'affaire. Ou bien, mettez un Taureau ou un Lion/Tigre dans votre moteur. Le Taureau, Lion, Scorpion et Poissons/Coq excite l'aventurier qui vit en vous. La même chose est vraie des Serpents natifs de ces quatre signes. Quant aux Singes, donnez la préférence aux natifs de la Vierge, du Scorpion et des Poissons. Les signes avec lesquels vous ne vous entendez pas se limitent aux Gémeaux, Cancer et Balance/Chien, et aux Gémeaux et Cancer/Bœuf. A part ça, le monde est à vous. Amusez-vous bien.

FAMILLE ET FOYER

La plupart des Capricorne/Dragons souhaitent vivre dans une maison bien agencée. Et la plupart des Capricorne/Dragons vivent dans un cadre bohème. Leurs fauteuils ne sont pas assortis, leur chat couche sur la table, et leur bébé a encore grignoté l'annuaire, zut ! Voilà une chaussette verte, mais où est la deuxième ? Les Capricorne/Dragons sont très désordonnés dans la maison. Ils aiment les jolies choses mais peuvent s'en passer. S'il vous faut un exemple, je dirais que le Capricorne/Dragon moyen investira plutôt dans un magnum de champagne millésimé que dans un élégant canapé ou un fauteuil ancien. Ils ne sont pas très attachés aux biens matériels. Ils aiment les jolies choses pour leur valeur pratique. Mais ils ne se soucient pas d'impressionner ou de se singulariser.

Ces sujets font des parents heureux. Les enfants amusent sincèrement ces natifs aux lèvres légèrement pincées et au rire contenu. Ils représentent l'innocence, la créativité, la vie insouciante. Le rêve du Capricorne/Dragon, c'est qu'on le débarrasse du fardeau accablant des soucis, pour s'envoler, comme Peter Pan, loin des responsabilités et des inquiétudes. Bien entendu, il fait exactement le contraire, et plonge chaque fois tête la première dans le rôle du Bon Pasteur. C'est pourquoi les enfants représentent pour lui la liberté potentielle. Il voudrait que sa petite Mélodie ou sa petite Mary Lee devienne une grande artiste pour ne pas avoir à se plier à des routines imbéciles et à sourire à des supérieurs débiles. Que Dieu préserve l'enfant dont le rêve est de devenir comptable chez Xerox.

Quel que soit son rang dans la fratrie, l'enfant du Capricorne/Dragon prendra inconsciemment la place de l'aîné. Il ou elle se glisse facilement aux postes de commande, et si les parents et les frères et sœurs n'ont pas d'objections à ce qu'il prenne la barre, il ou elle aura tôt fait de montrer l'exemple aux autres. Il n'est pas du genre à vouloir dominer. Mais c'est un chef-né. Attrayant ? Vous tomberez immédiatement amoureux de ce bambin. Les Capricorne/Dragons sont d'une séduction irrésistible.

PROFESSION

Les Capricorne/Dragons connaissent leurs points faibles et s'intéressent intensément à se connaître et à comprendre comment ils sont devenus ce qu'ils sont. Vous en trouverez souvent dans des carrières où il faut se faire le miroir de la nature humaine. Ils se comprennent et cherchent à comprendre les besoins des autres. Ils sont généreux, mais néanmoins dépensent avec prudence. Ils ont un talent naturel pour commander les autres et diriger les opérations. Contrecarrés, ils peuvent se montrer impitoyablement vindicatifs.

Le Capricorne/Dragon est un patron intéressant et agréable. Il ou elle préfère encourager ses subordonnés plutôt que leur aboyer des ordres. Et comme le Capricorne/Dragon s'enorgueillit souvent de ses bonnes manières, il sera courtois, également. Employé, ce sujet passe son temps à attendre le moment propice à une promotion importante. Le Capricorne/Dragon ne s'intéresse absolument pas aux emplois subalternes.

Carrières convenant aux Capricorne/Dragons : journaliste, peintre, astrologue, psychiatre ou psychologue, conseiller, rédacteur en chef, pasteur, publicitaire, négociateur, agent de relations publiques, professeur, traiteur.

Capricorne/Dragons célèbres : Jeanne d'Arc, Bernard Blier, Faye Dunaway, Daniel Filipacchi, Siné.

CAPRICORNE	SERPENT

CAPRICORNE		SERPENT	
Résolu	Rigide	Intuitif	Dissimulateur
Sage	Maladroit	Séducteur	Dépensier
Ambitieux	Prétentieux	Discret	Paresseux
Généreux	Solitaire	Sensé	Cupide
Éminent	Friand	Clairvoyant	Présomptueux
Solide	Anxieux	Compatissant	Exclusif

Terre, Saturne, Cardinal
« J'utilise »

Feu négatif, Yang
« Je sens »

Cette alliance se caractérise par une arrogance et un aplomb à terroriser King Kong. Le Capricorne met en pratique ce qu'il prêche, réalise ses idées et ne s'effraye pas de sa propre ambition. Les Serpents sentent les événements, flairent les solutions, et passent une bonne part de leur vie à se tirer en souplesse de crises surgies sur le chemin de la banque, de la bijouterie, de l'aéroport, du cabinet de leur avocat ou de la prison. Les Serpents ont souvent plus de flair que de cervelle. Mais, avec le Capricorne pour partenaire, qui a besoin de cervelle ?

Le Capricorne né dans une année du Serpent constitue une classe à part à lui seul. Non seulement il se trouve supérieur à tout le monde, mais encore il est plus beau que personne. Ces sujets sont de belle prestance, naturellement majestueux et d'une classe folle. Leur garde-robe seule a coûté la moitié du budget annuel de Monaco — sans parler de leurs voitures et de leurs maisons, de leurs bateaux et de leurs coupes de cheveux.

Les Capricorne/Serpents aiment jusqu'à l'extravagance tous ceux qui sont moins fortunés qu'eux (tout le monde) et recueillent les paumés, adoptent les orphelins, donnent du travail aux paresseux, etc. Certains prétendent qu'ils s'entourent de minables pour se sentir encore plus supérieurs. Je ne partage pas complètement ce point de vue. Les Capricorne/Serpents aiment profondément les autres. Ils naissent souvent plus veinards que la moyenne. Le succès leur vient facilement. Je pense donc que les Capricorne/Serpents aiment partager leurs richesses et se soucient peu de ce qu'on en pense.

Ce sujet a une présence extraordinaire. A son entrée tout s'arrête. Il attire l'œil de toute la salle, et, par son port même, le garde rivé sur lui, se délectant de l'attention dont il est l'objet. Eh oui, l'attention est une véritable drogue pour le Capricorne/Serpent. Il veut qu'on lui parle et qu'on l'écoute, il veut être regardé, embrassé, grondé, fessé, nourri et baigné le premier. Ce hautain personnage ne permettra jamais à rien ni à personne de venir se mettre entre lui et l'auditoire dont il veut conquérir l'attention. C'est une star.

La noble générosité du Capricorne/Serpent a son revers — son consternant gaspillage. Ces sujets achètent trois smokings alors qu'un seul suffirait pour aller au Bal des Petits Lits Blancs la semaine prochaine. Ils commandent deux voitures pour votre anniversaire — au cas où la première ne vous plairait pas. Et, dans leur ardeur à plaire et à présider, à dominer la situation qu'ils vivent, les Capricorne/Serpents ne dédaignent pas toujours la ruse. Si les sourires ne marchent pas, alors, ce sera les larmes, les crises de rage ou d'hystérie, voire les maladies psychosomatiques. Ils veulent qu'on les remarque. A tout prix. Et s'ils vous détestent, vous aurez du mal à rester indifférent à leur aversion. Ils trouveront toujours le moyen de vous la rappeler. Le Capricorne est une créature fort résolue. Et les Serpents sont sacrément astucieux. Impossible de garder sa sérénité lors d'une escarmouche avec ce monstre.

Tous les Capricorne/Serpents ont le don du surnaturel. Ces sujets pourraient sans doute réussir leur vie rien qu'en suivant leurs intuitions et en répondant à l'appel de leurs pressentiments. Leur clairvoyance est inégalée par tout autre signe. Et le mot intuition est encore trop faible. Le Capricorne/Serpent a la prémonition des modes, des dangers, des mouvements politiques et des événements de toutes natures.

Coriace comme du vieux cuir et doux comme du miel, le Capricorne/Serpent agit presque exclusivement par soif du pouvoir, de la célébrité, de la véritable grandeur aux yeux de ses contemporains. Foin des honneurs posthumes ! « Donnez-moi ces douzaines de roses immédiatement, dit la stupéfiante native du Capricorne/Serpent. Je les distribuerai à de moins fortunés que moi. » Et ainsi fait-elle. Puis la Diva repart attirer d'autres foules, envoyer des baisers à d'autres auditoires en transes et semer l'amour et la paix parmi les hommes (pourvu qu'ils observent ses commandements). Ce sujet est si charmeur dans son autoritarisme que vous remarquez à peine qu'il vous a nommé chef du comité de nettoyage.

AMOUR

Sujet romanesque s'il en fut jamais, le Capricorne/Serpent s'imagine perpétuellement « amoureux » de quelqu'un. Devant toute amourette, il a l'impression que c'est le grand amour. N'importe quel paumé qui se sera vaguement astiqué passera immédiatement aux yeux du Capricorne/Serpent pour la maîtresse ou l'amant parfait, docile, sensé, sain et brillant, simplement parce qu'il ou elle arrivera à se tenir debout tout seul. (Généralement, le Capricorne/Serpent choisit des partenaires quasi grabataires.) Autrement dit, les Capricorne/Serpents sont infidèles par défaut. Paresse et dissipation les privent sans arrêt de la personne aimée. Mais ne vous en faites pas. Le réservoir n'est pas tari. Les gens adorent ce sujet. Il ou elle ne manque jamais de tendresse. Les Capricorne/Serpents sont grands consommateurs d'affection. L'amour, ils le dévorent.

Si vous aimez un Capricorne/Serpent, vous serez en admiration devant lui. Mais si vous tenez à le garder, il faudra changer. Ce sujet finit toujours par donner son affection au plus exigeant de ses admirateurs. Le Capricorne/Serpent a besoin d'affronter tous les jours un juge fort et sévère qui l'aide à s'évaluer devant la glace, qui sait atteindre son noyau intérieur de douceur et d'intelligence. Les paumés de la terre ne feront pas l'affaire. Le Capricorne/Serpent a besoin d'un partenaire solide et réaliste, qui sait le tenir en main et qui, chose encore plus importante, sait repérer ses marques de duplicité. Il faut constamment surveiller la dissimulation du Serpent, fabulateur dans l'âme.

COMPATIBILITÉS

CAPRICORNE/SERPENT : Les Taureau, Lion, Vierge, Scorpion et Poissons/Bœufs et Coqs sont tous des possibilités. Vous roucoulerez peut-être pour un Lion/Dragon ou Singe. Ils ont un charme et une vitalité immenses. De plus, ils vous aiment aussi. Vous n'aurez sans doute pas autant de succès auprès des Cancer ou Balance/Cochons. Les Bélier et Gémeaux/Tigres, eux aussi, sont sur une autre longueur d'ondes. Laissez de côté les Bélier/Coqs. Ils vont trop vite, et, à vos yeux, ils ne vont nulle part.

FAMILLE ET FOYER

La demeure du Capricorne/Serpent ne sera pas simplement élégante. Elle sera un bastion, un modèle, un exemple de luxe étudié. Et pourquoi employer le mot « demeure » au singulier? Les sujets du Capricorne/Serpent ne se contentent jamais d'une seule maison. Ils auront, à tout le moins, une résidence secondaire. A partir de là, et à mesure qu'ils s'enrichissent, ils ajoutent une villa aux Caraïbes, une « cabane » à Goa et un appartement à Saint-Moritz. Et le bateau? Il est à l'ancre aux Bahamas. Pour cet amoureux du classique, il n'y aura jamais trop de colonnes corinthiennes à sa véranda, les tapis ne seront jamais trop épais, ni les meubles d'époque trop chers. Pour ce sujet, le mieux en toute chose n'est encore pas assez bien. Désordonné? Oh la la! Le dressing-room est proprement bordélique. Aucune importance. La femme de ménage passe tous les jours. Deux fois. Parfois trois.

Ces sujets font des parents merveilleux. Les enfants sont un peu des chiens perdus pour lui. Les Capricorne/Serpents protègent, réconfortent, passent les nuits debout et emmaillotent leurs nourrissons vomissants dans l'étole de vison la plus à portée de la main. La petite Laure ou le petit Jimmy ne doivent jamais manquer de rien. Cela, c'est l'idéal du Capricorne/Serpent — et si la nurse est compétente, tout ira bien. Car le Capricorne/Serpent est souvent absent de chez lui. Mais quand il y est, les moments qu'il passe avec ses enfants sont d'une densité et d'une intensité merveilleuses. Toutefois, ce sujet est toujours follement affairé. Il devrait être épargné à l'enfant de trop vivre dans l'ombre de son parent. Cela peut être malsain d'essayer d'égaler un tel monolithe.

L'enfant du Capricorne/Serpent est d'abord et avant tout affectueux — avidement. Deuxièmement, il est affectueux — adorablement. Et troisièmement, il est affectueux — irrésistiblement. Par-dessus tout, il aime être l'enfant le plus aimé de la famille. Il a besoin de l'attention sans partage de ses parents, et s'il ne l'obtient pas, il trouve le moyen de l'attirer. C'est un enfant docile et très brillant, naturellement. Mais s'il n'est pas le premier en tout, il a mal à l'estomac, fait des cauchemars et se ronge les ongles. Cela ne dure jamais longtemps, car l'enfant du Capricorne/Serpent triomphe toujours tôt ou tard de sa situation de famille originelle. Mais tant qu'il est petit, il faut le dorloter comme une future orchidée de concours qui met vingt ans à fleurir, et que, dans l'intervalle, on doit porter sur son cœur — même en dormant.

PROFESSION

La plupart des Capricorne nés dans une année du Serpent sont destinés à des situations éminentes. Ils deviendront peut-être des leaders politiques, ou ils dépasseront tout le monde de la tête et des épaules pour une raison professionnelle ou humaine mystérieuse. Mais quoi que ce soit qui les propulse jusqu'au sommet, ils l'atteignent. Ils croient sincèrement qu'ils sont les meilleurs et les plus grands dans leur art ou leur domaine — et, à cause de cette conviction inébranlable, ils convainquent souvent et eux-mêmes et les autres. Les Capricorne/Serpents aspirent à la grandeur — et y atteignent souvent.

Le Capricorne/Serpent sait recevoir des ordres s'il est persuadé que ce ne sera que temporaire. Ces sujets sont des travailleurs compétents (s'ils arrivent à sortir de leur lit) et trouvent de brillantes solutions aux problèmes pour les patrons qui savent utiliser leurs dons. Toutefois, les Capricorne/Serpents ne veulent pas rester employés toute leur vie.

Il leur faut trop de beurre dans leurs épinards pour supporter longtemps d'astiquer les planchers. Quand ils deviennent patrons, ils sont vraiment patrons. Aucun doute sur qui commande, et aucun doute que le Capricorne/Serpent excelle à commander. Le Capricorne/Serpent ne devrait pas chercher à échapper à sa destinée. Elle reviendrait toujours le hanter.

Carrières convenant aux Capricorne/Serpents : entrepreneur, ex-président, milliardaire, héritière, vedette de cinéma, mannequin vedette, directeur de la publicité, chef religieux, magnat du pétrole, chorégraphe, réalisateur de cinéma.

Capricorne/Serpents célèbres : Edgar Allan Poe, Howard Hughes, Aristote Onassis, Mao Zedong, Mohammed Ali, Martin Luther King, Régine.

CAPRICORNE		CHEVAL	
丑		午	
Résolu	Rigide	Persuasif	Égoïste
Sage	Maladroit	Autonome	Indélicat
Ambitieux	Prétentieux	Branché	Rebelle
Généreux	Solitaire	Elégant	Soupe au lait
Éminent	Friand	Adroit	Anxieux
Solide	Anxieux	Talentueux	Pragmatique
Terre, Saturne, Cardinal		*Feu positif, Yang*	
« J'utilise »		« J'exige »	

« Comptez sur moi ! » dit le fiable Capricorne/Cheval. Et croyez-moi, vous pouvez. C'est un mariage céleste. Le Capricorne donne de la solidité et de la persévérance au Cheval parfois un peu dandy et souvent peu sûr de lui. En échange, le Cheval prête au Capricorne sa dextérité manuelle et son sens subtil de sa propre popularité.

Ce sujet subordonne souvent son propre développement aux besoins des autres. Les Capricorne nés dans une année du Cheval sont bons. Ils s'occupent des moins fortunés qu'eux dans les moindres détails. Ils savent aimer. Ils sont un exemple vivant pour les individus plus égoïstes, mais, à cause de leur semi-rigidité et de leur air parfois sévère, ils sont souvent incompris. Le Capricorne/Cheval semble irritable et parfois un peu dur avec son entourage. Pourtant, ces sujets aiment la paix. Mais ils ont des manières sèches et une attitude cassante.

Le Capricorne/Cheval est consciencieux et persévérant à l'extrême. Si le succès ne lui vient pas immédiatement, il revient à la charge sans relâche. Ces sujets croient en l'humanité. Ils sont exigeants pour eux-mêmes et indulgents pour les autres si ces derniers promettent. Bons à rien et paresseux s'abstenir. Le Capricorne/Cheval n'a pas de temps à perdre avec des indolents. Il désire s'entourer de gens créatifs et exceptionnels. Ce sujet est le mouvement perpétuel incarné. Il ou elle ne s'assied jamais à moins que le projet sur lequel il ou elle travaille n'exige la position assise. Ils accomplissent des exploits et posent des fondations. Tous les jours que Dieu a faits, ils remettent le moteur en marche, et s'arrangent pour injecter fantaisie, intérêt et créativité dans les routines de toutes natures.

La candeur du Capricorne/Cheval est à la fois touchante et admirable. Malgré tout ce qui peut arriver dans une vie, maladies, échecs, pauvreté, pertes, etc., ces sujets parviennent à considérer la vie comme un continuum inévitable, une horloge qu'on doit remonter tous les jours quel que soit le temps pour qu'elle rende les services qu'on en attend. Le Capricorne/Cheval traite la vie avec douceur, comme si elle ne lui appartenait que pour peu de temps. Il semble sentir qu'un jour il lui faudra mourir. Cette combinaison d'innocence et de résignation lui donne la conscience exacerbée et même la peur du vieillissement. Le Capricorne/Cheval surveille ses rides en secret.

Curieusement, ces sujets n'atteignent une réussite éclatante ou universelle qu'assez tard dans leur vie. Comme ils sont posés et doués d'une rare attention au détail, leurs entreprises mettent souvent des années à germer et n'éclosent que lentement. La réussite précoce est rarement accordée aux individus réservés et effacés. Mais dans le cas du Capricorne/Cheval, talentueux et même brillant sans le savoir, le succès finit toujours par arriver à un moment ou à un autre. Tant d'intelligence et de créativité ne peuvent être éternellement ignorées.

Enfin, le Capricorne/Cheval ne cherche jamais à rien prouver à personne, et c'est sans doute le trait le plus séduisant de sa personnalité. Il vit sa vie à son rythme, à sa façon, et quelque chose d'invisible lui dit que c'est bien comme ça. Il n'est ni démonstratif ni vraiment extroverti. Le Capricorne/Cheval affiche plutôt une aimable réserve, qui, bien que proche de la gaucherie, n'a cependant rien à voir avec la timidité paralysante. Le Capricorne/Cheval n'a pas autant conscience de sa valeur que le Cheval moyen. Mais il est aussi travailleur, pratique et noble.

AMOUR

L'amour ravit cette nature généreuse et pacifique. De plus, tout le monde aime facilement le Capricorne/Cheval, le respecte, et admire son cran et son talent. En fait, je ne connais aucun natif du Capricorne/Cheval qui ne soit pas assiégé par les prétendants ou adulé par les dames. Le problème, c'est que le Capricorne/Cheval est fondamentalement fidèle. Il ou elle ne recherche ni la promiscuité ni les aventures d'une nuit. Qui surveillerait le laboratoire pendant que Monsieur Pasteur est en train de flirter avec la bergère ? Pas question. Le Capricorne/Cheval surveille lui-même ses éprouvettes et ne s'en remet à personne pour les choses sérieuses de sa vie. Son but en amour ? Trouver un partenaire amusant qui lui offrira divertissement et loyauté pour la vie.

Si vous tombez amoureux d'un Capricorne/Cheval, je vous comprends. Si il ou elle ne vous rend pas votre amour, je sais que vous devez être désespéré. Mais vous comprenez bien que cette citadelle d'intégrité et de sympathique modestie ne serait plus la personne que vous aimez si il ou elle abandonnait son amour pour s'attacher à vous.

A moins d'enfermer ce poulain au corral dès le berceau, de l'attraper à l'improviste ou lorsqu'il aborde la ligne droite, il faudra vous lever de bonne heure pour conquérir l'amour d'un Capricorne/Cheval. Si, par un coup de chance, vous trouvez un de ces sujets désirables en train de vagabonder libre de tout lien, faites-le rire. Le Capricorne/Cheval est sérieux. Tout ce qui l'égaye obtient immédiatement vingt sur vingt.

COMPATIBILITÉS

CAPRICORNE/CHEVAL : Les Chèvres coexistent pacifiquement avec le Capricorne/Cheval. Vous trouverez vos meilleurs partenaires de la Chèvre dans les signes du Taureau, du Lion et des Poissons. Les Vierge, Scorpion et Poissons/Tigres mettent de la vitalité dans votre quotidien, et vous ne courez aucun risque avec les Chiens natifs de ces mêmes signes. Par ailleurs, si j'étais vous, j'éviterais les contacts rapprochés avec le Bélier, Cancer ou Balance/Rat. (Vous pouvez laissez impunément à l'écart de vos secrets intimes tous les natifs du Rat.) Les Cancer et les Balance/Singes vous laissent froids.

FAMILLE ET FOYER

Le Capricorne/Cheval accorde sa préférence à un cadre traditionnel. Il aime le fonctionnel et le préfère au décorum. Comme tous les natifs du Cheval, ces sujets sont attirés par les couleurs vives, et pourtant, parce qu'ils sont aussi des Capricorne, ils utilisent les fuchsia et les jaunes cadmium avec moins de désinvolture que le Cheval, de goût plus tapageur. Un châle brodé jeté sur un canapé confortable y mettra une note de couleur, ils auront fait eux-mêmes leur dessus-de-lit en patchwork, dans des couleurs ébouriffantes. Mais dans l'ensemble, chez le Capricorne/Cheval, le décor est naturel et pratique. Du bois, de la pierre, des plantes, et encore du bois.

Capable d'énormes sacrifices pour les besoins de sa famille, le Capricorne/Cheval est un parent extraordinaire. Il ou elle est suffisamment sentimental pour ne pas oublier de cajoler les petits ou de les complimenter de leurs exploits. Le Capricorne/Cheval est pourtant strict, et enseigne par l'exemple. Son temps, sa grande richesse, il le consacrera sans compter à l'éducation. Ce parent ne tolère pas qu'on lui réponde, mais a néanmoins des rapports détendus et même familiers avec ses enfants. Le Capricorne/Cheval conçoit une grande fierté des exploits de ses enfants. Mais si l'un d'eux subit un échec, il sait toujours qu'il peut courir se faire consoler par Maman ou Papa Capricorne/Cheval.

L'enfant du Capricorne/Cheval donne bien des satisfactions à ses parents. De toute la fratrie, c'est lui qui restera le plus proche de la maison même devenu adulte. Le Cheval né sous le signe du Capricorne n'est pas ennemi des règles et comprend le besoin d'une discipline parentale. Enfant, il voudra plaire à la famille, être pour elle un sujet de fierté, et recevoir une caresse supplémentaire pour prix de ses efforts. Vous pouvez faire instruire à outrance un enfant du Capricorne/Cheval. Il est brillant et aime apprendre. Mais, comme il est enclin au silence, il faudra l'encourager à prendre part à des lectures ou à des spectacles à l'école ou à la maison. Il a un grand talent d'interprète, mais il est trop conservateur pour être exhibitionniste.

PROFESSION

Les professions des services conviennent bien au Capricorne/Cheval. Il ou elle sera attiré par des emplois exigeant expérimentation, application et routine. Le Capricorne/Cheval est créatif. Mais c'est essentiellement un cheval de labour. Les feux de la rampe? Ne les lui braquez pas dans les yeux, s'il vous plaît. Le Capricorne/Cheval veut simplement être sûr que ce qu'il fait est valable. Les activités frivoles dans les carrières de prestige ne l'attirent pas. Il veut des résultats. Il est très humanitaire et socialement conscient.

Carrières convenant aux natifs du Capricorne/Cheval : ministre de la Santé, scientifique, cuisinier, vétérinaire, artisan, dessinateur de tissus,

ébéniste, architecte, avocat, infirmière, dresseur de chiens, viticul
teur.

Natifs célèbres du Capricorne/Cheval : Isaac Newton, Puccini,
Pasteur, Pierre Mendès France, Anouar al-Sadate, Andy Rooney.

CAPRICORNE	
页	
Résolu	Rigide
Sage	Maladroit
Ambitieux	Prétentieux
Généreux	Solitaire
Éminent	Friand
Solide	Anxieux
Terre, Saturne, Cardinal « J'utilise »	

CHÈVRE	
未	
Inventif	Parasite
Sensible	Primesautier
Persévérant	Nonchalant
Fantaisiste	Erratique
Courtois	Rêveur
Bon goût	Pessimiste
Feu négatif, Yang « Je dépends »	

La Chèvre normalement minaudière n'est pas déçue du voyage lorsque les hasards de la naissance la lient à jamais au rigide, fiable et ambitieux Capricorne, la chèvre qui escalade les montagnes. La Chèvre chinoise et l'occidentale sont diamétralement opposées. La Chèvre orientale déborde de sensibilité, n'est que fantaisie et invention. L'autre est un alpiniste dont l'ambition est d'être ambitieux. « Marche ou crève ! » dit le persévérant Capricorne. « Aïe ! J'ai mal aux pieds », gémit la sensible Chèvre. La discorde interne n'est pas étrangère aux personnes nées sous le signe du Capricorne/Chèvre.

Tiraillé à hue et à dia par ses deux natures opposées, ce sujet est souvent angoissé. Les Capricorne nés dans une année de la Chèvre savent qu'ils doivent être sérieux. Ils travaillent pour arriver à une situation puissante. Ils bataillent dur pour obtenir leurs diplômes, et arrivent souvent par la voie la plus difficile, en montant tous les échelons de la hiérarchie. Les deux signes sont persévérants.

Quelle chance pour la Chèvre que d'être née Capricorne. L'adjonction d'un peu de terre à la personnalité capricieuse de la Chèvre ne diminue en rien sa qualité et met même un peu d'amidon dans ses voiles qui sinon manquent quelque peu de substance. Les Capricorne/Chèvres sont les plus fous de tous les Capricorne. Mais ils parviennent quand même à garder les pattes sur terre quatre-vingt-dix pour cent de fois plus souvent que les autres Chèvres. Naturellement, ils payent cette sécurité. Les Capricorne/Chèvres n'ont pas autant de temps qu'ils le voudraient à consacrer à la création. La réussite les préoccupe. Le besoin d'être socialement reconnus les aiguillonne. Ils sont même un tantinet prétentieux, et veulent être riches pour jeter un peu de poudre aux yeux de temps en temps. Bien entendu, l'industrie dont ils font preuve pour devenir « quelqu'un » dans leur profession leur laisse peu de temps pour inventer. En conséquence, le Capricorne/Chèvre s'adonne à la rêverie, et imagine des mondes meilleurs où il ou elle saura piloter, peindre, donner un concert à Carnegie Hall ou gagner la Coupe Davis.

A la longue, ce sujet s'assouplit. Il apprend avec le temps à s'abstraire du quotidien et à vivre uniquement dans l'anticipation de courtes périodes d'irresponsabilité bienheureuse. Cette Chèvre est trop fiable pour son propre bien. Comme sa fiabilité nuit à sa créativité, la sagesse du Capricorne et son sens de ce qui est juste l'importunent. Mais même s'il le nie vigoureusement, son travail passe avant tout. Le Capricorne y veille.

Bien qu'il soit presque religieusement strict (et d'autant plus qu'il est un converti) le Capricorne/Chèvre sait mieux se détendre que les autres Capricorne, et cela semble délicieux. Loin de son travail, on pourrait le prendre pour un Taureau/Dragon hagard ou au moins pour un ténébreux Scorpion. Il adore danser, chanter, et généralement flirter. Les Capricorne/Chèvres ont d'immenses réserves de charisme. Ils sont à la fois élégants et sensibles. Ils adorent la compagnie. Ils convoitent le pouvoir et son remarquablement doués pour l'expression verbale. Ils sont dépensiers et rarement à l'heure.

AMOUR

Le Capricorne/Chèvre est un idéaliste romantique. Il ou elle croit aux contes de fées. Bien qu'ils parlent assez peu de l'amour physique, ils sont avides et enthousiastes au lit. La Chèvre née sous le signe du Capricorne est portée aux grandes manifestations d'affection, qu'elle exprime par des cadeaux, des blagues ou des surprises. Quelque sérieux que paraissent ces sujets, cela les démange en permanence de jeter aux orties leur froc de Capricorne pour revêtir leur peau de bique et se précipiter dans les bois où ils pourront séduire des innocents sans défense et les attirer dans leur antre. Ces sujets sont puissamment séduisants. Coureurs? Eh bien, un peu — non — beaucoup. Mais ils savent être discrets.

Si vous aimez un Capricorne/Chèvre, n'oubliez jamais qu'il ou elle est une Chèvre. N'oubliez pas que si vous épousez un de ces sujets ou vivez avec l'un d'eux, c'est vous qui vraisemblablement porterez la culotte (discrètement, cela va de soi). Le Capricorne/Chèvre est assez impressionnant et paraît autoritaire. Mais ce qu'il veut en réalité, c'est qu'on le laisse tranquille pour jouer avec ses jouets et gambader dans les bois. Si vous pouvez améliorer son lot en vous chargeant des détails de la vie familiale ou en ramenant le bifteck à la maison, ce sujet ne vous en aimera que plus.

COMPATIBILITÉS

CAPRICORNE/CHÈVRE : Il me semble que vous avez de l'attirance pour les Cochons, et je peux presque vous garantir que votre chéri sera natif du Taureau, du Lion, de la Vierge, du Scorpion ou des Poissons. Vous vous enflammerez pour les Chats nés sous les signes du Lion, de la Vierge, du Scorpion et des Poissons, et vous ne pousserez pas hors du lit le Cheval natif du Lion, du Scorpion ou des Poissons. Les Bélier, Cancer ou Balance/Tigres ont beaucoup moins de chances de vous tenir éveillé la nuit. Les Bélier et Balance/Chiens vous énervent avec leur éternel blabla sur leurs causes et actions charitables. Vous trouverez les Bélier et Balance/Bœufs lourds et têtues et pas amusants du tout. Rien à faire avec les Balance/Chevaux. Trop égotiste.

FAMILLE ET FOYER

Lorsque le Capricorne/Chèvre est chez lui, il veut que sa demeure soit belle et bien tenue. Mais la plupart du temps, il n'y est pas. Ce sujet est capricieux. Il est capable de décider soudain de changer tout l'ameublement de sa maison. A bas l'ancien, vive le nouveau. Après tout, le Capricorne naît avec la nouvelle année. Et la Chèvre? Eh bien, la richesse lui tourne la tête. Alors, brûlez les vieux lits et canapés ou descendez-les sur le trottoir. « Et les nouveaux meubles, Madame? Où dois-je les mettre? » « Eh bien, sur mon compte à l'American Express, naturellement », dit la Chèvre capricornienne. Le luxe et les dettes. C'est la loi au foyer du Capricorne/Chèvre.

Le parent du Capricorne/Chèvre est aimant mais pas toujours généreux. Il ou elle peut être impatient et même sarcastique avec les enfants. Ces natifs sont toujours en train de ronger leur frein parce qu'ils ne sont pas libres d'être libres comme le sont les enfants. Le Capricorne/Chèvre envie leur liberté à ses enfants. Disons donc que le Capricorne/Chèvre est un parent dévoué mais difficile, qui a besoin de la compréhension de ses rejetons, lesquels ne compatissent pas toujours aux difficultés des parents, ainsi que nous le savons tous. Les parents du Capricorne/Chèvre adorent tout spécialement leurs enfants quand ils sont assez grands pour n'avoir plus besoin d'eux.

L'enfant du Capricorne/Chèvre a tout le potentiel nécessaire pour devenir la lumière de la vie de ses parents. Talentueux et créatif, intelligent et fantaisiste, la séduction de cet enfant vous donne envie de le dévorer de baisers. Mais essayez donc de le faire asseoir pour travailler ses maths. Cet enfant donne du fil à retordre. Plus tard, il sera plein de reconnaissance pour ses parents et très gentils avec eux. Mais, petits, les enfants du Capricorne/Chèvre s'entendent à occuper les adultes. Il faut les discipliner de bonne heure, et ne jamais leur permettre de s'imaginer que les alouettes leur tomberont toutes rôties dans la bouche. Cet enfant a également besoin d'une solide éducation religieuse.

PROFESSION

J'hésite à déclarer que ce sujet est un leader-né. Pourtant, malgré sa fantaisie et sa légèreté, il est d'un magnétisme extraordinaire. Judicieusement employé, le mélange de la sagesse capricornienne et de la sensibilité chevrière est imbattable. La disparité même des caractères crée une synergie capable d'une séduction mystérieuse. Le persévérant Capricorne peut employer au mieux l'invention de la Chèvre. Si la combinaison marche, c'est-à-dire si la Chèvre se laisse contrôler la plupart du temps par le Capricorne, la charge est électrique, pour le moins.

En situation de puissance, ce sujet sera tout bonnement autoritaire. La direction des opérations est chez lui une seconde nature. « Allez me chercher ceci et rapportez-moi cela. » Cependant, comme le Capricorne/Chèvre est encore plus humanitaire qu'il n'est autoritaire, ses employés l'adoreront. Il n'oublie jamais leurs anniversaires et leur donne des promotions rapides pour maintenir le moral. Ce sujet peut être employé. Mais pas pour longtemps.

Carrières convenant aux Capricorne/Chèvres : artiste-interprète, médecin, chirurgien, politicien, producteur, recteur d'université.

Capricorne/Chèvres célèbres : Maurice Utrillo, George Burns, le révérend Moon, John Denver, Joe Frazier, Ben Kingsley, Yves Berger, Maurice Couve de Murville, le professeur Jean Bernard, Robert Lamoureux.

CAPRICORNE	SINGE

CAPRICORNE

Résolu	Rigide
Sage	Maladroit
Ambitieux	Prétentieux
Généreux	Solitaire
Éminent	Friand
Solide	Anxieux

Terre, Saturne, Cardinal
« J'utilise »

SINGE

Improvisateur	Coquin
Habile	Astucieux
Stable	Loquace
Directif	Égocentrique
Spirituel	Puéril
Zélé	Opportuniste

Métal positif, Yin
« Je prévois »

Un air indéfinissable de mélancolie résignée flotte sur le portrait du Capricorne né dans une année du Singe. Bien que je ne puisse pas vous dire pourquoi, l'alliance de l'austère Capricorne au Singe solutionneur de problèmes crée chez ses natifs une curieuse angoisse. Extérieurement, ils ne sont pas nerveux. Et même, leur chic et leur distinction annoncent l'assurance. Les Capricorne/Singes rayonnent de dignité. Ils sont, suivant le mot de ma mère, « de bon air ». Pourtant, sous cet extérieur lisse et bien élevé vit une âme torturée.

Peut-être l'assurance et la modération du Singe se heurtent-elles à la rigidité du Capricorne. Au lieu que le Capricorne bénéficie gaiement du côté farfelu du Singe et s'approprie un peu de sa loquacité simienne, peut-être le côté Capricorne de ce sujet est-il intimidé par son élément Singe. Parfois, je me dis que les Capricorne/Singes doivent se sentir un peu comme ces magnifiques boîtes enrubannées à l'intérieur desquelles se trouve un babouin vivant, malicieux, malin et rieur. Autrement dit, l'emballage n'annonce pas le contenu.

Les Capricorne/Singes aiment paraître sérieux. En fait, à moins de les connaître intimement et d'entrer dans le secret de leur vie privée, vous ne connaîtrez sans doute que le côté sérieux de leur nature. En surface, ce sont les sujets les plus présentables du monde. Mais à la maison, ils sont parfois de mauvaise humeur. Je n'irai pas jusqu'à dire qu'ils ont une nature double. Mais le Singe né sous le signe du Capricorne souffre d'une timidité en public assez rare. Si vous le rencontrez dans un bar où l'atmosphère est joyeuse et où des élixirs exotiques ont délié les langues, vous ne remarquerez sans doute pas ce côté grincheux. Vous verrez un conteur jovial à l'œil ironique et à la mémoire à la fois étonnante et amusante. Il sera brillant et vif, fin et légèrement rosse, et très très spirituel. De plus, il sait placer ses effets.

Pourtant, voyez ce sujet chez lui, et le tableau change du tout au tout. Les Capricorne/Singes s'imaginent qu'ils doivent faire régner l'ordre, planifier et diriger tout ce qui constitue leur vie privée. Ils prennent cette responsabilité terriblement au sérieux. « Où sont les provisions ? Pourquoi le dîner n'est-il pas prêt ? Pourquoi Maria n'a-t-elle pas nettoyé la bibliothèque ? Qu'est-ce qui est arrivé à tes chaussettes ? As-tu perdu l'esprit ? Tu ne peux pas dépenser tout ton argent de poche de la semaine à acheter des bandes dessinées ! » De toute évidence, leur insouciance de Singe s'accommode mal de cette pénible sévérité capricornienne. Mais c'est ainsi. Le Capricorne/Singe a un côté flic très prononcé.

Essentiellement, le Capricorne/Singe est théâtral. Il a l'esprit agile et exigeant. Il possède un talent d'expression superlatif. Il est doté d'un physique long et nerveux, avec une structure osseuse à faire pleurer d'envie Greta Garbo. Les Capricorne/Singes voient les situations humaines sous un jour bien à eux. Ils comprennent les joies et les souffrances des autres et y compatissent. Ils savent traduire ces émotions pour les autres. Les Capricorne/Singes sont des interprètes. Ils ne sont pas simples, et ils ne sont pas non plus coulants, dociles ou bohèmes. Pour eux, la façade est importante. Les aménités sociales et la coutume ont un bel avenir devant elles tant qu'on continuera à faire des Capricorne/Singes.

AMOUR

Dans la vie amoureuse plutôt ascétique du Capricorne/Singe, la qualité importe plus que la quantité. Ce sujet préfère toujours être follement amoureux à jamais que passionnément amoureux pendant une fraction de seconde. De plus, le Capricorne/Singe est fort exigeant sur la qualité. Il ne sera pas heureux en compagnie de quelqu'un qui aura l'air de sortir de son lit après avoir livré bataille au chat familial. Le Capricorne/Singe ne cache pas son goût pour les robes de chambre en velours avec pantoufles assorties. Il ou elle aimera tout le rituel de la vie en commun, se plaira à partager l'intimité d'une nature secrète et terrifiante avec la personne aimée, et rêvera du vieil adage : « Pour vivre heureux, vivons cachés. »

Si vous vous laissez prendre dans le vortex de charme de ce sujet soigné et fringant, je vous suggère d'être au moins aussi méticuleux qu'un natif de la Vierge. Vous aurez besoin de faire appel à toutes vos ressources pour cette expérience amoureuse. Mais n'oubliez pas que, si le Capricorne/Singe vous aime, il n'est pas d'amour plus pur et plus fervent que le sien. En tant qu'objet aimé d'un Capricorne/Singe, vous serez la lumière (et les ténèbres) de sa vie — à jamais. Vaste programme. Les satisfactions sentimentales sont nombreuses. De même que les nuits sans sommeil.

COMPATIBILITÉS

CAPRICORNE/SINGE : Recherchez le bonheur parmi les Rats. Choisissez de préférence parmi les natifs du Lion, de la Vierge, du Scorpion et des Poissons. Un Taureau, Vierge ou Poissons/Dragon vous captivera aussi, et vous pouvez vous engager librement avec un natif du Taureau/Chèvre ou du Scorpion/Tigre. Mais les Bélier/Tigres ne sont pas de bons clients pour vous, de même que les Cancer/Chevaux et les Balance/Serpents et Cochons. Vous voulez êtres la moitié noble du couple. Ne précipitez pas le mariage.

FAMILLE ET FOYER

Le Singe né sous le signe du Capricorne rêve d'avoir chez lui toute la place possible pour respirer (et jouer la comédie) et se détendre. Ce sujet trouve que chacun devrait avoir son coin à lui. Les maisons seront vastes et meublées avec un goût excellent. Ce Capricorne est plus manuel que la moyenne, car le Singe lui prête sa grâce et sa dextérité. Même dans sa manière de s'habiller, stricte et rappelant l'uniforme, ce sujet restera fidèle aux couleurs traditionnelles et aux formes confortables. Les beiges et les bleu marine prédomineront. Le Capricorne/ Singe aimera aussi le gris discret et le vert profond. On dirait que le Capricorne/Singe a un monde tellement multicolore dans sa tête qu'il désire un environnement sage pour y trouver la paix.

Ce sujet sera un parent consciencieux mais ne donnera sans doute pas naissance à une nombreuse nichée. Le Capricorne/Singe a peu de patience pour les frivolités de l'enfance. Les bébés ne l'ennuieront sans doute pas, car il ou elle les trouve innocents et adorables. Mais quand l'enfant grandira et aura besoin d'une main pour le guider, le parent du Capricorne/Singe sera parfois irritable. Ce natif a assez à faire à se guider lui-même. Toute transgression de la part d'un rejeton sera la preuve de son échec à maintenir l'ordre dans l'univers. Bien entendu, l'avantage de ce parent, c'est qu'il donne au monde entier un exemple impeccable. Les Capricorne/Singes sont loin d'être des mères et des pères poules. Ils aiment leurs gosses — *basta*.

En revanche, l'enfant du Capricorne/Singe sera adorable. Acteur-né et amoureux de tout ce qui touche au spectacle, cet enfant voudra sans doute regarder la télévision neuf heures par jour et aller au cinéma le reste du temps — enfin, s'il ne participe pas à un stage d'art dramatique ou s'il ne fait pas la mise en scène de la pièce de l'école. Cet enfant, chez qui beaucoup de choses se passent en coulisse, sera intéressant, un peu secret et solitaire, et le côté brillant qu'il doit à sa nature de Singe surprendra toujours ses proches. C'est aussi un enfant cérébral, et les études joueront un grand rôle dans ses activités. Petite personne à la présence très gratifiante, cet enfant apprend vite et aime la compagnie des adultes.

PROFESSION

Les métiers et les activités menant à une carrière sont le feu qui consume l'existence de ce sujet. Les Capricorne/Singes sont anti-paresseux. Ils sont créatifs et savent raconter une histoire et captiver un auditoire. Leur expression est très émotive et leurs souffrances sont émouvantes. Ils sont secs et presque cassants par moments. Mais malgré cette aridité superficielle, le Capricorne/Singe est capable de transposer le spectacle kaléidoscopique qui se déroule dans sa tête en un extérieur que les autres ne manqueront pas d'apprécier. Il ou elle est un interprète talentueux de la vie humaine.

Patron, le Capricorne/Singe sera stable et capable de rire avec ses subordonnés. Dans le travail, les gens aiment son autorité bienveillante. Les Capricorne/Singes n'ont pas de problèmes avec la hiérarchie. Ils s'intègrent bien à un travail en groupe. Pourvu que leur créativité et leur sens artistique ne soient pas menacés, ils savent recevoir des ordres de bonne grâce.

Carrières convenant aux Capricorne/Singes : metteur en scène de théâtre ou de cinéma, acteur ou actrice, artiste — interprète (chanteur, danseur, comique, etc.), écrivain, chroniqueur mondain, producteur de télévision, réalisateur de publicité pour la télévision, historien, psychologue, astrologue, opérateur de cinéma, photographe.

Capricorne/Singes célèbres : Barry Goldwater, Federico Fellini, Yousuf Karsh, Rod Stewart, Simone de Beauvoir, Dalida, Max Gallo, Françoise Hardy, Jean Dutourd.

CAPRICORNE		COQ	
子		酉	
Résolu	Rigide	Résistant	Effronté
Sage	Maladroit	Passionné	Vantard
Ambitieux	Prétentieux	Candide	Borné
Généreux	Solitaire	Conservateur	Instable
Éminent	Friand	Rigoureux	Autoritaire
Solide	Anxieux	Chic	Dispersé
Terre, Saturne, Cardinal		*Métal négatif, Yang*	
« J'utilise »		*« Je surmonte »*	

Digne et impeccable, le Capricorne né dans une année du Coq a fière allure. Il sera d'une mise irréprochable, d'une honnêteté sans défaut et aura des opinions fortes. La réserve du Capricorne s'accorde harmonieusement au côté conservateur du Coq. Peu de conflits et beaucoup de retenue. Le Capricorne/Coq est intègre et autonome. Il fonctionne bien seul s'il le faut. Mais il préfère être entouré.

Comptez sur le Capricorne/Coq pour faire « ce qui se fait ». Le charme de ce sujet est encore accru par ses excellentes manières, sa parole prudente et sa capacité à tirer le meilleur parti de toute situation. Les Capricorne/Coqs se soucient de l'effet qu'ils font sur les autres, et se livrent à des efforts héroïques pour plaire à ceux qui jugent leur comportement. Ils soignent beaucoup les apparences, mais ne se rendent jamais coupables de prétention.

Le Capricorne/Coq est un voyageur-né. Son esprit alerte et sa vive curiosité le poussent toujours à partir en d'autres lieux chercher de nouvelles expériences. Il est enjoué et s'intéresse vivement à faire de nouvelles connaissances, à se familiariser avec d'autres coutumes, à se renseigner sur d'autres cultures. Comme il est suprêmement comme il faut, le Capricorne/Coq sera souvent invité. Les gens le convient à dîner dans les meilleurs restaurants, et le pressent de les rejoindre dans les stations à la mode de la Méditerranée ou des Caraïbes pour s'amuser un peu en sa compagnie. Son enthousiasme pour la nouveauté garantit à tout hôte ou hôtesse qu'il participera joyeusement et de grand cœur à toutes les activités — et tout spécialement aux repas !

Le caractère du Capricorne/Coq a quelque chose d'inflexible. Il est pratiquement impossible de convaincre ce réaliste apparent qu'il s'est embarqué sur une voie suicidaire. Les Capricorne nés dans une année du Coq non seulement pensent qu'ils savent tout mieux que personne, mais encore ils refusent d'écouter les conseils. Ils auront une vie en dents de scie, qui conviendra à leur nature émotionnelle assez pataude. Inutile d'essayer de les stimuler ou de leur remonter le moral quand ils sont abattus. « Le temps, dit le Capricorne/Coq philosophe, guérit toutes les blessures. »

Les Coqs nés sous le signe du Capricorne se plaignent souvent qu'ils s'ennuient. La routine, voilà l'ennemie. De même que toutes formalités administratives. Rien ne met davantage en fureur le Capricorne/Coq que la bureaucratie labyrinthique. Il ou elle ne tolère pas de remplir des formulaires compliqués, de faire la queue, et de perdre son temps aux innombrables formalités qui accompagnent tous les actes officiels de la vie, du mariage à l'achat d'un billet de théâtre. Bref, ces sujets adorent aller partout, mais ils n'adorent pas toujours les moyens à employer pour y arriver.

Des nombreuses qualités du Capricorne/Coq, la plus attachante est peut-être son universalité d'esprit. Ils excellent dans de nombreux domaines à la fois. Il n'est pas rare de rencontrer des Coqs nés sous le signe du Capricorne qui portent un ardent intérêt à l'art religieux médiéval, se passionnent pour la viticulture, font leur pain eux-mêmes, et brochant sur le tout, sont capables à l'occasion d'exécuter une opération du cerveau. Ce sont des personnes habiles et accomplies.

AMOUR

Cependant, le Capricorne/Coq ne maîtrise pas facilement l'art d'aimer. Leur réserve native les incite à toujours garder les émotions à distance. Ils n'aiment guère les manifestations publiques d'affection, et quoiqu'ils soient capables de sentiments profonds, ils hésitent à les montrer.

Si vous êtes amoureux d'un Capricorne/Coq, je suggère que vous commenciez par apprendre à supporter les hordes d'amis intimes dont cette grégaire personne sera toujours entourée. Aucune raison d'en être jaloux. Vous êtes sans rival dans l'affection de votre Capricorne/Coq

Mais à travers l'écran de fumée que constitue son amour de la compagnie, vous aurez peut-être du mal à discerner cette tendresse. Occupez-vous et n'exigez pas trop d'attention. Mieux encore, apprenez à tailler la vigne.

COMPATIBILITÉS

CAPRICORNE/COQ : Je vous vois bien avec un serpent. Vous seriez bien inspiré de le choisir parmi les natifs du Lion, du Scorpion, du Sagittaire ou des Poissons. Vous vous accordez parfaitement avec les Taureau, Scorpion et Poissons/Bœufs. Un Taureau/Cheval peut aussi vous attirer. Les Cancer et Balance/Chats vous agacent au plus haut point. Les Bélier et Cancer/Cochons vous font vous demander si cela vaut la peine d'être sexy.

FAMILLE ET FOYER

Généralement le Capricorne/Coq n'est porté ni sur les arts d'agrément ni sur le bricolage. Elle n'est pas du genre à faire les double rideaux ou à confectionner les serviettes de ses hôtes. Il tiendra sans doute à distance marteaux, tournevis et clés à molette. Le Capricorne/Coq aime le confort mais ne sait pas le créer de ses mains. Il ou elle sera assez terre à terre pour désirer un ameublement solide et traditionnel. Mais la décoration d'intérieur n'est pas son fort.

Le Capricorne/Coq est un tantinet trop occupé pour fonder une famille. S'il a des enfants, il n'aura guère de patience pour leurs espiègleries et voudra qu'ils agissent le plus possible comme leurs amis adultes. Le Capricorne/Coq est un individu exigeant, et ne laisse pas ses sentiments prendre le pas sur son intellect.

Cet enfant vous étonnera sans doute par ses nombreux talents et son vif enthousiasme. Les enfants du Capricorne/Coq sont brillants et parfois irritables. Ils ont besoin de beaucoup d'affection patiente et d'une solide formation, car ils se lanceront seuls dans le monde pour chercher fortune.

PROFESSION

Le Capricorne/Coq, comme tous les Coqs, a une carrière émaillée de hauts et de bas. La variété des emplois qu'il peut assumer fera qu'il sera souvent tenté de changer de carrière à mi-parcours. Naturellement, si vous savez à la fois piloter un avion à réaction et composer une symphonie, il vous arrivera parfois de perdre le nord et de ne plus savoir de quel côté vous diriger. Le Capricorne/Coq est capable de s'atteler à des études difficiles, et de conquérir statut et prestige dans un domaine choisi. Mais il aura des difficultés à affirmer ses préférences et refusera de demander faveurs ou promotions. Le Capricorne/Coq est modeste jusqu'à l'autodestruction. Il n'est guère doué pour les sports ou les emplois exigeant des prouesses physiques.

Si on lui confère de l'autorité, il ou elle remplira son rôle de patron scrupuleusement et justement. Les erreurs idiotes et la paresse de ses subordonnés l'agaceront. Le Capricorne/Coq travaille très dur et ne tolère pas l'indolence chez les autres. Son désir inné de briller en fait un atout certain pour un employeur. Le Capricorne né dans une année du Coq fournira longtemps de bons et loyaux services, pourvu qu'on ne le brusque pas. Dans ce cas, il démissionne immédiatement. Il déteste les gens qui abusent de leur pouvoir.

Carrière convenant aux Capricorne/Coqs : ophtalmologue, physicien, chanteur d'opéra, ornithologue, commissaire aux comptes, arboriculteur, romancier, compositeur, animateur de télévision, journaliste, rédacteur en chef, décorateur de théâtre ou de cinéma, généticien.

Capricorne/Coqs célèbres : Rudyard Kipling, Steve Allen, Dolly Parton.

CAPRICORNE		CHIEN	
Résolu	Rigide	Constant	Inquiet
Sage	Maladroit	Héroïque	Critique
Ambitieux	Prétentieux	Respectable	Sainte nitouche
Généreux	Solitaire	Déférent	Cynique
Éminent	Friand	Intelligent	Insociable
Solide	Anxieux	Consciencieux	Sans tact
Terre, Saturne, Cardinal		*Métal positif, Yin*	
« J'utilise »		*« Je m'inquiète »*	

Ce sujet peut se comparer à un rognon de silex. A la fois cyniquement concret et douillettement concret, son but dans la vie est de conquérir l'indépendance et de maintenir la paix. Le Capricorne/Chien se méfie de tout ce qui est abstrait, vague, métaphysique, et passe une bonne partie de sa vie à s'assurer que ce qui lui appartient continue à lui appartenir. En clair, ces sujets sont prudents, conservateurs conscients des exigences de la société. Pas snobs pour un sou. En revanche, ils nous observent et s'inquiètent de nous voir nous débaucher et nous détruire. Le Capricorne/Chien aime l'ordre et désire le préserver.

Ce sujet volontaire et révolutionnaire ne dédaigne pas la bagarre. S'il croit assez fermement en un idéal ou s'il doit se porter sur la brèche pour protéger un parent ou un ami, il se jettera dans la mêlée sans réserve. Le Capricorne/Chien est dur et grinçant dans sa recherche de la justice. Il se rend rarement coupable de diplomatie déplacée, et on ne peut l'accuser non plus de faire preuve d'une réserve excessive. Il aime aboyer à la lune. Il est longiligne et agile. On le surprendra fréquemment à exécuter des actes de courage ou d'intrépidité — qualités assez étrangères à la fois aux Capricorne et aux Chiens.

Ainsi, la force engendrée par l'alliance du Capricorne et du Chien produit un être conservateur, mais beau parleur et plein de magnétisme. Ce sujet se cachera derrière des masques et émettra des écrans de fumée pour dissimuler sa véritable identité. Les Capricorne/Chiens sont uniques et mystérieux. Ils sont égoïstes mais parviennent à le dissimuler sous un semblant de congénialité et d'esprit. Humour mordant. Sarcasmes à la pelle. Ce Chien met en pièces tout ce qui est faux et bidon. Il recherche l'authentique et — curieusement pour un Chien craintif — sait l'obtenir.

Normalement, ces sujets sont gourmets. Ils aiment la bonne cuisine et n'hésitent pas à y faire honneur. Parfois, ils font aussi d'excellents cuisiniers. Ils ont le talent de suivre les recettes à la lettre et naissent avec le respect de la chose bien faite. Avançant en âge, les Capricorne/Chiens pourront avoir des problèmes de poids.

Ce sujet est capable de se passer de beaucoup de choses. L'argent et même le luxe qu'il peut acheter l'attirent. Mais le confort reste secondaire dans sa vie. Il se trouve aussi bien dans une caravane bordélique que dans un palace. Son brillant vernis lui permet un certain dédain à l'égard du luxe. Pour lui, voiture somptueuse ou vieille fourgonnette, c'est tout un.

Ils ont quand même un côté fantaisiste. L'éclat et le clinquant les attirent. Le brillant du monde du spectacle éveille leur curiosité et le panache les fascine. Généralement, ils ne vont pas jusqu'à se saupoudrer les paupières de paillettes — mais cela s'est vu.

AMOUR

La vie amoureuse de ces sujets, brillants et fragiles comme du papier d'argent, est fort complexe et tumultueuse. Souvent, le Capricorne/Chien restera célibataire la plus grande partie de sa vie. Non qu'il n'apprécie pas le sexe. Mais les rapports sont tellement... enfin, sales ! Le Capricorne/Chien est d'une propreté frisant le pathologique. Les émotions complexes ne l'attirent pas vraiment. Les tempêtes viennent de ce qu'il tente parfois de faire comme les autres dans le domaine amoureux, de se marier ou de s'établir avec un compagnon. Ça ne marche pratiquement jamais. Les Capricorne/Chiens vivent pour leur indépendance. S'ils se sentent à la chaîne, ils aboient sans discontinuer, jusqu'à ce que quelqu'un vienne les libérer. Et alors, ils courent se cacher.

Si vous êtes amoureux d'un Capricorne/Chien vous le trouverez sûrement intéressant et vous ne vous ennuierez jamais. Le Capricorne/Chien s'enorgueillit d'une vaste culture et s'intéresse énormément à tous les raffinements de l'esprit. Ce sujet étant un tantinet excentrique, votre vie sexuelle sera peut-être un peu bizarre. Mais vous ne manquerez pas de sujets de réflexion. Je vous conseille de bien nourrir ce Cromagnon, et de ne jamais lui permettre de porter son masque à table.

COMPATIBILITÉS

Capricorne/Chien : Le Cheval né sous les signes du Taureau, du Lion, de la Vierge ou des Poissons sera un bon compagnon de voyage. Vous aurez aussi beaucoup de plaisir en compagnie des Taureau, Vierge, Scorpion et Poissons/Chats. Vous vous entendez fameusement avec les Lion, Vierge, Scorpion et Poissons/Tigres. Avec votre sens des convenances, le Cancer/Coq, à la fois maussade et péripatétique, vous frustrera. Vous n'aimerez guère le Bélier/Coq non plus. Les Bélier, Cancer et Balance/Chèvres vous agacent avec leur façon de toujours tourner autour du pot. Cancer et Balance/Dragons ne sont pas pour vous. Ni le Cancer/Singe émotif.

FAMILLE ET FOYER

La famille (ou ce qui en reste) a la première place dans le cœur de ce sujet. Peut-être n'est-il guère expert en l'art de fonder un nid, mais l'endroit où vit le Capricorne/Chien fait partie intégrante de sa personnalité. Il y aura sans aucun doute des murs entiers couverts de livres. Ce sujet révère la connaissance et aime autant apprendre qu'enseigner. La cuisine sera en bon ordre de marche et pourvue de tous les pots et casseroles nécessaires à la confection de menus bien composés. Quant aux pièces d'habitation, elles ne seront sans doute guère luxueuses. Ce sujet est plus cérébral que sensuel. Pour lui, le confort, c'est de pouvoir se vautrer quelque part pour lire.

Le parent du Capricorne/Chien s'occupe de ses enfants comme un berger allemand s'occupe de ses moutons. Il les déménage de lieu en lieu avec la dernière efficacité, et les protège rigoureusement de tout mal. Ce n'est pas le genre de parent jovial ou boute-en-train qui emmène Kitty et le petit Mathieu faire un tour dans le Grand Huit. Mais le Capricorne/Chien est capable de passer une journée entière à construire au château de sable, avec fossés, créneaux et damoiselles en détresse juste pour éveiller chez son enfant l'amour de l'histoire.

Le petit chiot capricornien ne sera pas tout à fait aussi austère que son équivalent adulte — mais presque. On se demande parfois ce qui l'intéresse. Réprimandé, il devient acerbe. Il est silencieux et toujours nerveux. Ne vous en faites pas. Il est en train de se mijoter un avenir où il vivra indépendant de la société, se déguisera chaque fois qu'il sortira en public et conduira jusqu'à la fin de ses jours une vieille Ford déglinguée.

PROFESSION

Ce doux dingue (et les Capricorne/Chiens sont dingues !) sera généralement attiré par les carrières intellectuelles. Arrivé à l'âge universitaire, le Capricorne/Chien a généralement pactisé avec son aversion des rapports humains, des routines journalières et de la hiérarchie bureaucratique. Il pourra donc très bien s'imaginer dans une carrière académique, enseignant et écrivant dans une paix et une tranquillité relatives. Mais l'atmosphère de l'université paraîtra peut-être encore trop pesante à son sens de la liberté. Dans ce cas, le Capricorne/Chien peut tout simplement se lancer seul dans la vie, devenir artiste, bohème, clochard-intello ou athlète célèbre.

Je ne sais pas quel genre de patron ferait ce sujet, mais je soupçonne qu'il serait caustique et sarcastique. De toute façon, cela a peu de chances de se produire, car le Capricorne/Chien déteste l'autorité sous toutes ses formes. Ses idées politiques frisent l'anarchie. Il sait recevoir des ordres pourvu qu'il n'ait pas à se montrer aimable avec des collègues ou à répondre suavement au téléphone.

Carrières convenant aux Capricorne/Chiens : auteur dramatique, moine, nonne, missionnaire, aventurier, ermite, menuisier, maçon, enseignant, étudiant éternel, poinçonneur de tickets, marin.

Capricorne/Chiens célèbres : Benjamin Franklin, Molière, Elvis Presley, Jann Wenner, David Bowie, Diane von Furstenberg, Jacques Anquetil, André Bergeron.

CAPRICORNE		COCHON	
🜨			
Résolu	Rigide	Scrupuleux	Crédule
Sage	Maladroit	Courageux	Coléreux
Ambitieux	Prétentieux	Sincère	Hésitant
Généreux	Solitaire	Voluptueux	Matérialiste
Éminent	Friand	Cultivé	Épicurien
Solide	Anxieux	Honnête	Entêté
Terre, Saturne, Cardinal « J'utilise »		*Eau négative, Yin* « Je civilise »	

Ce mélange crée un individu de talent infini et d'aspirations correspondantes. Le ciel est la limite. Les Capricorne/Cochons ne s'imaginent *jamais* autrement que monstrueusement célèbres ou immensément riches. Ce sont des spécialistes du colossal, dont les objectifs personnels de dimensions cosmiques ne gênent en rien l'ego également démesuré. La nature du Capricorne/Cochon comporte un certain désir de pureté rafraîchissant. Aucun Capricorne/Cochon ne se sous-estime jamais. Certains prétendent que cette attitude franche à l'égard de leur ambition égoïste et sans vergogne est on ne peut plus saine. Peut-être — pour le Capricorne/Cochon, en tout cas.

Comme nous le savons déjà, les Cochons tendent à la crédulité et respectent la légalité. Quand ils agissent, c'est presque toujours « comme il faut ». Ils sont travailleurs. Ils étudient. Ils font leurs devoirs. Ils s'occupent de leurs familles et de leurs biens. Ce sont des citoyens responsables. Ils vont même jusqu'à voter, en général. Les Capricorne, eux aussi, sont des citoyens solides. Ils aiment aussi respecter les règles et règlements. Ils travaillent dur et ils étudient avec application. Et ils votent, eux aussi.

Ainsi, le Capricorne né dans une année du Cochon a le cœur pur et est aussi résolu qu'un bulldozer sur un chantier de démolition. Les

Capricorne/Cochons remportent le premier prix pour leur savoir-faire et leur bonne volonté incomparables à partager leurs capacités avec les autres. Ils sont compatissants et ne refusent pratiquement jamais de répondre à un appel au secours. Ils sont généreux, et pourtant attentifs à ne pas gaspiller. Ils sont extraordinairement cultivés et cherchent toujours à accroître leurs connaissances, vu qu'ils sont d'une curiosité insatiable.

Comme le Capricorne/Cochon est autosacrificiel et s'écarte rarement du droit sentier de la vertu, il comprend mal que d'autres puissent être moins scrupuleux que lui sans aller en prison. Il n'a rien d'un contempteur de la loi, ce natif. Mensonges et marchés tortueux choquent les Capricorne/Cochons. L'improbité les déconcerte, et même les fascine quelque peu. Attendez, et vous verrez qu'un beau jour un Capricorne/Cochon vous murmurera confidentiellement qu'il connaît un endroit où vous pouvez « faire une affaire sur un téléviseur couleur », sous-entendant qu'il s'agit sans doute d'un appareil volé. Demandez-lui alors s'il a lui-même un de ces téléviseurs de carambouille. « Oh non ! » s'écriera-t-il vivement, craignant que vous ne le croyiez capable de tels agissements. Les Capricorne/Cochons ne s'abaissent jamais à la perfidie.

Tête de cochon et traditionnaliste, ce sujet est un peu prude. Il sera sensible et attiré par les activités artistiques. Il attache de l'importance aux bonnes manières, et il s'ensuit chez lui un comportement exemplaire en public. Ce sujet s'enorgueillit d'un ego « hénaurme ». Rien ne lui fait peur. Il est lucide et plein de confiance en soi. Il veut aller loin, et il va loin en effet. Aucune modestie déplacée ne vient troubler les eaux limpides de son âme.

AMOUR

Le Capricorne/Cochon s'investit totalement dans ses rapports amoureux. Oui, il ou elle a l'esprit pur, et est naturellement généreux. Mais tant de dévouement et de ferveur dans le domaine sentimental peuvent finir par accabler la personne qui est l'objet de cette affection débordante. Le Capricorne/Cochon est un amant fidèle et passionné. Mais son attachement peut se faire oppressant. Ces sujets désirent posséder ceux qu'ils aiment et sont terrorisés à l'idée de les perdre. Jalousie et rage, scènes et scandales ne sont pas au-dessous de leur dignité.

A cause de leur caractère possessif, c'est une grande responsabilité que d'aimer un de ces sujets ou d'en être aimé. Ils sont attirants et de compagnie merveilleuse. Mais les Capricorne/Cochons veulent protéger leurs bien-aimé(e)s de toute influence extérieure. Ils sont parfois jaloux de vos amis ou de vos activités personnelles. Ils peuvent piquer des crises et vous embarrasser en public. La seule défense contre cette lame de fond amoureuse, c'est de la laisser déferler sur vous et d'attendre de refaire surface naturellement. Si vous essayez jamais de rompre avec l'un de ces natifs... bonne chance !

COMPATIBILITÉS

CAPRICORNE/COCHON : Vous ne pouvez vous trompez en choisissant un partenaire de la famille des Chats, natifs du Taureau, Lion, Vierge, Scorpion ou Poissons. Vous admirez le Taureau/Tigre et il vous le rend bien. Vous vous entendez bien, dans le genre casanier, avec le Lion, Vierge, Scorpion ou Poissons/Chèvre. N'allez pas batifoler avec les inexorables Cancer et Balance/Serpents. Ils en veulent à votre or. Les Bélier et Cancer/Chevaux sont également exclus. Trop de tensions.

FAMILLE ET FOYER

La demeure du Capricorne/Cochon sera moins opulente que celle d'autres Cochons plus portés sur le confort. Le Capricorne aime avoir un foyer agréable, mais il peut vivre sans avoir constamment trois coussins en satin sous le derrière. L'intérieur du Capricorne/Cochon sera donc commode, mais un tantinet austère. Tableaux anguleux (de grand prix, naturellement), sculptures, tissus aux motifs géométriques, et beaucoup de gris, de bleus et de rouge pur. Le Capricorne/Cochon aime également beaucoup le vert. Il y aura partout des plantes luxuriantes.

Le Capricorne/Cochon est un tantinet trop occupé dans la vie pour finir avec une famille nombreuse. Le plus probable, c'est que ce sujet ne se mariera pas. Par déférence pour sa mission ou sa carrière, le Capricorne/Cochon renoncera parfois aux plaisirs de la paternité ou de la maternité. Si, toutefois, il ou elle a un enfant, il sera bien entendu élevé avec tous les soins voulus, et avec un amour énorme, passionné, suffocant. Si vous êtes un parent du Capricorne/Cochon et que vous ayez tendance à vous montrer un peu trop rigoureux et excessivement protecteur de votre nichée, achetez un chien et fichez un peu la paix aux gosses.

Les enfants du Capricorne/Cochon seront consumés du désir

d'atteindre à l'excellence dans un domaine qu'ils choisiront sans doute très jeunes. Ils seront certainement doués pour les études et la culture. Vous pouvez emmener ce petit dans les musées et les galeries de peinture, au théâtre et à l'opéra jusqu'à ce que vos pieds demandent grâce. Les Cochonnets capricorniens sont des goinfres de culture. Et ils sont d'un naturel adorablement affectueux. Surveillez leur consommation de bonbons et confiseries.

PROFESSION

Ce sujet est un interprète de génie, mais a rarement des talents de créateur. La force des Capricornes nés dans une année du Cochon est leur capacité à exprimer des émotions destinées à la consommation publique. Par la lecture, l'étude et l'observation, ils accumulent d'immenses réserves de savoir-faire artistique. Puis ils s'en servent pour exprimer leur vision du monde. Ils sont peu doués dans le domaine de l'invention et de l'abstrait. Mais ils le reflètent brillamment à l'intention du monde.

Je pense que ce sujet ferait un patron très exigeant, et pourtant respectable. Il ne faudrait pas s'aviser de le trahir. La trahison rend le Capricorne/Cochon hystérique. Il se frappe la poitrine en se lamentant. Employé, ce sujet fera son devoir, parce que tous les Capricorne/Cochons sont comme ça. Mais il n'a pas envie de moisir dans un emploi subalterne, et n'hésitera pas à tenter d'arracher sa situation à son patron — pas brutalement — régulièrement et honnêtement. Mais il la lui arrachera quand même. Scrupuleusement.

Carrières convenant aux Capricorne/Cochons : acteur, musicien, danseur, chanteur, médecin, linguiste, pasteur (évêque), propriétaire d'une galerie de peinture.

Capricorne/Cochons célèbres : Albert Schweitzer, Humphrey Bogart, Will Rodgers, Maria Callas, Jean-Pierre Aumont, Roland Petit.

VERSEAU

20 janvier-18 février

<table>
<tr><td colspan="2" align="center">

VERSEAU

</td><td colspan="2" align="center">

RAT

子

</td></tr>
<tr>
<td>Clairvoyant
Original
Altruiste
Tolérant
Indépendant
Individualiste</td>
<td>Excentrique
Détaché
Neurasthénique
Désobéissant
Indifférent
Cruel</td>
<td>Charmeur
Influent
Économe
Sociable
Cérébrale
Charismatique</td>
<td>Avide de pouvoir
Verbeux
Nerveux
Rusé
Intrigant
Ambitieux</td>
</tr>
<tr>
<td colspan="2" align="center">

Air, Saturne/Uranus, Fixe
« Je sais »

</td>
<td colspan="2" align="center">

Eau positive, Yin
« Je dirige »

</td>
</tr>
</table>

En haut et en avant ! telle devrait être la devise de ce sujet enclin à l'idéalisme et à l'expérience. Le Verseau individualiste marié au Rat agressif et charmant nous donne un être doué d'une audace et d'un magnétisme personnel immenses. D'une part, le Verseau né dans une année du Rat cherche à accumuler des biens matériels. De l'autre, ce sujet se soucie moins des possessions tangibles que je ne me soucie des rites de fertilité des Esquimaux. C'est un bohème légèrement teinté de bourgeois. Un hippy sophistiqué. Il veut être libre et indépendant. Mais il ne supporte pas d'être seul. Il voudrait chevaucher un étalon sur la plage dans la tempête, mais il n'aime pas plus que ça les chevaux. Nature contradictoire pleine de bonnes intentions, le Verseau/Rat, qui parle sans discontinuer et écoute rarement, avance dans la vie par une succession de galipettes et de culbutes.

Les Verseau veulent être différents. Ils sont visionnaires et tolérants. Les Rats ont beaucoup de séduction personnelle et aspirent au pouvoir. Bien entendu, dans ce duo, le Rat est neutralisé par le Verseau altruiste qui lui intime de lâcher les leviers du pouvoir jusqu'au temps où l'homme aimera son frère comme lui-même et aura renoncé à faire la guerre. L'effet est stupéfiant. Ce sujet rayonne d'une grande force intérieure. Regardez-le essayer de saisir les rênes dans une situation donnée. Il peut conclure un marché, même un tantinet tortueux. Puis, au dernier moment, il le dénonce. Sous l'influence du Verseau, la cupidité du Rat se dégonfle comme une baudruche. Bye-bye, roublardise. Bonjour amour et liberté.

Le Verseau/Rat, qui voudrait voir à travers les murs pour découvrir un monde meilleur, s'engagera fréquemment dans la quête spirituelle de la vérité et de l'équilibre. Le Verseau est avant tout un penseur. Le Rat est cérébral également. Les deux signes sont légèrement névrosés. Aussi, plutôt que de chercher la stabilité sur les sentiers battus, ils se laissent souvent attirer par le cosmique, l'extrasensoriel, et les méthodes surnaturelles de contrôle de l'esprit. Les Verseau/Rats sont tout le temps en train de suivre des cours sur les perceptions extra-sensorielles, le hatha yoga, les mudras et le zen. Ils veulent tenir en respect le bourgeois qui vit en eux. Ils aspirent à trouver la paix intérieure par l'illumination spirituelle.

Quelque degré qu'atteigne ce sujet dans son évolution parapsychique, il est et demeure un Rat. Et le Rat adhère étroitement à la vie bourgeoise. Les Rats sont thésauriseurs et mus par le désir du pouvoir. Le Verseau peut obliger le Rat à séjourner près d'un torrent d'eau pure, mais il ne peut pas le contraindre à boire. Ce désaccord fondamental accroît encore l'insécurité intérieure de notre natif. Il prend des décisions inconsidérées, devient maussade et distant. Les émotions ne sont pas son domaine préféré, alors, comment peut-il exprimer ses regrets et ses excuses? Comment peut-il s'adapter au train-train quotidien, avec ses exigences pressantes et inhumaines. Pourquoi la vie est-elle si ridiculement ennuyeuse?

Eh bien, comme ce marginal sera le premier à vous le dire, ces questions sont sans réponse. L'ennui, c'est que les gens ne sont jamais à la hauteur des nobles exigences du Verseau/Rat. L'échec des efforts collectifs le déçoit, et l'égoïsme de ses intimes le blesse. Et il arrive qu'il se surprenne lui-même en défaut. Alors, il est réellement désolé et désorienté. A quel moment s'est-il trompé?

Je donne souvent le conseil de « coller son derrière à sa chaise », et il est ici plus à propos que jamais. Les Verseau/Rats doivent apprendre à ralentir, à se diriger par l'intuition et non toujours par la pensée, à rester tranquilles suffisamment longtemps pour acquérir un peu de plomb dans la tête. Ils ne doivent pas faire joujou avec les stupéfiants ou les sectes bidon à moins de n'avoir une raison concrète et terre à terre. S'embarquer pour les espaces interplanétaires sans ceinture de sécurité peut être fort dangereux.

AMOUR

Comme le Verseau/Rat allie la fantaisie au charisme et la névrose à la nervosité, vous imaginez facilement la trouble complexité de ses émotions. Ce sujet sera à la fois séduisant et vulnérable. Sa séduction se voit. Sa vulnérabilité se cache.

Ses besoins sentimentaux seront le mieux satisfaits par un partenaire solide et respectable, qui les maintiendra fermement les pieds sur terre. Comme de juste, les bons bourgeois n'excitent guère cet enragé métaphysicien. C'est un dilemme.

Si vous aimez un Verseau/Rat, ne le mettez pas en cage, mais mettez-le à l'attache. Cela pourra paraître farfelu, mais je compare le Verseau/Rat aux volubilis, qui, pour s'épanouir, ont besoin de s'enraciner profondément dans la terre tout en ayant la tête exposée au plus brillant soleil. Voilà comme il faut traiter votre Verseau/Rat. Donnez-lui le sentiment qu'il est libre comme une Montgolfière, mais ne lâchez pas les amarres, et ne lui laissez pas faire de bêtises. Votre Verseau/Rat ne vous en aimera que mieux.

COMPATIBILITÉS

VERSEAU/RAT : Les Bœufs aiment votre compagnie. Votre rapacité et votre rapidité les inspirent. Choisissez-en un des Gémeaux, de la Balance ou du Sagittaire si vous voulez être certain d'être compatibles. Les mêmes signes vous envoient leurs Dragons sur un plat d'argent. Cette fois, c'est vous qui admirez. Les Singes du Bélier, de la Balance et du Sagittaire s'accordent à votre style de vie. Eux aussi vous apportent la joie — et de bons conseils en plus. Ne vous laissez pas détourner du droit chemin par un Taureau, Lion ou Scorpion/Cheval, et fuyez le Lion/Chat et le Scorpion/Coq.

FAMILLE ET FOYER

Bien qu'erratique lorsqu'il est lâché seul dans le monde, le Verseau/Rat n'exhibe pas cette excentricité chez lui. Dans l'intimité de sa demeure, le Verseau/Rat se crée un décor de bon goût, simple et d'un dépouillement qui rappelle son penchant pour la pensée orientale. Trop de richesse matérielle excite sa nervosité. S'il est voyant et tapageur, ce sera dans sa tenue vestimentaire. A la maison, tout sera toujours simple et élégant.

Ce sujet est un parent remarquable. Vous comprenez, les enfants le rattachent à la terre. Le parent du Verseau/Rat leur est reconnaissant de cette sécurité et à son tour remplit son rôle parental du mieux possible. Le Verseau/Rat participe beaucoup aux activités et aux émotions de ses enfants. Il discute tout avec eux dans les moindres détails, et leur donne une noble conception du monde bien avant qu'ils soient en âge de quitter le nid.

L'enfant du Verseau/Rat est, avant tout, intéressant. Il sera peut-être un tantinet casse-cou et sans aucun doute attiré par l'insolite. Je le répète, le rôle de ses intimes (et dans ce cas de ses parents) est de dégager les aspects terrestres de ce sujet. Il ne faudra jamais permettre que son attirance pour le surnaturel prenne le pas sur son attachement à la famille. Il faut solidement attacher à son .piquet cet enfant intelligent, mais ne jamais lui mettre d'entraves.

PROFESSION

Bien entendu, comme pour tous les Verseau/Rats qui se débattent au milieu des émotions de la vie, le travail c'est la santé. Si ce Rat quelque peu grognon et irrépressible est capable de consacrer toute son attention à une passion professionnelle, il pourra réaliser des projets d'une ingéniosité certaine. Le Verseau/Rat est si perceptif, si proche de la folie et de la pensée supranaturelle que s'il s'applique à des réalisations terrestres, il est imbattable. Mais attention à son côté bizarre. Ce sujet peut perdre les pédales en un clin d'œil si on lui lâche la bride sur le cou.

Le Verseau/Rat est plus créatif qu'autoritaire. Il ou elle essayera volontiers de diriger un bureau, un magasin, etc. Mais le résultat ne sera jamais spectaculaire — compétent, oui, fabuleux, non. Ces remarques demeurent vraies s'il est employé. La force de ce sujet réside dans son individualité et dans son approche personnelle de problèmes de format cinémascope au moins. Pointer au bureau ou à l'usine ne lui dira rien.

Carrières possibles pour les Verseau/Rats : politicien, artiste (de toutes les sortes), journaliste, génie, dessinateur.

Verseau/Rats célèbres : Wolfgang Amadeus Mozart, Jules Verne, Adlai Stevenson, Alan Alda, John Belushi, Louis Renault, Jean-Jacques Servan-Schreiber.

<table>
<tr><td colspan="2" align="center">**VERSEAU**</td><td colspan="2" align="center">**BŒUF**</td></tr>
</table>

VERSEAU		**BŒUF**	
Clairvoyant	Excentrique	Intègre	Entêté
Original	Détaché	Réalisateur	Étroit d'esprit
Altruiste	Neurasthénique	Stable	Lourd
Tolérant	Désobéissant	Innovateur	Conservateur
Indépendant	Indifférent	Diligent	Partial
Individualiste	Cruel	Éloquent	Vindicatif

Air, Saturne/Uranus, Fixe
« Je sais »

Eau négative, Yin
« Je persévère »

Tyran résolu et affectueux, le Verseau né dans une année du Bœuf passera sa vie à lutter et batailler contre son non-conformisme. Les Bœufs, comme vous le savez, pensent toujours qu'ils arriveront au bonheur en se retirant de la fiévreuse activité du monde. Les Bœufs veulent qu'on les laisse tranquilles, quelque part à la campagne. Le Verseau est plus affable, ouvert, flexible, moins ermite que le Bœuf. Leur mariage peut être cahoteux.

Le Bœuf est en désaccord fondamental avec sa nature instable de Verseau. Et le Verseau ? Eh bien, il s'en soucie comme d'une guigne. Le Verseau est un imaginatif invétéré dont l'esprit est aussi fantastiquement élastique que celui du Bœuf est rigide. L'imperturbable Verseau, qui ne se perd jamais dans les émotions triviales, se voit soudain confronté à son entêtement et à ses préjugés. Résultat ? Maussaderie. Mauvaise humeur. Colère réprimée. Amertume. Apathie feinte à propos de tout et de tout le monde. L'image finale est celle d'une personne furieusement productive qui semble s'en moquer totalement. Point n'est besoin de creuser beaucoup pour mettre à nu cette attitude qui semble dire : « C'est à prendre ou à laisser. » Ce sujet ne peut dissimuler son caractère belliqueux.

Ce qui empêche ce sujet de mariner trop longtemps dans ses

humeurs acides, c'est son sens de l'humour aiguisé comme un rasoir. Le Verseau/Bœuf est un conteur éblouissant, un interprète stupéfiant, un compagnon hilarant. Il a une excellente mémoire des détails et peut retenir votre attention pendant des heures en vous parlant de son cousin de Tours qui fait du monocycle. Des histoires ordinairement ennuyeuses deviennent dans sa bouche des joyaux des Mille et Une Nuits. Lorsque l'éloquence du Bœuf rencontre l'originalité d'esprit du Verseau, il parle comme Schéhérazade.

Le Bœuf maintient le Verseau fermement attaché à la terre, et c'est tant mieux pour lui. Les Bœufs de toutes persuasions ont une éthique du travail très stricte. Les Verseau ont la nostalgie de la liberté et déambulent toute la vie en rêvant l'impossible. Ce sujet n'arrêtera jamais de travailler avant de s'écrouler d'épuisement. Pour le Verseau/Bœuf, le travail, quelque ingrat ou routinier soit-il, représente le salut. Le travail empêche d'aller voler trop près du soleil.

Le Verseau/Bœuf ne se soucie nullement de l'approbation de la société. Il dédaigne les jugements portés par des gens que, de toute façon, il considère comme ses inférieurs. Ce sujet s'ouvre ses propres voies dans la vie par des méthodes lentes et sûres, faisant toujours fonctionner à fond l'esprit plein d'allant du Verseau, et ne lésinant jamais sur l'huile de coude. Bien entendu, la détermination brutale de ce sujet ne manque pas de provoquer des protestations. Mais, comme ses détracteurs ne sont presque jamais aussi laborieux et consciencieux que lui, ils doivent concéder la victoire au Verseau/Bœuf — bas les pattes tout le monde.

Malgré son penchant incroyable pour le travail, le Verseau/Bœuf vous surprendra par son côté farfelu. Le Verseau/Bœuf adore s'amuser. Il cuisine, décore et passe la nuit à tailler des arbres pour le plaisir des autres. Son côté autosacrificiel, bien qu'il ne le montre guère au-dehors, animera bien des soirées et remplira bien des cœurs d'allégresse. Le Verseau/Bœuf est doué d'une immense imagination pour les surprises et les cadeaux — imagination qui plus est généreuse.

AMOUR

Le Verseau/Bœuf a une vie privée difficile. Tout d'abord, étant Verseau, il a besoin d'être stimulé et s'ennuie facilement. Mais le Bœuf casanier relève bientôt la tête et dit : « Je veux m'établir. J'en ai assez de ta poursuite de la lucidité intellectuelle. Je veux un foyer. » Il a donc un foyer et peut-être même un enfant ou deux. Mais avant d'avoir eu le temps de faire « ouf », il n'a plus en tête que son éternel besoin de stimulation. Les hauts et les bas de sa vie amoureuse sont épiques. Et le Verseau/Bœuf n'en semble pas affecté outre mesure. Il peut se passer d'une vie sexuelle très active, et noie ses chagrins et ses regrets dans le travail.

Si vous êtes attiré par un de ces extraordinaires individus, vous devrez réaliser avant tout que, même si vous comptez beaucoup pour lui ou elle, vous ne compterez jamais autant que ses enfants ou son travail. Ce sujet est adonné à l'amour de sa famille et de son métier comme à une drogue. Le sexe et l'affection, la tendresse et la romance n'ont qu'une importance secondaire pour son bonheur. Il ou elle aura des liaisons et fera bien l'amour. Mais ces sujets ne sont pas sentimentaux. Ils détestent les billets doux et les roucoulements sirupeux et n'ont pas le temps de vous envoyer une carte à la Saint-Valentin.

COMPATIBILITÉS

VERSEAU/BŒUF : Vous êtes fou des Serpents. Leur style même vous rend malade de désir. Choisissez de préférence un Bélier, Gémeaux, Balance ou Sagittaire/Serpent. Ce sont eux qui ont le plus de chances de vous être fidèles. Les Gémeaux, Balance et Sagittaire/Coqs vous attirent également, par leur comportement franc et ouvert. Les Taureaux, Lion et Scorpion/Dragons mettent trop votre patience à l'épreuve. Les Taureau et Lion/Tigres ne vous disent rien. Les Lion et Scorpion/Chèvres ne valent rien pour vous. Et ne vous liez pas avec un Scorpion/Singe ou un Taureau/Cheval.

FAMILLE ET FOYER

La demeure du Verseau/Bœuf est très confortablement installée. Comme ces natifs sont traditionnalistes et aiment les arts, ils posséderont des objets de qualité dont ils prendront grand soin. Ils n'aiment pas l'épate, leur décor sera donc sobre mais accueillant. Ils auront peut-être cousu des louis d'or dans le velours vert du fauteuil, alors attention aux bosses que vous sentez sous vos fesses. Les Verseau/Bœufs sont avisés en matière d'argent, et savent conserver ce qu'ils gagnent. Il y a un monde entre gagner et dépenser. Leur devise en matière de finances : « Ce que tu as, garde-le. »

Les Verseau/Bœufs font des parents fabuleux. Ils savent permetre à leurs enfants de donner libre cours à leur fantaisie et à leur imagination, et pourtant, ils ont toujours les enfants les plus gentils et les mieux élevés du monde. Avant tout, les Verseau/Bœufs adorent la compagnie des petits. Et ceux-ci le leur rendent bien. Ces sujets savent instruire aussi bien qu'enchanter. Ils gâtent leurs rejetons mais les font obéir. Les Verseau/Bœufs ont un doigté proprement miraculeux pour manier les petits. Ce sujet aimant, attentif et tendre, qui est un parent inné, souffrirait beaucoup de ne pas avoir d'enfants.

L'enfant du Verseau/Bœuf semblera rêveur et idéaliste. Bien entendu, il ou elle sera loquace, mais seulement pour raconter une histoire. Sinon, cet enfant ne sera pas terriblement communicatif. Ce gamin a besoin d'une grande sécurité. Il supporte mal les brusques changements de personnel à la maison. Il adorera le spectacle et aimera qu'on l'emmène au théâtre. N'essayez pas de le forcer à s'intégrer à un groupe. Ces sujets ne fonctionnent pas bien à l'intérieur d'une hiérarchie.

PROFESSION

Les Verseau/Bœufs sont très manuels. Ils peuvent réparer n'importe quoi, construire n'importe quoi, et ils sont inventifs en prime. Comme ce sujet est également pratique, il est peu de tâches qu'il ou elle ne puisse entreprendre et réussir. Le Verseau/Bœuf est méticuleux et consciencieux. Il ou elle sera attiré par les hauts salaires et capable d'adhérer à une routine. Ces sujets ont aussi une conscience sociale. Ils finissent souvent pas travailler à l'amélioration de l'humanité dans des organisations ou des fondations internationales.

Le patron du Verseau/Bœuf n'acceptera pas d'être contredit. Vous travaillez pour lui. C'est lui qui décide. Vous êtes payé, et vous êtes prié de garder vos commentaires pour vous. S'il vous aime, vous avez un ami (et un banquier) pour la vie. Mais s'il ne vous aime pas, faites votre valise. Vous n'arriverez jamais à percer le rideau de fer de son mépris. Employé, ce sujet s'acquittera de ses devoirs avec une compétence et une persévérance exceptionnelles. Il sera lent. Et il se souciera comme d'une guigne de ce que vous pensez. Mais le travail sera fait — et mieux que si vous l'aviez fait vous-même. Si vous avez engagé un de ces sujets, laissez-lui les coudées franches dans son travail. Vous ne pouvez pas lui dire comment s'y prendre. Il sait toujours tout mieux que personne.

Carrières convenant aux Verseau/Bœufs : fermier, constructeur naval, menuisier, kinésithérapeute, réparateur de télévision, professeur, conseiller, activiste, puéricultrice.

Verseau/Bœufs célèbres : Charles Lindbergh, Jack Lemmon, Vanessa Redgrave.

VERSEAU	

Clairvoyant	Excentrique
Original	Détaché
Altruiste	Neurasthénique
Tolérant	Désobéissant
Indépendant	Indifférent
Individualiste	Cruel

Air, Saturne/Uranus, Fixe
« Je sais »

TIGRE	
Fervent	Impétueux
Courageux	Emporté
Magnétique	Désobéissant
Veinard	Conquérant
Bienveillant	Immodéré
Autoritaire	Itinérant

Bois positif, Yang
« Je surveille »

Ce Tigre, à la personnalité lucide et mouvante, est plus spéculatif que ceux que nous connaissons déjà. Le Tigre fait prendre la gelée mentale flottante qui caractérise le Verseau. Cette combinaison de signe donne au monde beaucoup d'innovateurs. Les Verseau/Tigres sont fous de méthodes modernes. Ils inventent sans cesse de nouvelles façon d'exécuter d'anciennes tâches. Ils s'occupent de tout ce qui est dernier cri, que ce soit le dernier ordinateur programmé pour dresser les chiens ou d'obscures techniques de relaxation mises au point par les astronautes dans leur combinaison antigravité.

Les Verseau/Tigres aiment rester jeunes. C'est pourquoi il est rare qu'ils se marient et fondent une famille dans leur jeunesse. Non que le Verseau/Tigre soit particulièrement coureur de jupons, mais ses aventures sexuelles sont éclectiques. Il est erratique et aime le changement pour le changement. Comptez sur lui pour changer de domicile chaque fois qu'il lui en prend envie. Emmenez-le en vacances dans les Alpes, et il sera peut-être parti quand vous vous réveillerez le lendemain. Les Verseau/Tigres détestent se sentir gênés aux entournures — même pour leur plaisir ! La spontanéité est leur jouet favori.

Ce sujet est impétueux. Il ou elle gaspille beaucoup trop d'énergie à se ruer de-ci, de-là, dans trop de directions à la fois. Et les résultats le déçoivent souvent. Il est épuisé. Et où est le butin ? Qui s'est attribué la réussite ? Ce sujet doit apprendre à ralentir et à considérer les alternatives à la course éperdue. Il devrait moins courir et réfléchir davantage. Sinon, il passera le plus clair de sa vie dans un état de trépidation désordonnée.

Comme les Verseau/Tigres ne sont pas terriblement équilibrés, ils se laissent parfois influencer par des marginaux excentriques. Ils peuvent adhérer à des sectes extravagantes, ou s'engager dans des activités peu recommandables rien que pour le plaisir. Il faut absolument que ces natifs cultivent des amis plus sages qu'eux, qui les guideront et sauront tirer le meilleur parti de leur génie. Naturellement, le Verseau/Tigre se rebelle parfois contre la sagesse et la mesure. Ça le démange de faire quelque chose de totalement différent, de sortir des sentiers battus pour sauter sur le trottoir roulant de l'excitation, et fomenter une rafle générale sur la matière grise. Rester normal et agir sensément, telle est la croix que ce sujet doit apprendre à porter avec dignité. Sinon, il ou elle ne pourra rien produire d'utile au monde tel qu'il existe. La marginalité ne paie pas.

Au milieu de tout ce tumulte, le Verseau/Tigre parvient à conserver des idéaux élevés. Il ou elle croit, non *sait* ce qui est bon et bien pour ceux qu'il aime. Ce Tigre aspire à aider sa famille et à réconforter ses amis. Mais souvent, il n'en a pas les moyens pratiques. Les Verseau/Tigres ne sont pas égoïstes à proprement parler. Ils ont souvent des projets complexes qu'ils exécutent avec efficacité. Mais lesdits projets leur prennent tout leur temps, et comme il faut bien que quelque chose ou quelqu'un cède, ce sont la famille et les amis qui pâtissent. Il y a un certain génie chez le Verseau/Tigre, mais qu'il faut soigner et dorloter. Le Verseau/Tigre est son meilleur agent de publicité. Vous n'êtes pas sûr que le Verseau/Tigre dont vous venez de faire la connaissance est un être merveilleux ? Posez-lui la question. Il se fera un plaisir de vous éclairer.

AMOUR

Pas de passions durables pour ce sujet. Vous le verrez peut-être s'enflammer pour une personne pendant quelques mois ou même quelques années. Tant que les rapports amoureux gardent tant soit peu le caractère de la lune de miel, les Verseau/Tigres s'enchantent de la romance. Mais ne leur demandez pas de se mettre la corde au cou. Ne faites jamais allusion au mariage. Evitez les vitrines de bijoutiers et prenez les petites rues pour ne pas passer devant mairies, églises ou temples. Il ou elle se marie rarement, mais si cela se produit, cela ne dure généralement pas plus de trois semaines.

Si vous aimez une de ces éblouissantes créatures, n'espérez pas des rapports éternels. Les Verseau/Tigres sont très indépendants. Ils barbotent de mare en mare, juste pour tâter la température de l'eau. Votre cœur sera vite brisé si vous mettez l'espoir à la place de la raison. Soyez bon public et ne leur demandez jamais de faire une fin. On ne peut les emprisonner.

COMPATIBILITÉS

VERSEAU/TIGRE : Vous êtes toujours d'accord avec les Chiens. Il existe entre vous complicité et sympathie mutuelles. Essayez de choisir votre Chien parmi les natifs du Bélier, des Gémeaux, de la Balance ou du Sagittaire. Le Cheval, lui aussi, vous comprend. Il ne vous sera peut-être pas aussi fidèle qu'un Chien, mais vous donnera de meilleurs conseils. Essayez un Cheval natif des Gémeaux, de la Balance ou du Sagittaire. Fuyez les Taureau et Lion/Chats, les Vierge et les Scorpion/Bœufs, les Taureau et les Scorpion/Chèvres — et partez en courant quand vous voyez un Taureau/Serpent. Vos intuitions se heurtent avec des résultats désastreux.

FAMILLE ET FOYER

Le Verseau/Tigre aura une demeure. Ce n'est pas parce qu'il aime le mouvement pour le mouvement qu'il n'a pas envie d'avoir un endroit à lui. Le décor sera simple et assez confortable, mais dépourvu de tout raffinement étudié. Vous verrez peut-être un coffre médiéval espagnol, ouvert pour vous laisser admirer la dernière platine à laser. Ou une cuisine ultra-moderne où des robots feront la cuisine pendant que notre Verseau/Tigre lira du Hegel assis dans sa dernière trouvaille : le fauteuil avec bar encastré. Quant aux vêtements, je dirais : sobres et classiques, à l'occasion, une touche de fantaisie.

Le parent du Verseau/Tigre n'est pas d'une patience d'ange pour le tapage des enfants. Ce sujet, s'il a jamais des enfants, les traitera en égaux. Il leur demandera de s'élever à son niveau, et ne descendra pas au leur. Pas de blabla et de guili-guili bêtifiants pour ces sujets. Ils respectent leurs enfants comme des adultes. Malheureusement, tous les petits n'apprécient pas d'être traités en adultes dès l'âge de trois ans.

L'enfant du Verseau/Tigre est impressionnant. Il ou elle aura un comportement bien défini. Aucun besoin de subterfuges quand on sait ce qu'on veut. Cet enfant s'intéresse à tout ce qui est nouveau. L'électronique et la science, la littérature moderne et toutes les nouvelles façons de faire de la bicyclette le captiveront. Quelle que soit l'éducation que vous lui donniez, essayez de lui faire comprendre la valeur de la sagesse et la sagesse de prendre conseil de gens plus expérimentés. Il ou elle essaiera toujours de s'opposer au système, avec des résultats et récompenses parfois fort intéressants.

PROFESSION

Inventif à l'extrême et doué d'un certain génie pour voir à travers les murs, le Verseau/Tigre réussira bien dans des emplois exigeant un point de vue différent sur de vieilles méthodes. Quoi qu'il entreprenne, il apportera à son travail le sens de l'innovation et des idées d'une audace exagérée. Une fois que ses folles inventions seront retouchées pour les rendre propres à la consommation et à la réalisation, elles pourront se révéler extraordinaires. Donnez à ce sujet un bureau ou un laboratoire bien à lui, et laissez-le expérimenter tout son saoul. L'argent? Connais pas.

Le patron du Verseau/Tigre sera excentrique, erratique, et désagréablement changeant. Il aime les applaudissements et réagira bien à la flatterie. Employé, ce sujet sera brillant pour trouver des idées. Mais de neuf heures à cinq heures? Je n'en suis pas sûre. Les Verseau/Tigres les plus heureux sont peut-être ceux qui travaillent en indépendants, appliquant à la création leur génie et leurs idées modernes.

Carrières convenant aux Verseau/Tigres : philosophe, écrivain, inventeur, coiffeur, dessinateur de mode, politicien, masseur, acupuncteur, programmeur d'ordinateur.

Verseau/Tigres célèbres : André Citroën, Georges Simenon, William Burroughs, Germaine Greert, Judy Blume.

VERSEAU		CHAT	

Clairvoyant	Excentrique	Diplomate	Cachottier
Original	Détaché	Raffiné	Sensible à l'extrême
Altruiste	Neurasthénique	Vertueux	Pédant
Tolérant	Désobéissant	Prudent	Dilettante
Indépendant	Indifférent	Bien portant	Hypocondriaque
Individualiste	Cruel	Ambitieux	Tortueux
Air, Saturne/Uranus, Fixe « Je sais »		*Bois négatif, Yin* « Je me retire »	

Voilà l'intellectuel cent pour cent pur. Le Verseau/Chat accumule les connaissances rien que pour le plaisir. Il est curieux de tout et sans aucune discrimination, fait des études sur pratiquement toutes les personnes qu'il lui est donné de rencontrer. Aucune importance que le sujet soit ou non édifiant : le Verseau/Chat veut tout en connaître, jusqu'aux détails les plus sordides. Il est fasciné par la connaissance, les faits, l'information, le savoir, l'érudition — et l'expérience. Il ou elle passe sa vie à sauter de livre en livre, de musée en musée, de discipline en discipline. Savoir plus — voilà ce qui plaît aux Chats nés sous le signe du Verseau.

Ils ne sont pas particulièrement compétitifs dans leur quête de savoir. Le Verseau/Chat éprouve le besoin d'apprendre simplement pour le plaisir d'accumuler les faits. Toutefois, il ou elle a un côté suffisant qu'il ferait bien d'éliminer complètement. C'est très bien de savoir des tas de choses intéressantes, de citer des vers célèbres et même de réciter des scènes entières de Shakespeare. Mais l'érudition (et tout particulièrement celle des autres) peut être fameusement ennuyeuse. Le Verseau/Chat est enclin à la pédanterie. Quand il fait étalage de sa science jusqu'à la nausée, il peut devenir sérieusement irritant.

Mieux vaudrait appliquer ces connaissances à la vie pratique. L'usage concret de toute cette science devrait être son objectif. Mais c'est justement là que tout commence à se gâter. Ce sujet n'arrive pas à décider ce qu'il désire le plus dans la vie. Il est perpétuellement à la recherche de débouchés suffisamment vastes pour ses immenses banques d'informations. Le Verseau/Chat souffre d'une maladie que je baptiserai « l'embarras du choix ». Il peut faire pratiquement tout ce qu'il veut, de sorte qu'il ne sait jamais ce qu'il veut.

Ce sujet agit beaucoup sur intuitions. Il ou elle a une vision des autres très spécialisée et très subtile. Sa pénétration lui permet de repérer un défaut ou un besoin spécifique chez un autre. Ce don est peut-être le sous-produit de sa manie d'étudier toutes les personnes qu'il rencontre. Mais cela a quelque chose qui frise le surnaturel. Un Verseau/Chat vous dira : « Hé, tu ne m'avais pas dit que Jane et Frank divorçaient ! » Vous en restez bouche bée. C'était une information top-secret. « Comment le sais-tu ? » demandez-vous au Verseau/Chat qui attend en se léchant les moustaches. « Comme ça, j'ai deviné, c'est tout », répond-il avec le sourire du Chat de Cheshire.

Ce qui frappe chez les Verseau/Chats, c'est leur nature apparemment insouciante. Ces sujets semblent totalement dépourvus de regrets ou de complexes. Ils voyagent beaucoup et nouent des contacts avec une facilité déconcertante. Ils sont toujours en train de se faire de nouveaux amis et de chanter les louanges de Untel qui est parfaitement délicieux ou furieusement intéressant. Ils ont des amis à revendre. Mais en fait, ils sont assez conservateurs en profondeur, et se soucient de l'effet qu'ils font sur les autres. Le Verseau/Chat est d'esprit moins libre qu'il ne le croit.

Pour un Chat, le Verseau/Chat est aventureux. Il fait des choses dont un Chat normal ne voudrait pas entendre parler. Il adopte des hobbies bizarres, comme la pratique de la prestidigitation ou du flamenco. Il ne courtise pas le danger, non. Mais le mystère fascine facilement le Verseau/Chat. Si c'est insolite, il l'essaiera au moins une fois.

La qualité la plus frappante de ce sujet c'est son désir d'entreprendre des projets de grande envergure. Le Verseau/Chat ne s'imagine jamais dans un emploi subalterne et routinier, tuant le temps en attendant la retraite Non. Les Verseau/Chats se voient en grands expérimentateurs qui surmontent les obstacles. Le Verseau/Chat est né pour s'élever au-dessus du troupeau. Il ne se donne même pas la peine de détester la médiocrité. Il ne sait pas ce que c'est. Il ne voit que les grands panoramas cosmiques, et laisse toutes les petites tracasseries de la vie à ceux qui ont des aspirations moins nobles.

AMOUR

Le Verseau/Chat voudra vivre en couple, dans le mariage et avec des enfants. Il recherchera sans doute un partenaire calme et raisonnable qui comprendra son besoin d'attention et de confort. Ces sujets fuient la dureté chez leur partenaire car ils n'aiment pas les conflits et les évitent à tout prix. Le Verseau/Chat est en quête d'un égal intellectuel qui saura s'amuser — une personne agréable et ouverte qui rira de ses plaisanteries.

Si vous avez choisi d'aimer un Verseau/Chat, tous mes vœux vous accompagnent. Ce sujet ne sera jamais ennuyeux. Parfois, vous aurez envie de tourner le bouton pour arrêter le flot incessant d'informations qui s'échappe de sa bouche. Mais dans l'ensemble, ce sujet est stable et ô combien respectable. Les Verseau/Chats sont également de caractère assez égal et pratiquement jamais névrosés.

COMPATIBILITÉS

VERSEAU/CHAT : C'est avec des partenaires du Bélier, Gémeaux, Balance ou Sagittaire/Cochon que vous serez le plus heureux. Le Bélier, Gémeaux, Balance et Sagittaire vous offrent aussi leurs Chèvres pour votre plaisir. Comptez aussi sur les Balance/Chiens. Les Taureau, Lion et Scorpion/Rats ne sont pas branchés sur votre longueur d'ondes. Les Taureau et Lion/Coqs ne vous remarquent jamais, ni vous eux. Et le Scorpion/Cheval poursuit son voyage, auquel vous ne participez pas.

FAMILLE ET FOYER

Pour ce sujet, le foyer est un endroit où lire confortablement et abriter intelligemment sa famille. Pratiquement tout est classique dans l'apparence extérieure du Verseau/Chat. Son décor sera raisonnable et raffiné, mais pas chargé ou tape-à-l'œil. Le Verseau/Chat est un signe de terre. Ce sujet aimera une ambiance douillette et propice à la conversation. Le Verseau né dans une année du Chat est un tantinet snob. Cherchez ses draps de chez Yves Saint-Laurent.

Le parent du Verseau/Chat est légèrement excentrique en ce sens qu'il voudra commencer l'instruction de ses enfants un peu trop tôt. Comme leur but est d'apprendre toujours davantage, ces natifs trouvent que les enfants, eux aussi, devraient tirer profit d'innombrables connaissances. Dans ce but, ils passent beaucoup de temps avec leurs petits, peinant sur des abécédaires et guidant pour écrire leurs petites mains potelées. Quant à la tendresse, le Verseau/Chat est un poil distant avec les enfants. Genre dans les nuages.

Le Chat né sous le signe du Verseau ne donne aucune peine à ses parents pourvu qu'il soit occupé vingt-quatre heures sur vingt-quatre. C'est un enfant brillant. Il faudra fournir d'amples nourritures à son esprit qui engouffre le savoir comme un aspirateur. Votre choix sera vaste. Il voudra peut-être apprendre le vaudou ou les hiéroglyphes. Préparez-vous à payer toutes les leçons particulières, je vous prie. Et surveillez son régime. Cet enfant aura tendance à grignoter en lisant tous ces bouquins.

PROFESSION

On ne peut attendre de ce sujet qu'il travaille dans un garage et aime ça. Je peux pratiquement vous garantir que le choix du Verseau/Chat se portera sur un emploi requérant d'abord l'usage de sa cervelle, et ensuite de ses muscles. Non que le Verseau/Chat soit précieux ou qu'il dédaigne le travail physique. Mais la répétition inlassable du même geste émousse les censeurs très vivaces de son esprit actif. Il recherche le challenge. Et qui plus est, il désire de l'argent — à foison. Ces sujets sont assez regardants et ne prodiguent pas leurs richesses aux autres. Quel que soit leur emploi, ils penseront souvent à l'échanger pour un autre, encore plus important et complexe.

Le Verseau/Chat est une autorité naturelle, mais ne prend pas sa situation au sérieux. Il ou elle ne sera pas du genre dominateur. Après tout, quand on est tellement extraordinaire, on n'a rien à prouver. Je ne veux pas dire que les Verseau/Chats sont hautains. Mais ils ont le sens de leur supériorité. Ils ne seront pas autoritaires, mais domineront par le seul fait de leur présence. Ces sujets font d'excellents employés pour des empires ayant besoin de rois et de reines, pour des gouvernements recherchant des chanceliers, et pour des services secrets en quête d'espion de premier ordre.

Carrières convenant aux Verseau/Chats : chef d'Etat, Premier ministre, historien, psychanalyste, politicien, romancier, agent double, artiste interprète (vedette uniquement), prédicateur, magnat du pétrole, armateur, professeur (fortune personnelle).

Verseau/Chats célèbres : Stendhal, James Michener, Tom Brokaw, Juliette Gréco.

VERSEAU	DRAGON

Clairvoyant — Excentrique Original — Détaché Altruiste — Neurasthénique Tolérant — Désobéissant Indépendant — Indifférent Individualiste — Cruel	Puissant — Rigide Battant — Méfiant Hardi — Insatisfait Enthousiaste — Emballé Vaillant — Vantard Sentimental — Volubile
Air, Saturne/Uranus, Fixe « Je sais »	*Bois positif, Yang* « Je préside »

« Je sais » et « je préside » traversaient le pont. L'un d'eux tomba dans la rivière. Lequel resta ? C'est exactement ça ! De quelque côté qu'on considère ce sujet, il sait ou il préside. Vous comprenez, le Verseau/Dragon prend toujours les choses en main. Rien ne peut l'arrêter, car il sait et il préside mieux que personne. Il a un allant soutenu. Quoi qu'il entreprenne, il le fera avec style et panache. Les Verseau/Dragons sont du genre « je-sais-tout », mais ne tiennent pas trop à le faire savoir. Ils sont centrés sur la famille et respectent les conventions sociales.

Ce sujet est à la fois entêté et inébranlable. Une fois qu'il a déclaré quelque chose, impossible de le faire changer d'avis. Les Verseau/Dragons s'entourent d'une aura de sévérité. Ils sont extrêmement diplomates, et s'abaisseront à n'importe quoi pour conquérir leur proie.

Les Verseau/Dragons veulent que les choses marchent à leur guise. Ils détestent la concurrence. Ils sont capables de bluffs gigantesques pour arriver à dominer les autres. Quand le Verseau/Dragon cherche des partisans, il fait feu de tout bois : poésie, humour, logique, charisme, bruit, faveurs, argent et ainsi de suite. Bien entendu, ce que j'appelle bluff peut être en réalité charme ou diplomatie, mais quel que soit le mot, ce sujet en utilise plusieurs tonnes par jour. Il met le paquet. Il est poli et s'exprime bien. Il est convenable et bien élevé. Franchement, je trouve qu'il en fait un peu trop. Mais on ne peut nier sa réussite éclatante.

Ce sujet est un organisateur. Il a l'esprit acéré et va droit au cœur du problème. D'autres Dragons plus impétueux manquent leur cible par trop de présomption. Le Dragon né sous le signe du Verseau n'a pas ce problème. Il garde la tête froide. Son air protecteur et son sincère désir de plaire attirent.

Avec tous ces glorieux avantages, le Verseau/Dragon est un inquiet. Extérieurement sociable, ce sujet se ronge intérieurement. L'avenir lui inspire quelque inquiétude. Il n'aime pas perdre le contrôle de la situation. En conséquence, tout ce qu'il n'a pas bien en main, parce qu'encore informe ou incertain, trouble ce sujet méfiant. Il peut même devenir hypernerveux ou névrosé si les événements échappent à sa sphère d'influence.

Cette appréhension lancinante peut avoir son utilité dans sa vie matérielle. Elle maintient le Verseau/Dragon en alerte. Mais dans le domaine du sentiment, cette impression de perte imminente panique notre héros et menace d'aller jusqu'à l'hystérie. Lorsque ses sentiments sont en jeu, le Verseau/Dragon perd son sang-froid en une fraction de seconde. Il est furieusement sentimental, et pas toujours sûr de sa place dans le cœur de la personne aimée. Son calme apparent lui sert à dissimuler la crainte irrationnelle de la solitude possible qui hante l'enfer intime du Verseau/Dragon. Il est incapable d'être seul.

Le Verseau/Dragon n'est jamais intentionnellement mesquin ou méchant. Son grand plaisir, c'est de servir de centre de contrôle. Il veut être mère, patron, chef, propriétaire, impresario, manager et ainsi de suite. Son but est de protéger et servir. Il ou elle veut voir les choses grandir, progresser, ou s'épanouir les éléments sur lesquels il exerce ce fameux contrôle. Comme le Dragon né sous le signe du Verseau n'est pas particulièrement créatif, son objectif en amour, en amitié et même dans le travail, c'est de faire progresser la situation. Ça lui est égal de diriger de la coulisse.

AMOUR

En amour, le Verseau/Dragon est impitoyable dans son désir de dominer. Il veut conquérir et conserver éternellement la personne aimée. Bien sûr, ce désir de domination sentimentale n'a rien de méchant ou mauvais. Le Verseau/Dragon veut aider celui ou celle qu'il aime. Le plaisir rendu rehausse l'image qu'il se fait de lui-même. Plus la personne aimée sera heureuse, plus le Verseau/Dragon sera content. Tendance potentielle à la jalousie aveugle.

Si vous deviez vous retrouver dans les serres de ce charmeur serviable de Verseau/Dragon, je vous conseille de ne jamais mentionner le nom d'un autre amant ou maîtresse possible en présence de cette âme fragile et incendiaire. La peur de vous perdre le torture d'angoisse. Ne jouez pas avec les cordes délicates de son cœur. N'oubliez pas que les Verseaux ne savent que penser. Ils ignorent comment s'y prendre avec les sentiments. De plus, le Verseau/Dragon recherchant quelqu'un de plus excentrique que lui, vous aurez toute latitude pour vous écarter des sentiers battus dans le domaine des idées, mais pas de déviations amoureuses.

COMPATIBILITÉS

VERSEAU/DRAGON : Vous avez plaisir à être en la compagnie des Bélier et Gémeaux/Tigres, et des Balance et Sagittaire/Rats. Les Gémeaux, Balance et Sagittaire/Singes vous fascinent et vous tiennent en alerte. Vous serez peut-être aussi attiré par un Bélier/Coq. Le quotient de réciprocité est assez bas, mais le jeu en vaut la chandelle. Les Taureau, Lion et Scorpion/Chiens ne sont pas de vos amis. Et les Taureau/Singes trouvent que vous êtes un trop grand challenge.

FAMILLE ET FOYER

La demeure du Verseau/Dragon tendra à favoriser le pratique aux dépens de l'esthétique. Bien que ce sujet soit sensible à la beauté et réagisse positivement à la création artistique, son décor ne sera pas nécessairement inspiré par la recherche de la beauté. Ce sujet est pratique. Les fours marcheront bien et les éviers seront vastes.

Comme ce sujet se sent très responsable de sa famille, il ne se contentera sans doute pas d'assister parents et fratrie, mais voudra aussi avoir des enfants à lui. Ces natifs sont des parents fiables, qui ont même un petit côté Pygmalion. N'étant pas créatifs eux-mêmes, ils souhaitent modeler les êtres humains comme s'ils étaient des poupées. Ils s'occupent parfaitement de leurs petits, s'inquiètent, s'agitent, cuisinent, cousent, travaillent, réconfortent, protègent, enseignent — et le reste ! Et tout cela, sans lésiner !

Les petits Verseau/Dragons sont passablement nerveux. Ils se soucient de leur avenir et s'inquiètent de la santé ou du bonheur de leurs parents. Ils se sentent personnellement responsables de beaucoup de choses qui arrivent dans la famille, et il faut les raisonner pour qu'ils n'en assument pas la responsabilité. Ils travaillent bien à l'école et sont très attachés à la solidité de la cellule familiale. Jeunes adultes, ils quittent souvent un temps la maison pour mettre à l'épreuve leurs secrets iconoclastes. Mais, chez le lucide Verseau/Dragon, la rébellion ne va jamais loin. Les parents ayant des enfants du Verseau/Dragon devraient y regarder à deux fois avant de divorcer. Les séparations sont dures pour les nerfs de cette âme aimante.

PROFESSION

Doué pour organiser n'importe quoi, que ce soit un bureau ou son travail personnel, le Verseau né dans une année du Dragon réussira bien dans pratiquement tous les emplois requérant équanimité et qualités de chef. Ce sujet manie l'argent avec intelligence et modération et sait accroître ses revenus par ses investissements. Généralement, c'est un étudiant sérieux, et il se lancera dans la vie assez jeune.

Le Verseau/Dragon est un patron-né. Les gens aiment et respectent ses opinions. N'oubliez pas qu'il est très diplomate. Il est péripatétique par nature, et peut travailler à son aise à différents échelons de la hiérarchie. Le Verseau/Dragon est destiné aux emplois de longue durée et aux engagements personnels. Il ne sera pas tenté de changer de carrière sur un coup de tête. Trouver un emploi ne pose aucun problème à ce sujet très recherché. Pour monter dans l'échelle hiérarchique, il acceptera de faire n'importe quoi — balayeur, dactylo, liftier... mais il ne restera pas longtemps dans un poste subalterne car on reconnaîtra très tôt ses talents supérieurs de cadre. Ces sujets ont souvent des promotions tous les deux ou trois ans.

Carrières convenant aux Verseau/Dragons : ménagère, agent de change, banquier, vice-président en charge des investissements, directeur de compagnie, directeur du personnel, administrateur hospitalier, libraire, écrivain.

Verseau/Dragons célèbres : S. J. Perleman, Ayn Rand, Roger Vadim, Roger Mudd, Neil Diamond, Placido Domingo, Stéphanie de Monaco, Smokey Robinson, Marcel Dassault, Françoise Dorin, Michel Galabru, Jeanne Moreau, Michel Serrault, Pierre Tchernia.

VERSEAU		SERPENT	

Clairvoyant	Excentrique	Intuitif	Dissimulateur
Original	Détaché	Séducteur	Dépensier
Altruiste	Neurasthénique	Discret	Paresseux
Tolérant	Désobéissant	Sensé	Cupide
Indépendant	Indifférent	Clairvoyant	Présomptueux
Individualiste	Cruel	Compatissant	Exclusif
Air, Saturne/Uranus, Fixe		*Feu négatif, Yang*	
« Je sais »		« Je sens »	

Ce sujet est un rayon de soleil et a la chance de posséder une pensée claire et une intuition d'une rare finesse. Cette personne tonique a les pieds fermement plantés sur terre et s'arrange pour toujours sourire. C'est un optimiste-né qui s'acharne à préserver cette image. Le Verseau/Serpent ne se soucie pas de désirer ce qu'il sait ne pouvoir obtenir. Mais il poursuit avec une grande avidité ceux de ses souhaits qu'il sait pouvoir réaliser. Autrement dit, le Serpent né sous le signe du Verseau est d'une lucidité stupéfiante. Il ou elle cherchera à séduire ou à conquérir les autres par pur plaisir. Mais avant d'essayer d'attirer ou de séduire, d'enchanter ou de charmer, il saura toujours à l'avance exactement quelles sont ses chances. Les Serpents nés sous le signe du Verseau ne jouent jamais perdant.

Bien sûr, cette assurance intérieure fait partie de son charme. Sa vie pleine d'événements d'une variété époustouflante n'est jamais dépourvue d'un certain baroque. Il essaye tout ce qui est nouveau, il saute de place en place comme le Père Noël apportant joie et bonté dans toutes les vies qu'il touche. Il n'est pas très généreux sur le plan matériel, et pas très intéressé par les biens tangibles. Le Verseau/Serpent ne se soucie pas du concret. En fait, il préfère ne rien posséder pour ne pas avoir un fil à la patte. La vie intérieure riche et sensuelle de ce sujet extrêmement charismatique se déroule sans interférences du dehors. Ses aventures et ses rêves, ses voyages et ses projets, se déroulent à l'intérieur de sa tête. Le Verseau/Serpent est le Walter Mitty du double zodiaque. Si quelqu'un la réprimande parce qu'elle est en retard et paresseuse, oublie les rendez-vous et mélange les faits, la native du Verseau/Serpent s'évade dans un voyage mental. Elle s'éloigne sur un nuage. Tandis que le réprimandeur continue à déblatérer, la native du Verseau/Serpent se dore au soleil imaginaire d'une île déserte — toute seule, sans la moindre compagnie ou interférence. Pour le Verseau/Serpent, le réel, c'est ce qu'il dit être réel. Le reste est littérature.

Ces sujets intelligents sont capables de travailler avec acharnement à des tâches difficiles et complexes. Ils peuvent réussir des expériences décisives et être créateurs dans le domaine artistique. Le Verseau/Serpent a l'imagination fertile et le sens infaillible de ce qu'il faut dire ou faire à un moment donné (non socialement, mais humainement).

Le Verseau/Serpent est le plus gentil de tous les Serpents. Il ou elle sera charitable et s'apitoiera sur les peines et les souffrances des autres. Il s'agit moins d'empathie que de sympathie et de la volonté d'aider dans le domaine pratique. Ils sont aimants et affectueux, généreux de leur temps et sincèrement bons. Non seulement ils recueillent chiens et enfants perdus, mais ils les soignent et les nourrissent aussi longtemps qu'il le faut. De plus, le lucide Verseau/Serpent sait se détacher de bonne grâce. Quand il a guéri l'aile cassée de l'oiseau et qu'il peut de nouveau voler, le Verseau/Serpent l'emmène dehors et le relâche. Il ne désire aucune récompense. Ni aucun remerciement, à part le plaisir qu'il tire d'un acte charitable. Ce Serpent ne recherche pas la gloire, les applaudissements, ou les citations pour héroïsme.

Le Verseau/Serpent est excentrique et légèrement choquant. Il ou elle aura une tendance certaine à l'irresponsabilité et devra sans cesse lutter contre sa paresse. N'oublions pas que tous les Serpents sont menteurs. Celui-ci ne mentira peut-être que dans l'intérêt des autres, mais les mensonges lui viendront facilement. Les mensonges, et la tentation de truander. Non qu'aucun grand criminel soit natif de ce signe. Mais la tentation de la marginalité est très forte.

AMOUR

Le Verseau/Serpent sait contrôler ses émotions par la raison froide et logique. Il est d'abord cérébral, ensuite intuitif, et enfin seulement il se permet de sentir. Le sentiment ne lui est pas d'importance capitale et ne prendra pas le pas sur sa raison. De plus, avec sa vie qui ressemble à une mosaïque, ce sujet ne peut s'empêcher de toujours courtiser plus d'une personne à la fois. Il ou elle sera assez volage, mais jaloux de son partenaire.

Si vous deviez aimer un Verseau/Serpent, permettez-moi de vous donner quelques conseils. Ne l'attachez jamais. Ne lui demandez pas de vous rendre compte du temps passé loin de vous. Ne lui donnez aucune information sur votre vie privée. Enveloppez-vous de secret et de mystère. Le Verseau/Serpent adore les énigmes. Maintenez-le dans l'incertitude, et il rampera derrière vous éternellement. Ne le faites jamais atterrir. C'est fatal. Il filerait comme une anguille et vous ne le reverriez jamais.

COMPATIBILITÉS

VERSEAU/SERPENT : Les Gémeaux, Balance et Sagittaire/Bœufs font pour vous les partenaires les plus sûrs. Sagesse et sang-froid figurant parmi vos plus hautes priorités, vous vous entendez bien avec le Bœuf. Les Bélier, Balance et Sagittaire/Coqs vous rendent un peu nerveux et inquiets. Mais ils sont amusants et vous aimez bien rire avec eux. Le Bélier/Chat peut être stimulant pour votre côté cultivé. Vous ne ferez pas long feu avec les Taureau, Lion ou Scorpion/Cochons. Ils jouent le même jeu que vous. Ennui. Les Taureau/Tigres et les Lion/Singes vous amusent, mais vous préférez la contemplation des étoiles aux activités terre à terre, et vous finirez par vous heurter.

FAMILLE ET FOYER

Le Verseau/Serpent ne se soucie guère de son intérieur. Il le veut fonctionnel et attrayant, mais il ne veut pas avoir à s'en occuper ou à s'inquiéter des cambriolages. C'est une nature cérébrale, pas une nature matérialiste. En revanche, ce sujet désire que les personnes qu'il aime et protège vivent confortablement. Il se mettra en quatre pour loger convenablement les siens, leur installera une baignoire dans leur chambre si ça les amuse, démolira des murs pour faire de la place pour une autre personne. Le Verseau/Serpent s'habille sexy et a un goût tape-à-l'œil.

La famille est tout pour ce sujet humain et autosacrificiel. Il s'occupera de ses vieux parents et visitera les maisons de retraite. Il emmènera ses enfants à la patinoire, au tennis, au cirque et en tout autre lieu intéressant imaginable, et attendra patiemment qu'ils aient fini de jouer. Ces natifs sont exagérément infatués de leurs enfants, mais parviennent à les faire obéir. Quel rêve merveilleux si toute leur famille était heureuse et en bonne santé! Les Verseau/Serpents feraient n'importe quoi pour que leurs rêves se réalisent.

L'enfant du Verseau/Serpent est proche de la perfection. L'unité de la famille est pour lui d'une importance capitale. Il sera joyeux, optimiste et mignon. Il faudrait développer et favoriser ses dons pour la philosophie et la métaphysique. Cet enfant a besoin d'une instruction solide et d'une vie familiale stable — sinon, il ou elle finira peut-être sur son île déserte fictive. Ces petits sont hyperimaginatifs et ont besoin d'amour et de réconfort. Sans cela, ils pourraient se laisser attirer par une vie de petite délinquance et de vice. Le caractère qui leur manque, il faut le leur imposer tendrement de l'extérieur, au moyen d'un code de comportement exigé par la famille et la vie à la maison.

PROFESSION

Généralement, les Verseau/Serpents sont brillants dans les domaines de l'imagination et de la philosophie. Ils sont aventureux et raisonnables. Ils se sentent libres à l'intérieur d'une structure. Comme ils sont curieux de tout et de plus à la fois artistes et manuels, il est peu de voies créatrices qui leur soient fermées.

Pour que le Verseau/Serpent accepte d'être patron d'une entreprise, petite ou grande, il faudrait user de persuasion. Ces sujets préfèrent agir dans la coulisse que sous le feu des projecteurs. Ils aiment manipuler les autres et jouer avec leurs émotions et leurs pensées, mais ils ne sont pas du tout autoritaires. Ils travailleront bien en groupe si nécessaire, mais ils ne révéleront que le moins possible de leur personnalité. Leur plus grande joie, c'est d'aider les autres. C'est seuls qu'ils travaillent le mieux, à leur propre rythme, tandis que leur imagination les emporte vers des pays tropicaux ignorés.

Carrières convenant aux Verseau/Serpents : assistante sociale, agent secret, avocat, diplomate, prédicateur, activiste politique, agent de voyage.

Verseau/Serpents célèbres : Abraham Lincoln, Charles Darwin, Chaim Potok, Carole King, Bertrand Poirot Delpech.

VERSEAU

Clairvoyant	Excentrique
Original	Détaché
Altruiste	Neurasthénique
Tolérant	Désobéissant
Indépendant	Indifférent
Individualiste	Cruel

Air, Saturne/Uranus, Fixe
« Je sais »

CHEVAL

Persuasif	Égoïste
Autonome	Indélicat
Branché	Rebelle
Elégant	Soupe au lait
Adroit	Anxieux
Talentueux	Pragmatique

Feu positif, Yang
« J'exige »

Pour ce Verseau énergique et éveillé, la liberté, c'est le mouvement et la variété. Le Cheval prête un côté rebelle au lucide Verseau et le pousse à aller de l'avant. Les Chevaux agissent avec précipitation et réussissent facilement. Le Verseau veut une vie originale. Leur mariage produit un être excentrique et fugace. Le Verseau/Cheval ne fait jamais longtemps escale.

Ce sujet a une grande habileté manuelle. Toute tâche exigeant des doigts déliés est dans ses cordes. Il sait aussi se servir des mots et saura souvent plusieurs langues. Comme une de ses priorités est de voyager et de faire des expériences, il a vite fait de repérer un phénomène hors du commun et se lance, tête la première, dans l'exotisme.

Ce sujet aspire à tout ce qui est artistique. Il voudrait que le monde soit plus beau et meilleur, et consacre beaucoup de temps et de réflexion à essayer de l'améliorer. Le Verseau/Cheval est un citoyen actif et responsable, qui sait travailler à l'avènement des choses auxquelles il croit.

Et il croit en des projets excentriques. Elle pourra désirer qu'un ruisseau babillant traverse sa chambre à coucher. Il voudra posséder un immense château en Bulgarie, avec quarante chambres d'amis, pour ses fêtes et réceptions. Ce Verseau/Cheval est un rêveur, et il mijote des plans d'une telle ampleur qu'ils prennent toute une vie à réaliser. Aucune importance. Il les réalisera à son rythme — et de préférence de ses propres mains. Ce vaillant sujet ne se laisse pas démonter par ses vastes projets. Tout ce qu'il demande, c'est un peu de coopération. Et, naturellement, de l'argent.

La source de ses revenus, c'est fréquemment... les revenus de quelqu'un d'autre. Non que le Verseau/Cheval soit dépendant — loin de là. Mais le Verseau né dans une année du Cheval ne comprend pas pourquoi on pourrait lui refuser les fonds destinés à une organisation charitable pour les ménestrels errants. De plus, le Verseau/Cheval est l'un des signes les plus persuasifs. Il écoute... mais surtout il s'écoute. Ce qu'il veut, il l'aura. Sinon? Eh bien, il n'y a pas de « sinon ».

Ce sujet est essentiellement freelance. Il trouve idiots salaire et bureau de neuf à cinq. Ce qu'il veut, c'est le gros lot ou l'affaire de sa vie. S'il ne peut pas faire fortune, il préfère crever de faim — ou flâner. Le Verseau/Cheval est un penseur libéral qui s'intéresse sincèrement aux faibles et aux pauvres. Mais souvent l'arbre lui cache la forêt, et il finit par oublier jusqu'à l'arbre. De toute façon, le Verseau/Cheval est « toutouriéniste ». Ou bien il est là, armé de tous les faits, en train de faire un discours attrayant sur sa dernière passion, ou bien il est parti admirer le coucher du soleil en Malaisie.

Le Cheval né sous le signe du Verseau est aussi légèrement loufoque. Ses extravagances sont légion. Et comme le Verseau/Cheval est réellement visionnaire, il pourra souffrir d'une trop grande clair-voyance qui, mal employée, peut le mener à la folie. Mais en général, le Verseau/Cheval tire le meilleur parti de ses tendances excentriques. Le côté farfelu du Verseau donne de la légèreté à la nature trop pragmatique du Cheval. De son côté, le Cheval rend plus sociable le Verseau réservé et l'aide à atterrir sans danger après ses fréquents séjours dans les nuages.

Ce sujet mettra une touche de magie dans la vie de son entourage. Un Verseau/Cheval sait généralement rire de lui-même, et peut amuser soit intentionnellement, soit parce qu'il est incorrigiblement stupéfiant. Ce qu'on voit du Verseau/Cheval, ce n'est que le dixième de ce que renferme cette nature dense et fantaisiste.

AMOUR

En amour, le Verseau/Cheval croit fermement qu'il a toujours raison. Quand il aime, il trouve toujours suffisant ce que reçoit de lui la personne aimée. Ce sujet fuit les complications sentimentales. Dès le départ, il faut bien comprendre que le Verseau/Cheval porte la culotte, tire les ficelles et reste maître de la vitesse. Ou son partenaire accepte de se montrer assez flexible pour ne pas paniquer chaque fois que son Verseau/Cheval s'embarquera dans quelque nouvelle aventure (amoureuse ou non) ou bien il choisira un partenaire différent. La sentimentalité n'est pas le fort du Verseau/Cheval.

La difficulté à aimer un Verseau né dans une année du Cheval est impalpable. Ce sujet est merveilleusement fantaisiste et intéressant, et c'est tout ce qui doit compter pour qui est fou de ce loufoque. Si vous en pincez pour un Verseau/Cheval, regardez ses bons côtés. Vous ne pourrez pas le changer. Il ne faut surtout pas le harceler et l'asticoter. D'ailleurs, il restera parfaitement indifférent à tout ce que vous pourrez dire ou faire. Essayez simplement de garder la tête hors de l'eau — et appréciez ses bonnes qualités.

COMPATIBILITÉS

VERSEAU/CHEVAL : Les Gémeaux et Sagittaire/Chiens sont loyaux et ne perdent jamais le nord. Vous avez besoin d'un partenaire intelligent comme eux. Un Balance/Chèvre aura besoin de votre protection, et pour cette raison, vous attirera peut-être. Les Sagittaire/Tigres sont assez prometteurs pour vous. Ils sont si flexibles et indépendants ! Les Taureau, Lion et Scorpion/Rats ne figurent pas sur votre liste de possibilités sentimentales. Et ne vous liez pas à un Lion/Singe.

FAMILLE ET FOYER

Parlons de bohème ! La demeure de ce sujet sera un véritable musée d'objets trouvés et de styles excentriques. Le Verseau/Cheval est un collectionneur. Il voyage sans arrêt et rapporte tout le temps quelque babiole ou colifichet marchandé à un sikh dans un souk ou chipé dans la tente d'un sheik. C'est un feu d'artifice de couleurs. Réunissez le Verseau et le Cheval, et imaginez ce qu'il en sort dans le domaine vestimentaire. Faste, chic et panache. Voyez donc ces bottes d'équitation en cuir rouge, et l'écharpe imprimée artistement nouée à la ceinture de sa culotte de cheval ! Ouah !

Le Verseau/Cheval est peut-être fou, mais pas au point de vouloir des nuées d'enfants. Les familles nombreuses représentent un danger pour sa liberté de mouvement. Et ce sujet doit absolument bouger. S'il, ou elle, décide quand même d'avoir des descendants, ce sera souvent assez tard dans sa vie. Mais alors, attention ! Ce sujet peut s'enticher de ses devoirs de parent au point de devenir parfaitement ennuyeux. L'état parental est un challenge, mais considéré avec la passion et le potentiel extatique du Verseau/Cheval — ouah ! Mes enfants, si vous voulez vivre une enfance extraordinaire, choisissez-vous un de ces Papas ou Mamans merveilleusement farfelus. Oubliez les corvées ménagères et les heures strictes pour le coucher. Le parent du Verseau/Cheval est permissif, moderne, avant-gardiste, et absolument subjugué par le charme enfantin.

Cet enfant artiste amusera ses parents par ses blagues et ses tours originaux. Il sera très doué sur le plan artistique. Il préférera être gâté et chouchouté plutôt qu'obligé d'adhérer à des tas de règles idiotes. Il est persuasif et trouve des excuses remarquablement plausibles à ses lubies. Education et bonnes manières donneront du poli à son apparence. Sinon, il est peu de chose que vous puissiez faire pour lui, à part prodiguer votre attention à cet adorable petit.

PROFESSION

Tant de talent ne doit pas rester sans récompense. L'appât du gain ne joue pas un grand rôle dans sa vie. Le Verseau/Cheval n'est pas du genre à investir ni même à économiser. Il ne s'intéresse pas vraiment à l'argent, mais il sait qu'il lui en faut beaucoup pour réaliser ses projets excessivement dispendieux. Généralement, il n'a pas un « emploi » fixe, mais travaille dans un domaine marginal et lucratif qui lui permet de voyager en pays exotiques.

Le patron du Verseau/Cheval sera juste et régulier, mais très égocentrique. Vous pouvez compter qu'il arrivera tard au bureau et en repartira de bonne heure, tout en exigeant de vous la dernière exactitude, et des heures supplémentaires en plus. N'oubliez pas qu'il est un peu loufoque. Mais — ah ! — tellement intéressant. Et talentueux.

Ce sujet peut faire un bon employé pourvu que son patron le laisse partir en voyage toutes les trois ou quatre heures. Les talents du Verseau/Cheval sont intenses et fugaces. N'en user qu'avec modération.

Carrières convenant aux natifs du Verseau/Cheval : vedette de cinéma, photographe, interprète, rédacteur de discours, représentant de commerce, leveur de fonds, professeur de dessin, mercenaire.

Natifs du Verseau/Cheval célèbres : Franklin D. Roosevelt, Jack Benny, Claude Rich, Marthe Keller.

<table>
<tr><td colspan="2">

VERSEAU

Clairvoyant	Excentrique
Original	Détaché
Altruiste	Neurasthénique
Tolérant	Désobéissant
Indépendant	Indifférent
Individualiste	Cruel

Air, Saturne/Uranus, Fixe
« Je sais »

</td><td colspan="2">

CHÈVRE

Inventif	Parasite
Sensible	Primesautier
Persévérant	Nonchalant
Fantaisiste	Erratique
Courtois	Rêveur
Bon goût	Pessimiste

Feu négatif, Yang
« Je dépends »

</td></tr>
</table>

Le Verseau épouse la Chèvre. Clarté et sensibilité, savoir et fantaisie. Ce solide mariage de signes complémentaires est riche de possibilités. Le Verseau apporte en dot l'indépendance à la Chèvre inconséquente dont la devise est : dépendance. La Chèvre apporte à cette alliance sa profondeur émotionnelle. Ce Verseau sera plus sensible que la plupart. Et la Chèvre bénéficiera d'une charge électrique d'authentique autonomie venant du Verseau. Ce sujet sera doué pour les projets futuristes, indifférent aux critiques de la société, et capable d'un individualisme exaspérant.

Le Verseau né dans une année de la Chèvre vit dans et pour l'instant. Ce qui se passe, c'est l'important — point final. Naturellement, une telle spontanéité est une épée à double tranchant. D'une part, la créativité de ce sujet se trouve valorisée. Aucun regret, aucune appréhension ne vient lui barrer la route de l'invention ou de la découverte. Pourtant, cette liberté débridée pousse parfois ce sujet à se mettre dans des pétrins qu'il aurait évités en réfléchissant quelques secondes. Le Verseau/Chèvre doit apprendre la prudence et la perspective. Sinon, ce goût exagéré du moment présent peut le faire dérailler.

L'avancement de ce sujet sera peut-être gêné par son penchant à la prodigalité. Le Verseau/Chèvre est généreux et ouvert. Il sera tenté d'accueillir pratiquement tout le monde dans sa vie, pour le pur plaisir de connaître des gens. En théorie, c'est très bien d'être aussi accueillant. Mais nous savons tous que le monde est plein de parasites et de sycophantes. Le Verseau/Chèvre est parfois victime des plus audacieux de cette race, et a du mal, parce qu'il est bon et sensible, à mettre le holà et à se débarrasser de ces ennuyeux casse-pieds.

Un sage Verseau/Chèvre reconnaîtra ses défauts et demandera conseil à sa famille ou à des personnes de l'extérieur. Ce sujet a besoin d'un cadre où il pourra développer ses théories et mettre en pratique son génie inné. La paix de l'esprit lui est indispensable, et il doit éviter interférences et distractions. Naturellement, l'isolement effraie cette âme fondamentalement grégaire, et il ou elle cherchera peut-être une ou deux fois à s'enfuir avant de se mettre au travail.

On accuse parfois ce charmeur d'être capricieux. Certains ne le trouvent pas sérieux parce qu'il semble léger comme l'air. Il est vrai que les Chèvres nées sous le signe du Verseau aiment s'amuser et faire le clown. Mais il ne s'agit là que de leur image publique. En fait, ces sujets sont, en secret, des bourreaux de travail. Ils peuvent vivre pendant des jours de pain et d'eau, sans remonter prendre de l'air à la surface, parce qu'ils travaillent vingt-quatre heures sur vingt-quatre à quelque création expérimentale improbable. Ils sont AUTRES. Ce sont d'authentiques artistes et visionnaires. Ils ne rêvent pas d'approbations et de compliments, mais prennent plaisir à faire ce qui les justifie.

Non content d'être innovateur et excentrique, le Verseau/Chèvre est également plein d'indulgence pour lui-même. Il ou elle peut sortir d'un tunnel après un travail acharné d'un mois ou plus, et plonger tête la première dans un amour passionné et idiot qui durera deux secondes et demie. Ou décider de manger à s'en rendre malade. Ils sont excessifs sans être attirés par les excès. La joie qu'ils trouvent dans ces excès vient davantage de l'inconscience et du caprice.

AMOUR

Dur-dur. Le pauvre Verseau/Chèvre semble n'avoir jamais assez d'amour. Ces sujets sont volages, pas besoin de donner et de recevoir du plaisir sans penser à l'avenir. Malheureusement, ces mœurs relâchées leur donnent mauvaise réputation. Il ou elle n'a pas même conscience du besoin de quelque chose d'aussi restrictif que la fidélité sexuelle. Pourquoi ? Pour quoi faire ? pense le Verseau/Chèvre, libre penseur devant l'Eternel. Pour ce sujet, aimer c'est partager l'instant.

Si vous aimez un de ces doux chéris, je comprends parfaitement votre dilemme. La meilleure chose à faire (et la seule) c'est de rester sur la touche et d'attendre le retour de votre Verseau/Chèvre. Si vous possédez la sagesse dont il a besoin, le Verseau/Chèvre vous sera reconnaissant de votre stabilité et de votre constance. Votre rôle consistera à nourrir son grand talent. Il est hors de question d'entrer en concurrence avec lui, mais en revanche, vous pourrez vivre votre vie sans crainte de sa désapprobation. Pour le Verseau/Chèvre, la liberté n'est pas une rue à sens unique.

COMPATIBILITÉS

VERSEAU/CHÈVRE : Vous trouverez vos favoris parmi les natifs du Chat. Cherchez votre Chat personnel dans les Gémeaux, la Balance et le Sagittaire. Ces mêmes signes vous offriront votre second choix en la personne riche et sensuelle du Cochon. Le Bélier/Cheval vous conviendra bien également. Congédiez les Taureau ou Lion/Bœufs, et ne badinez pas avec le bon naturel des Lion ou Scorpion/Chiens. Entre le Scorpion/Singe et vous, c'est sans espoir.

FAMILLE ET FOYER

Le Verseau/Chèvre est chez lui partout où il se sent bienvenu et à l'aise. Que la maison appartienne à lui, à sa famille ou à son partenaire, c'est tout un. Ce sujet peut s'établir n'importe où son caprice l'entraîne. Pour cette personne amoureuse de la beauté, le décor est aussi important que pour un autre. Mais s'il doit sortir choisir les tissus, puis mesurer et piquer les rideaux et vérifier leur tombé — oubliez-le. « Jette un châle sur la fenêtre, et couche-toi par terre sur ce matelas, chéri(e) », dira le Verseau/Chèvre « je-m'en-foutiste ». « Et pendant que tu es debout, passe-moi donc les cacahuètes. Je n'ai rien mangé depuis trois jours. »

Parent délicieux pour l'enfant moderne, le Verseau/Chèvre participera à toutes les activités de l'enfance avec énergie et cran. Comme ce sujet est spontané et ne se soucie guère d'approbation sociale, il s'intègre parfaitement au monde enfantin. Chez lui, le niveau de la discipline sera sans doute au-dessous de zéro. Mais qu'est-ce qu'on s'amuse !

L'enfant du Verseau/Chèvre devrait être très doué pour tout ce qui est artistique. Vous tirerez de grandes satisfactions de ses essais musicaux ou picturaux. Ces petits n'ont pas la notion du temps. Il faudra leur acheter plusieurs réveils si vous voulez qu'ils arrivent à l'école à l'heure.

PROFESSION

Ce sujet n'est pas pressé de réaliser quoi que ce soit. Il défie les conventions et se soucie de la routine comme d'une guigne. Il est légèrement avide, mais cela ne favorise pas chez lui l'ambition. Ce qui intéresse le Verseau/Chèvre, c'est ce qui se passe en ce moment dans sa zone sensible.

Les métiers artistiques et para-artistiques sont les plus indiqués. Mais quoi qu'il fasse, il ne fera que le minimum exigé par la structure dans laquelle il travaillera. Ces sujets ne sont pas des leaders. Et ils ne sont pas non plus très bons suiveurs. Mettez du vent dans leurs voiles.

Je ne vois pas cette personne commandant qui que ce soit sérieusement. Le temps d'une aventure, ces sujets peuvent assumer le rôle de leader ou de figure d'autorité. Mais le cœur n'y est pas. Comme pour tout ce qu'ils font, si ça leur plaît et satisfait leur besoin de plaisir, ces sujets prendront volontiers le commandement. Ils sont capables mais capricieux. Pour avoir un employé du Verseau/Chèvre, il faut au moins être un Lion/Dragon. Le Verseau/Chèvre réagit bien à la force.

Carrières possibles pour le Verseau/Chèvre : artiste, dessinateur de mode, décorateur, dessinateur industriel, potier, critique d'art, illustrateur, animateur, étalagiste, concepteur de jouets, inventeur, musicien, acteur, actrice.

Verseau/Chèvres célèbres : Thomas Edison, Stéphane Grappelli, Robert Hersant, Louis Féraud, Serge Lama.

<table>
<tr><td colspan="2">VERSEAU</td></tr>
</table>

VERSEAU	

Clairvoyant	Excentrique
Original	Détaché
Altruiste	Neurasthénique
Tolérant	Désobéissant
Indépendant	Indifférent
Individualiste	Cruel

Air, Saturne/Uranus, Fixe
« Je sais »

SINGE	

Improvisateur	Coquin
Habile	Astucieux
Stable	Loquace
Directif	Égocentrique
Spirituel	Puéril
Zélé	Opportuniste

Métal positif, Yin
« Je prévois »

L'union du Verseau et du Singe donne naissance à une personne d'envergure et de profondeur exceptionnelles. Le détachement naturel du Verseau aide le Singe à forger sa destinée sans sentimentalité encombrante ou émotion déplacée. Le Singe donne un solide sens de la réalité au Verseau visionnaire, et l'aide à rendre justice au présent. L'alliance est harmonieuse et prometteuse.

Il ou elle sera d'un verbalisme agressif. Les mots sont le véhicule de cet esprit clair. Un petit air révolutionnaire, ou tout au moins une grande sensibilité aux percées et changements sociaux colore toutes les créations du Verseau/Singe. Il ou elle choisira peut-être d'exercer un pouvoir sur les autres, mais dans ce cas, l'objectif ne sera jamais le pouvoir en soi. Le Verseau/Singe cherche plutôt à conduire ou conseiller, à juger ou guider ses frères humains vers un monde plus parfait où la vérité aura plus souvent l'antenne que le mensonge.

La méthode de base du Verseau/Singe consiste à se concentrer intensément sur le comportement humain, qu'il soit réel ou fictif, et à synthétiser les événements sous forme digestible. Son idéal, c'est la vraisemblance. Au moyen de sa vision personnelle originale, il voudrait si bien reproduire la vie réelle que tout le monde puisse en tirer un enseignement sur soi-même L'histoire, la littérature, le droit, le journalisme et le cinéma sont tous des véhicules possibles pour l'immense talent de ce sujet.

La clarté naturelle du Verseau et le brillant du Singe se donnent la main dans ce signe. Ce sont des natifs forts, travailleurs, qui aspirent à réaliser l'improbable — et y parviennent souvent. Et ils sont éclectiques. Un poète du Verseau/Singe ne se cantonne pas nécessairement à la poésie. Il ou elle peut aussi très bien faire les plans d'un gratte-ciel ou posséder un élevage d'éléphants en Afrique. Le Verseau/Singe est avant tout un réalisateur. Il se soucie davantage de son travail et du progrès de l'humanité que de son aisance matérielle ou de la célébrité. Pourvu qu'il soit professionnellement actif, le Verseau-Singe est satisfait.

De plus, ce sujet est zélé. Or, le zèle prend dans certains signes les proportions d'un fanatisme. Mais pas ici. Le Verseau/Singe reste cool. S'il est industrieux, c'est parce qu'il veut faire entrer plus de choses qu'il n'est humainement possible dans une journée de huit heures. Aussi le Verseau-Singe travaille-t-il souvent douze heures par jour. « Il se tue au travail », caquette sa belle-mère. « Elle mourra jeune à ce rythme », s'inquiète l'amant angoissé. « Et alors ? pense le filiforme Verseau/Singe. J'aurai au moins exposé mes vues au monde et réalisé mes objectifs. » La réalisation de ses objectifs, c'est toute la vie du Verseau/Singe.

De naissance, ce sujet est d'esprit aventureux. Il prend des risques. Il n'a pas peur de rêver ou de projeter de grands exploits. Il a fondamentalement confiance en lui et est d'une grande intégrité personnelle. Les Verseau/Singes sont sages et doués. Qui plus est, ils sont nobles, et leur dignité impressionne amis et ennemis. Ce sont des tacticiens astucieux qui préfèrent toujours s'arranger à l'amiable que s'opposer de front à l'adversaire, dans un procès ou un duel.

AMOUR

Ce sujet essaye inconsciemment de ne pas s'emberlificoter dans des complexités sentimentales. Normalement, le Verseau/Singe évite les bourbiers de toutes natures. N'oublions pas qu'il est lucide. Et centré sur la réalisation. Bien entendu, il a besoin d'amour et cherchera un partenaire pour partager ses fardeaux comme ses joies. Mais ce sujet ne considère généralement pas la passion comme une panacée. Il n'a pas besoin de l'exaltation d'un grand amour pour survivre et se sentir bien dans sa peau. Le Verseau/Singe est infidèle. Rien que pour s'amuser.

Il ou elle attendra d'un partenaire qu'il s'occupe du confort et de

AMOUR

Le Coq né sous le signe du Verseau est si fantastique et fabuleux qu'on l'imagine fiancé à quelque merveilleuse et exaltante créature, qui fait l'envie de ses amis moins aventureux. Mais ne vous y trompez pas. Le Verseau/Coq ne s'engagera jamais dans une liaison amoureuse à moins qu'elle ne lui promette un gain sentimental ou financier, professionnel ou même spirituel. Le Verseau/Coq aimerait qu'on s'occupe bien de lui à la maison, pour pouvoir sortir commander le monde et gagner des montagnes d'argent. Ce sujet sera séduisant et prendra grand soin de son physique.

Si l'un de ces fringants personnages vous a complètement tourné la tête et que vous le lui montrez trop, il deviendra peut-être indifférent. Le Verseau/Coq aime la résistance. Il se peut qu'il ne l'admette pas, mais le type esclave soumis l'ennuie. Si vous voulez conquérir et conserver l'amour de ce sujet fascinant, soyez exigeant. Insistez pour avoir la première place. Tapez du pied, et continuez tant que vous n'avez pas obtenu ce que vous désirez. Soyez extérieurement doux et gentil, et intérieurement inflexible.

COMPATIBILITÉS

VERSEAU/COQ : Les Serpents font d'excellents faire-valoir pour les Verseau/Coqs. Vous trouverez vraisemblablement le vôtre parmi les natifs du Bélier, des Gémeaux, de la Balance ou du Sagittaire. Les Bœufs aussi vous plaisent et vous donnent l'impression d'être intégrés. Essayez les Bœufs nés sous les signes des Gémeaux, de la Balance ou du Sagittaire. Pour vous, les partenaires insuffisants et médiocres rôdent dans les camps des Taureau, Lion et Scorpion/Chats. Evitez-les. Le Taureau/Cochon ne vous donnera rien, si ce n'est du fil à retordre.

FAMILLE ET FOYER

La demeure du Verseau/Coq est fort importante pour son image de marque. Elle sera sans aucun doute située dans un quartier tranquille et résidentiel. Ce sujet aime l'épate et cela se verra dans son décor. Mais il est également conventionnel. Son intérieur paraîtra sage, sans aucun bric-à-brac avant-gardiste pour encombrer son horizon. Le foyer d'un Verseau/Coq est sa forteresse. On n'y « passe » pas à l'improviste pour profiter de l'abondance qui y règne.

Le parent du Verseau/Coq aime passionnément ses enfants, mais n'a guère de goût pour laver les petits derrières ou jouer les chauffeurs de taxi pour les emmener à la maternelle. Il n'est pas du genre à bêtifier avec ses enfants. En revanche, il s'intéressera beaucoup au développement et à l'évolution de ses rejetons qu'il surveillera avec curiosité, excité à l'idée que la petite Lisa ou Bébé Mathieu pourrait devenir vedette de cinéma ou programmateur de radio. Il aidera ses enfants, mais ne veut pas avoir à laver les couches.

L'enfant du Verseau/Coq est désobéissant et suscite souvent bien des ennuis à ses parents. Il lui faut plus que sa part d'attention, sinon, il y a des problèmes. Cet enfant sera brillant et charmant, mais difficile à élever. Discipline et punitions ne serviront à rien pour résoudre le problème de base, à savoir son immense besoin de l'affection et de l'attention de ses parents. Si vous envisagez une famille nombreuse, n'ayez pas un enfant du Verseau/Coq. Ce petit fonctionne mieux lorsqu'il est enfant unique, ou avec un jumeau.

PROFESSION

Le Verseau/Coq a la parole facile. Et elle lui attire des succès garantis. Il sera persuasif et convaincant, généreux et aimable. Le Verseau/Coq est toujours légèrement paresseux et négligent pour les démarches administratives, déclarations de revenus, etc. Il a besoin d'être aiguillonné pour se mettre au travail, car il a également l'habitude de ne rien se refuser, attitude qui lui inspire ensuite des regrets torturants. Toutes les carrières sont ouvertes à ce sujet intelligent et volontaire. Vous pouvez être sûr qu'il aura trouvé le moyen de réussir avant de mourir. Réussir, telle est la passion du Verseau/Coq.

Patron, le Verseau/Coq sera agréable quoiqu'un peu exigeant. Ce sujet n'hésite pas à dire à ses subordonnés ce qu'ils ont à faire, et a le don remarquable de leur faire croire qu'ils s'amusent en lui rendant service. Ces sujets sont un tantinet suffisants et ont tendance à faire étalage de leur pouvoir si on les laisse faire. Employé, ce natif n'est guère accommodant. Il discute les méthodes de travail et préfère utiliser les siennes. Mais sa personnalité est un avantage. Elegant et condescendant, il plaît à tous. Donnez-lui un doigt, il prendra tout le bras. Mais quelle importance ? Il est si gentil. Et tellement compétent.

Carrières convenant aux Verseau/Coqs : entrepreneur, manager de campagne publicitaire, avocat, politicien, écrivain, compositeur.

Verseau/Coqs célèbres : Colette, André Cayatte, Susan Sontag, Yoko Ono, Eddie Barclay, Costa-Gavras, Edith Cresson.

VERSEAU		CHIEN	

Clairvoyant	Excentrique	Constant	Inquiet
Original	Détaché	Héroïque	Critique
Altruiste	Neurasthénique	Respectable	Sainte nitouche
Tolérant	Désobéissant	Déférent	Cynique
Indépendant	Indifférent	Intelligent	Insociable
Individualiste	Cruel	Consciencieux	Sans tact

Air, Saturne/Uranus, Fixe
« Je sais »

Métal positif, Yin
« Je m'inquiète »

Ce Verseau est un chien de la race des saint-bernard. Il règle toutes les affaires courantes. Elle donne un coup de main, tient la main des affligés et réconforte les malheureux. Mais avec tout cet amour apparemment désintéressé et toutes ces activités philanthropiques, le Verseau/Chien a grand soin de ne pas s'oublier. Il peut être autoritaire et avide de pouvoir, et, qui plus est, ne se gêne pas pour masquer ses ambitions sous le voile de la charité. Il gagne peut-être un million de dollars par an, mais comme c'est au service d'une bonne cause, ou pour enseigner quelque chose aux gens ou leur apporter plaisir et distraction, pourquoi ne vivrait-il pas dans un luxe ébouriffant ?

Curieux mélange que celui du clair Verseau et du Chien irascible. La langue est toujours plus acérée que le cœur n'est bon. Le désir de réussite personnelle est très fort. La respectabilité du Chien se voit compromise par le désir du Verseau de faire passer son individualisme avant tout. Le Chien né sous le signe du Verseau peut très bien être bon, serviable et capable de prendre des risques pour un ami. Mais il gardera néanmoins l'œil fixé sur le beignet, et non sur le trou. L'esprit missionnaire de ce sujet ne surgit pas tout casqué de sentiments humanitaires.

Le linge sale des autres lui donne le frisson. Il ou elle recherche la compagnie des gens qui ont besoin d'aide. Ils partent en chasse de situations émotionnelles embrouillées dans lesquelles leur courage et leur volonté sont mis à l'épreuve. Ils adorent donner des conseils et exprimer leurs opinions. Les Verseau/Chiens sont bruyants et impudents. Ils se lancent à la poursuite de ce qu'ils désirent, et n'ont pas peur de saisir l'avantage quand il se présente. Ils peuvent être impétueux et cruels.

Le Chien est enclin au cynisme. Il est critique et querelleur. Il est d'un moralisme confinant à la suffisance. Mais c'est un inquiet. L'angoisse est sa seconde nature. Mais voilà que paraît le Verseau. Il veut aider le Chien, lui donner sa chance, lui apprendre à rester cool et à ne pas plonger tête la première dans l'anxiété. « Détache-toi de cette angoisse matérialiste, mon vieux. Libère ton esprit par la philosopnie, comprends ta sensibilité, laisse-toi porter par le courant de tes complexités, accepte-toi tel que tu es. » Le Chien s'éclaire. Peut-être est-il vraiment aussi extraordinaire que sa nature de Verseau voudrait le lui faire croire ? Peut-être n'a-t-il pas à tant s'inquiéter ? Peut-être peut-il se contenter de rester cool ? Alors, il essaye. Il s'envole dans la stratosphère, et se met à faire dans la lucidité et la clairvoyance. Mais vlan ! Son ulcère recommence à se manifester. A-t-il vraiment attaqué cette femme qui lui a marché sur le pied au supermarché ? « Oh, mon Dieu ! Qu'est-ce que les gens vont penser ? Qu'ai-je fait ? »

Tu n'as rien fait de nouveau. Tu n'as fait que montrer ta nature normale, rude, dure et abrasive, Toutou. Rien d'inquiétant là-dedans. Mais tu t'inquiètes.

Le Verseau/Chien combat la névrose par la productivité. Ce sujet est un véritable bourreau de travail. Il ou elle est énergique, bien que quelque peu sporadique, et constamment en mouvement. Il est essentiellement instable, et adore défaire les nœuds compliqués dans lesquels il s'est empêtré lui-même. Il a trop de franchise et pas assez de tact. C'est un arriviste qui se soucie de l'approbation de ses contemporains. Bien qu'il gémisse souvent sur l'injustice criante de la vie, il est le premier à tirer parti de la situation. Son humour sera pince sans rire et satirique.

AMOUR

Comme les récriminations divertissent ce sujet et que les embarras attirent comme un aimant son côté Bon Samaritain, le Verseau/Chien s'embarque souvent dans des amours pleines de complications intrinsèques. Ces natifs entament une liaison avec une personne mariée, la convainquent de divorcer, et annoncent ensuite qu'ils sont eux-mêmes en puissance d'époux ou d'épouse. Ou bien ils épousent un partenaire qu'ils veulent sauver de l'alcoolisme, échouent dans leur entreprise et, pleins d'amertume, passent ensuite leur vie à se plaindre. Ils recherchent leur propre intérêt, mais par des voies très complexes. Ils sont fidèles par nature, mais s'ils se trouvent mariés à trois personnes en même temps, on ne peut leur demander des miracles.

Si vous aimez un de ces déconcertants toutous, il se pourrait que vous soyez vous-même un peu « timbré ». Les Verseau/Chiens sont sacrément séduisants, j'en conviens. Mais ils recherchent les gens dérangés. Si vous êtes désespérément normal, oubliez cette personne. Mais si vous pouvez devenir toxicomane du jour au lendemain, faire semblant d'entendre des voix provenant de votre balcon, vous serez pratiquement irrésistible pour le Verseau/Chien. De toute façon, à moins que vous n'aimiez pas les scènes, vous seriez prié de jurer allégeance éternelle aux idéaux farfelus de votre Verseau/Chien.

COMPATIBILITÉS

VERSEAU/CHIEN : Vous ferez mouche avec les Bélier, Gémeaux et Sagittaire/Tigres. Ne soyez pas timides. Vous leur plaisez vraiment. Vous attirez aussi le Cheval natif des Gémeaux, de la Balance et du Sagittaire. L'assistance de votre esprit raisonnable est nécessaire aux Bélier/Rats. Vous apprécierez la compagnie des Balance et Sagittaire/Chats. Ne sautez pas dans les bras d'un Taureau, Lion ou Scorpion/Dragon. Vous n'y seriez pas à votre aise. Les Lion/Chèvres et Coqs ne vous conviennent pas non plus.

FAMILLE ET FOYER

Le Verseau/Chien moyen a au moins deux demeures séparées. Ces sujets adorent la variété et vivent dans des endroits spectaculaires et à la mode. Ils ont des goûts somptueux et croient fermement à l'utilité des grandes serviettes près de la piscine et des fleurs sur le piano à queue. Et ils n'ont rien contre les tapis où l'on enfonce jusqu'à la cheville. Curieux, mais rien de l'abstinence des autres Chiens n'a déteint sur celui-là. Le Verseau/Chien aime que ses pantoufles et sa pipe lui soient apportées par son valet de pied. Il dépense beaucoup pour son standing.

Le parent du Verseau/Chien est distant et pourtant sentimental avec ses enfants. Bien sûr, il est toujours affairé ou en voyage, de sorte qu'il n'a guère de temps à consacrer à ses petits dans la vie journalière. Mais l'idée d'un pique-nique, d'un dîner de famille, ou d'une grande fête familiale pour le 14 juillet lui fait battre le cœur et remuer la queue. Toutes ses ex-femmes peuvent venir, avec leurs maris et leurs nouveaux enfants. Après tout, on est bon ou on ne l'est pas. Et le Verseau/Chien est sincèrement bon.

Cet enfant sera étrangement déconnecté de la foule. Il ou elle semble porter tout le poids du monde sur ses épaules. Ces petits sont généralement frêles et d'une sensibilité d'écorchés. Ils pleurent facilement et sont naturellement timides. Ils lisent beaucoup et s'inquiètent de même. La sécurité est ultra-importante pour cet enfant nerveux. Surprises et changements soudains lui déplairont. Prenez-le par la douceur et les caresses. Sinon, vous pourriez vous retrouver avec un petit rebelle névrosé sur les bras.

PROFESSION

Le Verseau/Chien, comme la plupart des Verseau, préfère travailler seul. Il n'aura pas peur de prendre les rênes dans le travail. Ce sujet est doué pour la déduction et sera un excellent travailleur social. Il est résolument moderne, et regrette sincèrement que le monde ne soit pas meilleur. C'est lorsqu'il est libre d'imposer sa propre discipline qu'il travaille le mieux.

Si on lui accorde de l'autorité, ce sujet prend stoïquement les choses en main. Il ou elle promet d'être cassant et d'aboyer un ordre à la minute. Son bureau est un one man show. Aucun besoin de commentaire ou d'avis, merci. On est prié de s'abstenir de toute ingérence. Le Verseau/Chien peut être employé par les autres, mais il a besoin de se sentir utile et de jouir d'une certaine autonomie. Sinon, il fait la moue, il boude, et, éventuellement, il s'en va.

Carrières convenant aux Verseau/Chiens : pêcheur, éleveur de bétail, travailleur social, médecin, écrivain, rédacteur en chef, éditeur, ingénieur du son, psychiatre ou psychologue, enseignant, pasteur.

Verseau/Chiens célèbres : Bertolt Brecht, Norman Mailer, Helen Gurley Brown, Zsa Zsa Gabor, John Anderson, Alan Bates, Frédéric Rossif.

VERSEAU	COCHON

Clairvoyant Excentrique Original Détaché Altruiste Neurasthénique Tolérant Désobéissant Indépendant Indifférent Individualiste Cruel	Scrupuleux Crédule Courageux Coléreux Sincère Hésitant Voluptueux Matérialiste Cultivé Épicurien Honnête Entêté
Air, Saturne/Uranus, Fixe « Je sais »	*Eau négative, Yin* « Je civilise »

L'alliance du Verseau et du Cochon donne à ce sujet une impudence confinant à la bêtise. Le Cochon, naturellement pastoral et rustique, imite peut-être la franchise ouverte du Verseau. Ou peut-être est-ce le Verseau qui reçoit du Cochon trop de dispositions à la franchise et devient trop direct. Mais quel que soit le mécanisme, ce sujet est hardi et intrépide.

Plus que tout autre, ce Verseau sera enclin aux crises gigantesques de rage et d'indignation. Généralement, le Verseau est de nature tolérante et détachée, il préfère laisser la confrontation s'éloigner un peu avant d'y réagir. Mais avec l'adjonction du Cochon belliqueux, il devient franchement belligérant. Le Cochon lui donne toute son impulsivité et sa force pour définir ses ambitions. Le Verseau/Cochon est un individu résolu qui veut arriver dans la vie. Le Verseau ne connaît pas de limites. Ce sujet est une force de la nature, dynamique et lucide, à la fois chevaleresque et coléreux, dont la vision n'est déformée que par le sens exagéré qu'il a de sa propre importance.

Malgré ces dispositions égocentriques, le Verseau né dans une année du Cochon a beaucoup d'amis. Il est un peu gaffeur, les gens aiment rire de ses étourderies et de ses sottises, et ont l'impression de participer à ses blagues et à ses joyeusetés. D'un charme et d'une force communicatifs, le Verseau/Cochon sait retenir l'attention d'un auditoire. Comme le Cochon né sous le signe du Verseau est à la fois dominateur et aimable, il peut s'attendre à aller loin dans la vie. Ce sujet a tout ce qu'il faut pour être un gagnant. Mais s'il ne devait pas vaincre et triompher... Dieu nous préserve ! Les Verseau/Cochons sont de mauvais perdants.

L'ego gigantesque du Verseau/Cochon lui donne quelque chose de la Diva. Jusqu'au port et à la démarche qui cherchent à être majestueux. « Attention ! » dit le Verseau/Cochon, roulant agressivement les épaules. « J'arrive. Impossible de m'arrêter. » Pas comme un poids lourd ou un bulldozer — mais plutôt comme le petit Cochon de la fable, soufflé de vanité, qui, dressé sur ses pattes de derrière, s'avance en se rengorgeant vers le palais du roi, en culotte de course de satin écarlate, et avec une couronne d'or cavalièrement de travers sur la tête. La grandeur, plus la touche populiste.

Le hic quand il dirige ou gouverne, et bien qu'il adore la gloire et les applaudissements, se délecte aux flatteries et se vautre dans le succès, c'est qu'il ne peut se retenir de sermonner les masses. Bientôt, les masses en ont assez d'écouter ses sermons, se fatiguent de ses gloussements de satisfaction, n'ont plus envie de baiser l'ourlet de sa culotte de course, et réclament un nouveau roi.

« Par ma barbe, s'écrie le monarque maintenant plein de suffisance, d'un seul souffle, je démolirai votre maison. » Ce qu'il fait souvent.

Mais assez de contes de fées. Le côté cool du Verseau sauve ce sujet des excès du Cochon. Il est autoritaire mais aimable et joyeux (quand il n'est pas en colère). Il a besoin de direction et sait prendre conseil de plus sages que lui. Les Verseau/Cochons sont un peu inconstants par nature et doivent être maintenus sur le droit chemin par des influences extérieures.

Avant tout, les Verseau/Cochons sont d'un charisme agressif. Ils savent attirer et séduire les foules. Ils sont casse-cou, mais uniquement en vue du gain. Ils sont toujours plus prospères qu'ils ne le paraissent. Ils sont fascinants et capables de lancer des modes d'envergure universelle.

AMOUR

Le Verseau/Cochon sait avoir l'air d'aimer : c'est un don. Il sera caressant et démonstratif. Il vous tapote la tête et vous embrasse dans le cou. Mais n'attendez pas de lui une fidélité éternelle ou cinquante ans d'autosacrifice. Non, non. Le Verseau/Cochon vous chuchote à l'oreille comme il est sensuel. Et si vous vous retrouvez au lit avec lui, il ou elle se met à vous raconter son dernier coup sur la cendrée ou au bureau. Les Verseau/Cochons sont assez forts pour le baratin.

Si vous aimez un Verseau/Cochon, préparez-vous à l'aider, à le soutenir, et à jouer les factotums. Ce sujet ne tient pas à être assujetti à la passion. Il faudra l'entourer de tendresse et l'écouter patiemment. Les Verseau/Cochons ne sont pas spécialement attentifs à ce que disent les autres. Essayez de mettre le feu à leur culotte de course écarlate.

COMPATIBILITÉS

VERSEAU/COCHON : Vous êtes du genre à choisir des Chats et des Chèvres comme partenaires. Ils sont naturels et prudents, sexy et discrets. Essayez les Chats et les Chèvres nés sous les signes du Bélier, des Gémeaux, de la Balance et du Sagittaire. Si vous ne trouvez pas votre vie parmi eux, voyez du côté d'un Bélier/Tigre. Vous avez des tas de choses à vous dire. Les Taureau, Lion ou Scorpion/Serpents sont l'opposé de tout ce que vous représentez (bien qu'étant fameusement séduisants, j'en conviens.) Le Taureau/Cheval ne fait rien pour votre image, lui non plus.

FAMILLE ET FOYER

La demeure de notre Verseau/Cochon sera opulente et vaste — comme un palais — pour s'accorder à ses ambitions grandioses. Il lui faudra une pièce similaire à une salle du trône (appelons-la son bureau) avec des tas de téléphones pour les « réunions importantes ». Avant tout, ce sujet voudra vivre dans le confort et la culture, et aura le doigté pour créer un décor luxueux tout en conservant une agréable atmosphère campagnarde. Le Verseau/Cochon n'est pas fou des grandes métropoles. Mais noblesse oblige.

Les rapports du Verseau/Cochon avec les enfants sont plutôt plus autoritaires qu'il n'est recommandable. N'oubliez pas que ce sujet est la plupart du temps préoccupé par son avancement. Il laissera en grande partie à son partenaire le soin d'élever les petits. Puis, si la situation se détériore, on appelle le Verseau/Cochon en consultation. Ce sujet n'est pas assez chaleureux pour la foule et les enfants à la fois. Il choisit généralement la foule.

Cet enfant a des inspirations inimaginables. Il ou elle saura entreprendre des tâches et persévérer dans des entreprises très difficiles, exigeant une énorme concentration et un travail acharné. Sans aucun doute, il ou elle aimera les sports. Cet enfant sera populaire auprès de ses camarades, qu'il saura bien commander... personne ne sortira du rang. Cet enfant aimera se câliner et se pelotonner dans les bras de ses parents, mais il ou elle pense sans cesse à son avenir.

PROFESSION

Question idiote. Le Verseau/Cochon est prédestiné à l'avancement professionnel. Il ou elle désire beaucoup d'argent et retournera ciel et terre pour acquérir richesse et pouvoir. Ce sujet donne le mieux sa mesure quand il est stimulé par une décision à prendre ou par une promotion éventuelle. C'est dans le domaine professionnel que les capacités visionnaires du Verseau/Rat sont le moins nébuleuses. Il sait ce qu'il veut et réalise en un clin d'œil comment l'obtenir.

Le Verseau/Cochon est toujours patron. Même s'il ou elle est employé, domestique, subordonné ou extra, ce ne sera jamais pour longtemps. Bien sûr, s'il pense que la soumission et l'obéissance lui vaudront de l'avancement, le Verseau/Cochon se précipitera sur la montagne de vaisselle et la lavera plus vite que personne. Ce sujet n'a pas peur d'affecter un temps l'humilité pour arriver. Son rêve, c'est la gloire et la richesse. Regardez la poussière qu'il soulève en avançant.

Carrières convenant aux Verseau/Cochons : pape, roi, champion, vedette de cinéma, diva, président, Premier ministre, et tous les postes de cadres supérieurs et de hauts fonctionnaires.

Verseau/Cochons célèbres : Ronald Reagan, John McEnroe, Sonny Bono, Mikhaïl Barischnikoff, René Barjavel, Michel Sardou.

POISSONS

19 février-20 mars

<table>
<tr><td colspan="2">

POISSONS

</td><td colspan="2">

RAT

</td></tr>
<tr><td>

Compréhensif
Observateur
Créatif
Subtil
Malléable
Méditatif

</td><td>

Modeste
Soumis
Timide
Fier
Râleur
Irrésolu

</td><td>

Charmeur
Influent
Économe
Sociable
Cérébrale
Charismatique

</td><td>

Avide de pouvoir
Verbeux
Nerveux
Rusé
Intrigant
Ambitieux

</td></tr>
<tr><td colspan="2">

Eau, Jupiter/Neptune, Fixe
« Je crois »

</td><td colspan="2">

Eau positive, Yin
« Je dirige »

</td></tr>
</table>

Ce sujet incisif, à la fois réceptif et offensif, fonctionne le mieux à deux. S'il est une personne qui peut marcher la main dans la main avec un partenaire et gagner à tout coup grâce à l'énergie créée par cette association, c'est bien le Poissons/Rat. Ni le Poissons ni le Rat n'ont un caractère d'ermites. Lorsqu'il est allié au Rat avide de pouvoir, le Poissons ultra-sensible et impressionnable acquiert un certain sens du concret qui lui donne une capacité exceptionnelle pour décider avec sagesse. La volonté du Rat aidera le Poissons, fondamentalement indécis, à se fixer des buts et à accepter des limites.

Les Poissons/Rats sont dépendants. Ils n'opèrent pas seuls. Essentiellement, ils constituent la moitié d'un couple où ils assument le rôle de « meilleure moitié », de « bon flic » ou de « porte-parole ». Le Poissons/Rat ne veut pas tout le gâteau. Et il ne veut pas non plus la responsabilité qui va toujours avec l'administration ou la mise en œuvre d'entreprises personnelles. Le Poissons/Rat est un faire-valoir-né. Il ou elle s'occupera de soigner et de nourrir le partenaire choisi. Les Poissons/Rats seront fidèles à l'autre moitié du couple et ne la ridiculiseront jamais ouvertement. Dans ce duo, le Poissons/Rat peut sembler suivre le leader, mais il peut très bien en être le chef secret. En privé, le Poissons/Rat confie ses doutes et ses craintes à son plus proche associé, sert de conseiller et de sage. Mais en public, le Poissons/Rat reste dans la coulisse et laisse la scène à son meneur.

Les Poissons/Rats ont la langue acérée. Ils ne se défendent jamais, mais s'empressent d'offenser avant d'être attaqués. Ces sujets affectent le snobisme et semblent soucieux de leur standing. Mais malgré son air important et presque hautain, le Poissons/Rat est un tendre. Si vous fouillez dans ses placards, vous y trouverez sans doute des tas de vieux nounours et de petits livres tout cornés de poésie larmoyante. La sensibilité épidermique du Poissons n'est pas annihilée par l'agressivité du Rat. Mais elle peut être aisément camouflée chez les sujets nés sous ces deux signes.

Les Poissons/Rats tendent à jalouser la destinée d'individus plus audacieux et impétueux qu'eux-mêmes. Ils tentent de justifier leur envie de ceux qui leur déplaisent en dénigrant leurs talents ou en discutant leur moralité. Les Poissons/Rats sont un poil moralisateurs et n'hésitent pas à se faire passer pour meilleurs afin de doucher un peu l'enthousiasme de quelqu'un qu'ils ressentent comme une menace. Ils n'auraient pas besoin, bien sûr, de perdre leur temps à de tels enfantillages, car ils sont eux-mêmes suprêmement doués, et, s'ils en ont l'occasion, réussissent souvent dans les arts et les lettres, la musique ou les affaires.

Le principal talent de ce sujet attirant et mordant est sa faculté d'adaptation. Le Poissons/Rat court de situation en situation, sans jamais sourciller, sans jamais montrer ses cartes. L'esprit perceptif de ce sujet en fait un atout inappréciable pour des individus plus rassis et énergiques, mais moins sensibles. Le Poissons/Rat veut le pouvoir pour le groupe, le succès pour la communauté et l'avancement pour l'équipe.

AMOUR

Parfois, s'ils ont beaucoup de chance, les Poissons/Rats tombent amoureux de leur associé ou de leur équipier, les épousent, et vivent heureux jusqu'à la fin de leurs jours, remplissant leur rôle d'indispensable faire-valoir. Mais bien souvent, ce n'est pas le cas. L'associé reste en dehors du couple. L'amour alors n'est plus qu'un endroit douillet où l'on rentre après avoir quitté le partenaire qui compte, celui que le Poissons/Rat conseille et assiste. Comme ces sujets souffrent de nervosité et d'hypersensibilité, ils préfèrent des amants ou des maîtresses calmes et posés.

Si vous deviez tomber amoureux d'un de ces charmeurs immensément perceptifs, je soupçonne que vous le trouverez favorable et indispensable à votre propre avancement. Accablez-les de bon sens. Séduisez-les par vos confidences et votre côté vulnérable. Le Poissons/ Rat ne résiste pas à quelqu'un d'à la fois fort et sentimental. N'ayez pas peur d'en faire trop. Les Poissons/Rats adorent le théâtre.

COMPATIBILITÉS

POISSONS/RAT : Vous vous entendrez avec les Bœufs et les Dragons comme fesses et chemise. Mais essayez d'abord de trouver votre Bœuf ou votre Dragon parmi les Taureau, Cancer, Scorpion et Capricorne disponibles. Vous pouvez aussi vivre des moments exaltants avec un Scorpion ou un Capricorne/Singe. Au contraire, n'attendez rien (sinon moins que rien) d'un Gémeaux, Vierge ou Sagittaire/Cheval.

FAMILLE ET FOYER

Le ménage du Poissons/Rat tournera autour du duo dont il fait partie. S'il s'agit de son mariage ou de son couple, le Poissons/Rat laissera son partenaire arranger la demeure à son goût, et se contentera de décorer sa chambre ou son bureau dans le style surchargé-encombré qui lui plaît. Si le duo en question existe en dehors de la famille, le Poissons/Rat évoluera dans un décor douillet et original. Ce qui compte ici, c'est toujours l'intérêt du groupe. Si le groupe a besoin d'un nouveau tapis, nous en achèterons un, et ainsi de suite.

Ce sujet sera sûrement un parent compétent. Les Poissons/Rats sont des personnes fiables et responsables. Ils ont le sens de l'humour et aimeront jouer avec les enfants et les faire rire. Mais il y a bien des choses qui les intéressent en dehors des enfants, et ils seront souvent forcés d'en abandonner la charge à quelqu'un de plus porté qu'eux sur les corvées journalières. Après tout, si Sancho Pança s'arrête pour faire faire son rot à bébé, qui s'occupera de Don Quichotte ?

L'enfant du Poissons/Rat étonnera sans aucun doute par la maturité de ses perceptions et son esprit juste et incisif. Il lui faudra longtemps pour trouver ce qu'il veut faire dans la vie. Il veut rester enfant aussi longtemps que possible car il est plus dépendant qu'indépendant. Naturellement, tous les enfants du Poissons/Rat sont artistes et voudront des leçons particulières dans leur spécialité. Soyez patient avec cet enfant sensible. Ne le poussez pas trop tôt hors du nid.

PROFESSION

Les Poissons nés dans une année du Rat ne font pas facilement confiance aux autres. Ils sont critiques et ne manquent pas de ruse. Ils sont enclins à la suffisance, et apprécient le sentiment d'appartenir à un groupe dont d'autres sont exclus. Ils ont un grand besoin de sécurité, et, bien qu'ils participent avec un dévouement total au travail en équipe, ils veulent leur juste part du butin acquis par le groupe. Ils ont l'esprit communautaire, mais des motivations personnelles.

Le Poissons/Rat ne sera jamais le patron apparent. C'est une éminence grise qui ne permettra à son ego de sortir de sa cage qu'une ou deux fois dans sa vie. En général, il ou elle dirige de la coulisse. Ces sujets seront avides de pouvoir, mais pas de notoriété. Ils veulent s'exprimer, mais pas pour la gloire. L'usage qu'ils font de l'autorité est rarement abusif mais parfois abrasif. Ces sujets font des employés fabuleusement dévoués. Artistes, ils fonctionnent bien dans la réalisation d'œuvres collectives.

Carrières convenant aux Poissons/Rats : producteur, artiste, acteur, rédacteur en chef, journaliste, écrivain, infirmière, kinésithérapeute, détective, consultant, acheteur, importateur/exportateur, agent de voyage.

Poissons/Rats célèbres : Lawrence Durrell, Luis Buñuel, Patricia Nixon, Gloria Vanderbilt, Robert Altman, James Taylor, Jean-Edern Hallier, Madeleine Renaud, Alain Jérôme, Claude Sautet.

POISSONS		BŒUF	
Compréhensif	Modeste	Intègre	Entêté
Observateur	Soumis	Réalisateur	Étroit d'esprit
Créatif	Timide	Stable	Lourd
Subtil	Fier	Innovateur	Conservateur
Malléable	Râleur	Diligent	Partial
Méditatif	Irrésolu	Éloquent	Vindicatif
Eau, Jupiter/Neptune, Fixe		*Eau négative, Yin*	
« Je crois »		*« Je persévère »*	

Le Poissons né dans une année du Bœuf est un personnage ! Juste quand vous pensez que ce sujet n'est qu'apparence et falbala, VLAN ! il ou elle vous terrasse par une remarque à renverser la tour Eiffel. L'abîme entre la pesanteur du Bœuf et la fugacité du Poissons est trompeur. N'oubliez pas qu'il ne faut jamais juger du livre sur la couverture. Aux yeux du monde, le Poissons/Bœuf est l'artiste par excellence, le stéréotype du Poissons rêveur. Mais pas si vite ! Le Poissons/Bœuf est sans doute davantage faiseur de projets que poète. Son inimitié est si puissante qu'il faut l'éviter à tout prix.

Le Poissons/Bœuf est capable de sarcasme, mais il préfère une arme différente, plus insidieuse. Il fait partie du club « La Victoire par l'Usure ». Le Poissons/Bœuf ne s'abaisse pas à la bagarre ou à l'intimidation. Il est trop sensible pour recourir à des moyens si vulgaires. Au lieu de cela, quand les Poissons/Bœufs veulent surmonter un obstacle ou abattre un bastion, ils attendent. Ils manigancent, intriguent, ruminent et cogitent. Mais ils ne bougent pas. Ils laissent passer le temps, s'occupant à faire du tricot ou des mots croisés.

Vous comprenez, la sensibilité du Poissons et la résolution inébranlable du Bœuf forment une alliance imbattable. Bien employée, cette combinaison de signes garantit la réussite. Je dis bien réussite et non pas bonheur, car le Poissons/Bœuf est toujours une créature fluide et aquatique, quel que soit le nombre des sabots qu'il a fermement plantés sur la terre. Ce sujet ne sera jamais satisfait jusqu'à la félicité. Pourtant, grâce à ses antennes super-sensibles pour sentir les gens, le Poissons/Bœuf peut en arriver au stade où il ne se trompe jamais dans ses jugements sur les autres. Ce sujet flaire les points faibles de ses adversaires. Il détermine sa stratégie en conséquence. Puis, sans tambour ni trompette, il prend du recul et regarde en riant son ennemi s'empaler lui-même.

Le Poissons/Bœuf a des opinions arrêtées sur bien des sujets. Il attire les gens par sa compassion et sa compréhension. Ce sujet ne vit presque jamais seul, mais entouré d'une famille et de quelques amis privilégiés à qui il est totalement dévoué et qui le lui rendent bien. Les Poissons/Bœufs sont aimés, respectés et admirés. Ils n'acceptent aucune bourde des perdants et ne tolèrent pas l'insubordination. Ils sont exclusifs et jaloux de leur entourage. Mais comme ils donnent TOUT ce qu'ils ont par amour pour la famille et la tradition, ils ne comprennent pas la tricherie ou la trahison. Le respect mutuel est essentiel pour ce citoyen solide.

Le Poissons né dans une année du Bœuf aime qu'on l'écoute. C'est un conteur extraordinaire. De plus, sans cette faculté de développer une intrigue et de l'étoffer de détails juteux, le Poissons/Bœuf serait plutôt timide. L'éloquence du Poissons/Bœuf constitue la clé de son succès dans la société. La réussite financière vient assez naturellement à cette personne stable et innovatrice. Tous les ingrédients nécessaires pour faire fortune sont là : détermination, ambition, savoir-faire — et, par-dessus tout, amour du confort et de la sécurité.

AMOUR

Ce sujet a souvent une vie sexuelle active. Le Poissons injecte du dynamisme à la libido généralement moyenne du Bœuf. Comme bien des activités du Bœuf restent secrètes, les liaisons cachées et les intrigues sentimentales compliquées joueront un grand rôle dans sa vie amoureuse. Naturellement, le mariage est important pour le Poissons/ Bœuf. Il ne peut pas survivre sans une famille. Mais curieusement, l'opinion qu'a sa famille sur ses activités extérieures ne concorde pas toujours avec ce qu'il souhaite. Cela peut créer des conflits et susciter beaucoup d'insatisfaction dans le cœur du Poissons/Bœuf.

Si vous aimez un Poissons/Bœuf, ayez de l'envergure. Le Poissons né dans une année du Bœuf aspire à la grandeur et recherche une personne complémentaire et large d'esprit pour partager sa vie. Comme ce sujet sent que ses valeurs sont indigestes et vieux jeu, il est souvent attiré par un partenaire excentrique et même farfelu. Si vous êtes un peu original et marginal, vous risquez les poursuites obstinées d'un Poissons/Bœuf.

COMPATIBILITÉS

POISSONS/BŒUF : Les Rats sont vos préférés. Essayez de vous en tenir aux familles des Taureau, Cancer, Scorpion et Capricorne/Rats, si vous désirez que la concorde règne dans votre vie. Vous pouvez aussi chercher le bonheur parmi les Serpents et les Coqs des quatre mêmes signes. Un Scorpion/Dragon vous excitera également. En revanche, je vous déconseille un Gémeaux ou un Vierge/Dragon. Ne vous attachez pas à un Sagittaire/Chèvre ou Singe. Vous avez besoin de calme, et ils ne peuvent pas vous en offrir beaucoup.

FAMILLE ET FOYER

La demeure du Poissons/Bœuf est son château. Pour son foyer et pour le symbole de cohésion et de réputation qu'il présente aux yeux du monde, ce sujet est capable de tuer. Ne vous étonnez pas de trouver de profonds canapés et des tapis de prix, des marbres et des meubles d'époque chez cet amoureux de la grandeur. Les proportions revêtent pour lui une importance capitale. Il aime la symétrie et les couleurs atténuées. Les tableaux seront en majorité figuratifs ; la peinture abstraite le met mal à l'aise. Il est sensible à la beauté matérielle de nature concrète.

Ce parent est exigeant et intransigeant. Il ou elle aime tellement ses enfants qu'il ressent le besoin de les garder éternellement près de lui. L'image familiale du Poissons/Bœuf est essentielle à son équilibre. Il se voit vivre à jamais avec ses enfants. Il n'envisage même pas leur indépendance totale ni leur besoin de déménager quand ils se marient. Une famille est une famille — et le Poissons/Bœuf est un roi généreux qui a le sens de son devoir.

La sensibilité de cet enfant sera manifeste dès son jeune âge. Tout ce qui est joli et féminin lui plaira. Sa gentillesse est assurée. Les disciplines exigeant une durable attention au détail sont ouvertes à ses talents réceptifs. Il sera sans doute doué pour les langues et on peut l'encourager à tout ce qui est littéraire ou artistique. Ne divorcez pas.

Cet enfant préfère avoir une famille qui se dispute que pas de famille du tout.

PROFESSION

Le Poissons/Bœuf, stable, régulier, courageux, peut aller très loin et devenir très très riche s'il le veut. Ces sujets sont avant tout créatifs et innovatifs. Ensuite, ils possèdent une force et une fidélité gigantesques. Ils désirent le luxe et savent vaincre par la patience et la compréhension. S'ils utilisent *toutes* ces qualités dans leur travail, ils sont forcés de réussir. Toutefois, à cause de leur grand attachement à la famille et à la tradition, ils peuvent se laisser aiguiller par des parents sans scrupules ou irréfléchis vers des carrières qui ne conviennent pas à leur besoin d'être les premiers.

Patron, l'intégrité de ce sujet est si visible qu'il est avant tout respecté. Il ou elle voudra que tout soit parfait — tous les coins bien nets et toutes les copies impeccables. Supérieur difficile à vivre, mais certes pas insipide. Ce sujet fait aussi un employé fiable quoiqu'un peu lent. Les Poissons nés dans une année du Bœuf ne ressentent pas le besoin de posséder la compagnie. Ils peuvent se contenter de gagner autant d'argent que les propriétaires, mais rester dans l'ombre. La célébrité ne les attire guère. Si elle leur arrive, tant mieux. Sinon, la richesse dans l'anonymat leur conviendra parfaitement.

Carrières convenant aux Poissons/Bœufs : avocat, artiste (toutes disciplines), opérateur de cinéma, directeur de compagnie, écrivain, administrateur, agent de change, banquier, chef de bureau, éminence grise.

Poissons/Bœufs célèbres : Georg Friedrich Haendel, René Clément, Auguste Renoir, John Erlichmann, Vincente Minnelli, Edward Gorey.

<table>
<tr><td>

POISSONS

Compréhensif	Modeste
Observateur	Soumis
Créatif	Timide
Subtil	Fier
Malléable	Râleur
Méditatif	Irrésolu

Eau, Jupiter/Neptune, Fixe
« Je crois »

</td><td>

TIGRE

Fervent	Impétueux
Courageux	Emporté
Magnétique	Désobéissant
Veinard	Conquérant
Bienveillant	Immodéré
Autoritaire	Itinérant

Bois positif, Yang
« Je surveille »

</td></tr>
</table>

Ce Poissons courageux dépense une bonne partie de son énergie et de son temps à essayer d'établir des rapports plus intimes avec lui-même. Les Poissons nés dans une année du Tigre se sentent souvent à l'étroit dans leur peau de félin audacieux et souhaiteraient parfois ne plus avoir le Tigre sur le dos. Les Poissons aiment nager au hasard, sans limites de temps ou d'espace. Les contraintes n'intéressent pas le Poissons. Il aspire à la liberté de flotter sans entraves. Son objectif, c'est l'illumination spirituelle. Le pur Poissons est indifférent aux applaudissements de la foule.

Le Tigre, par ailleurs, soupire après le drame et rêve de colossal. Les Tigres boivent de l'adrénaline au petit déjeuner. Ils sont magnétiques et vaniteux. Ils sont précipités, impétueux et sociables. Ils n'aiment pas plus les contraintes que les Poissons ou n'importe qui d'autre. Le désir de gagner du terrain les pousse de l'avant. Les Tigres sont des conquérants portant mousquet à la bretelle. Ce sont de vrais pionniers dans la pure tradition du western, et ils aiment tant le danger qu'ils préfèrent presque le risque des Indiens à un établissement sûr dans un coin tranquille.

Ce Poissons ne trouvera donc la paix intérieure que s'il arrive enfin à se débarrasser de son Tigre, le réservant pour les mauvais jours. Alors, relativement calme et serein, le Poissons né dans une année du Tigre pourra se consacrer à la recherche de l'illumination spirituelle.

Le Poissons/Tigre est très généreux. Ce sujet éprouve de la joie à partager son butin. Il prendra plaisir à préparer un repas pour ceux qu'il aime. Il donnera souvent un coup de main à un copain ou à un voisin dans le besoin. Il ou elle s'intéressera sincèrement au bien-être des autres, et veillera à ne pas oublier de demander de leurs nouvelles.

Cet empressement à ouvrir son cœur et accueillir les autres rend le Poissons/Tigre vulnérable. Une expression ou un mot déplacés, une critique dure ou ironique peuvent bouleverser l'âme sensible du Poissons/Tigre et l'affecter profondément. Non seulement il prend ombrage des sarcasmes, mais il y réagit avec une bizarre agressivité qui prend l'interlocuteur par surprise.

Autrement dit, les Poissons/Tigres ont l'air beaucoup plus placides qu'ils ne le sont en réalité. Sous leur air joyeux et bon enfant se cache une remarque accusatrice prête à partir sur celui qui « commence ». Les Poissons/Tigres attaquent rarement les premiers. Mais ils sont toujours sur le qui-vive et prêts à catapulter au bout du monde. Ce sujet peut terminer une liaison malheureuse d'un haussement d'épaules, se résigner à un gâteau raté et rire de ses propres erreurs, mais ne comptez pas sur lui pour tolérer l'arrogance des autres.

Fier et parfois comique, ce sujet peut avoir la séduction du clown triste. Il semble porter sa sensibilité en écharpe. Il arbore souvent un sourire malheureux et touchant qui annonce : « FRAGILE ! » Essentiellement, le Poissons/Tigre se sent timide. Mais il ne veut pas qu'on le croie tel. Ses émotions sont profondes et complexes. Il est ouvert à la suggestion. Mais il ne veut pas qu'on le croie influençable. Il est anxieux de plaire. Mais il ne se donnera en spectacle que dans l'intérêt du gain. En fait, ce gracieux sujet, étincelant en société, est légèrement lunatique, délicieusement imprévisible et follement séduisant.

AMOUR

Beaucoup de tendresse chez ce Tigre aquatique. Mais sa sensualité douce et romanesque peut avoir des revers amers. Les Poissons nés dans une année du Tigre se relèvent avec élégance après une désillusion sentimentale. Mais chaque blessure amoureuse leur laisse des cicatrices, et ils peuvent finir par se méfier de l'amour.

Si vous aimez un de ces géants amusants, gardez vos secrets. Vous perdrez une grande partie de vos attraits si vous le suppliez ou l'implorez de vous aimer. Jouez un peu les inaccessibles. Et apprenez à rire de ses plaisanteries. Ne soyez pas agressif, et usez de diplomatie plutôt que de force pour faire changer d'avis votre Poissons/Tigre.

COMPATIBILITÉS

POISSONS/TIGRE : Les natifs du Cheval sont pratiques. Vous bénéficierez de ce pragmatisme si vous vous attelez avec l'un d'eux, surtout si vous le choisissez parmi les natifs du Taureau, Cancer, Scorpion ou Capricorne. Un Cancer, Scorpion ou Capricorne/Chien sera également en harmonie avec vous. Les Chiens vous prêtent leur sens de la mesure et vous aident à trouver la modération. Un sain Scorpion/ Dragon vous conviendrait bien. Les Gémeaux, Vierge et Sagittaire/ Serpents et Chèvres travaillent tous contre vos intérêts, de même que les Vierge et les Sagittaire/Bœufs. Les Vierge/Singes désirent votre âme, mais vous n'êtes pas très chaud pour la leur donner.

FAMILLE ET FOYER

Ce sujet est chez lui pratiquement partout. Comme il n'a pas l'ivresse des biens matériels et recherche son bien-être dans la chaleur des amitiés ou du groupe, son environnement dépendra souvent du projet en cours à un moment donné. Bien entendu, ces sujets actifs ont besoin de place pour évoluer. Cernés, ils se sentent mal à l'aise. Ils sont quelque peu bohèmes, et, quoiqu'ils puissent posséder quelques beaux meubles et objets, ils peuvent aussi bien s'en passer.

Le parent du Poissons/Tigre aimerait que son enfant soit un artiste, un esprit libre et, avant tout, une femme ou un homme heureux. Ces sujets sont permissifs avec les enfants. Pourtant, ils exercent une puissante emprise sentimentale sur leurs petits et il est peu probable qu'ils tolèrent insolence ou rébellion.

Les Tigres, même en habit de Poissons, sont rigoureux quant à l'édiction et à l'application des règles. Sans aucun doute, Papa ou Maman Poissons/Tigre offrira à la petite Evelina et à Bébé Derry des tas d'occasions de développer leur esprit et d'utiliser leurs talents.

Cet enfant est un hypersensible. Il faut le manier avec des gants de velours. C'est peut-être un grand artiste en puissance — musicien, danseur, acteur ou autre. N'essayez pas de lui imposer ouvertement votre volonté, mais offrez plutôt à ce petit l'occasion de développer ceux de ses dons qui peuvent déboucher sur une carrière précoce. Cet enfant a grand besoin de sécurité et s'épanouit sous l'attention de ses parents.

PROFESSION

La nature ultra-sensible du Poissons/Tigre ne l'empêche pas d'être passablement bagarreur dans le monde professionnel. Le Tigre confère à ce sujet aquatique plus d'allant qu'il n'en faut pour remplir ses devoirs, et le Poissons y gagne aussi en énergie. Avec le Poissons à la remorque, le Tigre sera moins fonceur et cahotique. Très congénital, le Poissons/Tigre est fort capable de satisfaire aux exigences d'une carrière publique ou privée, sans perdre de vue ses objectifs.

Le Poissons/Tigre est trop timide pour être autoritaire. D'ailleurs, le rôle de chef ne l'attire pas. Le Poissons/Tigre jouira le mieux des fruits de son labeur quand il travaillera seul, utilisant ses dons artistiques pour gagner sa vie. Sinon, ce sujet peut travailler pour un employeur, bien entendu, et s'intégrer sans difficulté. Il ou elle est très adaptable et suffisamment sage pour connaître la valeur de la discipline. Il est essentiel à sa liberté ultérieure qu'il reçoive une formation précoce.

Carrières convenant aux Poissons/Tigres : artiste (acteur, peintre, écrivain, etc.), artisan (tisserand, potier, orfèvre, etc.), musicien (compositeur ou instrumentiste), danseur ou chorégraphe, réalisateur de cinéma, accordeur de piano, professeur de dessin, dessinateur de mode.

Poissons/Tigres célèbres : Stéphane Mallarmé, Nijinski, John Steinbeck, Jerry Lewis, Rudolf Noureev.

<table>
<tr><td colspan="2" align="center">**POISSONS**</td></tr>
<tr><td colspan="2" align="center">♓</td></tr>
<tr><td>Compréhensif</td><td>Modeste</td></tr>
<tr><td>Observateur</td><td>Soumis</td></tr>
<tr><td>Créatif</td><td>Timide</td></tr>
<tr><td>Subtil</td><td>Fier</td></tr>
<tr><td>Malléable</td><td>Râleur</td></tr>
<tr><td>Méditatif</td><td>Irrésolu</td></tr>
<tr><td colspan="2" align="center">*Eau, Jupiter/Neptune, Fixe*
« Je crois »</td></tr>
</table>

<table>
<tr><td colspan="2" align="center">**CHAT**</td></tr>
<tr><td colspan="2" align="center">卯</td></tr>
<tr><td>Diplomate</td><td>Cachottier</td></tr>
<tr><td>Raffiné</td><td>Sensible à l'extrême</td></tr>
<tr><td>Vertueux</td><td>Pédant</td></tr>
<tr><td>Prudent</td><td>Dilettante</td></tr>
<tr><td>Bien portant</td><td>Hypocondriaque</td></tr>
<tr><td>Ambitieux</td><td>Tortueux</td></tr>
<tr><td colspan="2" align="center">*Bois négatif, Yin*
« Je me retire »</td></tr>
</table>

Le Chat dévore-t-il le Poissons ? Non. Cette alliance charmante a des commencements heureux et une fin tout aussi bienheureuse. La sensibilité du Poissons se marie admirablement bien à la prudence et à la modestie du Chat, à son amour du foyer et de la maison. Sa carrière de gardien du raffinement et de l'élégance sera longue et gratifiante. Ses talents artistiques sont presque certains, et, qui plus est, il saura les faire fructifier.

Ce Chat a une noblesse innée. Il est peu de choses que ne puisse accueillir l'esprit expansible du Poissons, et, assisté du Chat raisonnable qui maintient le Poissons fluide en cale sèche pendant au moins une partie de sa vie, ce sujet peut accomplir beaucoup. Il est bien connu que ces deux signes évitent les conflits, fuient les affrontements et s'abstiennent de mesquinerie et de vengeance. Aucune servitude artificielle n'entrave la progression de ce sujet. Le Poissons/Chat arrive précisément où il veut aller sans jamais prendre les sentiers battus.

Ce sujet restera circonspect la plus grande partie de sa vie. Il garde le silence tant qu'il ne connaît pas son auditoire. Et quand il se sent en sécurité, il prend la parole. Ces sujets ne sont pas très sociables et se tiennent à l'écart des modes. Ils ont pour objectif la simplicité, pour ennemie la complexité. Le Poissons/Chat recherche l'ordre et la raison, et se fait une couverture protectrice de ses vues bien arrêtées. Ce que d'autres prennent chez lui pour de l'indécision n'est que sa réticence à participer à quoi que ce soit qui ne s'harmonise pas parfaitement à sa façon de penser.

Directement ou indirectement, les Poissons/Chats travaillent souvent à l'avancement de quelqu'un qu'ils jugent plus valables qu'eux-mêmes. Pour eux, la gloire peut être un handicap, un embarras. Et néanmoins, beaucoup de natifs de ce signe acquièrent la célébrité. Ce sont des observateurs incisifs de tous les aspects de la vie humaine, qu'ils savent souvent interpréter avec originalité. Ils peuvent être spirituels et n'hésitent pas à se servir de l'humour pour se faire comprendre.

Jamais impétueux ou audacieux, le Poissons/Chat avance sur pattes de velours. Le Poissons né dans une année du Chat ne sera pas particulièrement créatif, s'appropriera parfois les idées des autres. Mais le sérieux et l'admiration qu'il déploie font paraître les innovations inutiles. Découverte et divulgation sont les ambitions de ce Chat. Il voudra clarifier tout ce qui lui semble trouble. Il comprend le secret et sait utiliser la discrétion à son avantage.

Mondainement parlant, le Poissons/Chat est un solitaire. C'est un casanier qui se cramponne à tout ce qui est sûr et familier. La vie en communauté lui convient. On peut l'accuser de snobisme, car il est enclin à la suffisance et à l'autosatisfaction. Il abhorre les bouleversements et les changements brusques auxquels il réagit comme à des tremblements de terre.

AMOUR

Le Poissons/Chat n'est pas une personne chaleureuse, ouverte, sociable ou (Dieu nous préserve!) volage. Généralement, ces sujets gardent pour eux ce qu'ils recherchent dans un partenaire, et peuvent vivre seuls pendant des années avant d'avoir trouvé le Prince Charmant ou la Blonde Princesse qui leur convient. Le mythe du preux chevalier sur son blanc destrier a la vie dure chez les amoureux de la tradition que sont les Poissons/Chats. De plus, ces natifs sont incorrigiblement romanesques, et personne n'est jamais assez parfait pour correspondre à leur idéal.

Votre amant ou votre maîtresse est du Poissons/Chat? Veinard! Vous devriez murer vos portes et vos fenêtres, pour que le tendre « dur » que vous avez choisi ne s'échappe pas par les interstices. Vous êtes prié de lui fournir tendresse et réconfort à foison. Ce sujet timide fera parfois appel à vous pour lui servir de porte-parole. Mais, dans la coulisse, il ou elle sera très vraisemblablement l'âme même de votre vie. Ne laissez pas votre Poissons/Chat se morfondre tout seul, sans votre rassurante compagnie. Il ou elle ne fera jamais de scandale, mais quand vous rentrerez, il ou elle sera peut-être parti — pour de bon.

COMPATIBILITÉS

POISSONS/CHAT : Les Taureau, Cancer et Scorpion/Cochons vous donneront la paix de l'esprit que vous recherchez si avidement. Ou alors, essayez un Cancer ou un Scorpion/Chèvre pour des vacances créatives éloignées de la routine. Les Scorpion et Capricorne/Chiens peuvent meubler votre vie de quantité de nouveaux idéaux. Un Cancer/Rat vous ressemble assez pour que le mariage soit comparable à celui de deux jumeaux. De plus, les Cancer/Chats vous apportent leurs objectifs tentants et leur amour du foyer. Pas de Gémeaux, Vierge ou Sagittaire/Rats ou Coqs.

FAMILLE ET FOYER

Le désir de fonder une famille est très fort chez le Poissons/Chat. Il ou elle voudra avoir des enfants. Pour réaliser ce rêve, il lui faudra, bien entendu, une demeure. Soyez sûr que le Poissons/Chat la voudra bien installée, confortable et sûre, dans un « bon » quartier. Ces sujets s'élèvent graduellement dans l'échelle sociale, et leur image de marque dépend beaucoup de leur résidence et de leur mode de vie. Ce natif cherche un environnement tranquille et préférera sans doute la campagne à la ville.

Le parent du Poissons/Chat s'intéresse avant tout au bien-être personnel de ses enfants. Les Poissons/Chats auront tendance à mettre leurs rejetons dans du coton, mais feront preuve d'une douce fermeté, et même d'un peu de raideur dans leurs exigences. Tout ce qui offense les bienséances leur déplaît. Les parents du Poissons/Chat voudront que leurs enfants aient de bonnes manières. Ils sont tendres et affectueux avec les petits. Peut-être n'iront-ils pas à la foire avec eux, mais ils leur liront volontiers une histoire à l'heure du coucher.

Si vous avez un enfant du Poissons/Chat, vous remarquerez très tôt qu'il n'aime pas le bruit et l'agitation. Ce n'est pas le genre de bébé qu'on fait sauter en l'air pour le faire gazouiller. Cet enfant a besoin de confort et de calme pour devenir un adulte fort et en bonne santé. Il faut lui apprendre à assumer ses propres insuffisances et à ne pas les mettre au compte des autres. Les enfants du Poissons/Chat auront aussi besoin d'encouragements pour ne pas devenir timides. N'ayez pas peur de lui dire qu'il est séduisant. Les Poissons/Chats adorent qu'on les admire.

PROFESSION

Une certaine réticence empêchera peut-être ce sujet intelligent et docile de s'élever dans la hiérarchie. Le Poissons/Chat est extrêmement nerveux et se soucie beaucoup de son statut et de son standing dans la société. Le travail ne lui fait pas peur. En revanche, les engagements irrévocables et les conflits l'effraient. Cette réserve innée peut lui faire conseiller un emploi bien payé, mais routinier, de préférence à une carrière prestigieuse pleine de hauts et de bas.

Le patron du Poissons/Chat est sérieux et plutôt sévère. Comme ce sujet est extrêmement sensible au stress et aux tensions, il camoufle souvent sa sensibilité sous une froideur de surface. Bien que cette attitude distante soit partiellement trompeuse, c'est néanmoins la seule qui soit permise au Poissons/Chat dans ses contacts professionnels. Le travail indépendant convient bien au Poissons/Chat. Il marche à son rythme sans avoir besoin d'être aiguillonné. Employé, ce sujet est calme et réservé, assez diligent mais pas toujours prêt à prendre des initiatives.

Carrières convenant aux Poissons/Chats : mathématicien, programmeur informatique, conservateur de musée, traducteur, écrivain, viticulteur, architecte paysagiste.

Poissons/Chats célèbres : Albert Einstein, Harry Belafonte, Raymond Queneau, Peter Fonda, Tommy Tune, Erma Bombeck, Anaïs Nin, George Plimpton, Zero Mostel, Bertrand Blier, Yves Boisset, Jacques Chaban-Delmas, Régis Crespin, Hubert de Givenchy.

<table>
<tr><td colspan="2">

POISSONS

</td><td colspan="2">

DRAGON

</td></tr>
<tr><td>Compréhensif</td><td>Modeste</td><td>Puissant</td><td>Rigide</td></tr>
<tr><td>Observateur</td><td>Soumis</td><td>Battant</td><td>Méfiant</td></tr>
<tr><td>Créatif</td><td>Timide</td><td>Hardi</td><td>Insatisfait</td></tr>
<tr><td>Subtil</td><td>Fier</td><td>Enthousiaste</td><td>Emballé</td></tr>
<tr><td>Malléable</td><td>Râleur</td><td>Vaillant</td><td>Vantard</td></tr>
<tr><td>Méditatif</td><td>Irrésolu</td><td>Sentimental</td><td>Volubile</td></tr>
<tr><td colspan="2">

Eau, Jupiter/Neptune, Fixe
« Je crois »

</td><td colspan="2">

Bois positif, Yang
« Je préside »

</td></tr>
</table>

Le Poissons né dans une année du Dragon se soucie fort de son avancement. Ce sujet a besoin de se sentir aller de l'avant. Rester à la même place le rend nerveux et irritable. C'est pourquoi, s'il ne progresse pas, s'il n'avance pas, il voyage. Une chose est certaine : le Poissons/Dragon bouge beaucoup. Il peut courir ou marcher, nager ou prendre le train, mais le Poissons né dans une année du Dragon se déplace.

Le côté Poissons de sa nature donne de la perspective à ce sujet infatué. Pour le Dragon, baratineur les eaux tièdes du Poissons sont une aubaine. Le Poissons rafraîchit le brio exagéré du Dragon et douche un peu son feu. Dans certains cas, le Poissons ralentit trop le Dragon, et le grand monstre écailleux devient un bon à rien sans gouvernail, l'ombre de lui-même. Cet état peut se révéler dangereux pour le Poissons/Dragon, car son abattement peut favoriser la tendance du Poissons à ne pas s'en faire.

Autodiscipline et persévérance sont indispensables au bien du Poissons/Dragon. Ces deux signes sont des tire-au-flanc de premier ordre. Ce sujet voudra sûrement se faire dispenser d'exercice ou de répétition. Le Dragon né sous le signe des Poissons trouve qu'il en sait déjà assez, et que, si les autres lui demandaient son avis, on ferait beaucoup plus de choses en moins de temps. Alors, pourquoi rester là pour s'ennuyer ?

Ah ! Voilà le hic ! Les Poissons/Dragons croient toujours savoir tout mieux que personne. Ils débarquent au milieu de n'importe quelle situation, et font exactement ce qui leur plaît. Ils pensent peut-être débarquer au nom de quelque idéal. Mais ils ne pensent jamais à demander ce que pensent les autres dudit idéal. Dans d'autres combinaisons de signes, on peut dire au Dragon qui pousse, bouscule et prend le commandement : « Retourne dans ta grotte, Dragon, et attends qu'on t'appelle. » Mais c'est très difficile à dire à un Poissons/ Dragon. Il est défensif et narcissiste à l'extrême. Il n'est pas sûr de lui et peut compenser par des tempêtes émotionnelles dont les larmes seraient capables d'éteindre le soleil.

Ce sujet tisse un filet de charme si attrayant et convaincant que tout le monde y croit, même lui. Il vous parlera d'une idée ou d'un plan avec tant de feu que vous ne pourrez douter de sa véracité. Le Poissons/Dragon ignore les demi-mesures. Il ou elle veut tout faire tout seul. Puis, un beau jour, vous le rencontrez dans la rue. « Hé, Poissons/Dragon, mon vieux, comment va cette compagnie que tu démarrais l'autre fois ? » ou « Qu'est devenu le gratte-ciel que tu construisais dans ton jardin ? » Le Poissons/Dragon se redresse de toute sa taille et vous toise avec dédain : « Duquel tu parles, mon vieux ? » s'étonne-t-il. Colosse aux pieds d'argile.

Ce qu'il a de passionnant, le Poissons/Dragon, c'est son charme et sa santé. Le Poissons/Dragon peut être un peu turbulent et légèrement trop crâne par moments, mais sa véritable nature de Poissons, avec cet œil de biche évoquant « Lucy-in-the-Sky-with-Diamonds », ses rires, ses plaisanteries, ses bourrades... ah, voilà ce qui fait du Poissons/ Dragon un boute-en-train revigorant. Il a toujours le mot pour rire. Elle est toujours sur le point de se ruer dehors pour faire son jogging, avant d'aller en salle de gymnastique, et de se rendre dans la foulée au restaurant végétarien. Les Poissons/Dragons (quand ils n'en font pas un peu trop) sont d'adorables compagnons.

Mais ce ne sont pas des champions. Une fois qu'ils ont compris que les gratte-ciel dans le jardin sont surfaits et incommodes, ils sont capables de vivre très heureux dans la coulisse. Ils peuvent se reposer sur des conseillers et gagner leur vie en dispensant des sourires à ceux qui adorent leur approche indolente. Les Poissons nés dans une année du Dragon seront susceptibles et raisonneurs jusqu'à ce qu'enfin ils cessent d'essayer de se prouver à leurs propres yeux — alors ils deviendront efficaces dans la profession choisie, suivront avec plaisir le rail de la routine, et nageront toute la journée en rêvant à ce qu'ils feront pour dîner.

AMOUR

Le Poissons/Dragon n'est pas constant en amour. Souvent, ces sujets sont d'une séduction fracassante. Ils ont du mal à grandir avec leur beauté, vu que leur ego a besoin d'être d'abord un peu mis au pas. Alors, la beauté alimente l'ego, et réciproquement. Mais — et c'est un « mais » d'importance — les Dragons, et tout spécialement les Poissons/Dragons, sont immensément sentimentaux. Ils ont aventure sur aventure, et s'embarquent dans des tourmentes émotionnelles tout ce qu'il y a de rococo. Ruptures et réconciliations émaillent à foison leurs journaux intimes. Mais ils reviennent toujours sur la scène de leurs crimes sentimentaux. Quand un Poissons/Dragon a aimé, il ou elle continue à aimer — à jamais. La sentimentalité constitue le trait le plus puissant de sa personnalité. A cause d'elle, il pardonne, excuse, continue à aimer — et n'oublie jamais les bons moments.

Si vous avez succombé à la séduction d'un Poissons/Dragon, je crois pouvoir vous donner de bons conseils. Avant tout, ne l'asticotez jamais. Câlinez-le plutôt, c'est la meilleure méthode. Les Poissons/Dragons adorent qu'on les cajole. Soyez aussi tonique que vous le pouvez, riant de leurs plaisanteries et leur avouant comme ils sont hilarants, mais gardez-vous de tomber totalement sous leur charme. Comme ils se laissent entraîner par l'admiration qu'ils se portent, vous (surtout) devez garder les pieds fermement plantés dans la réalité. L'astuce, c'est de ne pas le montrer.

COMPATIBILITÉS

POISSONS/DRAGON : Oh! vous, Dragons et votre table de popularité! Les Singes nés sous les signes du Taureau, du Cancer, du Scorpion et du Capricorne vous donnent toute leur admiration. Le Tigre du Taureau, du Cancer, de la Balance et du Scorpion vous aime. Puis, naturellement, il y a aussi les Taureau et Scorpion/Serpents qui sont fous de vous. Sans oublier les Scorpion et les Capricorne/Rats qui, eux aussi, vous adorent. Vous ne recevrez guère d'encouragements des Gémeaux et des Vierge/Chats qui craignent votre témérité. Les Vierge et les Sagittaire/Chiens vous apprécient peu également. Hélas, les

Vierge/Cochons et les Sagittaire/Bœufs n'ont aucune considération pour vous.

FAMILLE ET FOYER

Le Poissons/Dragon n'a pas l'esprit du foyer. Il ou elle se contentera de vivre dans un cadre modeste mais décent. Le territoire qui l'intéresse est ailleurs, hors de la maison, dans le vaste monde. Le Poissons/Dragon est immodérément idéaliste et peut passer sa vie à rêver d'avoir sa maison au soleil. Mais pour le moment, il est parti en Grèce avec un ami qui a une maison dans une île et... pauvre Poissons/Dragon, il attend parfois si longtemps avant de se lancer dans la réalisation de ses rêves qu'il est bien souvent trop tard. Mais aucune importance, il n'y tenait pas tellement de toute façon.

Le parent du Poissons/Dragon aimera s'amuser. Il aimera les enfants et leurs blagues l'enchanteront. Comme il prend grand plaisir à commander un groupe et qu'il n'arrive pas souvent au sommet de la hiérarchie dans sa carrière, le métier de parent sera pour lui un débouché tout trouvé. Il doit prendre garde à ne pas trop encourager les idées folles de ses petits, mais il sera sinon un parent aimant et affectueux.

L'enfant du Poissons/Dragon ne sera pas facile à élever. Il ou elle sera tour à tour enthousiaste et apathique. Cet enfant semblera savoir ce qu'il veut, du moins en paroles. Il sera véhément et volontaire. Mais faire ses quatre volontés est le pire qui puisse arriver à ce petit chéri. Il faut au contraire le guider avec patience et prudence. Ne pas l'abandonner à lui-même pour décider de ce qui lui convient — il ne sait pas toujours tenir le cap. Si vous le négligez, il ne vous le pardonnera jamais.

PROFESSION

Un Poissons/Dragon désire-t-il vraiment avoir une profession? Voilà la question. Je sais, cette remarque peut paraître insensée dans un monde tellement axé sur l'ambition et le succès. Mais, à moins que je ne me trompe fort, j'ai l'impression que les Poissons nés dans une année du Dragon préféreraient s'installer confortablement et regarder passer le défilé. Ils aiment l'activité. Ils ne sont pas paresseux. Mais ils ont quelque chose de détaché du monde. Ils sont un peu ailleurs. J'estime qu'un travail indépendant est encore ce qui leur conviendra le mieux. Mais là encore, il faudra quelqu'un pour les conseiller et les superviser.

Inutile de discuter ses qualités de patron. Ce sujet peut devenir patron par héritage ou par erreur, mais bien qu'il puisse être autoritaire, je n'arrive pas à l'imaginer convoitant sérieusement le bâton de maréchal. Trop de tintouin. Bien sûr, le Poissons/Dragon peut être employé. Mais il voudra un emploi où il aura ses coudées franches et où on ne le dirigera pas trop.

Carrières convenant aux Poissons/Dragons : philosophe, professeur, photographe, producteur, opérateur de cinéma, écrivain, linguiste, vagabond, voyageur de commerce, artiste de cirque.

Poissons/Dragons célèbres : B. F. Skinner, Irving Wallace.

<table>
<tr><td colspan="2" align="center">POISSONS</td></tr>
</table>

POISSONS	
Compréhensif	Modeste
Observateur	Soumis
Créatif	Timide
Subtil	Fier
Malléable	Râleur
Méditatif	Irrésolu

Eau, Jupiter/Neptune, Fixe
« Je crois »

SERPENT	
Intuitif	Dissimulateur
Séducteur	Dépensier
Discret	Paresseux
Sensé	Cupide
Clairvoyant	Présomptueux
Compatissant	Exclusif

Feu négatif, Yang
« Je sens »

Ce profond penseur n'est gracieux et exubérant qu'en surface. Dans ses profondeurs remuent des perceptions et des philosophies trop étrangères au monde pour être dévoilées au commun des mortels. Il ressent intensément toute chose, et perçoit toute situation avec une force et une lucidité qui lui rendent le contact humain presque douloureux. Le mot « sensibilité » prend un sens tout différent dans le cas du Poissons/Serpent. L'intuition est redoublée, la seconde vue accrue, et le pressentiment si puissant qu'on peut le considérer comme un don. Le Poissons/Serpent est une sorcière déguisée en bergère.

L'ennui, c'est que le monde n'est pas fait pour des âmes si sensibles. De nos jours, il n'existe pas d'emplois pour les sorcières. Oh, je suppose qu'ils pourraient choisir l'astrologie ou la boule de cristal s'ils voulaient « en faire à leur tête ». Mais les natifs du Poissons/Serpent ne sont pas gens à « en faire à leur tête ». Ils ne veulent pas faire de vagues. Ils ne veulent impressionner personne de leur importance, et ils n'ont pas de comptes à régler dans notre monde corrompu. Le Poissons/Serpent peut vivre très content loin de tout ça, protégé par une cellule familiale dont il est à la fois l'âme et le soutien. Les Poissons/Serpents, que cela leur plaise ou non, s'occupent de leurs proches.

Mais le soutien en question n'est pas accordé sans douleur. Le

Poissons/Serpent est un penseur, et un solitaire au milieu de la foule. Il ou elle prétend participer à la vie du groupe, parce qu'il est là et parce que c'est nécessaire. Mais ce faisant, il ne cesse de se plaindre : « Je fais ceci et cela. Je suis le seul ici qui... Pourquoi ne remarquez-vous pas ci ou ça ? Comment pouvez vous tous être aussi négligents et pourquoi irais-je aider cet idiot ou cet ingrat ? » Pas de cris, pas de hurlements, pas de vaisselle cassée. Oh non. Il criaille. Il récrimine. Il grogne et grommelle, et à l'occasion sort sa langue de vipère pour piquer tel ou tel.

Mais, deux minutes plus tard, quand tout le monde aura tourné le dos, le Poissons/Serpent prendra dans ses bras l'objet de son courroux et lui fera des excuses. Le Poissons/Serpent est un tendre cœur, un penseur créatif et il est aussi attirant pour les autres que le miel pour les mouches.

Les Poissons/Serpents n'aiment pas particulièrement le « monde réel ». Ces sujets ne désirent pas de responsabilités et, surtout, ne veulent pas avoir à réussir par leurs propres moyens. Ecrire les irrite (à moins qu'il ne s'agisse de poèmes ou de métaphysique). La paresse les suit partout. Ils sont sages et perceptifs. Mais ils n'ont pas le courage de tirer les conséquences de leur sagesse. Ils peuvent accepter d'être mordants, mais n'arrivent jamais à être cruels. Il se peut que la malhonnêteté les fascine, mais ils sont incapables de commettre un crime. Certains diraient qu'ils sont poules mouillées. Moi je dis qu'ils sont gentils.

Il est facile de blesser le Poissons/Serpent. Sa sensibilité à fleur de peau se détecte dans son regard. S'il est l'objet d'une remarque un peu dure ou d'un commentaire désobligeant, il le prend très à cœur et sait cultiver des haines secrètes. Les gens jalousent facilement le personnage joyeux que le Poissons/Serpent joue en public. Et comme le Poissons/Serpent est toujours le plus beau et le plus entouré partout où il va, en vertu de son seul magnétisme naturel, les gens prétentieux l'envient. Comment une personne d'apparence si simple peut-elle avoir tant de séduction ? C'est magique.

Malgré ce charisme, les Poissons/Serpents manquent de confiance en eux. Ils ne sont jamais tout à fait sûrs d'eux et se tiennent toujours un peu à l'écart des nouveaux venus. Ils s'intéressent à tout ce qui a trait à la nature, aux animaux et au surnaturel. Ils sont compatissants et compréhensifs au suprême degré. Ils sont fréquemment maussades, mais il est très facile de les tirer de leur mauvaise humeur.

AMOUR

Pour le Poissons/Serpent, l'amour véritable ne connaît pas de limites. Si ce sujet se marie ou choisit de vivre avec un partenaire, ce sera pour toujours. Le lien ne sera jamais brisé. Les Poissons/Serpents aiment rester chez eux et remplir leur maison d'amis et de voisins. Mais ils ne sont pas portés sur les sorties impromptues, du genre : « Viens chérie, on va dîner en ville. » Il leur faut de longues périodes de calme pour recharger leurs batteries car ils dépensent beaucoup d'énergie quand elles « marchent ». Il est possible que leur partenaire soit infidèle, car le Poissons/Serpent n'aime pas la foule et ne suit pas les modes. Il n'ira pas danser s'il n'en a pas envie — et il n'en a pratiquement jamais envie.

Si vous voulez gagner l'affection d'un de ces fascinants magiciens, aprenez à écouter. Vous ferez beaucoup de chemin dans le cœur d'un Poissons/Serpent en lui prêtant une ou deux heures de votre attention. Les Poissons/Serpents sont terriblement sensibles mais leur sensualité est à la fois modeste et réservée. Ils n'éprouveront la passion dévorante qu'une seule fois dans leur vie. Puis, après avoir appris leur leçon à la dure, ils choisiront avec prudence la personne à qui ils confieront leur cœur. S'ils décident de vous aimer, vous avez un ami pour la vie.

COMPATIBILITÉS

POISSONS/SERPENT : Les Taureau, Cancer et Capricorne/Coqs sont vos secrets admirateurs. Vous pourrez trouver le bonheur avec eux. Les Cancer et Capricorne/Bœufs et Dragons convoitent votre beauté et apprécient votre esprit incisif. Les Gémeaux, Vierge et Sagittaire/Tigres ne sont pas du tout de votre côté. Et ne pensez pas à une cohabitation avec des Cochons de ces trois mêmes signes. Les Vierge/Singes vous étreindront plus fort que vous ne pourrez les étreindre en retour — ne les tentez pas.

FAMILLE ET FOYER

Le Poissons/Serpent est intimement lié au foyer. Si loin qu'il aille, le lien ne sera jamais ni détendu ni brisé. C'est une personne aimante et attachée à son devoir, pour qui la maison ne compte que dans la mesure où elle abrite ceux qu'elle aime. Si vous trouvez un Poissons/

Serpent chez lui, son cadre sera confortable mais dépouillé. Le Poissons/Serpent dépense avec prudence. Le luxe peut avoir son importance pour les parents, l'époux ou l'épouse et les enfants. Quant à lui, il peut vivre dans une seule pièce avec un lit et un grand placard. Les Poissons/Serpents n'ont jamais l'air sur leur trente et un, mais secrètement, ils aiment posséder des tas de vêtements.

Le Poissons/Serpent n'aime pas les peines liées au métier de parent. Ce sujet est un écorché vif. Le cri d'un enfant ébranle ses tympans autant que le vrombissement d'un Boeing 707. Le bruit d'une petite cuillère que Bébé tape contre sa chaise peut le faire tomber dans le coma. Si il ou elle a des enfants, ce serait une riche idée que d'avoir aussi des domestiques.

L'enfant du Poissons/Serpent est le petit chouchou. Il est si fluide et malléable, d'une telle sagesse pour son âge et si tendrement câlin qu'aucun cœur de mère n'y résiste. A l'école, il ou elle souffrira des remarques grossières de ses congénères, et s'effondrera si les professeurs le traitent avec rudesse. Une solide instruction est le meilleur remède à la nervosité et à l'hypersensibilité du Poissons/Serpent. L'acquisition du savoir aide le Poissons/Serpent à canaliser ses philosophies et à rattacher ses méditations à la réalité. Sans une bonne base de connaissances, ce sujet sera toujours désœuvré. Les jeux du sentiment ne sont pas suffisamment stimulants pour suffire à l'occuper.

PROFESSION

Ce sujet prudent et compatissant peut exercer bien des métiers. Mais il doit d'abord surmonter l'obstacle majeur, à savoir son désir de ne pas quitter le foyer. Muni d'une solide instruction, le Poissons/Serpent acceptera peut-être de sortir et d'aller faire fortune tout seul. Sinon, il faudra l'arracher de force aux jupes de sa mère à l'âge de trente ans. Le Poissons/Serpent communique bien avec le public, et il a aussi la force et la résistance nécessaires au travail manuel.

Patron, ce sujet est efficace mais pas aimé de ses subordonnés. Comme il est trop gentil et généreux avec ses employés, ils tendent à exploiter son bon naturel, puis le critiquent parce qu'il n'est pas assez fort. Personne n'aime son bienfaiteur. Employé, tant que le Poissons/Serpent se sentira en sécurité et aimé et pourra rentrer chez lui quand il aura fini son travail, tout ira bien. Le Poissons/Serpent est un excellent travailleur indépendant.

Carrières convenant aux Poissons/Serpents : érudit, chercheur, historien, philosophe, écrivain, constructeur, travailleur social, vétérinaire, journaliste, astrologue, théologien.

Poissons/Serpents célèbres : Raymond Aron, Anthony Burgess.

<table>
<tr><td colspan="2">

POISSONS

</td><td colspan="2">

CHEVAL

</td></tr>
<tr>
<td>Compréhensif</td><td>Modeste</td>
<td>Persuasif</td><td>Égoïste</td>
</tr>
<tr>
<td>Observateur</td><td>Soumis</td>
<td>Autonome</td><td>Indélicat</td>
</tr>
<tr>
<td>Créatif</td><td>Timide</td>
<td>Branché</td><td>Rebelle</td>
</tr>
<tr>
<td>Subtil</td><td>Fier</td>
<td>Elégant</td><td>Soupe au lait</td>
</tr>
<tr>
<td>Malléable</td><td>Râleur</td>
<td>Adroit</td><td>Anxieux</td>
</tr>
<tr>
<td>Méditatif</td><td>Irrésolu</td>
<td>Talentueux</td><td>Pragmatique</td>
</tr>
<tr>
<td colspan="2">

Eau, Jupiter/Neptune, Fixe
« Je crois »

</td>
<td colspan="2">

Feu positif, Yang
« J'exige »

</td>
</tr>
</table>

Le calme apparent de cette alliance du Poissons et du Cheval n'est qu'une coquille protégeant sa fragilité et sa spiritualité. Les natifs du Poissons/Cheval sont à la fois clairvoyants et humanitaires. Ils donnent beaucoup d'eux-mêmes sans attendre rien de plus en retour qu'une tape amicale sur la tête. Dans ce double signe, le Cheval modère le coup de collier égoïste qu'il donne généralement pour acquérir son autonomie. Le Poissons évite au Cheval de trop prendre la mouche, lui enseigne à s'effacer et lui montre les merveilles de la clairvoyance.

Le Poissons/Cheval moyen est beaucoup trop gentil. Le dynamisme du Cheval met en valeur bien des bonnes qualités du Poissons (créativité, compatibilité et compréhension). Le Poissons/Cheval sacrifie parfois trop de son temps aux autres, oubliant d'en garder assez pour lui-même. Il est enclin à la réserve, mais aime la popularité. Si le Poissons/Cheval trouve la protection d'une personne solide et estimable qui désire lui voir atteindre ses objectifs, il pourra aller loin. Son indubitable originalité et ses rares capacités n'ont besoin que de trouver un sentier sûr qui le conduira hors des ténèbres. Alors, il pourra conquérir de grands honneurs dans le monde.

Ce talentueux Poissons est né avec le brillant et la dextérité du

Cheval. Il peut être persuasif et extrêmement populaire. Sa nature de Cheval lui donne même la possibilité d'apprendre la rudesse et le pragmatisme. Mais parfois, le Poissons écarte d'un haussement d'épaules ces outils potentiels du succès, préférant l'anonymat à la gloire. Ce Poissons écorché vif trouve trop longue et rocailleuse la route menant à la notoriété ou même simplement à la réussite dans le domaine choisi. Le Poissons/Cheval a le don de voir au-delà du présent, et cela constitue pour lui un sérieux handicap. Le moment qu'il est en train de vivre s'estompe dans la lumière éblouissante de l'avenir. Le Poissons/Cheval peut prédire les difficultés et prévoir les obstacles. Alors, il renonce souvent avant de commencer.

La vie et toutes ses folles pérégrinations semblent presque futiles au Poissons/Cheval. Les gens et leurs existences incroyablement compliquées lui donnent envie de rire et de plaisanter. Cet hippocampe éphémère s'amuse que les gens se prennent tant au sérieux. Il se demande : « Ne voient-ils donc pas comment ils ont l'air bêtes ? N'ont-ils pas conscience de leur ridicule ? Pourquoi sont-ils bouleversés ? C'est la vie après tout. »

De nature, le Cheval est toujours un peu rebelle. Le Poissons flâne à l'aventure, le Cheval est susceptible de partir brusquement au galop ; si vous les alliez, vous obtenez une sorte de bohème hédoniste qui ne demande rien de plus qu'un endroit pour dormir à la belle étoile. Si cette attitude « je-m'en-foutiste » devait dominer dans la personnalité du Poissons/Cheval, il ou elle pourrait en devenir la victime, résignée et stoïque. Le Poissons/Cheval n'est pas très combatif. Il peut brièvement s'enflammer dans sa jeunesse, jouant les révolutionnaires ou affectant des airs de matamore. Mais vers vingt ans, la plupart de ces natifs s'affairent à développer les capacités qui leur permettront de gagner leur vie, ou ils sont à Katmandou à la recherche de leur identité. Très tôt dans sa vie, le Poissons/Cheval doit se découvrir une passion et la conserver toute sa vie.

AMOUR

Le Poissons/Cheval est un bon serviteur de l'amour. Il ou elle possède un dévouement illimité. Le Poissons/Cheval sait soigner les autres et se préoccupe sincèrement que vous ayez pris ou non cette aspirine pour votre migraine. Il ou elle sera un tantinet timide et fera sans doute un partenaire peu démonstratif. Si ce sujet vous a choisi, vous pouvez compter être à la fois admiré et adoré.

Si vous êtes la maîtresse ou l'amant adoré de ce sujet, n'abusez jamais de sa gentillesse. Le Poissons/Cheval vous idolâtre. Sa fidélité et son loyalisme vous sont assurés. Votre rôle ? Faire sortir de son cocon cette âme timide au moyen de préliminaires imaginatifs et généreux. Il faudra le séduire : clair de lune, fleurs et chandelles, s'il vous plaît. Les mets sont secondaires.

COMPATIBILITÉS

POISSONS/CHEVAL : Vous avez la cote avec les Cancer, Balance, Scorpion et Capricorne/Tigres. Mariage solide et affectueux. Les Taureau, Scorpion et Capricorne/Chiens vous adorent également. Et vous vous entendrez comme larrons en foire avec les Taureau et les Capricorne/Chèvres. Vous êtes susceptibles d'apprécier les faveurs des Rats, surtout des Gémeaux, Sagittaire ou Vierge/Rats. Les Singes nés sous les signes des Gémeaux ou du Sagittaire ne vous rendront pas justice. Ne les approchez pas.

FAMILLE ET FOYER

La demeure favorite du Poissons/Cheval sera sans doute celle d'un autre. Ce sujet n'est pas spécialement thésauriseur, et ne se soucie pas d'impressionner la galerie. Il ne désire pas vivre dans le froid ou la pluie, et préfère manger à jeûner. Mais pour cette nature aérienne, le confort n'inclut pas forcément des meubles signés ou du papier peint importé d'Italie. Son habitat naturel se trouve dans les nuages. Nettoyer les gouttières le rapproche beaucoup trop de la terre.

Le parent du Poissons/Cheval s'occupera bien de ses enfants La spontanéité même des petits attire cette nature immatérielle et il s'efforce de les comprendre. Toutefois, je ne le vois pas dans le rôle du capitaine maître à bord après Dieu. Oh non ! l'intérieur du Poissons/Cheval sera plutôt le rêve du bohémien. Le soin et l'ordre ne sont pour lui que de triviales entraves. Le Poissons/Cheval veut élever sa famille dans un environnement libre de toutes chaînes. Pas de clôtures, s'il vous plaît.

L'enfant du Poissons/Cheval sera sans aucun doute obéissant et se conformera aux règles tant qu'il sera bien nourri et bien dans sa peau. Non que sa nature le porte à vivre à la maison jusqu'à la fin de ses jours — loin de là. Mais jusqu'à l'adolescence, ce sera un enfant paisible et accommodant, plus intéressé que la moyenne au surnaturel. A cause de sa réelle tendance à la clairvoyance. cet enfant sera sujet à des rêves perturbateurs ou à des illuminations soudaines. Enseignez-lui à considérer comme un atout cette faculté prémonitoire, à en accepter l'aide. N'ayez pas peur. Parfois, le Poissons/Cheval peut prédire l'avenir et est en contact avec des forces qui nous dépassent.

PROFESSION

Le Poissons/Cheval n'est guère efficace dans le monde du travail ou des affaires. Il ou elle se cabre devant les pièges que recèlent marchés et contrats, et se rit de l'individu qui répond à quatre téléphones à la fois. Pour cette âme détachée du monde, la vie n'a pas grand-chose à voir avec la quête de la richesse et du pouvoir. Toutefois, comme le Poissons/Cheval est toujours artiste et visionnaire, les carrières artistiques lui offrent souvent l'occasion de réussir malgré son penchant au détachement. S'il conquiert une situation en vue, il assume la gloire avec dignité.

Patron, le Poissons/Cheval? Eh bien, au mieux, ce sujet engagera peut-être une secrétaire pour taper ses manuscrits ou un copiste pour transcrire ses compositions sur du papier à musique. Il ne sera sans doute pas très exigeant. En revanche, s'il est employé, et pourvu que le travail le stimule, le Poissons/Cheval peut assumer la routine sans broncher. S'il devient mécontent de son travail, c'est généralement parce qu'il a perdu l'admiration qu'il vouait à son patron, ou que sa créativité est mal employée. Le Poissons/Cheval a besoin d'encouragements et même de quelques applaudissements en bruit de fond pour bien travailler seul.

Carrières convenant aux natifs du Poissons/Cheval : fleuriste, jardinier, libraire, astrologue, psychologue, psychiatre, sorcier, musicien, écrivain, réalisateur de cinéma, artiste, poète.

Natifs célèbres du Poissons/Cheval : Frédéric Chopin, Mickey Spillane, Patty Hearst, John Irving, Michel Magne.

POISSONS		CHÈVRE	
Compréhensif	Modeste	Inventif	Parasite
Observateur	Soumis	Sensible	Primesautier
Créatif	Timide	Persévérant	Nonchalant
Subtil	Fier	Fantaisiste	Erratique
Malléable	Râleur	Courtois	Rêveur
Méditatif	Irrésolu	Bon goût	Pessimiste
Eau, Jupiter/Neptune, Fixe		*Feu négatif, Yang*	
« Je crois »		*« Je dépends »*	

Ce sujet, combinaison des deux signes les plus sensibles, les plus émotifs des deux zodiaques, est ce que nous appellerons un grand sensible. La sensibilité passe avant tout. Le reste — génie, faculté d'utiliser des talents, amour et affectivité — viennent ensuite. J'imaginais toujours qu'une personne née sous cette alliance de signes ne pouvait qu'être parfaitement inutile dans le monde réel. Mais je réalise maintenant que mon image du poète terrassé, se tordant dans les affres de son inspiration, est totalement fausse. Les Poissons nés dans une année de la Chèvre font partie des Poissons les plus puissants.

La raison? Eh bien, c'est que le Poissons se trouve souvent astrologiquement lié à un signe plus ou moins agressif. Le Poissons/Tigre, par exemple ; et imaginez de plus qu'il s'y ajoute un ascendant Lion ou Vierge. La réceptivité et la sensibilité peuvent se trouver écrasées dans l'œuf. Alors qu'allié à la Chèvre, la Chèvre dépendante, fantaisiste, sensuelle, artiste et bon enfant, le Poissons peut enfin nager sans entrave dans la direction de son choix. Aucune influence restrictive ne cherche à lui imposer des limitations. Si le Poissons a envie de chanter faux, la Chèvre se fera un plaisir de composer l'accompagnement en conséquence.

Nous nous trouvons donc en présence du mariage positif de deux signes ultra-sensiblés. Que peuvent faire ces natifs de tant d'émotions ? Comment parviennent-ils à canaliser toute cette fluidité et à lui donner une forme utilisable ? Très simple. Ils n'essayent même pas. Le Poissons n'aime pas les moules. La Chèvre non plus. Equipiers, ils s'en débarrassent joyeusement. Ils errent et vagabondent, montent et descendent, vont et viennent, entrent et sortent capricieusement — mais jamais inutilement. Les Poissons/Chèvres sont des antennes vivantes.

Ils captent tout ce qu'ils voient et entendent. Ils se rappellent détails de couleur et de texture. Ils ont la mémoire des lieux et enregistrent les tailles et les formes. Les Poissons/Chèvres, mes amis, sont des artistes de premier ordre. Ils ingurgitent, cogitent et régurgitent les émotions.

Comment cela s'applique-t-il à la vie quotidienne ? Ça ne s'applique pas. Oubliez la « vie quotidienne ». Le Poissons/Chèvre est un vagabond. Il ne s'intéresse pas à la routine ou à la répétition d'une expérience. L'objectif principal de ces natifs, c'est d'aller d'expérience en expérience. Leurs repas peuvent être simples casse-croûte ou soupers fins. Ils oublieront de se peigner ou seront impeccablement coiffés. Leurs vêtements seront somptueux ou miteux. Pour le Poissons/Chèvre, c'est tout un. Il a tout son temps devant lui. Il dédaigne la critique et l'ingérence. Il conduit sa vie exactement à sa guise. Et si ça ne vous plaît pas, allez voir ailleurs s'il y est !

Comprenez-moi bien. Le Poissons/Chèvre n'est pas désobéissant. Car pour être désobéissant encore faut-il avoir quelque idée de ce qu'est l'obéissance. Ce n'est pas son cas. Il n'a jamais adhéré à des coutumes idiotes, mais il se laisse porter par le courant. Il n'est pas rebelle pour la bonne raison qu'il n'a jamais accordé la moindre attention aux règles et règlements. Le Poissons/Chèvre est un marginal-né.

Et la Chèvre ? Sur quelle épaule reposer sa tête ? Sur qui s'appuyer ? Eh bien, sur le Poissons, naturellement. Dans les eaux du Poissons, la Chèvre n'est plus un parasite mais une invitée bienvenue. La symbiose dans toute sa gloire.

AMOUR

... Oui. L'amour et le Poissons/Chèvre... Disons simplement que si le Poissons/Chèvre a une fois connu l'amour, il lui sera extrêmement difficile de retomber dans ses filets. Bien souvent, à cause d'un certain détachement naturel à ce sujet, de par la distance psychique qui existe entre lui et les autres, il évitera les attachements durables. Toutefois, en vue de la perpétuation de l'espèce, il arrive un moment où il ou elle s'entiche de quelqu'un. Son choix se portera sans doute sur une personne solide qui réglera le déroulement de sa vie-carrière-repas-douches, etc. Le Poissons/Chèvre est une âme passionnée dont les amours tapageuses ont inspiré des romans. Mais ce sujet n'essaiera même pas d'être fidèle. « Fidélité? Connais pas! » dira-t-il, sortant de son nuage. Ne faites pas attention.

Si vous deviez être l'élu de ce caméléon tentaculaire ou que vous désiriez vous y attacher, je vous suggère de « prendre les choses en main ». Même le plus strict des tyrans a du mal à domestiquer un Poissons/Chèvre. Il ne comprend pas les horaires. Il ne connaît d'autres règles que les siennes. Le temps ne signifie rien pour lui — ou du moins rien qui vous soit familier. C'est pourquoi, si vous êtes attiré par ce merveilleux farfelu, ne l'entravez pas. Chouchoutez-le. Qui sait? C'est peut-être Michel-Ange.

COMPATIBILITÉS

POISSONS/CHÈVRE : Vous êtes vraiment un amoureux des Chats! Tentez votre chance avec un natif du Taureau, du Cancer, du Scorpion ou du Capricorne. Ils vous proposent la sécurité en échange de vos charmes. Les mêmes signes vous offrent leurs natifs du Cheval pour l'amour et la romance. Un Taureau, Scorpion ou Capricorne/Cochon sera aussi capable de vous rendre heureux. Et on ne peut pas même imprimer le plaisir et la joie que vous aurez avec un sensible Scorpion/Chèvre. Puis-je vous suggérer d'éviter les Bélier, Gémeaux et Vierge/Bœufs? C'est dans votre intérêt, croyez-moi. Les Vierge/Chiens ne s'entendront pas du tout avec vous.

FAMILLE ET FOYER

Si le Poissons/Chèvre va jusque-là, s'il se décide finalement à fonder un foyer, il ou elle vivra dans le luxe et la beauté. De plus, ce sujet sait manier les outils, montre de l'originalité dans l'agencement des pièces et invente des effets de lumière efficaces. Leur fameux talent artistique est partout applicable. Les meubles ne seront probablement pas très pratiques. Dans ce domaine, l'esprit d'organisation d'un partenaire plus prosaïque lui sera d'un grand secours. Il ou elle aura des vêtements terribles et spectaculaires à pleins placards.

Ce sujet supportera ses enfants et les aimera follement. Toutefois, les fréquentes interruptions et le manque de bon sens des petits l'agaceront. Comme tout le monde, le Poissons/Chèvre voit la paille dans l'œil du voisin et pas la poutre dans le sien. Mais bruits et interférences sont vraiment trop durs à supporter pour cette nature extrêmement artiste. Les Poissons/Chèvres devraient être protégés contre leurs enfants. Et réciproquement!

Si vous pensez avoir un enfant du Poissons/Chèvre, préparez-vous à accueillir un être totalement indiscipliné — mais pas nécessairement violent ou turbulent. Cet enfant sera étonnant et vous fascinera par son attirance pour la création et la nature. Il lui faudra de vastes étendues où brouter et nager à son aise. Si j'étais vous, je m'installerais à la campagne, dans une grande demeure, où ce petit prodige aurait son espace réservé. Puis lâchez-le dans la nature avec une boîte de peintures ou une bibliothèque pleine de poésie. Vous ne le regretterez pas.

PROFESSION

Les meilleures carrières sont celles qui lui permettront de voyager et d'exprimer sa créativité. Ce sujet a besoin d'évoluer librement. Il ou elle désire également éviter la routine, et préférerait ne pas se trouver dans le comité de nettoyage. Trouver un métier pour cette nature d'artiste n'est pas une sinécure. Toutefois la question de la profession se résoudra d'elle-même s'il reçoit une formation précoce ou s'il est placé en apprentissage chez un grand artiste. Ce sujet veut utiliser ses talents, il a une véritable vocation d'artiste, et, s'il ne se laisse pas aller à certaines dispositions pessimistes, tout ira bien.

Patron, le Poissons/Chèvre évalue les situations d'un coup d'œil. Comme il flotte perpétuellement sur son nuage, il a une perspective à la fois exacte et élevée. Le Poissons/Chèvre est très capable d'occuper des positions d'autorité. Il sait manier les gens. Toutefois, ce sujet ne fait pas un employé ou un ouvrier porté sur les corvées. Il est le plus à son aise dans des emplois lui permettant les contacts humains avec beaucoup d'espace pour évoluer — au propre et au figuré.

Carrières convenant aux Poissons/Chèvres : artiste (tous les genres), musicien (tous les genres), artisan (tous les genres), dessinateur de costumes de théâtre ou de cinéma, maquilleur, décorateur de théâtre, coiffeur, couturière, écrivain (tous les genres).

Poissons/Chèvres célèbres : Michel-Ange, W. H. Auden, Tom Wolfe, John McPhee, George Washington, Marcel Pagnol, Isabelle Huppert.

POISSONS		SINGE	
Compréhensif	Modeste	Improvisateur	Coquin
Observateur	Soumis	Habile	Astucieux
Créatif	Timide	Stable	Loquace
Subtil	Fier	Directif	Égocentrique
Malléable	Râleur	Spirituel	Puéril
Méditatif	Irrésolu	Zélé	Opportuniste
Eau, Jupiter/Neptune, Fixe		*Métal positif, Yin*	
« Je crois »		« Je prévois »	

Sous l'influence libératrice du Poissons, le joyeux Singe acquiert une image nouvelle, plus élégante. Le Singe est normalement pondéré. Dans le zodiaque chinois, il assume le rôle d'un solutionneur de problèmes, petits et grands. Les Singes naissent pleins de bon sens. Ce sont des leaders naturels, mais ils ne recherchent pas le pouvoir. Ils sont astucieux et stables. Combinaison rare. Le Poissons prête beauté et grâce spirituelles au Singe agile et plein de feu. Le résultat est une belle personne que sa réputation de charme précède partout.

Ce sujet adore la beauté et sait où la trouver. Ce que le Poissons/ Singe veut, il l'obtient généralement. Il a naturellement du style et de la classe. Les gens lui donnent garde-robe élégante et jolis bijoux, châteaux et honneurs. La perception créative alliée à la ruse et à l'opportunisme donnent un sujet passablement BC-BG. Le Poissons/ Singe est sophistiqué sans être snob. Il sera élégant sans se soucier de figurer sur la liste des dix hommes ou femmes les mieux habillés du monde. On peut le comparer aux séducteurs ou aux princesses des romans sentimentaux du XIXe siècle — il a de la classe dans le genre crâneur.

Maintenant, cette classe peut très bien n'être qu'un vernis. Le Poissons/Singe a un petit côté parvenu, et est un des plus grands simulateurs de tous les temps. Mais néanmoins, l'image est la réalité. Ils sont passés maîtres en l'art de se faire une image avantageuse.

Le Poissons/Singe fait son chemin dans la vie grâce à son charme et à son esprit calculateur. Il modifie, tortille et contorsionne ses idées et ses investissements, ses amours et ses haines suivant le besoin du moment. Il sait tirer le meilleur d'une échauffourée. Ce Poissons est un aventurier-né dont le numéro très classe dupe les foules et le propulse dans la situation désirée en ce qui nous semble un clin d'œil. Vous comprenez, les Singes sont déjà plus astucieux que la plupart d'entre nous. Généralement, les Singes ont leur vie bien en main. Mais quand le Poissons joint ses forces aux leurs, ils deviennent légèrement plus élusifs, un tantinet timorés. La timidité du Poissons, ce modeste battement de cils, c'est ce qui enlève le marché à tous les coups.

Le Poissons/Singe est péripatétique. Il a tendance aux excès et peut avoir des problèmes de santé dans tous les domaines, de l'alcoolisme à la goinfrerie. Toutefois, les Poissons/Singes ne sont pas autodestructeurs. Ils savent quand il convient de mettre un terme à leur laisser-aller. Le Poissons/Singe recouvre toujours son équilibre perdu.

Les Poissons/Singes sont très sentimentaux. Ils savent s'emparer des sentiments d'un autre et s'y cramponner. En amitié comme en amour, le Poissons/Singe est collant comme du porridge de la veille.

Le Poissons a le regard liquide, le Singe l'a incisif; le regard du Poissons/Singe en prend quelque chose d'à la fois courroucé et tendre. Son attitude générale semble proclamer : « J'aime l'humanité, mais si elle essaye de me nuire, je me verrai forcé de n'en faire qu'une bouchée. » Les Poissons/Singes ne sont jamais intentionnellement oppressifs. Ils ont une conscience aiguë de leur pouvoir de séduction. Mais ils sont souvent trop paresseux pour chercher à dominer les autres, préférant les vicissitudes de rapports personnels embrouillés à l'ennuyeuse adulation des foules.

AMOUR

Les histoires d'amour du Poissons/Singe sont aussi épiques et romanesques que celles des romans plus haut mentionnés. Ils s'embarquent dans des liaisons passionnées de proportions spectaculaires et d'envergure biblique. Les Poissons/Singes sont plus que séduisants. Ils ont de l'allure et du mystère. Les gens en tombent amoureux, pieds par-dessus tête. Le Poissons/Singe, qui est un rien vaniteux, est flatté d'être l'objet de tant d'affection. Mais, parce que ce sujet est un Poissons et semble parfois passif, amants et maîtresses peuvent essayer d'abuser de son bon naturel. Alors, cela fait des étincelles. Il est strictement interdit d'exploiter les émotions du Poissons/Singe.

Si vous vous êtes énamouré d'un de ces aristocrates désinvoltes, je vous suggère de gagner beaucoup d'argent. Les Poissons/Singes aiment la richesse. Ils savent l'acquérir et la conserver. « Ce qui est à toi est à moi, ce qui est à moi est à moi », disent-ils. Un peu pour vous, deux pour eux. Votre vie ne sera pas triste en compagnie de ce voyageur et de ce contempteur d'habitudes. Ils réagissent bien à la tendresse mais n'aiment pas qu'on les ridiculise. Avancez sur la pointe des pieds.

COMPATIBILITÉS

POISSONS/SINGE : Le Taureau, le Cancer, le Scorpion et le Capricorne vous offrent leurs Dragons aimants. Vos amants du Rat devraient se trouver parmi les natifs du Taureau, du Cancer et du Capricorne. Il se peut même que vous vous entendiez avec un Taureau/Singe. Ne me demandez pas pourquoi, mais mes tablettes me disent que vous devriez éviter les Sagittaire/Tigres, les Gémeaux et les Sagittaire/Serpents, les Vierge/Chevaux et Cochons.

FAMILLE ET FOYER

Le luxe est à l'ordre du jour chez le Poissons/Singe. Ces sujets aiment les ruchés et les satins, les dentelles et les velours, sans oublier les soies s'il vous plaît. Ils sont portés sur les meubles traditionnels et les grandes pièces aux cheminées de marbre. C'est le complexe du château. Les Poissons/Singes sont des hédonistes, et apprécieront presque autant les hôtels cinq étoiles que leurs somptueuses demeures.

Le parent du Poissons/Singe s'améliore avec l'âge.

Jeune, il peut se laisser distraire de ses devoirs par son physique avantageux et ses succès amoureux. Mais en vieillissant, il prend ses responsabilités parentales de plus en plus au sérieux. Ces sujets sont curieux des opinions de leurs enfants et accessibles à la critique. Le Poissons/Singe pourvoira bien aux besoins de sa famille. Bonnes écoles et le reste. Mais il sera peut-être trop occupé pour passer tout un après-midi à jouer aux dames avec un enfant malade.

L'enfant du Poissons/Singe est un malicieux diablotin de nounours. On a envie soit de chatouiller, soit d'étouffer de baisers ce charmant petit gredin. Il ou elle sera casse-cou et aura tendance à faire le clown à l'école. L'enfant du Poissons/Singe est sociable. Surveillez l'apparition de signes pouvant conduire à une célébrité ou à une fortune précoces. Et ne vous laissez pas circonvenir. A trois ans, ce petit est déjà capable de vous persuader qu'il devrait se coucher à six heures du matin.

PROFESSION

Peu de carrières sont fermées au Poissons/Singe. Il est éclectique à l'extrême et capable d'exécuter des ordres avec zèle et rapidité. Il est physiquement solide quoique sujet à de fréquents accidents dus à la mobilité de son style de vie. Ses capacités mentales sont acérées et en harmonie avec ce qui se passe dans le monde. Il est volontaire, également, et doué à la fois pour la création et l'interprétation.

Le patron du Poissons/Singe sera aimé de ses employés et de ses subordonnés. Ce sujet exerce son charme avant d'exercer son autorité. Il ou elle ne s'abaisse jamais à humilier les domestiques. Ces natifs sont très humanitaires, et, bien qu'ils soient capables d'imposer leur loi, préfèrent se faire obéir par l'intermédiaire de la raison et du bon sens. L'employé du Poissons/Singe est sérieux et met volontiers la main à la pâte. Il n'aimera guère les emplois anonymes où l'on travaille dans une cellule. Le Poissons/Singe a besoin d'être vu pour être apprécié.

Carrières convenant aux Poissons/Singes : politicien, courtier en assurance, amiral, acteur/actrice, moniteur de ski, artiste, personnalité de la télévision.

Poissons/Singes célèbres : Balthus, Rex Harrison, Ted Kennedy, Liz Taylor, John Updike, Jean Lecanuet, Michèle Morgan.

<table>
<tr><td colspan="2">

POISSONS

Compréhensif   Modeste
Observateur   Soumis
Créatif   Timide
Subtil   Fier
Malléable   Râleur
Méditatif   Irrésolu

Eau, Jupiter/Neptune, Fixe
« Je crois »

</td></tr>
</table>

POISSONS	**COQ**

Compréhensif	Modeste	Résistant	Effronté
Observateur	Soumis	Passionné	Vantard
Créatif	Timide	Candide	Borné
Subtil	Fier	Conservateur	Instable
Malléable	Râleur	Rigoureux	Autoritaire
Méditatif	Irrésolu	Chic	Dispersé

Eau, Jupiter/Neptune, Fixe
« Je crois »
         Métal négatif, Yang
« Je surmonte »

   La plus grande qualité de cette alliance du Poissons et du Coq est son adaptabilité. Ce sujet méticuleux et autonome se sent instantanément chez lui où qu'il se trouve. Il aime le changement et prend rapidement des mesures pour s'adapter et s'acclimater. Les Coqs sont aventureux. Les Poissons aiment vagabonder. Le mouvement attire cet enthousiaste. La discorde le fait fuir. L'amour malheureux le fait pleurer.

   Les Poissons nés dans une année du Coq doutent secrètement de leur faculté de plaire. Ils ne sont jamais sûrs de leur charme et s'inquiètent outre mesure des apparences. Ils n'aiment pas que cette crainte se voie. Superficiellement, le Poissons/Coq est cavalier et autoritaire. Il ne montre que son meilleur côté et n'a pas peur de vous entretenir de ses perfections. D'où le plus grand défaut du Poissons/Coq : son arrogance. Ses plus graves erreurs viennent de sa prétention. Pourtant, point n'est besoin de creuser beaucoup pour découvrir que sa nature profonde, qui est modeste, n'approuve pas cette morgue.

   Le Coq est un aventurier terre à terre et réaliste. Le Poissons est juste le contraire. Résultat ? Ou bien ce sujet a une attitude provocante, déclarant tout à trac : « Je suis la maîtresse de M. Slade » alors qu'elle ferait mieux de garder ça pour elle ; ou bien elle reste sagement assise, tranquille et effacée, souhaitant que la tempête se passe et que M. Slade n'ait jamais existé. Le Poissons/Coq est d'humeur inégale et un rien névrosé. D'une part, il aspire à la paix et aux promenades pastorales. De l'autre, il casse du bois jusqu'à trois heures du matin pour avoir de l'avancement.

Le Poissons/Coq est secrètement farfelu. Il prétend qu'il n'aime pas s'amuser. Mais ça le démange de faire son numéro, de s'éclater. La vie du Coq est pleine de hauts et de bas. Psychiquement, le Poissons souffre alternativement d'exaltation et de déprime. Si le « haut » du Coq n'est pas en conjonction avec l'exaltation du Poissons, surveillez l'apparition de signes de conflits intérieurs. Il n'est même pas exclu qu'il se ronge les ongles ou suce son pouce.

Le Poissons/Coq est intelligent. Il devrait mettre son sérieux en valeur en exposant son côté drôle et farfelu. Je veux dire par là que les Poissons/Coqs se sentent bien dans leur peau lorsqu'ils se montrent tels qu'ils sont. Ils peuvent être à la fois audacieux et débrouillards. Mais ils sont également capables de création et de spiritualité. Très simple. Ils devraient écrire un livre sensationnel, réaliser un film comique, ou devenir des professionnels de la moto ou du saut à ski.

« Mais je ne suis pas du tout comme ça ! » proteste le Poissons/Coq. « Je suis un travailleur acharné qui aime randonner tout seul dans la montagne avec ses chiens. »

Peut-être. Mais si vous cessiez de vous apitoyer sur vous-même et de souligner les différences qui vous séparent du reste du monde, je crois que vous pourriez sortir de cet isolement que vous vous imposez et vous amuser un peu. Vous êtes talentueux et efficace. Tout le monde vous le dit. Vous êtes attrayant et adaptable. Alors, pourquoi tout vous refuser ? Pourquoi ne pas vous détendre et jouir de la vie ? Ne comptez pas sur les autres pour vous divertir. Assumez votre vie pendant qu'il est encore temps.

AMOUR

Extérieurement, le Poissons/Coq souffre de n'être pas assez aimé. Personne ne l'aime, l'amour véritable n'existe pas, et d'ailleurs, tout ça, c'est de la blague. (Haussements d'épaules à répétition.) Intérieurement (encore !) ce sujet est un romantique, un idéaliste, croyant dur comme fer à la passion éternelle. Mais il survient toujours des désaccords dans les amours les plus sincères. Le Poissons/Coq se décourage facilement Il a du mal à persévérer dans une liaison amoureuse. N'oubliez pas que le seul défaut qu'il croit avoir c'est sa perfection. Alors, comment peut-il accepter d'avoir été grossier, soupe au lait ou infidèle ? Le Poissons/Coq est toujours en train de crier ses imperfections sur tous les toits. Résultat ? Il se sent méprisable. Ce qu'il lui faut, c'est un challenge.

Si vous aimez un Poissons/Coq et si vous désirez le garder près de vous quelque temps, ne le laissez pas se plaindre. Ne lui permettez pas de s'apitoyer sur lui-même ni d'exiger la perfection, soit de vous, soit de lui-même. Ces sujets tendent à être tour à tour autoritaires et maussades. Relevez le défi. Et surtout, pas de crises de larmes. Cela réveille ses plus mauvais instincts. Les pleurnicheries, cela lui ressemble trop. Il déteste.

COMPATIBILITÉS

POISSONS/COQ : Vous jouirez de la félicité auprès d'un Taureau, Cancer, Scorpion ou Capricorne/Bœuf. Les Cancer, Scorpion et Capricorne/Serpents vous excitent également. Les Taureau et les Capricorne/Dragons admirent votre approche directe. Les Gémeaux, Vierge et Sagittaire/Chats sont des signes incompatibles avec vous... Les Gémeaux/Coqs vous tapent sur les nerfs, et le Gémeaux/Cochon est votre Némésis.

FAMILLE ET FOYER

Le Poissons/Coq est généralement passablement méticuleux et ordonné. Son intérieur sera plein de couleurs chaudes et vives. Ces natifs voudront impressionner. Ils aiment ce qui brille. En tant que Poissons, ces sujets aiment tout ce qui est naturel et pur. Ils préféreront sans doute une grande maison de campagne à un appartement exigu en ville. Et ils adorent s'habiller. Vêtements classiques de bon goût.

Le Poissons/Coq ne sait jamais avec certitude s'il désire ou non avoir des enfants. Ces sujets ont assez de mal à se convaincre de s'entendre avec eux-mêmes sans ajouter la charge d'un autre être humain à leur fardeau émotionnel. Ce sujet n'est pas fait pour nourrir et soigner. S'il a des enfants, il laissera sans doute à son partenaire le soin de les élever. Le parent du Poissons/Coq ne brillera pas par la patience.

L'enfant du Poissons/Coq sera très sensible et doué. Quelle que soit la façon dont on l'élève, il est sûr qu'il critiquera les exigences parentales. Cet enfant est obéissant et plein d'idéalisme pour ses parents. Adolescent, quand l'enfant du Poissons/Coq découvrira que ses parents ne sont que des humains, il sera amèrement déçu. La meilleure façon d'élever ce petit, c'est de le rassurer par des cajoleries et des encouragements. Il doute de lui, voilà l'ennemi. Il faut lui donner confiance, voici l'objectif. N'humiliez jamais ce fier petit.

PROFESSION

Dans sa carrière, le Poissons/Coq aventureux et talentueux exige beaucoup de lui-même. Il se sentira aiguillonné par des emplois requérant le déchiffrage de plans complexes. Ce sujet est efficace et toujours à la hauteur de sa tâche. Il aime tout faire « comme il faut ». Les Poissons/Coqs ne sont guère habiles à discuter une affaire. Ce sont des exécutants. Ils réalisent les créations des autres. La créativité pour la créativité ne les intéresse pas. Ils voudront employer leurs talents artistiques à des projets concrets.

Le patron du Poissons/Coq sera exigeant. Il est perfectionniste et passablement fier et cavalier. Toutefois, il est capable de comprendre les problèmes des autres et d'adopter avec facilité des méthodes différentes des siennes. Comme il n'est pas fait pour les luttes intestines, il se trouvera bien dans une niche toute faite, au bureau ou à l'usine. Sinon, il est très capable de travailler tout seul, sans aucune stimulation extérieure. Le Poissons/Coq est ambitieux.

Carrières convenant aux Poissons/Coqs : optométriste, pêcheur, écrivain, électricien, ingénieur, photographe, programmeur informatique, accordeur de piano, ingénieur du son, pharmacien, plongeur, pilote de course.

Poissons/Coqs célèbres : Philip Roth, Lee Radziwill, Philippe de Broca, Roger Gicquel.

POISSONS		CHIEN	
Compréhensif	Modeste	Constant	Inquiet
Observateur	Soumis	Héroïque	Critique
Créatif	Timide	Respectable	Sainte nitouche
Subtil	Fier	Déférent	Cynique
Malléable	Râleur	Intelligent	Insociable
Méditatif	Irrésolu	Consciencieux	Sans tact
Eau, Jupiter/Neptune, Fixe		*Métal positif, Yin*	
« Je crois »		*« Je m'inquiète »*	

Le Poissons né dans une année du Chien, comme tous les Poissons mais encore plus, a des points sensibles qu'il ne faut toucher qu'avec la plus grande délicatesse. Mais chez ce Poissons/Chien, la sensibilité prend la forme d'une susceptibilité nerveuse. Il n'aime pas qu'on discute ses idées ou qu'on le contredise. Il est d'esprit fort mais de volonté faible.

Considérez par exemple le côté Poissons de ce sujet. Le Poissons est tout réceptivité et perméabilité. Le Poissons vit pour percevoir et élever son niveau de conscience. Il est plein de compréhension et de spiritualité. Il est vulnérable, également, et parfois amer. Souvent, le Poissons manque de la capacité de prendre des décisions.

Les Chiens sont connus pour leur constance. Ils sont dévoués, loyaux et dignes de confiance. Ils sont respectables et attachés à leurs devoirs. Ils sont même héroïques. Mais, contrairement aux Poissons, ils peuvent manquer de confiance en eux, faire parade de leur vertu et se montrer cyniques. La réunion des deux signes donne un sujet irascible et sarcastique, critique et inquiet. Le Poissons/Chien est continuellement sur la défensive. Il ne se fait pas facilement des amis. Les nouvelles relations le déconcertent. Il ou elle pourra tenter d'ignorer totalement les contacts avec la société pour trouver la paix à tout prix.

Ce signe a de nombreux talents. Le Poissons/Chien aura des myriades d'aptitudes et des potentialités à revendre. Pourvu que ce sujet reçoive une formation solide, il peut aller très loin. Mais pour un Poissons/Chien, la sécurité passe avant tout. Ces natifs n'aiment pas l'inconnu. Il ou elle travaillera avec acharnement pour atteindre à la supériorité dans le domaine choisi. Mais l'objectif réel est toujours l'abri et l'asile qui le libèrent de l'angoisse.

Les Poissons nés dans une année du Chien peuvent être très amusants. Ils ont un œil infaillible pour les détails et les faibles du comportement humain, et le chic pour les reproduire sous forme de mimique ou de satire. Leur esprit sec et tranchant crépite comme du petit bois et peut percer les cuirs les plus durs.

Le sens de la responsabilité qu'il a reçu à sa naissance peut être pour lui un boulet à la patte. Pour ce natif tendre et fiable, le devoir, c'est tout. Parfois, ces sujets dépassent leurs forces dans l'exécution de leurs obligations. Leurs nerfs ne résistent pas et le stress s'installe. Le Poissons/Chien doit surveiller l'apparition de signes annonciateurs de dépression et de désespoir, causés par le surmenage, l'épuisement et l'inquiétude.

Ce sujet est un géant fragile. A son physique solide, on ne devinerait jamais qu'il a une sensibilité d'écorché ou qu'elle s'endort tous les soirs en pleurant sur son vague à l'âme. Comme ces natifs sont fondamentalement humbles et n'affichent pas leurs émotions, ils sont souvent méconnus.

Jamais les Poissons/Chiens ne grognent ou grondent s'ils peuvent sourire à la place. Ils n'aboient que devant le danger. Mais il faut dire qu'ils en voient partout. Le Poissons né dans une année du Chien est un individu sans artifice, qui n'a rien à prouver et s'inquiète tout le temps.

AMOUR

Le Poissons/Chien est généralement marié. Les liens conjugaux lui apportent la sécurité dont il a tant besoin. Ces natifs sont assez fidèles en amour et sont difficiles dans le choix de leur partenaire. Le Poissons/Chien a besoin d'être rassuré et il faut l'encourager à oser entreprendre. De généreuses doses de réconfort et de tendresse lui sont indispensables, car sa sensibilité et ses nerfs tendus comme des cordes de piano le feront peut-être souffrir de son manque de confiance en lui.

Pour le ragaillardir, rien ne remplace un petit discours plein de dynamisme et d'affection.

Si vous êtes attiré par un de ces grands nerveux, il vous faudra de la patience et du calme. Chez le Poissons/Chien, l'expression du sentiment, que ce soit exaltation ou désespoir, tend à être sèche et cassante. Si vous deviez décevoir ce sujet sensible et intègre, vous pourriez le détruire à la longue.

Les Poissons/Chiens ne sont pas de vrais lutteurs. Ils aiment le calme et ont besoin d'un partenaire solide comme le Rocher de Gibraltar. Si vous manquez de scrupules le moins du monde, n'approchez pas ce chiot innocent. Il ou elle mérite mieux.

COMPATIBILITÉS

POISSONS/CHIEN : Les sujets du Taureau, Balance et Capricorne/ Tigre aiment votre style. Vous avez ce petit air tendre et vulnérable qui attire les Scorpion et les Capricorne/Chats. Le Scorpion/Cheval désire s'occuper de vous. Et vice versa. Les Gémeaux, Vierge et Sagittaire/Dragons, Chèvres et Coqs ne sont pas dans la course.

FAMILLE ET FOYER

Le Poissons/Chien peut vivre pratiquement n'importe où. Le bien-être de ce sujet ne dépend pas de son environnement. Bien sûr, il aime que sa demeure soit ordonnée et agréable. Mais comme il n'a pas grand besoin d'exprimer sa personnalité par son mobilier, on le trouve rarement en train d'agoniser sur le choix d'un tissu ou d'un abat-jour. Le Poissons/Chien est discret et prend grand soin des biens des autres. Mais il peut vivre sans trop de luxe et répugnera à se créer un cadre de vie somptueux.

Le parent du Poissons/Chien est un monument d'affection et de dévouement. Ce sujet est naturellement inquiet. Ne vous étonnez pas de le voir courir au berceau toutes les cinq minutes pour s'assurer que la petite Isabelle respire encore. Le parent du Poissons/Chien voudra que son enfant excelle en tout : à l'école, dans les sports, et dans ses activités extrascolaires. Si vous êtes du Poissons/Chien et que vous ayez des enfants, relâchez un peu la pression de temps en temps. Ce ne sont que des gosses, après tout.

Ce signe donne de petits enfants nerveux. Le plus important, c'est de leur donner le sentiment de la sûreté et sécurité. L'enfant du Poissons/

Chien aimera vivre dans une atmosphère douillette. Ne le forcez pas à prendre des postures ridicules et ne lui demandez pas de se produire en public à moins qu'il n'en ait vraiment envie. Il est moins timide qu'allergique à l'impudeur.

PROFESSION

Le Poissons/Chien est une personne de grandes capacités. Son intelligence acérée et son humour cynique mettent son talent en valeur. Cet astucieux natif peut transformer du jour au lendemain en projet complexe la moindre amorce d'idée ou de plan. Le sens du devoir du Chien et la sensibilité du Poissons donnent un sujet plein de ressources, infatigablement en quête du maillon « qu'il faut » pour compléter une chaîne. Le Poissons/Chien est un travailleur capable qui ne renonce pas facilement. Son défaut fatal, c'est son hypersensibilité. Si on le raille ou l'insulte, il peut s'écrouler. L'ardeur fougueuse n'est pas son fort.

Le patron du Poissons/Chien sera juste et régulier, et même comique dans ses méthodes. Il ne veut pas susciter l'hostilité de ses employés et trouve toujours quelque chose d'encourageant à leur dire. Il usera parfois de sarcasmes mordants. N'y faites pas attention. Il n'est pas méchant. Le Poissons/Chien est un employé respectueux. Il peut se laisser entraîner par une idée apparemment farfelue, mais ne vous en faites pas, il retombe toujours sur la terre. Le Poissons/Chien est une personne sérieuse aux idéaux sérieux. Seul, ce sujet ne travaille pas bien. Il ou elle a besoin qu'on l'égaye de temps en temps, et préfère travailler en collaboration que dans la solitude.

Carrières convenant aux Poissons/Chiens : écrivain, acteur/actrice, dessinateur humoristique, professeur, danseur, chanteur, directeur artistique, secrétaire, artiste graphique, puéricultrice.

Poissons/Chiens célèbres : Victor Hugo, Jack Kerouac, David Niven, Jean-Michel Folon, Sandy Duncan, Liza Minnelli.

POISSONS		COCHON	
Compréhensif	Modeste	Scrupuleux	Crédule
Observateur	Soumis	Courageux	Coléreux
Créatif	Timide	Sincère	Hésitant
Subtil	Fier	Voluptueux	Matérialiste
Malléable	Râleur	Cultivé	Épicurien
Méditatif	Irrésolu	Honnête	Entêté
Eau, Jupiter/Neptune, Fixe		*Eau négative, Yin*	
« Je crois »		*« Je civilise »*	

Le Poissons/Cochon est d'une telle émotivité qu'elle en devient presque un handicap. Il ressent toutes choses plus intensément que la plupart d'entre nous. C'est un individu doux à l'ambition illimitée. Ces sujets sont des sensualistes qui adorent le luxe et respectent immensément la tradition et la coutume. J'affirme sans hésitation que le monde moderne est leur grand ennemi. Ils sont vieux jeu et fermement enracinés dans les valeurs traditionnelles. Les raccourcis les irritent. Les surnoms leur tapent sur les nerfs. Les gadgets les ennuient.

Ce handicap oblige le Poissons/Cochon, qui néanmoins est très porté sur le gain et l'avancement, à travailler plus dur que les autres. Il s'impose à lui-même le joug d'un travail accablant. Ses idées sont aussi immuables que ses sentiments, qui sont à la fois têtus et délicats. Il ne bougera pas d'un pouce s'il pense avoir raison. Et s'il a tort, il ne bouge pas quand même. Par l'excuse ou la conciliation, il trouve toujours le moyen de s'en sortir en sauvant la face.

Bien entendu, cet entêtement et cette sensibilité exacerbée donnent souvent envie de le taquiner ou de le malmener. Ce qui ne fait qu'empirer la situation et provoque sa colère. Mais il ne s'agit pas d'une colère explosive. Plutôt d'une rage rentrée. Pas de crises ou de scènes. Simplement de la fumée qui lui sort par les oreilles.

Le Poissons né dans une année du Cochon a bon cœur, de sorte que ses bouderies ne durent guère. Il éprouve une affection sincère et profonde pour sa famille et ses amis et respecte scrupuleusement ses engagements. Il est diplomate et veille à maintenir la paix. Le Poissons/Cochon sait « manier » les gens difficiles et irascibles. Il est sage et même un peu blasé. On dirait qu'il est plus philosophe que les autres et considère avec indulgence nos caprices enfantins. « Après tout, quelle importance ? » pense le Poissons/Cochon.

Ce qui intéresse le plus ce Cochon, c'est la culture et les conventions. L'histoire le fascine. Contes et légendes de toutes sortes le captivent. Adulte, il reste généralement proche du foyer et épouse une personne de famille et d'éducation assorties. Le Poissons/Cochon ne fait pas de vagues, et ne va pas prendre ses ébats dans les brisants où il pourrait se faire renverser. Ce sujet n'est pas timide. Oh non ! Mais il a le cuir délicat, et il préfère rentrer à la maison par la grand-route, évitant nids-de-poule et caniveaux, frondes et flèches.

Ce sujet bénéficie de sa place finale dans les deux zodiaques. Le Poissons et le Cochon terminent tous deux leur ancien cycle. Résultats ? Le Poissons/Cochon a à la fois la perspective d'un sage vénérable, et l'infortune de se retrouver avec toutes les épaves d'un cycle de douze mois et de douze années. Autrement dit, il se passe beaucoup de choses à l'intérieur de ce sujet riche et amoureux du confort. Mais ce n'est pas toujours appétissant. Le Poissons/Cochon doit consacrer une bonne part de sa vie à trier les débris pour trouver ce qui lui convient.

Le monde accable ce sujet. Souvent, sa lucidité l'oppresse. Il est sentimental et pourtant résigné. Ses parents le déçoivent, et malgré tout il les adore. Amant ou maîtresse sont rien moins que parfaits, et pourtant il les aime passionnément. Les enfants grandissent et quittent le foyer et il est déçu. Que reste-t-il ? L'argent. Le luxe. Les tableaux. La sculpture. Le château. La Rolls. La bibliothèque. Les milliers de phrases musicales que le Poissons/Cochon connaît par cœur. « Peut-être, se dit le vieil esthète, finirai-je peintre du dimanche ? »

AMOUR

Certains accusent ce sujet d'être collant comme de la Sécotine. Il est vrai que le Poissons/Cochon adore la sécurité et qu'il se rattache à la terre par l'intermédiaire de la personne aimée. Sans affection et tendresse constantes et infinies, il a l'impression d'être un naufragé sur une île déserte. Comme il est à la fois hypersensuel et voluptueux, il sacrifiera beaucoup pour conserver l'objet de sa passion. Disons qu'en amour ce sujet reçoit. Je n'ai pas dit qu'il prenait. J'ai dit qu'il recevait. Ce qui signifie que si vous deveniez la tendre moitié de ces têtes de Cochon, vous pourriez débiter pratiquement n'importe quelle ineptie et qu'ils la recevraient avec le sourire. Les Poissons/Cochons perçoivent les besoins, les désirs et les sentiments des autres. Ils aiment rendre service, offrir des présents et s'inquiètent de votre bien-être. Mais réfléchissez à deux fois avant d'abuser de leur bonté, chose qu'ils ne tolèrent pas. Dans ce cas, ou bien ils se détachent de vous intérieurement, ou bien ils vous rendent fou par leur désenchantement. Oh, et il vaudrait mieux que vous aimiez le lit. Les Poissons/Cochons adorent faire l'amour, boire et manger.

COMPATIBILITÉS

POISSONS/COCHON : Les Chats et les Chèvres appartiennent à votre ligue. Ils aiment votre façon de considérer la vie et ils désirent vous plaire. Vous les admirez aussi. Parmi les Chats et les Chèvres, choisissez des natifs du Taureau, du Cancer, du Scorpion et du Capricorne. Pour des rapports plus excitants — mais beaucoup moins stables —, essayez un Cancer/Tigre. Changeant mais fascinant. Quant à vos signes incompatibles, je vous conseille de ne pas envisager l'amour avec un Vierge ou un Sagittaire/Serpent. (Ne fréquentez jamais aucun Serpent si vous pouvez.) Ne cherchez pas non plus à séduire un Gémeaux/Cheval ou un Sagittaire/Singe. Vous perdriez un temps précieux, mieux employé en compagnie d'un gentil natif du Chat ou de la Chèvre.

FAMILLE ET FOYER

Le Poissons/Cochon domestiqué construit son nid avec une ardeur nonpareille. Il promène sa petite queue en tire-bouchon par toute la ville, cherchant tapis, meubles d'époque et lampadaires, jusqu'à ce que tout soit parfait dans les moindres détails. Le Poissons/Cochon est plein d'adresse et de dextérité. Son décor annonce un mode de vie distingué et cultivé. Aucun Poissons/Cochon ne vivra jamais dans une grange, à moins que ladite n'ait été soigneusement restaurée par de petits lutins, qui auront décapé les poutres à la brosse à dents. Ce sujet cherche sans cesse à améliorer son environnement. Qui est toujours parfait.

Les enfants, leur bien-être et leur bonheur l'excitent, l'agitent, l'inquiètent et l'enragent. Si je devais me trouver une « épouse et mère », je mettrais une annonce dans le journal demandant expressément un Poissons/Cochon — sexe indifférent. Ce sujet est fait pour servir et y prend plaisir. Les enfants mangent toujours à l'heure et leurs chaussettes sont toujours reprisées — et non jetées à la poubelle. Pour fonder une famille, à moi un Poissons/Cochon !

L'enfant du Poissons/Cochon vous semblera au premier abord peut-être un peu trop sensible à la critique. Il ou elle ne sera sans doute pas rebelle, mais sera enclin à la malice ou au laisser-aller. Le Poissons/Cochon aime la plaisanterie. Ses blagues seront du genre « surprise ». « Une giclée de chantilly sous la douche ? » Cet enfant restera près de vous dans votre vieillesse. Son hypersensibilité de jeunesse se transformera en fidélité dans son âge mûr. Protégez et cajolez beaucoup ce petit. Sans affection parentale, ce Poissons/Cochon est comme un naufragé perdu en haute mer.

PROFESSION

Ce citoyen solide et équilibré s'adapte à pratiquement toutes les professions. L'important, c'est qu'il choisisse très tôt une carrière, et s'y tienne. En effet, vu ses nombreux talents, il pourrait être tenté de papillonner de l'une à l'autre, ce qui est à éviter. Le Poissons/Cochon a besoin de sécurité. Bien dirigé dès sa jeunesse, il peut trouver et conserver une situation intéressante. Les Poissons/Cochons font d'excellents cadres, et sont scrupuleux dans leurs rapports avec les autres. Ce sont de bons négociateurs, qui voient tous les côtés d'un problème, et sont capables de comprendre différents points de vue. Naturellement, ils sont suprêmement artistes. Ils sont à la fois Poissons et Cochons, après tout !

Ce sujet fera un patron aimable, bienveillant et sociable. Il peut être aussi un excellent second ou assistant du directeur. Le Poissons/Cochon ne convoite pas nécessairement la première place. Il préférerait presque jouer les seconds violons pour s'amuser davantage. Ce sujet est un employé capable, fiable et même inventif — surtout s'il est très bien payé.

Carrières convenant aux Poissons/Cochons : la liste en étant infinie, nous n'en citerons que quelques-unes : restaurateur de tableaux, de meubles, etc., conservateur de musée, assistant de direction, directeur de galerie de peinture, peintre, sculpteur, etc., dessinateur de mode, coiffeur, esthéticienne, styliste, architecte, constructeur.

Poissons/Cochons célèbres : Andrew Jackson, Ed McMahon, André Courrèges.

Achevé d'imprimer le 12 avril 1985
sur presse CAMERON,
dans les ateliers de la S.E.P.C.
à Saint-Amand-Montrond (Cher)
pour le compte des éditions Robert Laffont
6, place Saint-Sulpice, 75279 Paris Cedex 06

Dépôt légal : mai 1985.
N° d'édition : L 369. N° d'impression : 616/391.

LES GRANDES COLLECTIONS CHEZ ROBERT LAFFONT |

Dès l'origine (1941) LA POÉSIE, LE ROMAN FRANÇAIS, L'ESSAI

1945
PAVILLONS

1956
BEST-SELLERS

1958
CE JOUR-LA

1963
LES ÉNIGMES
DE L'UNIVERS

1966
PLEIN VENT

1967
RÉPONSES

1969 • VÉCU
• AILLEURS
ET DEMAIN
• LES PORTES DE
L'ÉTRANGE

1974
• NOTRE ÉPOQUE
• SPORTS
POUR TOUS

1970
LIBERTÉS/2000

1976
LES RECETTES
ORIGINALES

1977
A JEU DÉCOUVERT

1978
LES HOMMES
ET L'HISTOIRE

1979
BOUQUINS

Et, depuis 1974 le

L'ENCYCLOPÉDIE DE DOMINIQUE ET MICHÈLE FRÉMY

Le Quid paraît chaque année avec la rentrée des classes.

Instrument incomparable d'information et de culture, le Quid a pris place dans la vie des Français. 400 000 d'entre eux, chaque année, font entrer le Quid dans leur foyer. Parce que le Quid a réponse à tout, pour le jeu comme pour l'étude et le travail. Le Quid, mis à jour chaque année, est unique, irremplaçable : une véritable institution.